Vergeetboek

Voor Jim, altijd

Ik heb hen laten delen in de grootheid die u mij gegeven hebt, opdat zij één zijn zoals wij: ik in hen en u in mij.
Johannes 17:22-23

Vergeetboek is het tweede deel van een tweeluik.
Eerder verscheen:
Geheimtaal ISBN 978-90-8520-059-8

Dit boek zou ondenkbaar zijn geweest zonder de edelmoedige hulp van mijn nieuwe en mijn oude, trouwe vrienden.

Uit de Belmontwijk in de Bronx:
Robert Lupo, Dominick D'Auria, John DeAngelos, Ida van de snoepwinkel, de twee Vinnies, de winkeliers en bewoners die onze tochtjes door jullie straten tot een waar plezier maakten. *Grazie molto* allemaal.

Ken en Carolyn, dank jullie wel voor jullie herinneringen.
Kelly, mijn danspartner in de Bronx – wat een lol hebben we gehad.
Karen – dank je wel voor je geweldige gebedssteun en vriendschap.
Betty, Kelly, Theresa, Mary en Doug – bedankt voor het lezen.
Kati, Romona en al mijn zusters en broeders in de Heer.

Mijn redacteur Karen Schurter, bedankt voor je oog voor detail en al je ter zake doende vragen. Mijn dank en respect gaan uit naar alle mensen van Bethany House, met wie ik heel graag samenwerk.

Tot lof en eer van zijn naam. Uw koninkrijk kome.

Vergeetboek

Kristen Heitzmann

Vergeetboek / Kristen Heitzmann; [vert. uit het Engels.]

ISBN 978-90-8520-064-2
NUR 340

Vertaling: Connie van de Velde-Oosterom
Foto omslag: Getty Images
Ontwerp omslag: Theresia Koelewijn

In deze uitgave is gebruik gemaakt van 'De werken van William Shakespeare', vertaald door dr. L.A.J. Burgersdijk, 1886, opnieuw uitgegeven door Het Spectrum B.V., 1983. Shakespearecitaten worden aangegeven door dubbele aanhalingstekens.

Uitgeverij Barnabas is onderdeel van Uitgeversgroep Jongbloed
te Heerenveen

www.jongbloed.com

Proloog
1931

Een maanloze nacht is een uitnodiging voor bedrog,
een lege hemel maakt de sterren opgeblazen.

Het gekras van mijn vulpen verstomt als ik mijn ogen opsla naar de koude nacht buiten, die door mijn raam naar binnen glipt. Ik wacht; ik luister. Geen klanken van Kate Smith uit nonno's radio, alleen het schorre gejank van twee vechtende katten en het refrein van de sjirpende krekels. Alleen de versnelde hartslag van de nacht.

Eigenlijk zou ik me behaaglijk in de kussens moeten nestelen om te gaan slapen, het onbestemde gevoel van binnen moeten negeren, maar ik proef een bittere smaak in mijn mond, als verdriet. En papa's woorden laten me niet los. *'Neem nonno mee en verstop je als er moeilijkheden komen.'* Wat voor moeilijkheden, papa? Maar ik ken hun naam.

Arthur Tremaine Jackson. Ogen zonder diepte, als tinnen borden, die kijken alsof hij alles weet en het recht heeft dat te weten. Papa ontkende het niet toen ik dat zei. Hij zei alleen: 'Sommige mensen willen te veel.'

Ik wil niet te veel, alleen wat ik heb. Maar de laatste tijd merk ik, als ik naar een wijnrank vol bloesemknoppen kijk, naar een pad dat ik duizend maal bewandeld heb, naar papa vooral, dat ik bevangen word door angst. Nonna Carina noemde het engelenzicht, dat weten van dingen voor ik ze zou moeten weten. *'Je hebt een gave, Antonia. Wees er niet bang voor.'*

Maar nu ben ik er bang voor, nu de haartjes in mijn nek overeind gaan staan en mijn handen koud worden van bange verwachting. Mijn mond is kurkdroog. De enige keer dat het zo erg was, was toen mama stierf en ik de engel des doods door de gang voorbij voelde gaan. Mijn handen ballen zich tot vuisten bij de herinnering.

Als ik buiten een geluid hoor, spring ik overeind. Banden op de oprit en het geronk van een motor. Ik gris mijn dagboek van tafel – dat mag niemand zien – doe de lamp uit en loop snel naar een van de ramen aan de voorkant van het huis. Er komt een auto aan, maar niet papa's Ford. Hij rijdt voorbij de oprit en verdwijnt tussen de bomen ernaast. De motor stopt, de koplampen gaan uit.

Maar ik herken de vorm van die Packard tweedeurs cabriolet. Aan de passagierskant stapt iemand uit. Hoewel ik zijn gezicht niet kan zien, zie ik hem met doelbewuste stappen bewegen, in de schaduw. De chauffeur stapt uit, bijna onzichtbaar tussen de bomen, maar door het vlammetje van een lucifer in het kommetje van zijn hand vang ik een glimp op van Arthur Jacksons haar, zijn scherpe gelaatstrekken. Terwijl het rode aspuntje opgloeit, leunt hij tegen de bumper en kijkt omhoog. Hoewel ik niet te zien ben achter het donkere raam, doorboort zijn metalen blik me.

Wil hij ons laten weten dat hij daar staat? Dit zou een afspraak kunnen zijn; een ontmoeting met papa misschien. Of zou papa erdoor verrast worden? Mijn hart krampt samen. Ik moet hem waarschuwen!

Maar zijn instructies waren duidelijk. *'Als er moeilijkheden komen...'* Zijn dit moeilijkheden? Zo voelt het wel.

Ik stop mijn dagboek tussen mijn rokband en ren naar beneden, biddend bij iedere stap. Dan naar de kamer naast de keuken, waar nonno slaapt. Ik schud hem wakker en zeg met trillende lippen: 'Kom, nonno. Snel. Er zijn moeilijkheden.'

Zijn ogen schieten open, grijze poelen vol verwarring. 'Moeilijkheden?'

Mijn hart klopt in mijn keel bij het heimelijke klopje op de voordeur. 'Er is iemand. We moeten ons verstoppen. Vlug.' Ik zal eerst nonno in veiligheid brengen en dan bedenken wat ik met papa moet doen.

Nonno zwaait zijn benen over de rand van het bed en brengt ze langzaam, zo langzaam naar de vloer. Ik zoek zijn stok, terwijl hij zijn voeten in zijn schoenen schuift, maar er is geen tijd. Ik sla zijn arm over mijn schouders. Op elkaar leunend lopen we door de keuken, die nog naar warm brood en knoflook ruikt.

De voordeur wordt opengewrikt.

'Opschieten, nonno!' Ik help hem de voorraadkast in en doe de deur achter ons dicht. Ik durf amper adem te halen. Samen vinden we op de tast de weg langs potten met tomaten, jam, ingemaakte paprika's, hele kazen en aan het plafond hangende worstjes. Bij de achterwand laat ik mijn vingers langs de planken glijden. Daar. Mijn vingers glijden in het gat, vinden de hendel en maken de vergrendeling los, die de wand opent.

Ik zal nonno in veiligheid brengen in de kelder. Maar papa zal komen en als hij komt...

Mijn hart maakt een sprongetje van schrik bij het geluid van voetstappen in de keuken, heimelijke, kwaadaardige voetstappen. Ik sluit het wandpaneel achter ons, waardoor er alleen nog een voorraadkast overblijft. Maar in de duisternis aan de andere kant leun ik tegen de muur en luister. Of de insluiper wacht en luistert ook, of hij is doorgelopen. Hij zal het huis leeg aantreffen en dat tegen Arthur Jackson zeggen. *En ga dan weg! Ga weg voor papa thuiskomt.*

In de kelder is geen gas of elektriciteit, dus steek ik de petroleumlamp aan die aan een haak hangt en kijk naar beneden, waar we ons van papa moeten verstoppen. Ik heb het beloofd, maar hoe kan ik me verstoppen als hij misschien thuiskomt en in de val loopt? Ik slik het brok in mijn keel weg. Wat het zwaarst is, moet het zwaarst wegen.

Nonno is te oud om te vluchten, te wankel om te vechten. Ik pak een metalen stang uit de hoek en stop die met het ene uiteinde tussen het raderwerk en het andere tegen de muur. Met mijn handpalmen duw en beuk ik hem klemvast. Zo, niemand zal nonno via deze deur kunnen bereiken.

Met de lamp in mijn hand en nonno zwaar leunend op mijn andere arm loop ik het trapje af naar de kelder, die vol staat met rekken rode Cabernet en Pinot Grigio. De DiGratia-wijnstokken dragen in weerwil van de drooglegging vrucht en nonno staat niet toe dat die verloren gaat. Onze laatste botteling hebben we als miswijn verkocht, maar papa en nonno hebben woorden gehad over de wijnoogst van dit jaar, die gezegend is door extra weken zonneschijn en de afwezigheid van vorst en nattigheid, die rot veroorzaakt.

En dus ligt de wijn te wachten. Papa wil hem niet goedkoop verkopen; nonno weigert een illegale verkoop te overwegen. Hij zegt dat de regering haar dwaasheid wel gauw zal inzien. Papa zegt tegen hem dat regeringen zwelgen in dwaasheid en dat het einde nog niet in zicht is.

Zijn dit de moeilijkheden die hij bedoelde? Had bankdirecteur Arthur Jackson voor onze wijn een lucratievere markt op het oog? Het zou me niet verbazen, maar als hij hier was om de flessen op te halen, zou papa niet gezegd hebben dat we ons in de kelder moesten verstoppen en zou er niet iemand in ons huis ingebroken hebben om op de loer te gaan liggen... *Zet het uit je hoofd. Slechte gedachten brengen ongeluk.*

We stappen het laatste treedje af. 'Kom, non-'

Mijn woorden worden onderbroken door een geluid boven ons hoofd, een kletterend lawaai van scherpe, boze knallen, alsof er knikkers over een tegelvloer rollen. *Papa!* Ik draai me om, maar nonno's greep verstevigt zich. Op zijn gezicht ligt een blik van pijn. 'Nonno, het is papa. Dat moet wel.' Snikken wellen op in mijn keel.

Hij schudt zijn hoofd, trekt mij wankelend en strompelend mee door de kelder. *Papa...* Mijn ogen vullen zich met tranen. Ik moet het weten, maar nonno laat me niet los. In het flakkerende licht vinden we op de tast de weg naar de gewelfde tunnel aan het eind van de kelder en ik snap wat hij van plan is. We zullen er via de andere kant uitgaan en –

'Nonno?'

Hij grijpt naar zijn borst en valt tegen de muur, terwijl hij zijn arm beetgrijpt en door zijn benen zakt.

'Nonno, wat is er?!' Ik zet de lamp met een klap op de grond en pak hem vast. 'Nonno, hou vol. Hou vol, dan haal ik hulp.'

Hij klampt zich aan me vast en hijgt: 'Nee, Antonia. Je mag niet gevonden worden.'

Niet gevonden worden? Wat... Pistoolschoten. Arthur Jackson. De realiteit dringt met verpletterende kracht tot me door.

'Antonia.' Het kost hem te veel moeite om te praten. 'Onder...' Hij zakt in elkaar.

'Nonno?' Ik leg zijn hoofd in mijn schoot en voel iedere moeizame ademteug aan het zwakke rijzen en dalen van zijn borstkas. Zijn oogleden trillen als het gefladder van gescheurde vlindervleugels, en gaan dan dicht.

Boven is er iets vreselijks gebeurd en in mijn armen gaat het verder. *Nonno! Papa!* Maar ik ruik alleen de geur van angst en verdriet, terwijl ik op mijn knieën heen en weer wieg en zachtjes weeklaag.

Tijd bestaat niet in het duister van de kelder, alleen de hartslag van mijn verdriet. Maar langzaam dringt mijn naam tot mij door, niet geschreeuwd, maar op dringende fluistertoon.

Nonno? Zijn hoofd is koud op mijn schoot.

Daar is het gefluister weer en er stapt iemand in het schijnsel van de lamp. Opluchting en verwarring wervelen door elkaar. 'Marco? Wat doe je...?'

'Sst.' Hij hurkt naast me neer, voelt aan nonno Quillans hals om vast te stellen wat ik al weet en ontmoet dan mijn betraande blik. 'We moeten weg.'

'Weg? Ik kan nonno hier niet –'

Hij pakt me bij mijn schouders, zijn donkere ogen staan fel in zijn onverbiddelijke gezicht. 'Je kunt nu niets meer voor hem doen.'

Waar zijn de lachende ogen, de vurige mond? Marco, de zorgeloze vrijer. Wat doet hij hier? 'Hoe ben je hier binnengekomen? Hoe wist je het?' De kelder is het geheim van mijn familie. Hij kan hem niet zomaar gevonden hebben.

'Vittorio heeft het me verteld.'

Had papa het tegen Marco gezegd?

Hij schuift nonno's hoofd van mijn schoot, vouwt de armen over zijn borst.

Nee. Laat hem met rust. Leg hem niet neer als een dode. Ik onderdruk een snik. 'Papa is doodgeschoten. Ik heb het gehoord.'

Hij trekt me overeind. 'Kom.'

'Ik moet hier blijven.'

'Dat kan niet.'

Mijn hand doet pijn als ik hem een klap geef. 'Dat bepaal jij niet.'

Hij pakt me bij mijn arm, maar ik haal weer uit. Marco duikt weg, pakt me zo vast dat ik mijn armen niet meer kan bewegen en sist: 'Hij zal denken dat je het gezien en gehoord hebt.'

'Ik heb het ook gezien!' riep ik. 'Arthur Jackson –'

Hij legt zijn hand over mijn mond. 'Niet zeggen. Zeg tegen niemand wat je weet.' Ik schop en kronkel, maar hij sleept me mee door de tunnel naar de deur, die hij open heeft laten staan. Ik ben nog nooit zo kwaad geweest.

Het dagboek prikt in mijn ribben. Marco klemt zijn armen nog vaster om me heen en duwt me door de deur, die achter ons dichtvalt. Hoe kan hij opeens zo sterk, zo wreed zijn? Ik ruk mijn gezicht los en zet mijn tanden in zijn pols. Ik wil hem pijn doen, met alles wat in me is.

Met ingehouden adem maakt hij zich los van mijn tanden. 'Geloof me, *cara*. Het kan niet anders.'

Hem geloven? Ik ken hem niet, heb deze man die me vastpakt en me dwingt om de mensen die ik liefheb achter te laten, nooit gezien. Stel dat papa het hem niet verteld heeft? Was het Marco, in de keuken?

Ik raak in paniek en verzet me nog heviger. Geërgerd gooit hij me over zijn schouder en neemt mijn schoppende benen in een houdgreep. Het dagboek snijdt in mijn buik, terwijl hij de trap op klimt en in de garage naar boven komt. Ondersteboven hangend glijdt mijn blik over stukken hout, die ooit als afscheiding voor de stallen hebben gediend, gereedschap en emmers en machines. Dan zet Marco me neer.

Zodra mijn voeten de grond raken, haal ik uit en geef hem een schop tegen zijn knie. 'Hoe durf je!'

Met een van pijn vertrokken gezicht grijpt hij naar zijn knie. Ik geef hem een harde duw. Met maaiende armen valt hij achterover.

'Maak dat je wegkomt.' Ik bal mijn handen tot vuisten, in de hoop dat hij niet ziet hoe ik tril.

Marco staat vliegensvlug op als de deur opengaat en Joseph Martino naar binnen glipt. Joseph zal niet van me verwachten dat ik wegga, terwijl nonno... Maar hij kijkt van mij naar Marco en ze wisselen een blik, waarna Joseph nauwelijks merkbaar met zijn hoofd schudt.

'Wat is er?' Wat zeiden ze tegen elkaar met dat hoofdschudden?

Marco strompelt naar me toe. 'We moeten maken dat we wegkomen.'

Ik richt me tot Joseph. 'Nonno Quillan is dood.'

Josephs gezicht vertrekt van verdriet. 'Quillan?'

Ik wijs naar het luik. 'Zijn hart...' Mijn woorden eindigen in een snik. Joseph zal mijn verdriet begrijpen. Hij zal erin delen. Er staan tranen in zijn ogen, tranen in de mijne. Maar nu zie ik bloed op Josephs hand.

Mijn blik gaat met een ruk naar het huis. 'Papa?'
Joseph verspert de weg naar de deur. 'Hij is dood, Antonia. En Marco heeft gelijk. Je moet maken dat je wegkomt.'
Er welt een kreun op in mijn binnenste. Ze zullen papa vinden en een onderzoek instellen. Maar hoe moet het met nonno? Als ze de kelder met de wijn vinden, zullen ze denken dat papa iets verkeerds gedaan heeft, dat hij het verdiende om te sterven.
Maar nonno... Mijn hoofd tolt. Ik heb hem niet kunnen redden. Het verdriet verstikt me, maar plotseling weet ik het. Ik heb zijn leven niet kunnen redden, maar zijn geheim kan ik wel bewaren. 'Ik moet nonno begraven.'
'Doe niet zo stom', blaft Marco, terwijl hij mijn arm pakt.
Ik duw zijn hand weg en zoek de garage af. Mijn blik blijft haken bij de stukken hout. Ik heb de deur van de voorraadkast geblokkeerd, dus nu is er nog maar één ingang. Als ik die blokkeer... 'De kelder zal zijn graf zijn.'
'Antonia...'
Met een boze blik naar Marco pak ik een stuk hout, sleep het naar het luik en wrik het tussen de trap en de onderkant van de vloer. Ik draai me om, maar Joseph staat al naast me met meer hout. Heen en weer, tot we met zijn drieën de laatste stukken hout in de opening persen. Er glinsteren zweetdruppeltjes op Marco's voorhoofd. Ik duw het luik dicht en hoewel de vierkante stenen precies bij de rest van de vloer passen, ben ik niet tevreden. 'En nu zand eroverheen. Zodat niemand het luik ziet.' Zoals een graf, dat begraven ligt onder woestijnzand.
Marco grijpt me bij mijn arm en sist: 'Daar hebben we geen tijd voor.'
Joseph pakt mijn andere hand. 'Alsjeblieft, Antonia. Ga nu.' Hij draait zich om en pakt een schep. 'Ik zal de vloer bedekken. Niemand zal zijn graf verstoren.' Ik ruik zijn angst.
Ik druk zijn hand. 'Beloof het me.'
Hij klemt onze handen tegen zijn hart. 'Met de trouw die ik je nonno Quillan verschuldigd ben, beloof ik dat ik zijn rustplaats zal verbergen en beschermen tot je terugkomt.'
De tranen stromen over mijn wangen, terwijl ik me door Marco laat meetrekken. Zijn Studebaker staat met draaiende motor voor de deur, een groot, grommend beest dat me opslokt als Marco me

op de passagiersstoel duwt, om de auto heen loopt en achter het stuur stapt.

'Waar neem je me mee naartoe?' Mijn stem is gestorven tegelijk met degenen die ik achterlaat.

'Zo ver weg als ik je kan krijgen.' Hij legt zijn arm over de stoelleuning en keert de auto.

Terwijl we over de oprit wegrazen, weg van het enige huis dat ik ooit gekend heb, grijp ik naar mijn maag en voel de lege rokband. Geen dagboek. Marco zal niet teruggaan, dat weet ik. Ik moet het kwijtgeraakt zijn tijdens onze worsteling. Ik druk mijn vingers tegen mijn voorhoofd. Wat maakt het ook uit? Dat leven is voorbij, die Antonia is dood. Zo dood en voorbij als alles wat ik liefheb.

Hoofdstuk 1

Ze zeggen dat de bliksem nooit twee keer op dezelfde plaats inslaat, maar Lance hoopte dat het effect van de eerste inslag nog niet uitgewerkt was bij de vrouw die nu stijf rechtop naast hem in de taxi zat. Die hoop was sterk genoeg om haar mee naar huis te nemen, naar zijn familie, om zichzelf van zijn kwetsbare kant te laten zien; de plek, de mensen die hem gevormd hadden – en hem nog altijd kwetsbaar maakten. Mensen die hij liefhad en nodig had. Hij keek naar Rese. Liefde en afhankelijkheid, gevaarlijke zaken.

Terwijl ze het vliegveld LaGuardia achter zich lieten, verwonderde hij zich erover dat ze een week zonder reserveringen in het hotelletje had gebruikt om hem te vergezellen, maar vooral dat ze hem zelfs maar *wílde* vergezellen. Ze had hem een tweede kans gegeven, maar dat betekende dat hij het deze keer goed moest doen, want anders kon hij het helemaal vergeten. En hoe groot was die kans?

Hij was alleen en in het geheim aan zijn missie begonnen, op aandringen van nonna Antonia. Als dat zijn doel zou zijn gebleven, zou hij zonder Rese naar huis zijn gegaan, maar hij had haar erbij betrokken – of eigenlijk had zij hem daartoe gedwongen. Hoe dan ook – ze waren er nu allebei bij betrokken. En ze zouden geen geheimen meer voor elkaar hebben. Deze keer zou hij alles eerlijk en op de juiste manier aanpakken – of in elk geval zo goed mogelijk. Een wankele basis, maar hij bleef staande. Het verhaal van zijn leven.

Rese keek uit het raam, terwijl ze door Queens reden en toen over de Triborough Bridge de Bronx in, waar de omgeving ronduit lelijk werd. Na in het pretentieuze Sausolito gewoond en alleen maar in de duurste wijken van San Francisco gewerkt te hebben, waarna ze haar eigen huis in de wijnregio Sonoma had gekocht, moest het uitzicht voor haar ongetwijfeld teleurstellend zijn.

Zijn wijk, Belmont, was gereduceerd tot een ouderwetse bezienswaardigheid nadat de kinderen waren gaan studeren, goede banen hadden gevonden en naar de buitenwijken waren verhuisd. Hij was een van de weinige nakomelingen van Amerikanen van Italiaanse afkomst die er was blijven wonen. Tot nonna's verzoek hem naar de andere kant van het land had gestuurd, naar Reses hotelletje. Hoewel het nu leek alsof hij thuiskwam, was dat niet meer zo.

Hij had zijn plekje gevonden in Sonoma, bij Rese... als hij het deze keer niet zou verprutsen. Hij kende haar pas drie maanden, maar vergeleken met zijn ouders was dat lang. Die hadden elkaar op de dansvloer ontmoet, en daar had pap zijn moeder nog diezelfde avond ten huwelijk gevraagd met de gedenkwaardige woorden: 'Ik denk dat we maar moeten trouwen; wat jij?'

Terwijl ze over de Pelham Parkway en Fordham Road verder reden, keek Lance even naar Rese, die nu aandachtig naar de architectuur op Belmont Avenue en Hughes keek, waarna ze over 186th Street verder reden naar het vijf verdiepingen tellende appartementencomplex van zijn familie. Geen tralies voor de ramen, geen graffiti en de stenen en het metselwerk zagen er goed uit, vooral langs het dak.

Met haar geoefende blik merkte Rese het allemaal op, maar hij kon haar gedachten niet lezen. Zag ze dat zijn familie goed zorgde voor het gebouw dat ze al sinds de jaren dertig in bezit hadden? Of zag ze een verpauperde buurt, die zich vastklampte aan het verleden?

De taxi stopte voor de deur en de chauffeur deed de kofferbak open. Lance stapte de stoep op, die zijn stoepkrijt, zijn voetzoekers en – een poosje – zijn sigarettenpeuken gedragen had. Maar het was vooral de plek waar hij en zijn vrienden hadden staan zingen, als ze naar buiten waren gestuurd om iemand anders te gaan vervelen.

'Hé, Lance.'

Hij draaide zich om bij de groet.

Frankie Cavallo hing uit het raampje van een ijscokar, waaruit het deuntje schalde dat kinderen uit de wijde omtrek lokte. 'Wat doe jij in een taxi? Waar is die motor van je, waarmee je mijn muziek overstemt?'

Lance grijnsde. Als aan dat deuntje niet zulke goede herinneringen verbonden waren, zou het pure marteling zijn. Voor iemand die dat de hele dag kon aanhoren en het nog altijd muziek kon noemen, moest je wel bewondering hebben. Waarschijnlijk had hij totaal geen gevoel voor muziek.

Toen Rese uitstapte, trok Frankie zijn wenkbrauwen op. 'O, zit het zo.' Hij knipoogde en reed met een slakkengangetje verder om de kinderen te verleiden tot het kopen van een softijsje, iets waar ze nooit te groot voor zouden worden.

Maar het kwaad was geschied en Lance kon niet voorkomen dat hij aan zijn Harley dacht, in Reses schuur. Hij zuchtte. 'We hadden met de motor moeten gaan. De uitgestrekte weg voor ons, de wind in ons haar –'

'De wind in jouw haar; ik draag een helm.'

Lance tilde haar weekendtas uit de kofferbak en zette hem op de stoep. 'Met Baxter in mijn armen...'

'Dierenmishandeling.'

Zijn rugzak was het volgende. 'Zag je zijn kop toen we hem achterlieten?'

'Die zat begraven in Michelles hand.'

'Ze heeft hem omgekocht.' Arme hond. Lance had met het beest te doen.

'De rit zou te lang geduurd hebben. Ik heb meer te doen.' Rese sloeg haar armen over elkaar.

Zij hadden meer te doen. Hoewel het hem niet verbaasde dat ze dat niet zei. Rese keek alsof ze zo terug zou springen in de taxi, om hem daar achter te laten met de vraag of zijn tijd in Sonoma niet meer was geweest dan een droom – het soort droom waar je zwetend en met wild kloppend hart uit wakker wordt, waarna je je hoofd onder de koude kraan steekt om het weer helder te krijgen. Hij was verliefd geworden op een vrouw die hem misschien nooit meer zou vertrouwen. Dat ze zijn vakkennis nodig had, was het enige wat hem op de been hield.

Hij leunde door het portier naar binnen en betaalde de chauffeur. Toen hij zich omdraaide, zag hij de gespannen trek op Reses gezicht, die zijn blik meteen naar haar mond trok. Hij zou die mond zacht kunnen maken, maar toen Michelle hen onderbroken had door het verloren dagboek van zijn oma te overhandigen, juist op het moment dat hij Rese op de oprit van het hotel had willen kussen, had hij heel duidelijk de waarschuwende hand van de Heer herkend. Deze keer zou hij nergens ongestraft mee wegkomen.

Rese pakte haar weekendtas en sloeg de draagband over haar schouder. Hij zou hem voor haar kunnen dragen, maar zo'n soort meisje was ze niet. Hier, in zijn hartelijke, expressieve buurt, viel ze met haar harde gelaatstrekken en stoïcijnse houding volledig uit de toon. Het had een goed idee geleken om haar mee te nemen, maar dat veronderstelde een talent voor het nemen van juiste beslissingen en een hart dat niet sneller handelde dan zijn hoofd.

En aangezien bijna alles wat hij gedaan had sinds hij Rese ontmoet had, fout was geweest, zat hij toch al in de penarie. Hij had haar geen pijn willen doen, maar de aard van zijn zoektocht had hen tegen elkaar opgezet. Verbazingwekkend hoe je jezelf voor de gek kon houden als je iets zo graag wilde hebben dat het een wrange smaak in je mond achterliet.

En hij had haar pijn gedaan, omdat hij niet geweten had hoe hij de situatie die hij geschapen had, moest oplossen. Ooit zou hij leren om moeilijkheden aan te pakken voordat hij er middenin zat.

De riem van haar weekendtas sneed in haar schouder. Rese had het gevoel dat haar hoofd met ijzeren pinnen aan haar wervelkolom verbonden was. Waarom had ze hiermee ingestemd? Had ze niet geleerd dat luisteren naar Lance haar in een richting leidde die ze nooit had willen gaan?

'Ik moet nonna Antonia laten zien wat ik gevonden heb om haar gerust te stellen. Maar jij hoort daar ook bij, Rese. Ik wil dat ze jou ziet, dat ze weet wat je met het huis gedaan hebt, wat het plan is.' Zoals altijd had zijn idee logisch geleken en nu bevond ze zich aan de andere kant van het land, met een man die ze niet zou moeten vertrouwen, maar die ze niet leek te kunnen weerstaan.

Wanneer zou ze eens nee leren zeggen? Dat was nooit een probleem geweest, tot de donkerogige charmeur haar hotelletje was komen binnenlopen met een gladde tong vol ideeën, die haar eenvoudige plannen ondersteboven hadden gekeerd. En het ergste was dat ze hem zijn gang had laten gaan – net als nu – en dat waarschijnlijk weer zou doen.

Zo was ze eigenlijk helemaal niet. Dit was het verwoestende werk van Lance Michelli. Ze verschoof de tas en keek omhoog naar het roodstenen gebouw – van omstreeks 1935, te oordelen naar de art-decomotieven: witte stenen bogen boven de hoogste ramen, met een opvallende sluitsteen, die duidde op de Maya- en Egyptische invloeden die in zwang waren na de wereldtentoonstelling van 1925 in Parijs.

Hetzelfde witte steenmotief kwam terug in het metselwerk van de bovenste etage en sierde de gevel van de twee middelste verdiepingen. De lagere ramen waren gekroond met een bootvormige kopsteen met dezelfde verlengde sluitsteen, voor de continuïteit. Op de een of andere manier bedierf de metalen brandtrap, die langs de voorgevel liep, het effect niet.

Terwijl hij zijn rugzak op zijn schouder hees, ging Lance haar voor, langs een winkelpui met een luifel, waarop *Bella Tabella* stond, naar een deur met siersmeedwerk. Hij deed de deur van het slot en ze liep achter hem aan door een gang vol fietsen. Er waren scheuren zichtbaar tussen de wanden en het hoge plafond waarlangs in de lengte een geverfde buis liep – een extra afvoerbuis of een reparatie, die op de meest rendabele en minst esthetische manier was uitgevoerd. Reses vingers jeukten. Het oude huis verdiende beter.

Toch waren er ook een paar mooie elementen. De marmeren trap aan het eind van de gang had geometrische patronen op de wentelspil, in overeenstemming met de stijlperiode, en de lampen van Beaumontglas leken authentiek. Met wat liefde en aandacht zou het in prima conditie gebracht kunnen worden.

Maar wat haalde ze zich in haar hoofd? Ze was overgestapt van de renovatiebusiness naar het hotelwezen en daarom had ze Lance nodig en had ze ermee ingestemd met zijn oma te gaan praten om mogelijke obstakels uit de weg te ruimen. Het ging om de Wayfaring Inn. Dat moest ze niet vergeten.

Ze liepen de trap op naar de eerste verdieping. Halverwege de gang, bij de tweede deur, stak Lance weer een sleutel in het slot. Dus dit was zijn huis, het appartement dat hij met Chaz en Rico deelde. Hoewel het niet zo grauw was als sommige stukken van de wijk waar ze doorheen gereden waren, was deze hele omgeving niet wat ze zich bij hem voorgesteld had.

Eenmaal binnen zette hij zijn rugzak in de hoek, gooide haar weekendtas erbovenop en riep: 'Mama! Ik heb hier iemand die ik aan u wil voorstellen.'

Rese verstrakte. *Mama?*

Uit een zijkamer kwam een vrouw de gang in. Met één hand bracht ze haar haar in orde, terwijl ze naar hen toe liep. 'Je had weleens mogen zeggen dat je iemand meenam! Wil je soms niet dat ik er goed uitzie als je me aan iemand voorstelt?'

Hij boog zich naar haar toe en gaf haar een kus op haar wang. 'U ziet er goed uit, mama.'

Meer dan goed. De vrouw was een klassieke schoonheid, met een zandloperfiguurtje, een olijfkleurige huid en schouderlang, kastanjebruin haar, dat hier en daar een streepje grijs vertoonde. Sophia Loren in een jasschort. Reses keel snoerde dicht.

Lance trok haar mee aan haar elleboog. 'Dit is Rese Barrett.'

'Rese?' Zijn moeder trok verbaasd haar wenkbrauwen op.

'Theresa, maar iedereen noemt haar Rese.'

Zijn moeder vroeg haar: 'Therèse de kleine bloem of Teresa van Avila?'

'Gewoon Rese', wist ze uit te brengen. Ze zouden zijn oma, die door een beroerte getroffen was, ontmoeten, uitleggen wat ze met het hotelletje van plan waren, een ondernemingsplan maken. Nu keek zijn moeder haar aan met de verwachtingsvolle blik van een kat voor een muizenholletje.

'Dus jij bent zijn goed bewaarde geheim.'

Nou, die was ook niet subtiel. En zij stond met haar mond vol tanden. 'Het spijt me dat we zo onverwachts komen.'

'Ach, nou ja.' De vrouw sloeg haar armen om haar heen en gaf haar een kus op haar wang. Rese verstijfde toen ze ook nog een kus op haar andere wang kreeg, terwijl ze haar nog nooit eerder gezien had. Daarna zei ze met een boze blik tegen Lance: 'Anders had ik een lekkere maaltijd gepland en me aangekleed.'

Hij grijnsde en Rese zag het kleine jongetje dat hij geweest moest zijn, de jongen die had gelogen, gewoon om te zien of hij dat ongestraft kon doen – en de man die tegen haar had gelogen. Of had hij geheimen bewaard? Hij had haar geen onwaarheden verteld; hij had haar alleen niet alles verteld – net zomin als hij zijn moeder verteld had dat ze zouden komen.

'Hoe is het met nonna? Mag ik naar haar toe?'

'Ze slaapt. Ik kom net bij haar vandaan.'

Hij knikte. 'Ik neem Rese mee naar boven. We komen straks wel terug.' Hij pakte zijn rugzak en zij griste haar weekendtas van de vloer en liep achter hem aan door de gang, naar de trap.

Zodra ze op de volgende verdieping waren, siste ze hem toe: 'Had je haar niet verteld dat ik meekwam?'

Hij zette zijn rugzak neer. 'Om haar te beschermen.'

'Hoe bedoel je?'

Hij deed nog een deur van het slot. 'Als ik haar verteld had dat ik jou meenam, zou ze het hele gebouw met bezemen gekeerd hebben, haar haar hebben laten verven, vijf pond afgevallen zijn en genoeg eten ingeslagen hebben om je een jaar lang te voeden.'

Rese deed haar mond open, maar er kwam geen weerwoord. Ze kon zich niet voorstellen dat iemand zoveel drukte zou maken om haar. 'Nou... ze... ik weet niet eens hoe ze heet.'

'Doria, maar noem haar maar gewoon mama. Dat doet iedereen.'

Rese keek hem boos aan. 'Je had niet gezegd dat ik je moeder zou ontmoeten. Je zei dat we je oma –'

'Dat doen we ook. Maar ik kon je echt niet mee naar boven nemen zonder je aan haar voor te stellen. Frankie heeft je gezien, dus de hele buurt weet het en anders zou mama binnen een uur elf verschillende versies gehoord hebben.'

Rese trok een rimpel in haar voorhoofd. Het ging niet zozeer om wat hij deed, maar meer om hoe hij het deed. Er was geen tijd om het te ontwijken.

Hij duwde de deur open en liet haar binnen in een smalle kamer met een hoog, gepleisterd plafond en een linoleum vloer. Net als in de rest van het gebouw waren de deuren en het houtwerk bedekt met zeventig jaar witte verf, waaronder ze het hout naar adem voelde snakken. Midden in de kamer stonden een donkerblauwe bank en twee beige stoelen en glazen tafeltjes met stalen frames. De moderne schilderijen aan de wand leken origineel, maar niet echt van museumkwaliteit. Dikke rode en beige kleden voorkwamen dat het flatje er hard en koud uit zou zien. En natuurlijk stonden er een drumstel, een keyboard en andere muziekinstrumenten in een hoek.

Haar blik bleef steken bij het keukenblok achter in de kamer. 'Lance Michelli met een mini-keukentje?'

Hij haalde zijn schouders op. 'Ik kook meestal beneden.'

'In de keuken van je moeder?' Ze begon het steeds vreemder te vinden.

'Helemaal beneden. In Bella Tabella, nonna's restaurant.' Hij liep naar het raam, dat uitkeek over de straat. In het raam ernaast zat een ventilator, maar die stond niet aan.

Lance schoof het raam een stukje open en liet de geur van verkeer en asfalt binnen. 'Er is nu niet veel te zien daarbeneden, maar als het restaurant opengaat, staan de mensen buiten in de rij om naar binnen te mogen. Het is dan net een familiebijeenkomst. Hierboven hoor je al het gekibbel en alle sterke verhalen en eigenlijk alles wat er met iedereen gebeurt. Meer dan je weten wilt.'

Je leven letterlijk op straat.

Lance leunde met zijn heup tegen het raam. 'Ben je nog steeds boos?'

'Dat zou ik wel moeten zijn.' Hij had duidelijk geen vorderingen gemaakt op het gebied van communicatie. Met zijn gebruikelijke woordenvloed zou je toch denken dat hij mensen belangrijke dingen als *'Ik neem iemand mee'* en *'Zodra je een stap in mijn buurt gezet hebt, zul je kennismaken met mijn moeder'* zou melden. 'Je had het me moeten vertellen.'

Hij spreidde zijn handen. 'Het wordt een gekkenhuis als het bekend wordt. Ik dacht dat het gemakkelijker voor je zou zijn als de hele bubs niet bij de deur zou staan wachten en elkaar zou verdringen om je als eerste te mogen kussen.'

'Waar moet ik me op voorbereiden?'

'Een stuk of dertig nieuwsgierige mensen. Ik dacht dat je ze liever geleidelijk aan zou ontmoeten.'

Daar moest ze de logica van erkennen. Het enige alternatief zou zijn geweest om haar alles te vertellen en dat ging hem natuurlijk boven zijn pet.

'Ondertussen kun jij je een beetje installeren.' Hij nam haar mee naar de drie deuren aan de achterkant van het vertrek; een slaapkamer die van Chaz en Rico moest zijn, een badkamer en nog een slaapkamer die misschien de zijne was, maar die nu duidelijk door Star gebruikt werd. Op tientallen plaatsen lagen, stonden en hingen felgekleurde beeldjes van tropische kikkers en de rest van de kamer was bezaaid met stapeltjes flinterdunne, kleurige kleren.

'Zo te zien slaapt Star hier. Je kunt bij haar slapen. Ik kruip wel op de bank.'

Ze kreeg plotseling last van claustrofobie. Ze had in haar jeugd heel wat nachten bij Star doorgebracht, maar nooit in zulke kleine kamertjes, of met zijn vijven in hetzelfde appartement. Lange tijd had ze alleen met haar vader in hun huis gewoond en zelfs in het hotel logeerden de gasten boven en waren haar kamers op de begane grond haar privédomein.

Hij keek naar de gang. 'Tenzij je liever bij een van mijn zussen logeert, maar die hebben ook niet veel ruimte over.'

'Wonen die hier ook? Woont je hele familie hier?' Misschien had hij dat wel verteld, maar ze had zich niet gerealiseerd dat ze allemaal onder één dak zouden wonen.

'Monica en Lucy wonen met hun gezinnen op de bovenste verdieping. Sofie woont bij nonna, aan de andere kant van de gang. De twee kamers aan de achterkant zijn voor Dom en Vinnie. Die zijn geen familie, maar hadden een huurachterstand, dus pap heeft ze geholpen.' Hij wees naar een krom vrouwtje met een zwarte sluier, dat in een tuinstoel op de stoep zat. 'Stella woont aan de overkant, maar ze zit liever in de schaduw aan onze kant. Sommige mensen noemen haar Stella de Heks, maar ik heb haar nog nooit zien vliegen, met of zonder bezemsteel. Ze zorgt voor de zwerfkatten in de buurt.'

Rese keek hem aan. Vanaf het moment dat ze uit de taxi gestapt waren, had hij de eigenaardigheden en de manier van praten aangenomen die bij zijn omgeving hoorden, zodat ze zich weer helemaal opnieuw afvroeg wie hij was. Geen wonder dat hij er zo goed in was om mensen voor de gek te houden.

'Op nonna na, die een oogje wil houden op haar restaurant en op alles wat er op straat gebeurt, stoppen we de oudjes aan de achterkant, zodat ze naar de binnenplaats kunnen kijken. Kom, dan zal ik je die laten zien.' Hij pakte de weekendtas van haar schouder en kwakte hem in de slaapkamer, waarna hij haar weer meenam naar de gang. Boven huilde een kind. Ze liepen de trap weer af naar een achterdeur, waar hij twee grendels vanaf schoof om naar buiten te gaan.

Er stond een boom op de binnenplaats. Drie bomen eigenlijk, hoewel twee ervan spichtig waren en geen van de drie veel blad had. Het plaatsje bestond uit een smalle, bestrate ruimte tussen de omringende gebouwen en in een deel ervan waren net zulke tuinbedden aangelegd als Lance in haar tuin bij het hotel had gemaakt.

Ze had geen groene vingers, maar wat erin stond leek meer op groenten dan op bloemen. Duiven pikten rond een metalen bank in de hoek, die naast een plastic zandbak in de vorm van een schildpad stond.

Boven hun hoofd ging een raam open, en een vrouw riep: 'Lance! Zeg Nicky even gedag, zodat hij ophoudt met krijsen en mij zijn veters laat strikken.'

Lance legde zijn hoofd in zijn nek en schreeuwde: 'Hé, Nick. Waarom maak je zo'n lawaai?'

Er verscheen een klein gezichtje in het raam op de derde verdieping en zelfs op die afstand kon Rese hem zien stralen. 'Ik wil met jou spelen.'

'Doe dan je schoenen aan en plaag je moeder niet zo.'

Het raam eronder ging open en een grijsharige man boog zich naar buiten, met een stompje sigaar tussen zijn tanden. 'De pot verwijt de ketel dat hij zwart ziet.' De rook kringelde om zijn hoofd. 'Je moeder is een heilige.'

'Dat is mijn taak.' Lance glimlachte. 'Zorgen dat mama in de hemel komt.'

Rese wendde haar blik af toen de oude man haar zag kijken.

'Wie is dat?' Hij wees met de sigaar, die hij tussen zijn tanden vandaan had gehaald.

'Rese Barrett, mijn zakenpartner.'

'Zaken! Wat bezielt je? Heb je geen ogen in je hoofd?'

'Jawel.'

De oude man schudde zijn hoofd, duwde het stompje weer tussen zijn tanden en sloot het raam. Rese probeerde zich niet voor te stellen wat de rook deed met de verf en het textiel.

Lance draaide zich om. 'Dat was Vinnie, en mijn zus Monica is onderweg naar beneden met mijn neefje. Ze zal proberen hem op mij af te schuiven om jou alle bijzonderheden van onze relatie te ontfutselen.'

Hetgeen een prestatie zou zijn, want die bijzonderheden waren henzelf niet eens duidelijk. Rese keek hem aan. 'Je zei tegen Vinnie dat het een zakelijke relatie was.'

'Wil je daar verandering in brengen?' Hij had haar verzekerd dat hij niet in staat zou zijn haar zakelijke grenzen te respecteren, maar in de twee weken sinds zijn boetedoening had hij zich uiterst keurig gedragen.

'We zijn gekomen om met je oma te praten.' Om dingen te regelen voor Wayfaring Inn, die vroeger het huis van zijn oma, maar nu haar eigendom was. Tenminste, op de akte die ze in haar bezit had. Maar de akte met de naam van zijn oma erop was er ook nog.

'Juist ja.' In zijn glimlach lag een zweempje teleurstelling, maar ze was niet van plan zich daar verantwoordelijk voor te voelen.

De deur vloog open en het kind rende naar Lance toe en wierp zich op zijn benen. Zijn gympen waren netjes gestrikt, maar zijn blonde krullen zaten helemaal in de war. Hij deed een stap achteruit en stompte tegen Lances bovenbeen. 'Ik heb je gemist.' Toen pakte hij zijn benen weer vast en drukte zich tegen hem aan.

'Als je hem hard genoeg slaat, blijft hij misschien een poosje in de buurt.' Monica kwam hoofdschuddend naar buiten.

Lance tilde de jongen op en wees naar zijn borst. 'Sla me maar zo hard je kunt.'

Nicky stompte hem nogmaals.

'Zo kom je nooit in de ring. Je kunt beter gaan studeren.'

Hij woelde door zijn haar en blies in zijn nek. Gillend van plezier kronkelde het kind tot Lance hem op de grond zette. Toen kuste Lance zijn zus en zei: 'Hoe gaat het met je?'

'Ik gooi elke ochtend mijn ontbijt eruit en slaap tussen de middag langer dan Nicky.'

'Wanneer ben je uitgerekend?'

'Over zeven maanden.'

'Wil je dat ik Bobby naar beneden haal om hem te zeggen dat hij niet meer mag rotzooien met mijn zus?'

Ze schoot in de lach, draaide zich om en keek Rese voor het eerst echt aan. Monica was op zijn minst tien jaar ouder dan Lance en de gelaatstrekken die hem zo knap maakten, maakten haar een beetje hard. Maar haar figuur was zacht en goedgevormd en zou duidelijk meer uitdijen in de komende zeven maanden.

Lance gebaarde naar haar. 'Dit is Rese Barrett. Rese, mijn zus Monica.'

Rese stak haar hand uit om haar een hand te geven, maar Monica boog zich naar haar toe en kuste haar op haar wangen.

Nicky wrong zich tussen hen in. 'Ikke ook.'

Rese dacht dat hij ook een kus van zijn moeder wilde, maar toen Monica hem optilde, stortte hij zich op haar en plantte ook kusjes op de vreemde vrouw.

Monica rolde met haar ogen naar Lance. 'Hij lijkt op jou. Hij kust alle meisjes die hij tegenkomt.'

Lance kromp ineen. 'Je wordt bedankt.' Hij zei tegen Rese: 'Je moet niet geloven wat ze hier allemaal zeggen, hoor. Het is allemaal *scherzi*.'

'Het is geen grap.' Monica wreef haar knokkels tegen zijn arm. 'Hij hield het bij op zijn muur.'

'Hé, Nick.' Lance kneep even in de kin van het kind. 'Volgens mij wil mama in de zandbak spelen.'

'Nee, jij.' Nicky deed een uitval naar Lance en zou uit zijn moeders armen getuimeld zijn als Lance hem niet opgevangen had.

'Ja, hoor, kleine verrader. Span maar tegen me samen.' Hij droeg het kind naar de zandbak.

Monica stond een poosje naar hen te kijken en zei toen: 'Hebben jullie al een datum vastgesteld?'

Rese keek haar aan. 'Waarvoor?'

'Wou je zeggen dat hij nog geen aanzoek heeft gedaan?'

Aanzoek gedaan? Een voorval kwam haar zo levendig voor de geest dat ze ervan bloosde: Lance die met zijn handen in zijn zij aan de kant van de weg stond en schreeuwde: *'Wil je met me trouwen?'*

'We zijn zakenpartners. Van een hotelletje, een *bed-and-breakfast* in Sonoma.'

Monica trok een wenkbrauw op, precies zoals Rese zo graag zou willen kunnen. Het drukte tegelijk ongeloof, gebrek aan respect en humor uit.

De kritische blik irriteerde haar. 'Daarover komen we met je oma praten. Het ligt ingewikkeld.'

'Dat geloof ik graag.' Monica keek weer naar haar zoon en haar broer, die in het zand zaten te spelen.

'Hé, moet je nou eens kijken', riep Lance, toen Nicky een kwartje omhooghield. 'Als je er daar genoeg van opgraaft, kun je naar Ida's snoepwinkeltje voor iets lekkers.'

'Hij stopt ze in het zand', zei Monica. 'Dat doet hij altijd. Nicky begrijpt er niks van waarom hij nooit kwartjes vindt als Lance er niet is.'

Rese dacht daarover na. 'Je kunt ze er toch ook zelf in stoppen?'

'En hem verwennen? Dat laat ik aan Lance over.' Monica haalde haar vingers door haar haar. 'Hoe werkt dat partnerschap van jullie?'

Rese probeerde haar gedachten weer bij het onderwerp te bepalen. Ze had nog niet veel tijd gehad om te zien hoe het zou werken. Ze hadden net een plan gemaakt toen ze had ontdekt dat Lance onder valse voorwendselen naar het huis was gekomen, waarna ze hem had weggestuurd. Twee weken geleden hadden ze zich min of meer verzoend en nu maakten ze gebruik van een periode zonder reserveringen om de zaak door te praten met zijn oma. 'Lance kookt en zorgt voor de gasten.'

'En wat doe jij?'

'Ik heb het gerenoveerd. Het huis is van mij.'

'Dus hij werkt voor jou?'

Rese schudde haar hoofd. 'Nee. Ik heb hem compagnon gemaakt.' Hoewel ze minder dan ooit wist wat dat inhield.

'Niet in je mond stoppen, Nicky', riep Monica.

'Zand schuurt de maag', riep Lance terug.

'Pas maar op, anders laat ik jou zandhappen!' Monica stak een vermanende vinger naar hem op. 'Jij mag de tandartsrekening betalen als hij denkt dat hij steentjes kan eten.'

'Ik zei tegen hem dat mensen vroeger hun tanden in een munt zetten om te zien of hij echt van goud was.'

'Als je daar gouden munten vindt, kunnen we allemaal gaan rentenieren.' Ze draaide zich weer om. 'Draag je je haar altijd zo kort?'

Rese voelde aan de rand van het haar boven haar oor. Het kon eigenlijk wel een knipbeurt gebruiken. 'Als je op een bouwplaats werkt, wil je niet dat er iets in de weg zit.'

Monica keek haar nieuwsgierig aan. 'Nou ja, je hebt er de oren voor. Ze steken niet uit.'

Rese raakte even een van de oorlelletjes aan, waar ze door Lances toedoen gaatjes in had laten maken. Eigenlijk had het haar nooit geïnteresseerd hoe haar oren, of wat dan ook, eruitzagen in combinatie met haar korte haar. Het was gewoon praktisch.

Lance liet de peuter in de zandbak achter en kwam weer bij hen staan. 'Weet je nu alles wat je weten wilde?'

'Mama denkt dat je je aanstaande bruid mee naar huis genomen hebt.'

Hij hield zijn hoofd schuin en bekeek Rese van top tot teen. 'Welja. Waarom niet?'

Rese hief haar kin verdedigend omhoog.

Hij zei: 'Wil je met me trouwen?' Zijn vermeende boetedoening was kennelijk in rook opgegaan nu hij weer thuis was.

Ze keek hem kwaad aan. 'Die vraag heb ik al beantwoord.'

Hij keek Monica aan en haalde zijn schouders op. 'Ze wil niet.'

Monica lachte.

Ja, een geweldige mop. Rese was witheet van woede.

Lance pakte haar bij haar elleboog. 'Laten we eens kijken of nonna al wakker is.' Hij liep naar de deur en liet haar voorgaan. Ze beende langs hem heen, maar onder aan de trap trok hij haar opzij. 'Monica is mijn oudste zus. Ze is superbazig en samenzweerderig. Als ze dacht dat ik het meende, zou ze ons geen moment meer met rust gelaten hebben en van alles en nog wat bedenken om ons bij elkaar te brengen.' In de schemerige, smalle gang streelde hij haar met zijn blik. 'Ik kies liever zelf mijn ogenblik uit.'

Hij had vanaf het begin geen ogenblik verloren laten gaan.

'En trouwens, drie maal is scheepsrecht. De volgende keer dat ik het je vraag, zeg je ja.'

Opeens leek alle lucht uit het gebouw te zijn verdwenen.

Hoofdstuk 2

De geur van gekneusde druiven, zwevend in de avondlucht.
Krekels zingen tussen de wijnstokken naar de mist.
Nog een stem voegt zich daarbij, in rugfijne tonen,
de roep van het ene hart naar het andere.

Antonia werd wakker. Dat wilde ze niet. Elke herinnering uit haar dromen was kostbaar en werd met elke droom kostbaarder. Wat een zorgeloze tijd. Wat een vredige dagen en lieflijke nachten – tot de dag dat Marco het pad op was komen lopen, gekleed als een figuur op een foto uit *Vanity Fair*, compleet met gleufhoed met opgeslagen randen, terwijl zijn kromme neus de lucht doorkliefde als de voorsteven van een schip...

Hij heeft de gang van iemand die zijn plaats in het leven kent en die ook inneemt en mijn interesse wordt alleen ingetoomd door mijn onmiddellijke verlangen hem te dwarsbomen.

Hij tikt even tegen zijn hoed en glimlacht naar me. 'Dag. Ik ben op zoek naar Vittorio Shepard. Ben ik hier aan het juiste adres?'

Met een duwtje van mijn voet zet ik de schommelbank op de veranda weer in beweging. 'Vittorio Shepard is mijn vader. Wat wilt u van hem?' Ik klink zelfvoldaan en onbeleefd, maar dan komt nonno Quillan uit de deur.

'Waar is je gastvrijheid gebleven, Antonia? Het is warm. Bied de jongeman iets te drinken aan.'

Jong? Zo jong is hij niet. En ik ben de laatste tijd erg kritisch over papa's metgezellen. Zonder op te staan vraag ik: 'Wilt u iets drinken?'

In zijn arrogantie negeert hij mij, maar richt zich in plaats daarvan tot nonno. 'Vittorio Shepard?'

'Ik ben Quillan Shepard. Vittorio is mijn zoon.' Hij leunt zwaar op de stok met de zilveren knop. 'Hij is aan het werk in de stad, maar hij kan elk moment thuiskomen.' Een zacht briesje tilt nonno's witte haar op van zijn schouders en vult mijn hart met liefde voor hem.

De man loopt naar hem toe en steekt zijn hand uit. 'Ik ben Marco Michelli.'

Ze geven elkaar een hand. Nonno kijkt onderzoekend. Zijn grijze ogen nemen alle details op, waarvan deze Marco niet eens weet dat hij ze prijsgeeft. Maar dan richt meneer Michelli zijn blik op mij en al mijn gedachten vliegen op als kwartels, die opgeschrikt worden in de bosjes.

'Iets kouds zou lekker zijn.' Hij glimlacht.

Ik sta langzaam op en ga naar binnen om mijn plicht te doen. Ik pers citroenen en zoet het sap met suiker. Dan pak ik ijsschaafsel en voeg koud water toe. Ik had hem ook gewoon water kunnen geven, maar ik wil laten zien dat we daar boven staan. Zelfs een zwerver die de oprit op komt lopen kan iets speciaals krijgen van de DiGratia Shepards.

Ik neem het glas mee naar buiten en geef het hem en ga dan weer op de schommelbank zitten, terwijl nonno en de vreemdeling praten over het weer, de economie en de politiek. 'Quillan Shepard.' Meneer Michelli knipt met zijn vingers. 'De dichter?'

Nonno houdt zijn hoofd een beetje schuin. Ik wil vragen wat deze man gelezen heeft, om hem te laten bewijzen dat hij het werk van mijn grootvader kent. Maar dan zou het net lijken of ik geïnteresseerd ben – wat ik niet ben, ondanks de zijdelingse blikken die ik niet kan tegenhouden. Wat heeft hij met mijn papa te maken?

'Antonia schrijft ook', zegt nonno en nu frons ik mijn wenkbrauwen, omdat meneer Michelli me weer aankijkt. 'En ze kan heel lekker koken.'

'U klinkt alsof u me bij opbod wilt verkopen.' Maar zo is hij nu eenmaal, altijd de aandacht van zichzelf afleidend – in tegenstelling tot meneer Michelli, die de aandacht lijkt op te zuigen als uitgedroogde grond.

Zowel nonno als de vreemdeling schieten in de lach en ik moet toegeven dat hij een plezierige lach heeft, geen schater- of bulderlach. Hij stelt een paar beleefde vragen over mijn schrijven, wat nauwelijks meer is dan een dagboek dat ik bijhoud, met gedichtjes, gedachten en verhaaltjes die me te binnen schieten.

Meneer Michelli knikt. 'Dat talent zit dan zeker in de familie.'

'Met welk talent houden u en mijn vader zich bezig?' Een lichte flikkering in zijn ogen wakkert mijn achterdocht aan.

Hij zegt: 'Zaken.'

'Waarom spreekt u dan niet met hem af bij de bank?'

Nonno klakt afkeurend met zijn tong, maar meneer Michelli blijft me recht aankijken en ik vraag me af of ik me dat eerdere knipperen verbeeld heb. 'Mijn opdrachtgever verkiest de anonimiteit.'

Ik kijk hem kwaad aan. 'Iemand uit de onderwereld?'

'Antonia', zegt nonno afkeurend.

'Zou uw vader iemand zijn die ik dan moest opzoeken?'

Ik spring overeind. 'Als u dat moet vragen, dan hebt u hier niets te zoeken. Drink uw glas leeg en verdwijn.'

Hij trekt zijn wenkbrauwen op, maar maakt geen aanstalten om het glas leeg te drinken of de veranda te verlaten. 'Het was uw veronderstelling, juffrouw Shepard, dat ik iemand uit de onderwereld vertegenwoordig. Het maakt mij natuurlijk wel nieuwsgierig naar de reden waarom u dat dacht.'

Ik wrijf met mijn handen over mijn rok, terwijl ik eraan denk dat ik papa de laatste tijd met twijfelachtige mensen gezien heb. En dat hij zich in de privéwereld heeft begeven van iemand die ik absoluut niet vertrouw. Maar daar laat ik niets van merken tegenover de vreemdeling. 'Iemand die eerlijke zaken met mijn vader wil doen, zou hem opzoeken op de bank.' Ik recht mijn rug.

'En waar zou iemand die oneerlijke zaken wil doen uw vader ontmoeten?'

Ik laat mijn adem hoorbaar ontsnappen en bal mijn vuisten. 'U kunt nu wel gaan.'

Hij drinkt zijn glas leeg en steekt het me toe. 'Dat was heel lekker, dank u.'

Ik neem het aan met precies het gevoel van ondergeschiktheid dat hij beoogde, weet ik. 'Zoek maar iemand anders om uw vuile werk op te knappen. Mijn vader is niet te koop.'

Terwijl Lance op de deur klopte, bereidde Rese zich erop voor om de vrouw te ontmoeten wier geheimen hem naar de villa gebracht hadden. Nonna Antonia, zijn oma. Aangezien hij de doos met de dingen die hij voor haar gevonden had, niet bij zich had, zou hij daar nu waarschijnlijk niet over beginnen, maar de ontmoeting op zich zou al spannend genoeg zijn.

Lance duwde de deur een stukje open. 'Nonna?'

De vrouw in de stoel was ooit heel knap geweest; dat zag Rese, ondanks de misvorming door de beroerte. Haar handen zagen er broos uit, maar niet krom door artritis of iets dergelijks, want de bleke vingers waren dun en zacht. Haar haar was naar achteren gekamd in een knot, die haar grote neus, geprononceerde jukbeenderen en spits toelopende kaak scherp aftekende – gelaatstrekken die Lance ook had, hoewel ouderdom en ziekte de hare verscherpt hadden.

Haar zachte, blauwe ogen zagen alleen Lance. Hij liep naar haar toe, kuste haar en hield haar net iets te lang vast, alsof zijn oma's armen hem het gevoel gaven dat hij op haar schoot wilde kruipen en daar wilde blijven. Op de een of andere manier was het helemaal niet onmannelijk. Rese bleef een beetje achteraf staan, beseffend dat dit moment alleen voor hen was, maar zodra hij haar losliet, wendde de oude vrouw zich tot haar.

'W-wie?'

'Nonna, dit is Rese.' Lance stak zijn arm uit en trok haar dichterbij.

'Comé bella.'

Rese pakte de hand die in haar richting zwaaide, met een huid die aanvoelde als afgevallen blad. Ze wist niet hoe ze moest antwoorden, omdat ze de groet niet verstaan had, maar ze wilde het haar niet laten herhalen.

'Dat betekent "wat mooi"', zei Lance.

Geen wonder dat ze het niet verstaan had. Het was Italiaans.

De vrouw tilde haar andere hand op om allebei Reses handen vast te houden. 'K...om eens hier.'

Rese probeerde niet terug te deinzen toen de bleke ogen haar opnamen. Misschien zag ze niet zo goed meer, want de vrouw trok haar steeds dichterbij. Ze beroerde haar wangen met haar papierachtige lippen en maakte toen een kruisje op haar voorhoofd met haar duim, waarna ze daar ook een kus op drukte.

Rese trok zich langzaam terug, vreemd ontroerd door dat gebaar en lang niet zo opgelaten als ze bij de anderen geweest was. Misschien begon ze eraan te wennen, of misschien verleenden de ouderdom en de waardigheid van dit gekrompen vrouwtje een bepaalde betekenis aan het gebaar.

Lance zei: 'Dit is mijn nonna Antonia, Rese. Het was haar opa, die ik begraven heb.'

Rese knikte. 'Aangenaam.' Deze vrouw was dus opgegroeid in de villa die Rese net gerenoveerd had. De vrouw voor wie Lance had willen liegen en bedriegen. Ze schudde die gedachte van zich af. Nu ze hen zo samen zag, zag ze iets van de band die hem gedreven had. Ze zag het, maar begreep het niet.

Of wel? Beelden van haar eigen moeder en de intense liefde die ze voor haar gevoeld had, vulden haar gedachten. Had ze niet alles gedaan om haar te beschermen, zelfs liegen tegen haar vader? Daar wilde ze nu niet aan denken. Er moesten beslissingen genomen worden over haar moeders verzorging, maar niet nu, niet hier.

De deur ging open en er kwam een jonge vrouw binnen, slanker en knapper dan Monica, maar met voldoende gelijkenis om een familieband te vermoeden. 'Non –' Ze zweeg. 'Lance!' Ze zette haar aktetas neer, liep naar hem toe en vloog hem om de nek, een eerlijke omhelzing, zonder kussen op de wang. Ze leken ongeveer even oud, maar haar gezicht was vol van een levenslust en intelligentie, die Rese niet gezien had bij Monica.

Lance hield haar een stukje van zich af en bekeek haar eens goed. 'Hoe gaat het ermee?' Er lag een zachtheid in zijn stem, die er niet geweest was bij zijn oudere zus.

Ze hield haar hoofd iets schuin en haalde haar schouders op.

'Sofie, dit is Rese.'

En plotseling realiseerde de zus zich dat zij er was. Ze draaide zich om. 'Dag. Sorry. Ik was helemaal verbaasd dat ik Lance zag.' Ze stak haar hand uit.

Rese drukte hem stevig. 'Aangenaam.'

'Verpleegster of therapeute?'

Rese keek verbaasd, maar Lance zei: 'Ze is met mij meegekomen.'

Haar wenkbrauwen schoten omhoog. 'O.' Toen kwamen de kussen, een op elke wang. Rese verbeet een lach. Tot dusverre was Lance de enige die haar niet gekust had. Het zou misschien makkelijker zijn geweest om het allemaal in één keer af te handelen. Maar ja, dit was ook wel leuk.

Sofie bukte zich en kuste Antonia. *'Comé stai?'*

'Bene, cara.' Ze leek zonder hakkelen en slepen Italiaans te spreken.

'Hebt u iets nodig?'

'Nee, *grazie.*'

Sofie kwam weer overeind. 'Vertel me alles. Weet mama het al?'

Lance schoot in de lach. 'Ik zou nog maar geen plannen gaan maken, als ik jou was.'

Sofie keek haar aan. 'Houdt hij het tegen?'

Je kon veel zeggen van Lance, maar dat nou net niet.

'We zijn zakenpartners', zei hij.

'Zaken?'

'Zaken.' Hij nam haar aandachtig op. 'Zitten je colleges erop voor de zomer?'

'Nee, het gaat de hele zomer door. Het houdt nooit op.'

'Sofie is bezig met haar doctoraalscriptie over gedragsstoornissen.'

Rese knikte. 'Dat is niet niks.' En precies het soort hersenarbeid waar zij zich nooit mee beziggehouden had, tot voor kort, toen ze haar moeders kwaal – en mogelijk de hare – probeerde te begrijpen.

'Het is pittig.' Sofies gezicht betrok, terwijl ze haar openhangende blouse uittrok en over een stoelleuning hing en in haar mouwloze shirtje naar het raam liep. Ze schoof het raam, dat op de straat uitkeek, open. 'Wat is mama aan het maken?'

'Ferragosto.'

'Mama mia!' Lachend zei Sofie tegen haar: 'Ferragosto is het straatfeest van Belmont. Met operamuziek, volksdansen, clowns en eten, heel veel eten. Mama zal waarschijnlijk iets maken wat daarmee te vergelijken is, voor jou.' Toen zei ze tegen Lance: 'Je kunt haar maar beter gaan helpen.'

'Ik heb vakantie.'

'Dan mag je niet klagen.'

'Doe ik dat dan?'

Sofie snoof. 'Elke dag van je leven.'

Lance wees met zijn kin naar Rese. 'Zij is niet zo kieskeurig.'

'Daarom houdt ze het met je uit, zeker?' Sofie gaf hem een duwtje.

'Ongetwijfeld.'

Met een zucht pakte ze haar aktetas op. 'Nou, het was leuk om je te ontmoeten, Rese. Nu moet ik gaan studeren.' Ze liep een achterkamer in en deed de deur achter zich dicht.

Rese keek weer naar de oma, die weer, of nog steeds, naar haar keek.
Lance zei: 'Nonna, we moeten praten.'
'L...ater.' Ze tilde haar hand op en liet hem weer vallen.
Hij pakte de hand in de zijne. 'Nonna...'
'N...iet nu.'
Hij bracht haar vingers naar zijn lippen. 'Goed. Kan ik iets voor u doen?'
'Dat h...eb je al ged...aan.'

Antonia trilde toen de deur achter hen dichtging. Waarom wilde Lance het niet laten rusten? Ze wilde zijn vragen niet beantwoorden. Het was genoeg dat nonno Quillan nu begraven was. Ze had gedaan wat ze kon. Alles wat ze kon. Ze kon het verleden niet veranderen. Dat kon ze niet...

Ik staar naar het briefje, ontsteld door zijn vrijpostigheid.

Beste juffrouw Shepard,
Ik ben bang dat we een valse start gemaakt hebben. Aangezien uw geachte grootvader, Quillan Shepard, enigszins welwillend tegenover mij schijnt te staan, hoop ik dat u mij de kans wilt geven mijn spijt te betuigen over mijn onbeleefde opmerkingen. Wilt u mij deze avond ontvangen?
Met vriendelijke groeten,
Marco Michelli

In mezelf mompelend loop ik met grote stappen naar de secretaire en gris er een velletje briefpapier uit. Met de fijne vulpen die nonno me nog maar een paar dagen geleden gegeven heeft, schrijf ik:

Beste meneer Michelli,
Over mijn nonno hoeft u zich geen zorgen te maken. Hij is erg vooruitstrevend en tolerant. Het is mijn papa, die u zult moeten overtuigen, en aangezien hij net zo kritisch is als ik, geef ik u weinig kans.
Met vriendelijke groeten,
Antonia DiGratia Shepard

De jongen die het eerste briefje gebracht heeft, neemt mijn antwoord mee, hoewel meneer Michelli ook de telefoon had kunnen pakken om mijn weigering rechtstreeks te kunnen horen. Dacht hij soms dat zijn formele, ouderwetse methode indruk op me zou maken?

Maar even later komt de auto weer terug en de jongen geeft me mijn eigen briefje terug. Ik kijk verbaasd, maar zie dan tot mijn ergernis dat Marco Michelli zijn antwoord achterop gepend heeft.

Bella Antonia,
Op die taak ben ik wel berekend, dat verzeker ik je. Ik kom vanavond om acht uur.
Je vurige bewonderaar,
Marco Michelli

Vurige bewonderaar? Hij steekt de draak met me. Ik kijk op om een verbaal en veel minder fatsoenlijk antwoord te geven, maar de jongen is al in de auto gestapt en rijdt net weg – ongetwijfeld zoals hem opgedragen is. Ziedend van woede neem ik het briefje mee naar boven.

Bella Antonia. Vurige bewonderaar. Ik heb zijn eigendunk niet overschat. *Bene.* Ik zal hem om acht uur ontvangen en hem van repliek dienen. Tegen die tijd zal papa ook thuis zijn en samen zullen we meneer Michelli wel een toontje lager laten zingen.

Maar papa is nog niet thuis als om acht uur Marco Michelli arriveert in dezelfde olijfkleurige Studebaker Dictator, waarin zijn boodschapper eerder reed. Ik heb nonno de polenta gegeven, die hij zo lekker vindt, en heb hem naar zijn kamer gebracht, omdat hij minder stabiel wordt naarmate de dag vordert en de oude verwondingen in zijn been hem pijn gaan doen. Nu moet ik Marco Michelli alleen onder ogen komen en dat is nog beter. Niemand zal me dwingen om beleefd te zijn.

Maar als hij uit de auto stapt met een boeketje viooltjes in zijn ene hand en zijn mandoline in de andere, kost het me de grootste moeite om kwaad te blijven. Hij komt naar de veranda en biedt me de bloemen aan, die ik zonder erbij na te denken naar mijn neus breng. *Zoete viooltjes, zoeter dan alle rozen...* Het deuntje blijft in mijn hoofd zitten en maakt me vrolijk. Als hij een groot, opzichtig boeket had meegebracht, had ik het minachtend afgewezen.

Hij zegt: 'De belvédère zou een prachtplekje zijn om te zitten.'
Ik haal mijn neus uit de viooltjes. 'Hoe weet u van de belvédère?'
'Dat stelde je papa voor. Toen hij mij toestemming gaf om je te bezoeken.' Hij glimlacht.
De brutaliteit! Als hij zijn elleboog uitnodigend uitsteekt, steek ik mijn arm erdoor. 'Dus u heeft uw zaken met papa afgehandeld?'
'Ik heb een beginnetje gemaakt.'
'Op de bank.' We lopen om het huis heen.
'In de stad.'
De tweedstof van zijn jasje voelt ruw aan onder mijn vingers. Ik had zelf ook iets moeten aantrekken. Buiten de beschutting van de veranda is de avond kil. 'Waarom moet het zo geheim zijn?'
'Niet iedereen in dit land is arm, juffrouw Shepard. Maar met zoveel mensen die lijden, handelen sommige mensen met een smak geld hun zaken liever in stilte af.'
Ik kijk op. 'Hebt u het nu over uzelf?'
Hij legt zijn hoofd in zijn nek en schiet in de lach. 'Ik neem niet aan dat u op mijn geld uit bent, want dan kunt u beter ergens anders zoeken.'
'Uw geld kan mij niets schelen.'
'Of mijn gebrek daaraan.'
Het pad slingert zich tussen de kruidenbedden door, langs de garage die ooit een koetshuis was, naar de belvédère, die uitkijkt over de wijngaard, nu een tiende van het oorspronkelijke oppervlak. We mogen blij zijn dat we volgehouden hebben toen de ooms en neven en buren alles verkocht hebben of het land overgedragen hebben aan de bank en naar de stad verhuisd zijn. Veel van hen werken voor de conservenfabriek; sommigen doen klusjes voor de eigenaar. Daar doet papa tenminste niet aan mee, hoewel hij meer dan eens uitgenodigd is.
Met zijn hand onder mijn elleboog helpt Marco me het trapje op. Er valt iets te zeggen voor een man die iets ouder is dan de onattente jongemannen die langskomen. Aan drie kanten van de belvédère staan bankjes, maar ik ga bij de reling staan, die aan de westkant uitkijkt over de velden.
Marco haalt de mandoline van zijn rug en legt hem op een bank. Dan doet hij zijn jasje uit en legt het over mijn schouders. *'Meglio?'*

'Ja, beter, dank je.' Mijn hart gaat tekeer in mijn binnenste. Hoewel zijn donkere tint op een zuidelijke *paesano*-afkomst duidt, is hij lang en goedgebouwd, met een Romeins voorkomen. Ik ben voor driekwart Italiaans en als hij de taal gebruikt die ik op nonna Carina's schoot geleerd heb, heeft dat een verwoestend effect op mijn besluit om hem hooghartig af te wijzen.

En als hij de mandoline oppakt en 'Che Gelida Manina' uit *La Bohème* zingt, weet ik dat de belvédère nooit meer gewoon een houten tuinhuisje zal zijn; het zal voor altijd de klanken vasthouden die hij de avond inzendt en die mijn hart veroveren, zoals hij van tevoren wist.

Lance trok gefrustreerd de deur van nonna's appartement achter zich dicht. 'Die is koppig, zeg.'

Rese keek op. 'Hoezo?'

'Ze wil me niet laten vertellen wat ik weet, wat ik gevonden heb.'

'Ik dacht dat ze wilde dat je dat zou vinden.'

Hij slaakte een zucht. 'Dat dacht ik ook.' Maar hij begon te vermoeden dat hij leed aan een kwaal waardoor hij niet meer kon begrijpen wat er van hem verwacht werd.

In de schemerige gang stak hij de sleutel in het slot van zijn eigen appartement. Van boven klonken de stemmen van zijn nichtjes en neefjes, opgewonden door het begin van de vakantie. Ze maakten zijn zussen ongetwijfeld gek. Beneden klonk 'O Mio Babbino Caro' uit *Gianni Schicchi* uit zijn moeders geluidsinstallatie. Ze luisterde niet altijd naar operamuziek, alleen als ze in haar rol van Italiaanse moeder schoot, wat nu werd veroorzaakt doordat hij een meisje mee naar huis had genomen.

'Is het hier altijd zo lawaaierig?' zei Rese.

'Dit stelt niks voor.' Het kon erger en in de tijd van zijn ouders, voor de airconditioning, toen alle ramen openstonden, was het nog erger geweest.

Hij pakte de deurknop beet, maar draaide hem niet om. Terwijl hij daar stond, met de klanken van Puccini's opera die door de vloer heen kwamen, wilde hij Rese in zijn armen nemen en haar kussen tot ze geen adem meer over zou hebben. Waarom hield hij zich eigenlijk in? *'Comé bella'*, had nonna gezegd, waarmee ze niet alleen een open deur intrapte, maar ook haar goedkeuring gaf.

Hij nam haar gezicht in zich op – bruine ogen met volle wimpers zonder mascara; wangen die net zo zacht aanvoelden als ze eruitzagen; een krachtige, vastberaden kin die een mond ondersteunde die zo... Hij boog zich naar haar toe, maar er klonk een gil van de trap aan het eind van de gang, seconden later gevolgd door een stormloop van bleke ledematen en rossige krullen. Rese draaide zich om om Stars omhelzing op te vangen.

Lance en Rico haakten hun vingers ineen en tikten hun vuisten tegen elkaar. 'Hé, *man.* Goeie timing.' Hij liet hen allemaal binnen in het appartement.

Rico floot toen Star Rese haar kamer introk. 'Jij hebt meer levens dan een kat.'

'Echt niet.'

'Je loopt op water, *mano.*'

Lance keek even naar de slaapkamer. 'Als ze me niet nodig zou hebben in het hotel, zou ik nu nergens meer zijn.'

Rico legde een boek op tafel en Lance las de titel. *Geliefde sonnetten?*

Rico las zijn gedachten. 'Star houdt van Shakespeare. Ik lees haar voor in het park.'

Lances mond viel open. 'Kun jij lezen?'

'Heel grappig.'

'Nog altijd platonisch?'

Rico grijnsde.

'Ga weg.'

Hij spreidde zijn handen. 'Ik ben een nieuw mens.'

Lance zag Star weer voor zich met blauwe plekken van de vriend die 'haar niet kon laten gaan'. Dat was nog maar een paar weken geleden. Niet veel later waren zij en Rico een platonische relatie begonnen, zoals hij nog nooit gehad had. Er waren problemen, vooral bij Star, maar Rico leek die niet te zien. Hij had de waarschuwing om haar niet lastig te vallen opgevat als een heilig decreet, hoewel Lance alleen probeerde Star door een moeilijke periode heen te helpen. Hij had niet verwacht dat Rico – die zijn leven op twee plekken doorbracht, achter het drumstel en in de slaapkamer – dat voor onbepaalde tijd zou volhouden.

Maar wie was hij om daarover te oordelen? Misschien kwam het alleen omdat Tony er niet was om het te doen. Hier in de stad was

Tony's afwezigheid een gapende wond. De torens waren al te lang-geleden ingestort om dat nog zo sterk te voelen. Maar Lance had zijn grote broer graag de vrouw willen laten zien die hij mee naar huis genomen had. Hij had graag tegen hem willen zeggen: *'Deze vrouw zal me niet in de problemen brengen; zij maakt een beter mens van me.'* En dat was een hele prestatie, gezien zijn neiging om alles te verknallen.

Zijn keel zat dicht toen hij zich indacht hoe hij haar aan Tony zou hebben voorgesteld. Geen enkele introductie zou zoveel voor hem betekend hebben. Hij stelde zich Tony's gezicht voor, zijn talent om iemands karakter te doorgronden. Hij zou het gezien hebben, die bijzondere eigenschap in haar, die een blijvende uitwerking op hem had.

'Dit is het, Tony. Ik weet het zeker.'

'Verknal het dan niet.'

'Dat zal ik niet doen.' Een golf van verlangen sloeg door hem heen, niet van verleiding, maar van honger in zijn ziel. Toen Rese en Star uit de slaapkamer kwamen, moest hij zichzelf eraan herinneren dat ze alleen ingestemd had met een zakelijke relatie, plus nekmassages. Zijn familie zou veronderstellen dat er meer was, dat hij haar niet meegenomen zou hebben als ze niet belangrijk voor hem was. Ze zouden zien wie ze voor hem was.

En Rese zou zien wie hij was. Tot nu toe leek ze in een shocktoestand te verkeren. Hoewel ze opgegroeid was op de bouwterreinen van haar vaders renovatiebedrijf en zich tot zijn compagnon had opgewerkt, waren het renovaties aan dure huizen geweest, en Sausolito was niet de Bronx.

Stars doorzichtige jurk fladderde om haar lijf toen ze naar de kleine koelkast vloog. Ze bewoog zich door het flatje alsof ze er al langer was dan tweeënhalve week. Maar ja, ze had zich in Sonoma ook meteen geïnstalleerd. Ze pakte een blikje frisdrank. Veel meer stond er ook niet in, omdat ze elke dag inkopen deden bij de winkels in de buurt.

Hij wilde er niet aan denken wat mama allemaal ingekocht zou hebben voor vanavond. Hij had een grapje gemaakt over Ferragosto, maar mama zou zeker iets klaarmaken – veel klaarmaken. Helaas had kwantiteit zijn behoefte aan kwaliteit nooit kunnen bevredigen, zoals Sofie ooit gezegd had – een van de redenen dat hij nonna's kookkunst verkoos boven die van alle anderen.

Niet, zoals mama dacht, omdat hij nonna's verachting voor alles ten zuiden van Piemonte had geërfd, maar omdat iedere keuken bedorven kon worden en omdat in hun huis de zuidelijke kost vaker op tafel stond. Mama was een geweldige danseres en een uitstekende lerares, maar in haar keuken ging ze te werk als een bouwvakker, onbehouwen met kruiden, misschien ter compensatie van de zware sauzen, de kleverige pasta's en de gnocchi die als een steen op je maag lagen. In de keuken kon ze de verfijnde stijl gewoon niet vinden, die ze op de dansvloer tot in de puntjes beheerste.

Als nonna zichzelf was, zou ze het restaurant gesloten hebben met een bordje in de etalage waarop stond: *Familie-avond*. Dan zou ze de ruimte gevuld hebben met de fijnste aroma's en Rese verwelkomd hebben met ruime porties van perfect bereide *coscia di aguello*, lamsbout ingesmeerd met in knoflook en olijfolie gedoopte bosjes rozemarijn en *coniglio in porchetta*, gevuld konijn geurend naar wilde venkel. Risotto en polenta erbij, maar nooit overheersend. Nonna's restaurant was het enige Noord-Italiaanse restaurant in de buurt en ze had het uit zelfverdediging geopend.

Nu was het voor onbepaalde tijd gesloten, tot iemand besloot wat ze ermee zouden doen. Hij leunde tegen de muur en keek naar Star en Rese die stonden te praten, waarbij Star haar hart uitstortte en Rese rustig antwoord gaf. Ook al wist hij nu het een en ander over hun achtergrond, het verbaasde hem dat ze vriendinnen waren gebleven. Hij en Rico hadden weliswaar hun meningsverschillen, maar ze hadden dezelfde straten, dezelfde scholen en hetzelfde geloof gemeen. Tussen Rese en Star kon hij het raakvlak maar niet ontdekken, tenzij het was dat ze allebei iemand nodig hadden gehad.

Rico stompte tegen zijn arm. 'Zin in een potje handbal?'

Lance haalde zijn schouders op. Hij nam aan dat de vrouwen nog wel een poosje aan het bijpraten zouden zijn en wist dat Rico makkelijker praatte als hij in beweging was. In het park was een sportveldje, maar hij en Rico gingen naar buiten en speelden tegen de muur met een oude bal. Toen de rest van de wereld de spelcomputer ontdekte, hadden hij en Rico nog buiten gespeeld met afgezaagde bezemstelen als hockeysticks en krijtjes om een speelveld te tekenen of niets dan hun handen en een bal.

Rico pakte de bal. 'Juan is terug.'

Hij had het eerst vreemd gevonden dat Rico zijn vader Juan noemde, maar het gebrek aan contact en de korte tijd die ze onder hetzelfde dak doorgebracht hadden, verklaarde dat. Dit was zijn familie; dit was zijn huis. Dat had hij al in de gaten voor hij naar de middelbare school ging.

'Wanneer is hij vrijgekomen?' Lance gooide de bal hard en hoog terug.

Rico rende achter de bal aan en gooide hem toen rustig terug. 'Een of twee weken geleden. Dat weet ik niet precies.'

'Voorwaardelijk?'

'Er zijn maar twee mogelijkheden bij die man. Achter de tralies of voorwaardelijk vrij.'

Lance gooide weer. 'Heb je hem al ontmoet?'

Hoewel het huis van zijn ouders maar een paar kilometer verderop stond, schudde Rico zijn hoofd. Raar eigenlijk, hoe hard Rico kon zijn in zijn oordeel, hoewel hij zelf ook een paar keer achter de tralies zou zijn beland als Tony dat niet voorkomen had. Maar dat zei Lance niet. Ze speelden een poosje fanatiek verder. Met zijn gedrongen bouw was Rico snel en slim. Hoewel hij zelf ook niet groot was, overtrof Lance hem in kracht en conditie.

Aan het eind van het potje pakte Rico de bal. 'Wat is de echte reden voor je komst?'

Lance strekte zijn hand en balde hem tot een vuist. 'De dingen die ik met nonna in orde moet maken, raken Rese ook. Ik wilde haar meenemen om –' De uitdrukking op Rico's gezicht deed hem zwijgen. 'Wat?' Hij hield zijn hoofd schuin. 'Ik hoef haar niet te laten goedkeuren. Dit is Napels niet.'

'Dat zou het best kunnen zijn, met je Napolitaanse familie.'

'Napolitaans, Calabrees, Piemontees en, zoals ik onlangs ontdekt heb, voor een deel puur Amerikaans.' Zijn betovergrootvader Quillan Shepard had geen druppel Italiaans bloed.

'En jij de gehoorzame zoon.'

'Zeg dat maar eens tegen pap. Hij vindt mij de mislukkeling.' Hij zuchtte. Hij was gekomen om nonna op de hoogte te brengen en haar instemming te vragen met hun plannen voor het hotel. Hoewel hij pas drie maanden geleden voor het eerst voet in het huis had gezet, had hij zich er vanaf het eerste moment toe aangetrokken gevoeld. Hij hield van deze buurt, van alle familie en vrienden en tradities die hem bijzonder maakten. Maar nonna's wortels lagen in Sonoma en daar was hij tot rust gekomen.

Hoofdstuk 3

Zijn aanwezigheid heeft een lieflijk effect op mijn geest,
alsof hij daar hoort.
Mijn hart is het, dat hij strikt en verslaat,
mijn hoop die hij blootlegt.

De volgende keer dat Marco komt, ben ik voorbereid. De eerste keer wist ik niet hoe moeilijk het zou zijn om weerstand te bieden, maar nu weet ik het wel en als hij voorstelt om naar de belvédère te gaan, zeg ik: 'Ik blijf liever op de veranda zitten.' Ik breng de schommelbank in beweging, totdat hij zo dichtbij komt dat ik of zijn knie zal raken of moet stoppen.

'Mag ik?' Voor ik iets kan zeggen, gaat hij naast me zitten. De schommelbank protesteert met een zacht gekraak, maar hij besteedt er geen aandacht aan en zegt alleen: 'Dit is ook een prachtplekje.'

Hibiscus en wilde rozen geuren in de lucht, nu vermengd met een vleugje van zijn pommade, die hij kennelijk met mate gebruikt, want zijn haar wordt er amper door getemd. 'Ben je altijd zo vrijpostig?'

'Neem de handschoen niet op als je de ring niet kunt betreden.'

Ik hef mijn kin op. 'Is dit een gevecht?'

'Het is maar een gezegde, Antonia. Hofmakerij is een serieuze zaak.'

Ik duw de schommel naar achteren. 'Hoe kom je erbij dat wij elkaar het hof maken?'

Hij glimlacht. Ik wend mijn gezicht af, voordat het zijn volle uitwerking op me kan hebben. Ik heb zijn glimlach geanalyseerd in mijn dromen, nagedacht over de sterke, witte tanden, niet zo recht dat ze vals lijken; de volle, zachtpaarse lippen, die tegelijkertijd laconieke humor en gedrevenheid laten zien en een zweem van een baard, die nauwelijks verjaagd is door het scheermes.

Papa bespaart me een reactie door zich bij ons op de veranda te voegen. Nu zullen we eens zien hoeveel lef Marco heeft. Hij staat op en geeft papa een hand en ik voel spanning tussen hen, maar dat is normaal bij vrijers en vaders.

'Als u tijd gaat doorbrengen met mijn dochter, moeten we denk ik eens praten.'

Marco knikt. Ik bepaal zelf wel met wie ik tijd doorbreng, maar als ik nu iets zou zeggen, zou dat een knock-outslag zijn voor de bel van de eerste ronde geklonken heeft. Ik kijk hen na als ze het trapje aflopen en over de oprit naar de Studebaker slenteren, en verder. Het zal papa wel aanstaan dat Marco een auto heeft. Het hebben van dingen maakt een man verantwoordelijk en respectabel in papa's ogen.

Ik hoef geen auto, want ik wil nooit zover weg dat ik de wind in de wijnstokken niet meer hoor, de mussen in de boomgaard, het gefluister van de bleke, dunne bladeren van de olijfboom. Ik ken de sterren die de wacht houden boven ons land, die mijn raam veranderen in een lap zwart fluweel, bezaaid met diamanten. De geur van de mist in de nacht, de vochtige aarde in de ochtend. Marco Michelli's auto betekent niets voor mij.

Het donkere espressobruin van zijn ogen is het, het timbre van zijn stem. De oprechte *vanità* waarmee hij mij tegemoet treedt. Hij is een man die weet wat hij wil, geen baby die wil dat ik hem vertel wat hij nodig heeft. En hoe ik me er ook tegen verzet, dat vind ik spannend. We leven niet meer in het moederland, in vroegere tijden, maar als papa zich er beter bij voelt dat hij even met Marco praat, dan vind ik dat best. Ik zal straks wel plagen, als Marco verzadigd is door papa's goedkeuring en het niet verwacht. Ik weet hoe ik mijn momenten moet kiezen.

Stars kinderlijke gestalte trilde toen ze beschreef hoe ze in de metrotunnel gezongen had, terwijl Rico haar op Chaz' steeldrum begeleidde. Met haar felgekleurde oogschaduw en lipgloss met kersensmaak, waar het hele appartement naar rook, zag ze eruit als een meisje van twaalf dat er ouder uit probeerde te zien. Hoewel ze twee maanden jonger was dan Star, voelde Rese zich altijd de grote zus. Ze waren geen familie, maar Star verwachtte het vertroeteld worden, de troost, de vrijheid van een jonger zusje.

Ze gaf alleen wat ze wilde, alles op haar voorwaarden. Maar Rese was blij dat ze er was. Ook al was ze wispelturig en excentriek, Star was de enige constante in haar leven – op God na. *'Als alle anderen het laten afweten; Hij zal je nooit in de steek laten.'* Ooit was zijn aanwezigheid zo reëel geweest, dat die haar gedachten in beslag had genomen en haar had doen vechten om in leven te blijven. Maar dat was jaren geleden en ze had pas onlangs besloten om het te geloven. Tot nu toe voelde het als een besluit en niets meer.

'Die drum geeft van die vibraties die je blíjft horen.' Star maakte een hol geluid met haar stem. 'En dan zing ik precies zo. Geen woorden, alleen harmonieuze vibraties, die door de betonnen tunnels echoën. Dat is zo synergetisch.'

Harmonieuze vibraties. Synergetisch.

'En mensen geven ons er geld voor, blijven staan luisteren of gooien ons wat toe als ze langslopen.' Star imiteerde het nonchalante strooien met geld. 'Belachelijk gewoon.'

'Ik dacht dat Rico een impresario had. Waarom zingen jullie in de metro?'

Star gooide haar krullen naar achteren. 'De impresario ligt dwars als Lance niet meedoet. Hij wilde alles bij elkaar: Rico's drums, Lances songteksten en Chaz met alle instrumenten die hij bespeelt.'

Zou Rico weer druk op Lance gaan uitoefenen om hem terug te krijgen in de band? Dat gedoe in de metro klonk niet als de muziek van Lance, maar...

'Rico gaat een opname van ons maken in de tunnel. Hij heeft de impresario verteld dat we een Enya-achtige sound hebben en denkt dat hij er misschien wel wat in zal zien.'

'En hoe zit het met je schilderwerk?'

'Ben je gek? Dit is New York. Hier is alles mogelijk.' Ze begon zelfs te klinken als zij. Zo positief had ze haar lange tijd niet gehoord.

Rese leunde achterover. Voorzover ze het uit het raam van de taxi gezien had, waren ze een eind weg van Lincoln Park, maar als de impresario hun nieuwe sound mooi vond... Star had het als kind heerlijk gevonden om te spelen dat ze een beroemde rockster was, maar Rese had zich niet gerealiseerd dat ze ook werkelijk kon zingen, tot die keer op zolder, toen ze de microfoon van Lance had aangepakt. 'Dat klinkt goed.' Ze glimlachte.

Waarom kon Star zo makkelijk van het een naar het ander dobberen? Omdat ze geen rots was. Zij hoefde niet voor een ander sterk en betrouwbaar te zijn. Rese stond op en liep naar het raam dat uitkeek over de straat. Lance had er zo kosmopolitisch uitgezien met dat diamantje in zijn oor en zijn Europese koksdiploma's.

Star kwam naast haar staan en streelde haar arm. '"Wat scheen 't mij wintertijd, toen 'k ver van u moest toeven."'

Juist ja. Straks zou Star op Broadway staan. Waarom ook niet? Dit was New York. Hier was alles mogelijk.

'We hebben elkaar maar een paar weken niet gezien', zei ze. Hoewel het op dit moment een eeuwigheid geleden leek dat Star met Chaz en Rico uit de villa naar de Bronx vertrok, in het bordeauxrode busje waar hun geluidsapparatuur in zat. En het was nog maar een paar uur geleden dat Rese met Lance op het vliegtuig was gestapt, maar ze verlangde alweer naar de villa, naar de tuin tussen het huis en het koetshuis, de geurige kruidenbedden en kuipplanten, de amandel- en olijfbomen waar Baxter graag liep te snuffelen of in de schaduw op zijn zij ging liggen, met kwispelende staart. Ze miste de lichte, open kamers met de hoge ramen en het warme, glanzende houtwerk, versierd met haar eigen houtsnijwerk.

Het hotelletje was haar werk, haar project, maar ook haar thuis. Vreemden sliepen en aten er en gingen weer weg. Ze kusten haar niet op haar wangen en bestookten haar niet met vragen. Trouwens, het was Lances taak om hun vragen te beantwoorden – als ze hem ooit weer mee terug kon krijgen.

Rese trok een rimpel in haar voorhoofd. Lance had gezegd dat hij met zijn oma over het hotelletje wilde praten, dat hij haar wilde laten zien wat hij gevonden had en haar wilde vertellen wat ze van plan waren. Maar het was duidelijk dat hij ook andere bedoelingen had. Hij wilde dat zijn familie haar accepteerde.

Hij wist niet wat hij vroeg. Hij was niet opgegroeid bij een vrouw van wie het gedrag onvoorspelbaar en verwoestend was, die een ziekte had waarvoor haar kinderen en kindskinderen via genetische aanleg vatbaar zouden kunnen zijn. Lance dacht dat hij een toekomst met haar wilde opbouwen. Hij besefte niet dat ze misschien helemaal geen toekomst had. Hoe erg Stars verleden ook was, zij kon zelf bepalen wat ze met de rest van haar leven wilde doen. Rese was bedrogen en bijna gedood, maar wat nog kon komen, zou nog veel erger kunnen zijn.

Lance wilde dat zijn familie iets accepteerde waarvan ze niet wisten. Natuurlijk wist zij het ook niet. Ze zou het pas weten als ze psychoses zou krijgen. Waarom nam ze automatisch aan dat ze die zou krijgen? Dat haar kalme zelfbeheersing, haar gebrek aan sociale vaardigheden symptomatisch waren?

Lance en Rico kwamen lachend en bezweet binnen. Lance zag haar kijken. 'Ben je al een beetje geacclimatiseerd?'

'Een beetje.' Ze had haar spullen in de ladekast gelegd, die voor het grootste deel leeg was, omdat Star niet de moeite nam hem te gebruiken. In een paar laden zaten de kleren die Lance achtergelaten had toen hij op zijn Harley naar Sonoma ging, met alleen zijn rugzak op zijn rug. Zou hij de rest meenemen als ze teruggingen? Of had Rico hem overgehaald om te blijven?

Hij zei: 'Ik stap even onder de douche. Dan hebben we nog een uurtje om wat rond te wandelen voor de gieren op ons neerdalen.'

Rese zag het helemaal voor zich. Sinds haar moeder hen tot het middelpunt van de wijk had gemaakt, door haar mee te nemen naar het dak om te dansen, de rozenstruik van de buren in brand te steken en andere dingen te doen die Rese zich niet wilde herinneren, had ze het soort aandacht dat ze kreeg altijd zelf in de hand gehouden. 'Zou je niet liever in het volgende vliegtuig naar Sonoma stappen?'

Hij glimlachte. 'Ik ben zo klaar.'

Toen Lance uit de badkamer kwam, geurend naar zeep en shampoo en naar zijn muskusachtige aftershave, wilde ze nog liever dat ze weer in het hotelletje waren, waar ze met een beitel aan de slag kon, of nog liever met een zaag en een schuurmachine. Ze moest haar frustratie kwijt op een stuk hardhout.

Lance stopte zijn sleutels in zijn broekzak. 'Klaar?'

'Heb ik mijn pepperspray nodig?'

'Niet als je bij mij blijft.'

Ze had verwacht dat hij de draak met haar zou steken.

'Als we door Rico's straat zouden lopen, zou ik ons allebei bewapenen, maar dit is 'Little Italy'. Er zal je niks gebeuren zolang je *ciao* zegt en vis eet op vrijdag.'

Ze schudde haar hoofd. 'Ik maak weinig kans om voor een Italiaanse door te gaan.'

Hij grijnsde. 'Dat hoeft ook niet.'

De spanning in haar nek werd wat minder toen hij met haar door de straten liep, die er gedateerd en kleurig uitzagen met uithangborden en luifels, waarop de namen van de winkels stonden. De winkels zelf waren klein; sommige verkochten maar één ding, zoals de gebroeders D'Auria, waar zelfgemaakte worstjes aan de zoldering hingen. Zoet of pittig. Dat was de keus. De twee broers die het winkeltje dreven, hadden het overgenomen van hun vader, die het in 1938 geopend had.

Bij de gedachte dat zij het renovatiebedrijf van haar vader had verkocht, kreeg ze een beklemmend gevoel in haar borst, vooral omdat Brad gezegd had dat de nieuwe eigenaars niet voldeden aan pa's maatstaven, aan haar eigen maatstaven. Dat bedrijf, met haar vader en held Vernon Barrett, was haar lust en haar leven geweest, totdat hij een ongeluk kreeg. Nu had ze een hotelletje – en een nieuwe partner.

Bij pa had ze geweten waar ze aan toe was. Niemand ter wereld had voorspelbaarder kunnen zijn, beter onderlegd in zijn werk. Maar zelfs hij had haar verrast. Lance was een draad die onder stroom stond, een wandelende kortsluiting. Wat moest ze van hem verwachten? Niets. Ze zou op zichzelf vertrouwen. Dat was de Rese Barrett die ze kende; niet de vreemde, die oorbellen droeg en te veel op haar moeder leek.

Ze richtte haar aandacht weer op de buurt die Lance haar wilde laten zien. *Addeo and Sons* verkocht brood en biscotti. *DeLillo's* had mini-kwarktaartjes, een soort opgerolde, met room gevulde cakejes die cannoli heetten, kleine cakejes en vruchtentaartjes. *Egiddio's Pastry* was nauwelijks meer dan een lange, glazen toonbank met koekjes, maar toen ze haar tanden in het koekje zette dat Lance haar gaf, begreep ze waarom.

'*Ciao*, Lance.' Twee grijze mannen zwaaiden vanaf de stoep buiten de vismarkt, naast een kraampje waar je oesters met schijfjes citroen kon eten. Ze namen haar nieuwsgierig op. 'Ben je nog van plan om ons aan haar voor te stellen?'

'Hoe minder ze van jullie weet, hoe beter.' Maar Lance keek haar aan. 'Rese, dit zijn Joe en Mario. Heren, Rese Barrett.'

Rese gaf hun een hand.

Mario gaf een kneepje in haar hand. 'Neem dit meisje maar, *paesano.* Ze is de beste die je tot nu toe gehad hebt.'

Even dacht ze dat hij haar zou kussen, maar hij liet haar los en ze slaakte een zucht van verlichting. Toen ze een stap naar achteren deed, zag ze vanuit haar ooghoek iets bewegen – een vat met krabben, volgens het etiket. 'Ze leven nog.'

'Tuurlijk', zei Mario. 'Dan smaken ze beter.'

Ze hoopte maar dat ze ze niet levend opaten, maar vroeg het niet. Ze had een tijdreis gemaakt en was beland in een ander land, een andere eeuw.

Joe zei: 'Er was er eentje met van die groene ogen.'

'Een krab?' Mario keek hem verward aan.

'Geen krab. Een meisje. Dat kind dat Lance meebracht uit de stad, met die lange benen.' Hij wees naar zijn eigen benen. 'Met van die spillepootjes.'

'O ja...' Mario knikte. 'Wat is er met haar gebeurd, Lance?'

'We gaan maar weer eens verder.' Lance pakte haar elleboog en liep met haar langs het lachende stel.

'Tot ziens, Rese', riep Joe. '*Buona fortuna.*'

'Dat betekent succes.' Lance leidde haar met een bochtje om een man heen, die het stoepje voor zijn deur aan het schoonspuiten was.

Ze keek hem met een schuin oog aan. 'Heb ik dat nodig?'

'Het kan geen kwaad.' Een auto met een kapotte uitlaat reed in een wolk van donkere uitlaatgassen langs hen heen. Hij ademde langzaam in door zijn neus. 'Ha. Zomer in de stad.' Hij zwaaide naar een klein, gedrongen vrouwtje met een boodschappenwagentje. Haar gezicht brak open in een zee van rimpels en ze riep: '*Buona sera.*'

Geen wonder dat Lance goed had kunnen opschieten met Evvy, mijmerde Rese. De meeste mensen die hij kende, waren boven de zestig – behalve het meisje uit de stad.

Ze hield haar hoofd iets schuin. 'Groene ogen, hè? Spillebenen?'

Hij glimlachte en bleef recht voor zich uit kijken.

'Blond of rood?'

Hij dacht even na. 'Allebei een beetje.'

'Rossig blond of een blondine èn een roodharige?'

Hij haalde zijn schouders op. 'Het is moeilijk om ze allemaal uit elkaar te houden.'

Ze stak haar kin naar voren. 'Dus dan doet mijn verliefdheid op Brad er ook niet toe.'

'Dat ligt eraan.' Hij bleef staan.

'Waaraan?'

'Of het over is.'

'Hmm.'

Ze wilde verder lopen, maar hij pakte haar bij haar elleboog, trok haar achteruit tegen de etalage van de kaaswinkel en plantte zijn armen aan weerskanten van haar hoofd.

'Hij hield ook dingen voor je achter, vergeet dat niet.'

Had hij haar serieus genomen? Haar verliefdheid was voorbij zodra zij en Brad met elkaar gewedijverd hadden om de leiding van de tweede werkploeg; een strijd die zij drie jaar geleden gewonnen had. Maar voor het eerst voelde ze de verrukkelijke macht om hem te stangen. 'Dat had Brad pa beloofd.' Een belofte om niet te vertellen dat haar moeder nog leefde en in een psychiatrische inrichting zat, een klein detail dat haar leven recent op zijn grondvesten had doen schudden.

Lances blik werd nog intenser. 'Dan denk ik dat we een vendetta hebben.'

'Vendetta?'

'Ik zal hem moeten toevoegen aan de lijken in mijn kast.'

Ze richtte zich op. 'Dat is niet grappig. Vooral niet na dat laatste lijk.' Het ontdekken van het gebeente van zijn betovergrootvader in de donkere tunnel onder het koetshuis was een van de meest angstaanjagende ervaringen van haar leven geweest.

'Dan moet je een bloedeed zweren dat je zijn naam nooit meer zult noemen.'

Ze snoof.

Hij pakte haar kin en tilde haar gezicht op om zijn recht te doen gelden, om te bewijzen dat haar mond aan hem toebehoorde en dat was ook zo, daar kon ze niets aan doen, maar hij liet haar los en liep weer verder. 'Ik zal de *padrone* opzoeken en hem zeggen –'

'*Padrone*?' Ze haalde hem in.

'De baas. Ik zal hem zeggen dat er een vete is. Mijn eer staat op het spel.'

Alsof iemand om haar zou twisten. Zelfs Lance had gezegd dat ze op een man leek; doortastend en ondubbelzinnig, onaandoenlijk – totdat ze ingestort was en hem ondergesnotterd had. Nogmaals, niet iemand om een duel over uit te vechten.

Wat het nog lachwekkender maakte was het idee dat Brad, veertien jaar ouder en haar vaders vriend en vertrouweling, zoiets zou doen. Hoewel hij gezinspeeld had op een wederzijdse verliefdheid, had ze dat niet geloofd. Hij wilde alleen haar vakmanschap en houtsnijwerk voor zijn renovaties. Hij wilde dat zij hem status zou verlenen.

Lance gaf haar een duwtje met zijn elleboog. 'Geen commentaar?'

'Zo'n bloedvete lijkt me wel een goed idee. Brad kent zelf ook wel wat achterbakse trucjes, neem dat maar van me aan.'

Zijn mond werd een smalle streep. 'Ik zal Stella vragen om het boze oog te gebruiken. *Mal occhio*.'

Rese schoot in de lach. 'Ze zou op haar bezemsteel naar Sonoma kunnen vliegen.'

'Je denkt dat ik een grapje maak. Maar dit is serieus. Als de vrouw van wie ik houd –' Zijn stem stokte en ze besefte dat het geintje een kant opgegaan was, die hij niet bedoeld had. Hij liep zwijgend verder.

Ze kwamen bij een beschut parkje met een zeshoekig, stenen toiletgebouwtje, twee speeltuintjes vol kinderen en een paar sportveldjes. Het was niet echt groot of mooi, maar bood een prettige onderbreking van de harde straten en gebouwen. De ijscokar stond er en speelde zijn deuntje, terwijl de chauffeur met zijn hoofd tegen de rugleuning van zijn stoel snurkte.

Ze keek opzij naar Lance. 'Ik maakte maar een geintje.'

'Dat weet ik.' Maar hij zei niet dat hij ook maar een geintje had gemaakt.

Hoofdstuk 4

Wat is schaduw anders dan duisternis, die verlangt naar het licht; wat is angst anders dan moed, op zoek naar hoop?

Papa's gezicht ziet er grauw uit in het ochtendlicht. Ik vraag me af of hij weer niet goed geslapen heeft. Koude vingers van angst sluiten zich om mijn ruggengraat. Wat is dat voor voorgevoel, dat instinctieve besef dat er iets met papa is? Zijn baan bij de bank is zeker; helemaal nu hij privéklusjes doet voor Arthur Jackson. Hoezeer ik de man ook verafschuw, hij is machtig en hij ziet papa's talent, zijn ijver. Het spreekt voor zich dat dat beloond wordt met grotere verantwoordelijkheid en vertrouwen.

'Voelt u zich wel goed, papa?'

Hij kijkt op van zijn koffie, een klein kopje sterke espresso. 'Ja hoor, ik voel me prima.'

'*Crostata?*'

Hij schudt zijn hoofd. 'Nee, dank je. Ik moet naar de bank.'

'Waarom laat hij u zo hard werken? Wie denkt Arthur Jackson wel dat hij is? Gisteravond heeft hij u al zolang door laten werken en nu vanmorgen begint u weer zo vroeg.'

Nadat hij voor de derde keer in drie weken tijd met Marco gesproken had, was papa weggegaan en hij was pas thuisgekomen toen ik allang in bed lag.

'Ben jij de baas over mijn zaken, *ragazza*?' zegt hij met een glimlach, maar ook met een scherp ondertoontje.

Misschien niet, maar wie zegt het anders? Waarom zegt nonno er niets van, waarom vraagt hij niet waar zijn zoon zo laat was? Maar hij knikt alleen maar als papa opstaat om aan zijn dag te beginnen, weer een lange dag, waarin hij ik weet niet wat moet doen voor Arthur Tremaine Jackson. Die vent denkt dat hij een koning is, denkt dat hij de baas is over papa's leven. Ze zijn heus niet de hele dag met bankieren bezig. Welk recht –

'Kom je?' Nonno pakt zijn stok.

'Natuurlijk.' Het is woensdag. Hebben we ooit een bezoek aan het graf overgeslagen? Terwijl hij naar zijn kamer loopt om zijn dagboek te pakken, ren ik naar boven voor het mijne. Daarna pak ik een lunch in van brood met kaas, olijven en paprika. Ik help nonno in de auto en kruip dan achterin. Papa gaat achter het stuur zitten. Er wordt niets meer gezegd over gisteravond, over de dingen die me zorgen baren, de dingen die ertoe doen.

We stoppen bij de bank en hij stapt uit, waarna hij de stoel naar voren schuift, zodat ik het stuur over kan nemen. 'Ik kom zelf wel thuis.' Hij geeft me een kus op mijn wang en houdt mijn kin iets langer vast dan normaal, om te laten zien dat hij het niet fijn vindt dat ik bezorgd ben. 'Maak je geen zorgen om mij. Pas maar goed op nonno.'

Ik knik, maar hij heeft het mis. Hoewel nonno zwak is, heeft zijn ziel vrede met God. Is papa's ziel in gevaar? Ik kijk hem na, terwijl hij met zelfverzekerde pas wegloopt, die doelbewuste tred, die me nu aan Marco doet denken. Ik zucht. Als papa belangrijk genoeg is om zaken te doen met een anonieme persoon met 'een smak geld', dan is mijn angst misschien ongegrond. Ik ban hem uit mijn gedachten terwijl ik wegrijd.

Nonno's wankele, maar statige manier van lopen voert hem tussen de graven door. Nonna's steen staat fier overeind in het omheinde gedeelte van de familie DiGratia. Links ervan ligt mama's graf, maar ik herinner me niet veel van haar. Het waren nonna's knieën waaraan ik me vastklampte in de stormen van het leven. Nonno laat zich op het stenen bankje zakken, legt zijn stok neer en zucht. Misschien maakt hij zich toch ook zorgen.

'Nonno...' Ik wil mijn zorgen niet onder woorden brengen, ze niet concreet maken. Ik wil geen onheil over ons uitspreken.

Nonna Carina zou het begrepen hebben. Ze wist wat onheil was, maar dat was veranderd in geluk toen ze nonno vond. Ik wou dat ik met haar kon praten. Ze zou haar mond niet hebben gehouden als ze haar zoon de verkeerde kant op zag gaan. Mijn keel knijpt dicht. Gaat papa de verkeerde kant op?

'Heb ik je weleens verteld over de dag waarop je papa geboren werd?' Nonno's stem klinkt helder.

Ik ga naast hem zitten. 'Nee, vertel eens.' In mijn gedachten zie ik nonna Carina, zoals hij haar voor het eerst gezien moet hebben, met golvend, zwart haar en donkere ogen, met de noordelijke jukbeenderen en de knappe gelaatstrekken die haar tot een ware schoonheid maakten, zelfs op haar oude dag, die ik me nog herinner.

'Ik wist dat er iets mis was. Carina had zich de hele ochtend lopen opwinden. Dat was niets voor haar, met haar zachte karakter.'

Ik schiet in de lach. Nonna Carina had een opvliegend karakter, dat zich meestal tegen nonno Quillan richtte. Ik vond het heerlijk om hen te zien bekvechten, genoot er net zo van als nonno, die zijn vrouw altijd net zolang op de kast joeg tot ze hapte.

'Ik wist het voor de weeën begonnen. Ik probeerde haar over te halen wat rust te nemen, te stoppen met schoonmaken. Maar ze was bang. Ze was bang, omdat de eerste baby gestorven was.'

Ik kijk hem met grote ogen aan. 'De eerste baby?'

Nonno knikt. 'In Crystal, in Colorado, wist ik niet dat ze zwanger was. Ik was weg.' Hij zegt het met zoveel verdriet in zijn stem, dat ik niet verder durf te vragen. Hij heeft me nooit verteld dat er voor papa nog een kind was. Nonna heeft het me ook nooit verteld en dat maakt me vreselijk nieuwsgierig. Ik dacht dat ik alles wist. Nonna had het me moeten vertellen.

'Ik was vrachtrijder. Ik vervoerde goederen en dynamiet tussen de kampementen. Lange reizen. Ik deed mijn werk, maar was eigenlijk op de vlucht. Ik durfde niet op dezelfde plek te blijven. Ik durfde niet van mijn vrouw te houden.' Een golf van verdriet overspoelt hem.

Ik pak zijn hand.

'Ik wist niet dat ze het aan de stok had gekregen met de mijnwerkers. Ik wist niet dat een andere man, Alex Makepeace, de mijningenieur, haar erbij betrokken had laten raken. Ik wist niet dat ze mijn kind droeg.' Hij sluit zijn ogen. 'Ze sloegen haar in elkaar en ze verloor het kind.'

Ik durf amper adem te halen.

Nonno opent zijn ogen en kijkt naar het graf. 'Ik zwoer dat haar nooit meer iets zou overkomen. Maar toen de weeën begonnen, stond ik machteloos. Ik had mijn goede been wel willen afhakken om de pijn te stoppen. Maar de weeën duurden maar voort. De dokter had gezegd dat ze misschien nooit meer kinderen zou kunnen krijgen vanwege het letsel. Maar daar hadden we geen van beiden meer aan gedacht in het vuur van onze liefde en tijdens de zwangerschap.'

Hij slikt moeizaam, het vel van zijn keel schiet omhoog en valt weer naar beneden. 'Toen ik haar hoorde gillen, wou ik dat ik haar nooit had aangeraakt. Ik wilde het ongedaan maken, maar dat kon niet.' Zijn adem ontsnapt met een zachte zucht. 'Je weet dat haar vader chirurg was, dat hij mijn been en mijn leven gered heeft.'

Ik knik.

'Toen Carina geen kracht meer overhad, heeft hij de baby eruit gehaald met een mes. Hij heeft de baarmoeder van zijn dochter er ook uit gehaald. Die was leeggebloed en zou geen volgende zwangerschap meer kunnen voldragen. Het was een wonder dat ze bleef leven, en mijn zoon ook.'

Dus daarom heeft papa geen broers en zussen. Daar had ik me over verbaasd, aangezien mijn grootouders altijd tot over hun oren verliefd op elkaar waren gebleven.

Nonno blijft een hele tijd in gedachten verzonken zitten en zegt dan: 'De wetenschap dat hij alles was wat we ooit zouden hebben, maakte hem te kostbaar. Als ik streng voor hem was, troostte Carina hem. Als hij boos werd, gaf ik hem stiekem een boterbabbelaar. Hij heeft nooit een klap van me gehad, hoewel hij die wel verdiende. Het enige waar ik aan kon denken, was dat we hem hadden kunnen verliezen. Dat ik alles had kunnen verliezen.' Nonno schudt zijn hoofd. 'Het is niet goed om kinderen op te voeden in angst. Hij voelde die zwakheid en ging zijn eigen weg.'

Wil hij papa daarom niets vragen? Is hij nog altijd bang om hem te verliezen?

'We hadden Flavio niet moeten uitkiezen als zijn peetvader. Hij vulde zijn hoofd met ontevredenheid.'

'Ik dacht dat dat door mama kwam.' De mooie vrouw die papa trouwde, met haar als gesponnen goud, ogen zo groenblauw als de zee en een onvoorspelbaar karakter.

Hij knikt. 'Ja, zij ook. Maar soort zoekt soort. Hij had een innerlijke leegte, alsof hij wist dat er nog een kind had moeten zijn om het gewicht van onze liefde mee te delen.'

'Hoe kun je te veel van een kind houden, nonno?'

Hij glimlacht. 'Ooit zul je dat weten.' Zijn ogen worden vochtig, terwijl hij naar de steen met Carina's naam kijkt. 'Sommige liefdes hechten zich aan je ziel.'

De geuren die uit de keuken kwamen, konden er eigenlijk best mee door en toen Lance even om een hoekje keek, zag hij waarom; zijn zus Lucy was mama te hulp geschoten. Haar achtjarige tweeling, Lisa en Lara, draaide deeg tot broodstengels, terwijl haar peuter Nina stukjes ervan in haar mond stopte. Zijn nichtjes Rita, Marianna en Gigi stonden venkel en champignons te snijden en mama zag eruit als een filmster met haar zwarte, mouwloze truitje en parelketting. Lance dook weer weg, voor ze hem in de gaten kregen. Het pandemonium zou snel genoeg losbreken.

Monica's man Bobby stond bij het raam en liet de rook van zijn sigaret op de tocht mee naar buiten drijven, terwijl hij met Lucy's man Lou stond te ruziën. Ze hadden Rese geen van beiden nog gezien, maar dat was slechts een kwestie van tijd. Een stuk of zes kinderen zaten rond een monopolybord, omdat mama geen computerspelletjes toestond, en hij hoorde zijn neefjes Frank en Franky handballen op de binnenplaats.

Met een hand op haar arm leidde hij Rese de kamer binnen. Zia Anna zoomde meteen op hen in met haar koppelaarsradar. Voor hij het wist waren alle vier zijn tantes paraat. Hij stelde ze aan Rese voor: 'Mijn tantes Anna, Dina, Mimi en Celestina. Dit is Rese Barrett.' De toevoeging 'mijn zakenpartner' liet hij maar achterwege. Dat zouden ze toch niet slikken.

Reses wangen werden roze van hun lippenstiftzoenen. Hij manoeuvreerde zich strategisch tussen haar en hun uitbundigheid in, waarbij hij zijn eigen kussen op hun bepoederde gezichten plaatste. Rese was er vast na aan toe om hem te vloeren.

'Is dit de ware?' vroeg Anna met pretlichtjes in haar ogen. 'Die je eindelijk tot rust zal brengen?'

'Hij is een hopeloos geval, Anna. Dat weet ik toch.' Celestina tikte tegen haar slaap om hen eraan te herinneren dat haar status van oude vrijster haar helderziend maakte op dat gebied.

Dina haalde haar schouders op. 'Waarom zou hij trouwen als hij er aan iedere vinger tien kan krijgen?'

'Dina!' Mimi sloeg haar handen voor haar gezicht. 'Ze had het niet over jou, hoor, *cara*.'

'*Meglio un uovo oggi che una gallina domani.*' Dina lachte veelbetekenend.

Lance leidde Rese weg van hun gelach. Ze was zo gespannen als een veer. Hij had een keer een uitbarsting van haar meegemaakt en had daar blauwe plekken in zijn zij aan overgehouden, waar hij nog dagenlang last van had gehouden. Niet omdat ze hem geslagen had, maar alleen door de greep van haar vingers, terwijl ze het uit snikte.

'Ik wist niet dat je familie een andere taal sprak.'

'Alleen als ze slim proberen over te komen.' Lance overwoog de mogelijkheid van gesprekken zonder onbehagen en kwam tot de slotsom dat ze dan zouden moeten vertrekken en dat zou hun nu nooit lukken.

'Wat zei ze?'

'Een oud Italiaans gezegde. Beter vandaag een ei dan morgen een kip.' Hij kon wel raden wat ze dacht. 'Het is allemaal maar een geintje. Vooral om mij te vernederen. En om te zien wat voor reactie ze jou kunnen ontlokken.' Een uitdaging, gezien Reses temperament.

De deur ging open en zijn vader kwam binnen met Gina en de kinderen. Mama had hem zeker gezegd dat hij ze na zijn werk moest ophalen. Lance kuste Gina en stompte zijn drie neefjes. 'Hoe gaat het ermee?' Maar hij wist hoe het met hen ging. De vermoeidheid in Gina's ogen zei hem genoeg. Drie jongens in je eentje opvoeden was niet gemakkelijk, zelfs niet met de slachtofferhulp die ze kregen. Door het geld konden ze in hun appartement in Manhattan blijven wonen, maar haar zoons hadden geen vader meer.

'Gina, pap, dit is Rese Barrett.'

Gina stak haar hand uit, te stads om haar te zoenen. Pap nam haar met een knikje op, te murw om te geloven dat dit niet het zoveelste zielige geval was waar zijn zoon voor gevallen was.

'Aangenaam', zei Rese en hij hoorde de spanning in haar stem. Dit moest niet gemakkelijk zijn. Vooral omdat ze normaal gesproken mensenmassa's en intimiteit ontliep.

Bobby en Lou stopten met ruziën en kwamen naar hen toe. 'Hé, Lance. Wie is die bloedmooie meid?'

Zou de zwangere en misselijke Monica het fijn vinden om hem dat te horen zeggen? 'Rese, dit is Monica's man, Bobby.' Hij wist zeker dat ze het nooit allemaal zou onthouden. 'En Lucy's man Lou, de twee Lu's.' Dat zou ze niet vergeten.

Rese stak haar hand uit, maar Bobby liet zich de gelegenheid niet ontnemen. Hij zoende haar op beide wangen, zo dicht bij de mond dat Lance veel zin had om hem een dreun te verkopen. Lou's zoenen belandden dichter bij haar oorlelletjes. Na deze avond zou Rese vast therapie nodig hebben.

Bobby prikte met zijn duim in Lances richting. 'Je kunt maar beter opschieten met deze stoute jongen.'

Lance rook de brandewijn, die hem overmoedig maakte. 'Kappen, Robert.'

'Wou je zeggen dat het niet waar is? Hoe lang heb je het tot nu toe volgehouden met een meisje?' Hij stak een vermanende vinger op naar Rese. 'Hij drinkt uit een heleboel flessen. Maar hij drinkt er niet een tot de bodem leeg.'

Lou gaf Bobby een tik op zijn arm. 'Hou op voor hij je vermoordt.'

Bobby keek hem smalend aan, maar Lou had gelijk. Meestal mocht Lance Bobby wel, maar nu niet. Op dit moment had hij veel zin hem een dreun te verkopen. Hij nam Rese bij de arm. 'Zullen we even een frisse neus gaan halen?'

Ze glipten door het raam naar de zwarte metalen brandtrap, die een onbelemmerd uitzicht bood op de stoep en de straat. Het was nog maar het begin van de avond, maar Rese haalde diep adem en slaakte een zucht.

Hij liet haar los. 'Gaat het een beetje?'

Ze knikte. Het was geen goed idee geweest, om haar mee naar huis te nemen. Het bracht hun verschillen te duidelijk aan het licht. Rese was een eiland; hij was voor iedereen een haven in de storm. Hij drukte op het plekje tussen zijn wenkbrauwen en zuchtte.

Ze zei: 'Wat is er?'

Hij leunde tegen de muur naast het raam en trok zijn knie op. 'Ik wil niet dat je het te horen krijgt.'

'Wat?'

'Mijn leven. Met alle bijzonderheden.'

'Wat Bobby zei?'

Hij keek even opzij. 'Dat is het probleem met mensen die je al vanaf je geboorte kennen.'

'Begon je toen al met meisjes?'

Hij schoot in de lach. 'Het scheelde niet veel. Maar niet op de manier zoals hij het deed voorkomen.'

Ze keek hem aan met de blik die hij bij hun eerste ontmoeting als gevoelloos had bestempeld, hoewel hij er nu allerlei nuances in zag: twijfel, bezorgdheid, ergernis. Hij wilde dat ze het begreep. Maar dat deed ze waarschijnlijk ook.

'Toen we klein waren, was Rico altijd het mikpunt van pesterijen, omdat hij klein was en een grote mond had. Omdat ik zijn vriend was, was ik automatisch zijn beschermer. Meisjes vonden dat leuk; ik vond meisjes leuk.' Dat was zwak uitgedrukt. Hij was helemaal weg van hun zachte huid, hun vingernagels, het ruisen van hun katholieke schoolrokjes.

'Ik kreeg de reputatie dat ik mensen uit de nood hielp. Hoe zieliger hun verhaal was, hoe beter. Tranen?' Hij blies door zijn lippen. 'Dan was ik verloren.'

Ze keek hem even aan, maar zei niets. Hij spreidde zijn handen. 'Italianen houden van drama's. Verliefdheid en hartzeer gaan hand in hand. En dus was ik elke week verliefd.' En nu zou ze denken dat het met haar ook zo was. Maar hij had beloofd dat hij geen geheimen meer voor haar zou hebben en anders zouden de anderen het haar wel vertellen. Om te plagen natuurlijk, maar ook om zich een oordeel over haar te vormen, om te zien of ze het echt met hem meende. Een vrouw die niet met zijn verleden om kon gaan, was zijn toekomst niet waard. Een beschermende familiehouding – behalve bij Bobby, die het gewoon leuk vond om bonje te trappen.

'Hield je het echt bij op je muur?' Haar toon en gezichtsuitdrukking waren angstvallig vlak.

'Hoeveel meisjes ik gekust had? Ja.' Hij keek een andere kant op. 'Ooit van Dion en de Belmonts gehoord? Die *doo-wap* zongen in de jaren vijftig?'

Ze schudde haar hoofd. 'Ik denk het niet.'

'Nou, in deze buurt zijn ze heiligen. Ze kwamen hiervandaan en ze hadden het gemaakt. En Rico en ik... veel mensen dachten dat wij de volgende klapper zouden zijn. En wij dachten dat ook. We gingen in Greenwich spelen, in bekende zalen. We kregen een heleboel aandacht.' Hij keek haar aan. 'Allerlei soorten aandacht.'

Ze bleef hem strak aankijken. 'Ik dacht dat dat tegen je religie inging.'

Hij haalde zijn hand door zijn haar. 'Geloven is hier net zoiets als ademhalen. Je doet het, maar je bent je er niet altijd van bewust. Je weet wanneer je zondigt tegen God. Je weet het, maar je houdt er niet altijd mee op, dus dan belijd je het weer en krijg je absolutie – vergeving – en moet je die zonde eigenlijk niet meer doen, omdat het God verdriet doet; omdat het Jezus verdriet doet, en die heeft al genoeg geleden. Dat is het principe. Maar dan kom je in verleiding en maak je jezelf wijs dat je er wel mee weg komt. Het is misschien niet goed, maar je kunt het later altijd weer goedmaken.'

Hij ging bij de balustrade staan. 'En dan gebeurt er iets, iets dat zo groot is dat je er de rest van je leven voor nodig zult hebben om het weer goed te maken.'

'Het is niet jouw schuld dat Tony stierf.'

'Dat weet ik.' Zijn knokkels werden wit op het metaal. 'Maar het was net alsof Gods oordeel op de verkeerde zoon viel.'

'Michelle zei dat Jezus het oordeel op zich genomen heeft.'

Hij draaide zich half om. 'Wanneer heeft ze dat gezegd?'

'Op Evvy's begrafenis. Of eigenlijk op het feest erna. Alleen denk ik niet dat feest het juiste woord is.'

'Jawel.' Hij glimlachte toen hij aan Evvy dacht, het kribbige buurvrouwtje dat hem bij iedere gelegenheid in een hoek gedreven had. 'Geloofde je dat?'

Rese knikte. Geen wonder dat ze hem een tweede kans gegeven had. Ze hadden de afgelopen twee weken niet veel gepraat in het hotel. Zij had in de werkplaats gewerkt. Hij had zijn werk gedaan en geprobeerd haar niet boos te maken. Maar de spanning was voelbaar geweest, net als nu.

Rese trok een rimpel in haar voorhoofd. 'Ik weet niet goed wat het betekent.'

'Waar het om gaat is wat er vanbinnen zit.' Hij drukte zijn vuist tegen zijn borstkas. 'Als het pijn doet als je iets fout doet, dan zit het tussen jou en God wel goed.'

Op haar gezicht was niets te lezen. 'Is dat typisch Italiaans?'

'Typisch menselijk.'

Antonia liet zich door haar zoon naar beneden dragen. Een feestje om Lances meisje te verwelkomen, hoewel hij haar niet zo genoemd had. De vrouw was niet innemend en onstuimig, zoals Lance. Zijn tegenpool misschien, en ze wist hoe de polen van een magneet elkaar konden aantrekken.

Roman liep puffend de trap af, maar het enige wat zij kon doen was zich vasthouden, omdat haar lichaam haar in de steek liet en de kracht in haar ene been vrijwel weg was. Net als bij nonno. Het bood haar troost dat ze dezelfde aandoening had als iemand van wie ze zoveel gehouden had. Ze herinnerde zich hoe hij op het stenen bankje bij nonna Carina's graf zat. Nadat hij haar verteld had over papa's geboorte en de eerste baby die ze verloren hadden, had hij zijn dagboek gepakt en zich teruggetrokken in de stilte die woorden op het papier bracht, die zijn lippen nooit zouden bereiken.

Zelfs na al het werk dat hij gepubliceerd had, hield hij zijn dagboek nog altijd erg voor zichzelf. Ze had zich vereerd gevoeld dat ze naast hem mocht zitten om de gedachten die zijn verhaal in haar losgemaakt hadden in haar eigen dagboek te schrijven.

Wie zou die eerste baby geweest zijn? Hoe was nonna over het verdriet heen gekomen? En de vreselijke geboorte van papa! Een baby met een mes uit de buik snijden. Toch had nonno het een wonder genoemd.

Antonia zuchtte, terwijl ze dacht aan alle dingen die ze daarover en over andere onderwerpen geschreven had. Wat was er met dat dagboek gebeurd, met de bladzijden die haar onschuld bevatten? Het maakte niet uit. Dat was voorgoed voorbij. Dit was haar leven.

Roman duwde de deur open en droeg haar de volle kamer binnen. Haar *famiglia*. De vrucht van haar liefde. Ze ademde diep in. 'Zet m...e in het m...idden.'

'Ja, mama. Dat weet ik.' Roman liet haar voorzichtig op de bank zakken. Hij had de hele dag gewerkt en was thuisgekomen in een gekkenhuis. Dori was waarschijnlijk druk bezig, voorzover ze dat kon, met haar nonchalante manier van doen. Ze was niet praktisch, zoals Roman. Een danseres. Nonna glimlachte met de ene kant van haar mond die zijn werk nog deed. Was een schoondochter ooit goed genoeg voor een zoon? Vreemd dan, dat ze zich aangetrokken voelde tot de eigenaardige vrouw die Lance uitgekozen had.

O, hij had het niet gezegd. Maar ze wist het. Ze keek de kamer rond, zag hen buiten op de brandtrap. Gevlucht zeker. Wie zou deze drom mensen in één keer onder ogen kunnen komen? De kinderen kwamen naar haar toe en drukten zich tegen haar knieën met kleine handjes en gezichtjes. Haar achterkleinkinderen. Ze luisterde en gaf klopjes op hun hoofd en probeerde niet te praten, omdat ze hen in de war bracht met haar langzame woorden.

Toen Sofie binnenkwam, zag Antonia de gespannen trek om haar mond, de spanning tussen haar wenkbrauwen. Maar het was tijd om rond de tafels te gaan zitten, die her en der in de woonkamer stonden. Tot haar vreugde zag ze dat ze Rese naast haar gezet hadden. Dat had Lance ongetwijfeld zo geregeld, zodat het meisje in ieder geval aan één kant rust zou hebben. Daar zou hij met zijn beschermende aard voor gezorgd hebben.

Hij probeerde aan de andere kant van Rese te gaan zitten, maar Monica wrong zich ertussen, bazig als altijd. 'Ik heb haar nog niet leren kennen. Ga maar aan de overkant zitten.'

De blikken die Rese en haar kleinzoon wisselden, onthulden nonna wat ze al vermoed had. Dit meisje betekende meer voor Lance dan de anderen.

Monica legde haar servet op haar schoot. 'Vertel me eens over dat hotelletje dat jij en Lance hebben.'

En Antonia werd stil, terwijl ze luisterde hoe haar huis zo gedetailleerd beschreven werd, dat ze zichzelf weer in zijn troostende armen waande...

De veranda is donker omdat er een lichte regen valt en alleen het lamplicht door het raam van de woonkamer naar buiten schijnt. Marco is in de afgelopen paar weken vaak langsgekomen, maar heeft geen avances gemaakt. Ik weet niet wat ik daarvan moet denken. Is hij serieuzer dan andere vrijers die hun geluk beproeven, of minder geïnteresseerd dan hij lijkt?

Hij leunt tegen de bepleisterde pilaar, terwijl hij zachtjes op de mandoline speelt. Het is pas de tweede keer dat hij hem meegebracht heeft en deze keer zingt hij er niet bij, maar neemt me alleen opmerkzaam op met een ernstige blik.

'Wat is er?' fluister ik.

Hij schudt iets van zich af, alsof hij zich nu pas realiseert hoe hij gekeken heeft en het is alsof hij een masker opzet, een glimlach, zo dun als cellofaan. 'Je bent mooi in het lamplicht.'

'Dat was niet wat je dacht.'

'Bella Antonia, als een man alles zou zeggen wat hij dacht, zou hij te vaak een klap in zijn gezicht krijgen.'

Ik hef mijn kin op. 'Dat was ook niet wat je dacht. Ik denk dat je helemaal niet aan mij dacht.'

Zijn blik verscherpt. 'Jou ontgaat niet veel, hè?'

'Engelenzicht, noemde mijn nonna het.'

'In mijn buurt noemen ze dat helderziendheid.'

'Waar is jouw buurt?'

Hij legt de mandoline op de balustrade. 'Manhattan. Mulberry Bend.' Als ik hem niet-begrijpend aankijk, voegt hij eraan toe: 'In New York – helemaal aan de andere kant van het land.'

'Ik weet heus wel waar Manhattan is. Ik vraag me alleen af waarom je dan helemaal hier bent.'

'Dat heb ik je gezegd. Voor zaken.'

'En daar dacht je aan?'

'In zekere zin.' Hij komt naar me toe en gaat op de schommelbank zitten.

Ik schuif niet naar de rand, maar laat mijn knie op de plek waar die zijn bovenbeen raakt. 'Is het gauw voorbij, die zaken die je met papa doet?'

'Dat zou kunnen.' Hij is zo moeilijk te doorgronden, het ene moment vurig en zorgeloos, het volgende bijna pijnlijk serieus.

'En ga je dan weg?'

'Daar wil ik niet aan denken.'

'Wat wil je dan?' Ik buig me naar hem toe en zie zijn tweestrijd. In tegenstelling tot zijn gebruikelijke zelfverzekerdheid lijkt hij niet tot een besluit te kunnen komen.

Ik buig me nog dichter naar hem toe en laat mijn Arpège-parfum zijn werk doen. 'Ik denk dat je me moet kussen.'

Hij slikt. 'Dat mag ik niet.'

'Waarom niet?'

'Dat heb ik je vader beloofd.'

Papa beloofd? 'Papa beslist niet voor mij.' Tenminste, de laatste paar jaar niet meer.

'Hij vroeg me het niet te doen.'
'Omdat je weer weggaat?'
Hij wendt zijn blik af.
Ik kom nog dichterbij. 'Hij heeft mij niet gevraagd om het niet te doen.'
'Antonia...'
Voor het eerst raak ik zijn wang aan en voel de stoppels van zijn baard, ruw en dik. Marco zal niet de eerste man zijn die ik kus. En toch aarzel ik, alsof... alsof niets. Ik trek zijn gezicht naar me toe en ruik een zweem van pommade en het muntblad uit de kwarktaart die ik hem gegeven heb. Onze geuren vermengen zich als ik zijn lippen beroer met de mijne.
Hij slaat zijn armen om me heen. '*Cara*...' En dan kust hij me.

'Nonna?'
Ze schrok op. Aan Lances uitdrukking te zien zat hij al een poosje te wachten op haar reactie. 'W...wat?'
'Morgenochtend gaan we praten.'
Wat hadden woorden voor zin? Woorden die verloren konden gaan en in de war konden raken, verhaspeld tot nonsens. Wat vanbinnen zat, was blijvend. Maar Lance wilde niet luisteren. '*Bene.* D... at is goed.'

'Wat is er, mama?' Lance perste zich in de kleine voorraadkast naast zijn moeder, die nog altijd veel gevoel voor melodrama had.
'Ik moet het weten: waar slaapt ze?'
'In mijn kamer.' Hij kon het niet laten er even een stilte op te laten volgen. 'Samen met Star. Ik slaap op de bank.'
'Mannen en vrouwen samen in één appartement, dat hoort niet.'
'Star woont er nu toch ook met Chaz en Rico?'
'Dat zijn mijn kinderen niet. Jij bent mijn zoon.'
'Ma, ik ben bijna dertig.'
'Als je haar zwanger maakt, kun je niet in de kerk trouwen.'
'Dat is niet waar en trouwens, ik ga niet naar bed met Rese.' Hij wilde dit gesprek helemaal niet voeren, met zijn neus tegen die van zijn moeder in de voorraadkast. Vooral niet als ze zo sceptisch keek. Hij haalde zijn vingers door zijn haar. 'De aartsengel Michaël mag me doden als ik lieg. Ik heb haar niet aangeraakt.'

'Waarom niet?'

'Wat?'

'Omdat ze te koud is?'

Hij slaakte een zucht. 'Ze is niet koud, mama.'

'Jij bent een man van het hart.' Ze legde haar handpalm op zijn borst. 'Je hebt een vrouw onder je lakens nodig die je daar kan houden.'

Had hij het mis of stond ze opeens aan de andere kant? 'Als ze er ooit mee instemt om met me verder te gaan, dan weet ik zeker –'

'Heeft ze je afgewezen?'

De woede van een Italiaanse moeder om een belediging, echt of ingebeeld, die haar zoon was aangedaan, moest je nooit onderschatten. Er was dan misschien niemand zo woest als een versmade vrouw, maar niets was zo vreselijk als een beledigde *madre*. 'Ik heb het niet gevraagd op een manier die ze serieus kon nemen.' Hij probeerde zich nog altijd uit de kuil te bevrijden, die hij voor zichzelf gegraven had.

'Wat valt er serieus te nemen? Jij vraagt haar; zij zegt ja. Wat wil je nog meer?'

Een beetje vertrouwen, plus het feit dat ze nooit gezegd had dat zij dezelfde gevoelens voor hem koesterde. Misschien wilde ze echt niets anders dan zijn compagnonschap in het hotel. Ze gingen allemaal uit van een veronderstelling, die alleen gebaseerd was op het feit dat ze met hem meegekomen was. En daar had ze vrijwel zeker spijt van.

'Kunnen we hieruit?' Hij deed de deur van de voorraadkast open en duwde zijn moeder naar buiten.

Ze snoof. 'Het komt door al dat gesjouw van jou over de hele wereld.'

'Waarin ik greppels groef en huizen bouwde voor mensen die in kartonnen dozen wonen.'

'En al dat geheimzinnige gedoe met nonna.'

Dat was waar. Hij en nonna hadden mama niets verteld over de zoektocht die hem eerst naar zuster Conchessa in Ligurië en daarna naar Rese in Sonoma gestuurd had, over het begraven van nonna's grootvader of over de andere dingen die hij ontdekt had. Hij had niemand er iets over verteld.

Pap kwam binnen. 'Waar blijft het toetje? De kinderen worden ongedurig.'

Worden ongedurig? Lance had op zijn minst twee baby's horen huilen, kinderen horen ruziën, stoelen omver horen vallen en ouders boos horen schreeuwen. 'Waarom slaan jullie het toetje niet over en sturen jullie ze niet allemaal naar huis?'

'Het toetje overslaan?' Mama keek gekwetst.

Pap duwde hem geïrriteerd naar de woonkamer, die ook wel de dierentuin van de Bronx werd genoemd. 'Steek je handen uit je mouwen. Dat doe je toch tegenwoordig?'

Ja, dat deed hij tegenwoordig. Maar de naakte kindertjes in Zuid-Amerika waren makkelijker om mee om te gaan dan zijn nichtjes en neefjes, als die allemaal tegelijk in zijn moeders woonkamer waren. '*Basta!* Iedereen die kleiner is dan een meter vijftig naar de tuin. *Spicciatevi!*'

Joelend en gillend renden ze de deur uit; hun daverende voetstappen op de trap zouden het hele gebouw kunnen doen instorten. Hij keek naar Tony's oudste zoon, Jake, die in paps leunstoel in de hoek was blijven zitten. 'Wat mankeert jou? Zit je vastgeplakt of zo?'

Jake moest er bijna om lachen. 'Ik ben groter dan een meter vijftig.'

Lance keek even naar Gina, zag de gespannen trek op haar gezicht en zei tegen zijn neefje: 'Laat eens zien.'

Lusteloos kwam Jake overeind.

Lance slikte. Wanneer was dat joch zo'n eind de lucht in geschoten? Hij zou wat tijd met Jake moeten doorbrengen voor hij weer wegging. 'Ik zal een uitzondering maken.'

Jake keek naar de muur, zonder iets te zeggen of aanstalten te maken om naar beneden te gaan.

'Kom op. Ik heb de paarden van de apocalyps losgelaten. Iemand moet ze in bedwang houden.' Lance tilde een huilende peuter uit Lucy's armen en zei tegen Jake: 'Kom joh, samen kunnen we ze wel aan.'

Jake kwam naar hem toe, keek op – maar niet zo ver – en liep naar de deur. Lance keek even naar Rese, maar Monica zat tegen haar te praten, dus hij ging alleen naar de tuin met de meute.

Hoofdstuk 5

Chaz zat aan de kleine tafel in het keukentje over zijn boek gebogen. Het lamplicht deed de bladzijden glanzen toen Rese het appartement binnenglipte met haar hoofd vol namen en gezichten – stemmen, vragen, herrie. De stilte rond Chaz was overweldigend en ze werd aangetrokken door de amberkleurige gloed, de vrede.

Hij lachte zijn witte tanden bloot en ging staan om voor haar een stoel naar achteren te schuiven. Hoog oprijzend in het smalle keukentje, als een grote, vriendelijke reus, zei hij met zijn Jamaicaanse accent: 'Je hebt de familie ontmoet.'

'Dat is geen familie; dat is een horde.'

Hij lachte de trage, kabbelende lach die ze in de korte tijd dat hij bij haar was in Sonoma was gaan waarderen.

Ze liet zich op de stoel neervallen. 'Hoe ontredderd zie ik eruit?'

'Net als die eerste ochtend zonder Lance.'

De ochtend nadat ze hem eruit geschopt had en ondankbare gasten moest bedienen, die Lances keukencreaties en het avondprogramma dat haar website beloofd had verwachtten. Toen Chaz en Rico bij haar waren gebleven, ook al waren ze Lances vrienden, toen Chaz' vriendelijkheid, Rico's pannenkoeken en Stars woordenvloed haar ervan weerhouden hadden iemand een klap te verkopen.

De situatie van vanavond had daar veel op geleken. De paniek had als een klont pindakaas in haar keel gezeten en haar luchtpijp afgesloten en Lance was te zeer opgegaan in zijn familie om dat op te merken. Als ze beseft had waar ze mee instemde, had ze hem alleen naar het huis van zijn oma gestuurd. Ze had al genoeg aan haar hoofd zonder afkeurende moeders, nieuwsgierige zussen, uitgekookte tantes, agressieve zwagers en zoveel kinderen dat haar hoofd ervan tolde.

'Ontspan je nu maar', zei Chaz zachtjes.

Ze drukte haar vingers tegen haar slapen. 'Ik heb nog nooit zoiets gehoord. Ze zijn zo...' Ze schudde haar hoofd. 'Ik ben niet zoals zij.'

'Dat hoeft ook niet.'

'Volgens mij moet ik iets bewijzen.'

'Je bent een dochter van de Koning. Wat valt er te bewijzen?'

Ze hield haar hoofd schuin. 'Een dochter van de koning?'

'Absoluut.' Chaz sloeg een paar bladzijden om en stopte ergens. '"De Geest zelf verzekert onze geest dat wij Gods kinderen zijn... erfgenamen van God. Samen met Christus zijn wij erfgenamen."'

Nou, dat was fijn, maar tot nu toe was ze een koe en een ei genoemd en had ze oorverdovende conversatie verdragen en als ze al een soort erfgenaam was, dan scheen niemand dat te weten, behalve Chaz. Ze trok een rimpel in haar voorhoofd. 'Lance zei tegen me dat we gekomen waren om met zijn oma over het hotel te praten. Waarom vertelt hij me nooit het hele verhaal?'

'Ik denk dat hij het hele verhaal niet ziet. Hij is een dromer, een visionair. Hij ziet wat hij wil zien.'

Daar had ze zo haar twijfels over. Zou Lance het echt niet zien, of wilde hij gewoon niet dat zij het zag? Op dit moment was ze niet geneigd hem het voordeel van de twijfel te geven. 'Ik was niet meegegaan als hij het me verteld had.'

'Maar nu ben je hier.'

'Is er een nooduitgang? Een valluik? Ik zou nu zelfs een paar skeletten op de koop toe nemen.'

Chaz schoot in de lach. 'Je zou de etenslift kunnen proberen. Maar die gaat alleen maar naar de kelder.'

'Dat is niet ver genoeg.'

'Dan moet je genoegen nemen met je omstandigheden.'

Ze zuchtte. 'Hoe dan?'

'"Laat de Heer uw vreugde blijven: ik zeg u nogmaals: wees altijd verheugd."'

Rese schrok. Altijd verheugd zijn? Wat er ook gebeurde? Dat was net zo erg als dat bijbelgedeelte van Lance waarin stond dat je je gelukkig moest prijzen onder alle ellende, omdat dat tot volharding en betrouwbaarheid zou leiden. Op die manier zou ze volmaakt zijn tegen de tijd dat ze hier wegging. 'Waar haal je dat allemaal vandaan?'

Hij tikte op het boek. 'Gods Woord is mijn universiteit.'

De deur ging open en Lance kwam binnen. 'Mag ik meedoen?' Hij glimlachte, pakte een stoel en liet hem op de twee achterste poten balanceren, waarna hij zich uitrekte.

Ze had een onmiskenbaar verlangen om de stoel met haar voet om te duwen.

Hij trok zijn wenkbrauwen op. 'Leef je nog?'

'Natuurlijk.'

'Ik heb wat haar verloren en een kilo vlees, maar ik heb mijn tanden nog.'

'Je hebt het aardig voor je kiezen gehad daarbuiten.'

'Heb je dat gezien?'

'Ik neem aan dat jij in het midden van de kluwen zat.' Ze had stiekem uit het raampje van de wc gekeken, waar ze zich lang genoeg verstopt had om haar oren tot rust te laten komen.

'Het is fijn als ze van je houden.' Lance wreef over een rode plek op zijn arm.

En daar ging het om, dacht Rese. Ondanks het gekibbel, het geplaag en het gegil, het speelse en minder speelse gebakkelei, was er sprake van een bezitterigheid, een samenhang in zijn familie, waar ze ondanks alles jaloers op was. Lance kon amper ademhalen zonder dat iemand zijn aandacht wilde of hem overlaadde met de zijne. Alleen zijn vader was afstandelijk gebleven. Maar misschien was dat wel normaal voor vaders. Ook al waren zij en pa compagnons geweest, buiten het werk waar ze allebei van hielden, hadden ze weinig contact gehad.

'Laat het niet naar je hoofd stijgen.' Chaz gebaarde met zijn sierlijke vingers. 'Beter een nederige steen dan een felbegeerde edelsteen.'

Lance keek hem aan. 'Een Jamaicaans gezegde? Of een Chaziaans?'

Chaz lachte. 'Een steen wordt gebruikt om mee te bouwen. Een edelsteen veroorzaakt ruzie.'

Rese keek van de een naar de ander. Ze begreep wat Chaz bedoelde, maar wist ook dat Lance de aandacht die hij kreeg niet afgedwongen of zelfs maar gezocht had. In tegenstelling tot Bobby, die steeds dominanter en gewichtiger was gaan doen, had Lance zich op alle anderen gericht, net zoals hij bij haar gedaan had toen ze elkaar voor het eerst ontmoet hadden. Hij had haar uit haar tent gelokt zoals daarvoor nog nooit iemand gedaan had en om haar gegeven zoals nog nooit iemand om haar gegeven had.

Ze wilde niet net zoveel om hem gaan geven, maar hoe kon ze dat tegenhouden? Hij had nu eenmaal iets heel aantrekkelijks, zelfs met al zijn fouten. Misschien juist vanwege zijn fouten, als ze het bijbelvers over karaktervorming mocht geloven. Ze zei: 'Een edelsteen is ook een steen. Het hangt er alleen van af wat ermee gedaan is.'

'Dat' – Chaz stak een vinger op – 'is een geweldig punt. De levensveranderende kracht van verdrukking.' En hij wierp haar een heimelijk lachje toe.

Ze snapte wat hij bedoelde, maar het stond haar niet aan. De maaltijd was een martelgang geweest en ze voelde zich er beslist geen beter mens door. Lance mocht er dan over klagen dat ze hem te goed kenden, maar hij was helemaal opgefleurd door het onderlinge contact. Hij was er geknipt voor om het hotel te runnen. Hij hield van mensen.

Ze voelde zich volkomen uitgeput. Ze had Lance al zo'n babbelkous gevonden toen ze elkaar voor het eerst ontmoetten, maar hij was nog niets vergeleken met de rest, tenminste, als ze allemaal bij elkaar op dezelfde plek waren. Rechts van haar was nonna Antonia stil geweest, maar links van haar had Monica maar doorgerateld over haar kinderen, haar Bobby, haar misselijkheid. Alle anderen hadden haar vanaf hun plek in de kamer boven het kabaal uit vragen toegeroepen. Hoe had ze in vredesnaam een hap door haar keel kunnen krijgen?

Maar op de een of andere manier was het haar toch gelukt. Haar maag was vol, hoewel ze geen flauw idee had wat ze gegeten had. Rese liet haar blik naar de slaapkamer gaan, waar het, ook al zou ze niet kunnen slapen, stil en rustig zou zijn – nee, ze deelde de kamer met Star. Maar... waar waren Star en Rico eigenlijk?

'Ze zijn een opname aan het maken in de metrotunnel', zei Chaz toen ze ernaar vroeg; en terwijl hij Lance op de hoogte bracht van hun nieuwe avontuur, vluchtte zij naar de slaapkamer. De avonden met pa, als hij na het eten dat ze voor hem had gemaakt zonder ook maar een bedankje wegglipte om tv te gaan kijken, leken nu normaal, of in elk geval minder stressvol. De geanimeerde gesprekken die ze op de werkplek gevoerd hadden, of tijdens een wandeling, als ze huizen bekeken of gewoon wat droomden, verstomden zodra ze thuis waren.

Het was alsof mam onzichtbaar tussen hen in zweefde en ze geen van beiden wisten hoe ze zich moesten gedragen zonder haar. Pa zat met het geheim van haar opname in zijn maag en zij had altijd zoveel dingen voor hem achtergehouden als hij thuiskwam en haar ondervroeg alsof zij de volwassene was, dat het gemakkelijker was om te zwijgen. Terwijl ze vanavond waarschijnlijk de hele stamboom van de Michelli's tijdens één maaltijd had leren kennen.

Ze trok een pyjama met korte broek aan, pakte haar toiletspullen en ging door de aangrenzende deur naar de badkamer, waarna ze de andere twee deuren dichtdeed. Drie deuren in een badkamer, die net zo lang was als de aangrenzende slaapkamers, alleen smaller. Een handig ontwerp, dat des te interessanter was door de zwart-blauw-groene tegels en badkamermeubels die, vermoedde ze, eveneens origineel waren. Lance waste zich in een museumstuk. Wist hij dat?

Het plafond en de vloer vertoonden scheuren, maar het gebouw was in redelijke staat. Op Stars rondslingerende kleren na was de slaapkamer ook schoon en netjes. Wie van de mannen zou daarvoor zorgen? Chaz eerder dan Rico, gokte ze, maar dat zou ze mis kunnen hebben, ook al had ze zichzelf erin getraind de sterke en zwakke kanten van mensen te beoordelen. Maar Lance had ze niet doorgehad en dat deed haar twijfelen of ze ook anderen niet verkeerd beoordeeld had.

Ze waste zich en poetste haar tanden, haalde haar natte vingers door haar haar en zag de vermoeidheid op haar gezicht. Het zou fijn zijn als ze zou kunnen slapen, maar dat verwachtte ze niet. Ze herkende de angst die haar jaar in jaar uit uit haar slaap had gehouden – angst dat ze zou sterven als ze aan de slaap toe zou geven, angst die ze had leren kennen op de avond dat ze bijna gestorven was. Ze geloofde dat haar leven in Gods handen was. Maar die wetenschap veranderde een patroon van jaren niet in één keer. De beste nachten die ze gehad had waren de keren dat Lance haar in slaap had gezongen of gepraat. Maar ze was niet van plan dat te vragen.

Alsof het afgesproken was, klonk er een klopje op de deur en vroeg Lance: 'Heb je nog iets nodig?'

Ze durfde er iets om te verwedden dat de man haar gedachten kon lezen. Ze opende de deur op een kiertje. 'Nee, dank je. Ik heb voldoende ingepakt.'

Hij hield zijn hoofd iets schuin. 'Zal ik je nek masseren?'

Haar nek voelde aan als een stalen kabel, maar ze keek langs hem heen en zag Chaz in zijn 'universiteit' zitten en schudde haar hoofd. 'Het gaat wel.'

'Ik had je moeten waarschuwen.'

'Ja.'

'Je wilt graag weten wat je te wachten staat.'

'Ja.'

Hij leunde tegen de deurpost. 'Maar je hebt het overleefd.'

'Daar ben ik goed in.'

'De sterkste vrouw die ik ooit ontmoet heb.'

Ze hield haar hoofd iets schuin. 'Dat zegt een heleboel.'

Hij kromp ineen. 'Ja, nou ja...'

'En volgens Monica waren het niet allemaal zielige gevallen.'

'Wat weet zij daar nou van?'

'Sommigen leken zó weggelopen uit *Glamour magazine*, zei ze.'

'Kan een glamourgirl geen problemen hebben?'

'Monica zei dat je verwend bent. Dat je nooit genoegen zou kunnen nemen met één meisje, met drie grote zussen, nichten, tantes, een moeder, een oma, die je allemaal als een prins behandelen.'

'Monica weet het allemaal wel goed te vertellen, hè? Je zou ook kunnen zeggen: met zussen, nichten, tantes, een moeder en een oma die me allemaal commanderen, standjes geven, knijpen, kussen. Genoeg om me tot priester te laten wijden!'

Rese trok haar wenkbrauwen op. 'Waardoor je nog altijd onder het maken van een keuze uit zou komen.' Ze had er goed aan gedaan om zich tegen zijn charme te verzetten. Hij maakte geen onderscheid.

Hij pakte haar hand en vlocht hun vingers in elkaar. 'Soms heb je geen keus. Dan doe je je ogen open en is die al voor je gemaakt.'

Daar had je die intense oprechtheid weer, die alleen Lance kon tonen en die zo'n vernietigend effect had op haar hart. Maar ze hield haar gezicht in de plooi. Niemand zou haar vertellen wat ze moest doen, en Lance al helemaal niet, die haar niet eens het hele verhaal kon vertellen.

Ze maakte haar vingers los. 'Welterusten, Lance.'

Lance ging bij Chaz zitten en zuchtte. 'Denk je dat ik het ooit weer goed zal kunnen maken?'

'Je had haar moeten vertellen wat haar te wachten stond.'

'Dan was ze niet meegekomen.'

'Dan had ze tenminste een keuze gehad.'

Chaz had gelijk – zoals altijd. Lance leunde achterover en sloot zijn ogen. 'Waarom zie ik het altijd pas als het kwaad al geschied is?'

'Omdat je niet van tevoren kijkt.'

Hij wilde ertegen ingaan, maar hij had het Rese met opzet niet verteld, want als hij haar het plaatje geschetst had, zou ze zich ertegen verzet hebben – nee, ronduit geweigerd hebben om mee te gaan. Hij had zich haar hier voorgesteld met nonna, pratend over hun plannen, hun verlangens. Hij had zich haar niet voorgesteld met de rest. Hij hield van zijn familie, maar hij had de gedachte aan hen allemaal in combinatie met Rese vermeden.

Het avondeten was een vuurproef geweest. Hij was ertegen ingegaan, maar Monica had gelijk dat ze zich verantwoordelijk voelden voor hem. Ze konden het niet laten hem op te voeden, dat zat er ingeprent vanaf zijn geboorte. Nog een reden om in Sonoma te blijven. Daar zou hij volwassen kunnen worden.

Hij pakte Chaz' bijbel, vond het gedeelte dat hij zocht. *'Toen ik nog een kind was sprak ik als een kind, dacht ik als een kind, redeneerde ik als een kind. Nu ik volwassen ben heb ik al het kinderlijke achter me gelaten.'*

Hij was gevlucht toen Tony stierf, omdat hij niet wist hoe hij de man moest worden die zijn broer geweest was. Hij wierp zich op projecten om de wereld te helpen, het ene na het andere, en trok verder voor hij de kans had om te falen. Hij had het altijd ontkend, maar misschien had zijn moeder hem toch vernoemd naar de ridder die hard en trouw gevochten had, maar uiteindelijk Camelot in het verderf stortte.

Ze had hem een degelijke, Italiaanse naam als Frank of Dominick of Vinnie moeten geven, of Roman, zoals pap. Waarom was ze daar opeens van afgeweken toen ze zijn wasbleke, kronkelende lijfje in haar armen hield? Pap had er een stokje voor kunnen steken, maar waarom zou hij ook? Hij had Tony.

Lance keek op.

Chaz ontmoette zijn blik. 'Gevonden wat je zocht?'

'Ben ik nog altijd de knul die met een hamer de kerk van je vader kwam binnenlopen, met het idee dat ik de wereld kon veranderen?'

Langzaam verscheen er een glimlach op Chaz' gezicht. 'Ja en nee.' Hij draaide de bijbel om, zodat hij het vers kon lezen en zei toen: 'Je dacht dat je hamer dingen beter kon maken, en dat was ook zo. Hij gaf mensen weer een dak boven hun hoofd. Je groef greppels en legde leidingen aan voor schoon water om ziektes te voorkomen. Je leerde de mensen hoe ze op hygiënische wijze eten moesten bereiden, zodat er geen besmetting meer plaatsvond die opgezwollen buiken, zweren en uitslag veroorzaakte. Omdat je jezelf niet spaarde, verminderde je het lijden.'

Lance keek naar het tafelblad. Hij wilde geen lof, hij wilde alleen weten dat zijn inbreng er iets toe gedaan had. En dat was dus zo. Pap zag dat misschien niet. Hij was niet net zo'n soort man geworden als pap of Tony, maar tijdens zijn zwerftocht had hij zijn weg gevonden. Vooral tijdens zijn zoektocht voor nonna. Hij was er onbezonnen en vol verwachting aan begonnen en was erachter gekomen dat het leven zo niet in elkaar zat. Maar zijn hart was nog steeds vol verwachting. Hij scheen niet in staat de hoop op te geven. Hij keek even naar Reses deur. Hij hoopte, maar soms gebeurden er dingen die hij niet in de hand had.

De volgende morgen zat Antonia in haar stoel en zuchtte. Lance zou het forceren. Hij zou haar in herinnering brengen wat ze zich niet wilde herinneren. Zou haar hardop laten uitspreken wat haar achtervolgde in haar slaap. Hij wilde antwoorden, maar die had ze niet. Alleen verdriet. Alleen schaamte.

Maar al te goed herinnerde ze zich de kattenklauwtjes langs haar ruggengraat, de zenuwen die haar vastgrepen met twijfel en een bang voorgevoel. Papa's middernachtelijke escapades, waarbij hij de auto naar het eind van de oprit duwde, zodat ze hem niet zou horen weggaan...

Ik maak nonno deelgenoot van mijn angst, maar hij zegt alleen maar: 'Vertrouw op wat je weet, Antonia', en drukt zijn hand tegen zijn borst.

Maar de liefde die ik voor papa voel, zit gevangen in angst. Er zijn de afgelopen maanden al twee mannen vermoord en de politie heeft niets gevonden. Er is iets duisters naar Sonoma gekomen. Vanbinnen weet ik dat het Arthur Jackson is. Waarom kan papa niet gewoon leningen afsluiten bij de bank? Waarom heeft hij de privépositie geaccepteerd die hij nu lijkt te bekleden?

'Ik ben bang, nonno. Ik voel het vanbinnen.'

Hij knikt, terwijl hij aan de rand van het stukje wijngaard dat we nog hebben, blijft staan. 'Alles eindigt, *cara*. Leven is loslaten.'

Ik schud mijn hoofd. 'Dat wil ik niet. Dat doe ik niet.' Ik stamp op de grond.

Hij glimlacht, met zijn blik in het verleden. 'Je lijkt zo op haar, dat ik soms vergeet dat je haar niet bent.'

Hoewel ik blond ben en zij donker was, weet ik wat hij ziet als hij naar me kijkt met die verre blik in zijn ogen. Nonna Carina zou haar mond niet gehouden hebben. 'Als zij hier was, zou ze tegen papa zeggen dat hij ermee op moest houden.'

'Ze zou het hem zeggen, maar hij zou er niet mee ophouden. Een man moet zijn eigen weg vinden.'

'Waarom? Waarom mag een man alles doen, zelfs als het zijn familie pijn doet?'

Nonno laat zijn hoofd zakken. 'Vittorio wil jou geen pijn doen, Antonia. Je bent zijn alles.'

'Als dat waar was, zou hij naar me luisteren. Dan zou hij me niet bedriegen.'

'Dat hij je niet alles vertelt, wil nog niet zeggen dat hij je bedriegt.'

Ik bal mijn vuisten. 'Er 's nachts stilletjes tussenuit knijpen? De auto duwen?'

Nonno glimlacht. 'Hij wil niet dat je het hoort en je zorgen maakt.'

'Waarom wil hij me niet vertellen wat hij uitspookt?'

'Omdat dat jouw zaken niet zijn.'

Ik snuif. 'Omdat het mijn zaken niet zijn. Het zullen mijn zaken wel zijn als we dit allemaal kwijtraken.' Ik zwaai met mijn arm naar het uitzicht voor ons. 'Als ik niet meer met opgeheven hoofd door het leven kan.'

Nonno fronst zijn voorhoofd. 'Schaam je je voor je papa, Antonia?'

Ik haal adem, maar kan niet antwoorden.

'Dan ken je hem niet.' Nonno pakt zijn stok en loopt langzaam weg.

Antonia schoot met een ruk overeind. De roffel op de deur was niet hard, maar het geluid ging haar toch door merg en been. *Ga weg. Laat me alleen met mijn schaamte.* 'Kom binnen.'

Lance deed de deur open, maar hij had Rese bij zich. Hij zou haar geheimen toch niet onthullen waar een vreemde bij was, al betekende de vrouw ook nog zo veel voor hem? Zo hard, zo ongevoelig zou Lance niet zijn. Zo was hij niet. Of wel?

'*Buon giorno*, nonna.' Hij gaf haar een kus op haar wang. Judas.

Ze keek hem aan. Zijn ogen waren helder, ondanks hun donkere tint. Er had altijd een gloed in gelegen, iets levendigs, alsof het vuur waarmee hij naar buiten keek niet gedoofd kon worden. Het deed pijn om te zien dat hij dacht dat wat hij nu deed goed en juist was.

Ze wilde hem slaan, hem zeggen dat hij het voor zich moest houden, wat hij wist. Waarom moest hij haar er opnieuw doorheen slepen? Maar toen zag ze wat hij in zijn handen had. Haar ogen richtten zich op de doos, haar doos van vroeger, een doos met briefpapier en enveloppen, die papa haar voor haar vijftiende verjaardag gegeven had. Ooit hadden er velletjes papier en pennen en een klein schootschrijftafeltje in gezeten. Die had ze gebruikt om brieven te schrijven aan haar nicht Conchessa in Ligurië, die Lance naar Sonoma gestuurd had. Ze had alleen maar gewild dat hij nonno vond, hem de begrafenis gaf die hij verdiende.

Met de doos onder zijn arm trok hij een stoel bij voor Rese en toen een voor zichzelf. 'Is Sofie er?'

Antonia schudde haar hoofd.

Hij zette de doos op het tafeltje naast zijn stoel en ondanks haar verzet raakte haar verwachting hooggespannen toen hij het deksel opendeed. Ze had niets in de doos gedaan wat papa in opspraak zou kunnen brengen. Misschien was er niets te vrezen...

Door de hoek waarin hij het deksel vastzette, kon ze niet zien wat er in de doos zat, maar ze wachtte met ingehouden adem toen hij zijn hand erin stak. Hij gaf haar twee foto's; een van haar moeder en een van nonno Quillan. Ze had zo lang niet naar mama gekeken. Een mooie vrouw met het modieuze blonde bobkapsel uit die tijd.

Een vrouw die mannen het hoofd op hol bracht, die papa het hoofd op hol had gebracht en nooit opgehouden was zijn hart op hol te brengen, maar die niet veel op had gehad met haar dochter, alsof er vanaf het begin rivaliteit tussen hen geweest was.

Ze was naar nonna Carina gegaan als ze behoefte had aan troost. Van nonna had ze de dingen geleerd die ze op waarde zou gaan schatten, een andere taal dan die ze sprak op school, een waardering voor schoonheid – niet de waardeloze prulletjes waar het verlangen van haar moeder naar uitging – de schoonheid van muziek en woorden en de natuur, de schoonheid van de liefde. Ze had geleerd haar mening te geven, zich in iedere situatie staande te houden.

Van nonna had ze het geven en nemen van de liefde geleerd. In de relatie van haar grootouders had Antonia gezien wat er ontbroken had bij papa en mama en ze had zich heilig voorgenomen haar hart alleen te geven aan iemand, die zich net zo zou overgeven aan haar. Pure haat zou niet erger kunnen zijn dan uiteenlopende verlangens, twee levens die voortdurend met elkaar wedijverden. Kijkend naar de foto van haar mama, voelde ze geen verlies, alleen spijt dat ze haar niet gekend had, niet door haar gekend was.

Toen richtte ze haar blik op de foto van nonno, zo knap met zijn lange haar. Nonno's gezicht was zowel nobel als krachtig. De foto had de warmte in zijn ogen niet vastgelegd, zijn grote talent om mee te voelen, of, op het eind, de onmetelijke smart. Zonder nonna Carina had hij alleen nog maar gewacht, klaar voor de dood die hij met nog meer smart gevonden had.

Ze sloot haar ogen, terwijl ze aan hem terugdacht. *Nonno.* Zijn laatste zorg was voor haar geweest. En zij had zijn wens ingewilligd. Ze was niet gevonden, niet vernietigd, zoals al het andere dat ze gekoesterd had. Ze deed haar ogen open en Lance gaf haar brieven, waarvan ze zich herinnerde dat ze ze bewaard had in de doos.

Een brief die nonno haar had gegeven van Flavio, waarin hij zijn taak als peetvader aanvaardde. Toen ze die dag thuiskwamen van het graf, had hij hem haar gegeven en gezegd: 'Weet dat iedere keuze die je maakt, rimpelingen in het meer veroorzaakt. Mijn Carina wilde het. Misschien om haar geweten te sussen of om Flavio te helpen zijn bestemming te vinden. Hij is nooit getrouwd; hoe kon hij ook, nadat hij van Carina gehouden had? Dus Vittorio was als een zoon voor hem. En hij is altijd met mij blijven wedijveren om zijn hart. Is het een wonder dat Vittorio innerlijk verdeeld is?'

Antonia tilde de volgende op, een brief van papa voor haar verjaardag. Ze voelde zich helemaal warm worden toen ze zijn woorden las. Ze had nooit aan zijn liefde getwijfeld, alleen aan zijn – Antonia onderdrukte een snik. Hij was uit het niets tevoorschijn gekomen en had haar verrast. Soms voelde ze de emoties niet aankomen. Ze vielen aan uit de schaduwen van haar geest. Ze legde die brief met een trillende hand neer.

De laatste was een briefje van Marco, waarin hij zei dat hij wel opgewassen was tegen de taak om haar voor zich te winnen. Opnieuw een golf van warmte, ditmaal vervuld met de bloesem van liefde. Ze haalde beverig adem en keek naar de twee jonge mensen voor haar. Reses aanwezigheid leek niet langer misplaatst. Ze was een met Lances hart, ook al wist ze dat nog niet.

'Misschien herkent u dit.' Lance haalde een boek uit de doos.

Ze hapte naar adem. 'M...ijn dag...'

Hij gaf het haar en ze wreef met haar handpalm over de voorkant. Hoe had hij dat gevonden? Waar? Haar hoofd tolde van de vragen.

'Het is voor u bewaard, samen met dit.' Hij legde een vel papier boven op het dagboek. 'Dit is een eigendomsakte van het huis, die Ralph Martino voor u in bewaring heeft gehouden.'

Antonia keek naar de akte en de tranen sprongen haar in de ogen. Martino. Ralph moest familie zijn van Joseph, lieve Joseph, die het luik onder het zand begraven had om nonno's rustplaats te verbergen, de dwaze eis van een radeloos meisje, dat geen andere uitweg had gezien. Hij moest haar dagboek gevonden hebben waar het gevallen was en het voor haar bewaard hebben. Had hij gedacht dat ze terug zou komen?

'Nonna? Weet u iets over deze akte?'

Ze keek weer naar het vel papier en schudde haar hoofd. Nonno moest het aan Joseph gegeven hebben om voor haar te bewaren. Had hij toch geweten dat er moeilijkheden op komst waren en voorzorgsmaatregelen getroffen samen met een man die hij meer vertrouwde dan zijn zoon? Maar nonno was niet met haar meegegaan. Hij had liever zijn hart laten stilstaan dan dat hij het huis verliet dat hij gedeeld had met Carina. Ze slikte de pijn weg.

Lance zei: 'Rese heeft het huis in goed vertrouwen gekocht. Ze heeft de villa gerenoveerd, de schade hersteld die door ouderdom en vandalen was veroorzaakt. Ze wil er een hotelletje van maken. Geen van beiden wisten we van uw eigendomsakte en ik weet niet welke van de twee overeind zal blijven in de rechtbank.'

De rechtbank? Waar had hij het over? Antonia keek naar Rese, met haar krachtige, competente gezicht. Ze keek naar de handen, eeltig en sterk, de goed ontwikkelde onderarmen. Had zij de villa gerestaureerd? Misschien, maar zou ze enig idee hebben van wat dat huis betekend had voor de jonge vrouw die had moeten vluchten? Hoe het symbool had gestaan voor een verloren leven?

'Nonna.' Lance legde zijn handen op de hare. 'Rese en ik zijn compagnons in dat hotel. Met uw zegen willen we daarmee doorgaan. Er iets van maken.'

Rese schrok op, alsof ze niet verwacht had dat hij dat zou zeggen, en haar kalmte maakte even plaats voor de onderliggende spanning. Aha. Dus haar kracht lag in haar dekmantel, die de angst en onzekerheid moest verbergen. Ze was niet zeker van Lance, helemaal niet zeker. En wie zou haar dat kwalijk nemen als hij zo onzeker was van zichzelf?

Ze wilden een hotelletje maken van haar huis, een slaapgelegenheid voor vreemden. Ze sloot haar ogen en stelde zich het huis voor dat zij en nonno hadden gekoesterd. De wijnstokken, zwaarbeladen met druiven, de muren, ondergedompeld in leven, liefde en gelach. En leed en dood. Ze werd overmand door verdriet. Was het mogelijk dat haar kleinzoon, van wie ze zoveel hield, het huis dat zij verloren had in ere zou herstellen?

Als dat alles was wat ze wilden, dan wisten ze het misschien niet. Misschien... Ze pakte de akte op en drukte die in zijn handen. Rese mocht het huis dan misschien gekocht hebben door een speling van het lot, maar Lance zou deze akte uit haar handen krijgen. Ze legde zijn andere hand erbovenop en zei: 'V...oor jou.'

Lance keek haar aan. 'Dank u, nonna. Maar officieel is het huis van Rese.'

Waarom wilde hij daar niet over ophouden? Wat was hij koppig, die man. Net zo koppig als zij.

'Ze heeft er een komma acht miljoen dollar voor betaald. En dat in vervallen staat. Sinds die tijd heeft ze er heel wat in geïnvesteerd.'

Rese vroeg: 'Hoe weet jij hoeveel ik ervoor betaald heb?'

'Dat zijn openbare gegevens.' Hij glimlachte.

Een komma acht miljoen dollar? Zo'n enorm bedrag kon Antonia niet bevatten. Maar ja, ze had de waarde van dingen nooit in geld uitgedrukt. Wat het voor haar betekende, daar ging het om. En die villa betekende jeugd en onschuld, liefde en pijn. Wenste ze dat Lance toe? Ze keek van hem naar Rese Barrett. Of ze het hem toewenste of niet, ze zaten er al tot over hun oren in.

Antonia pakte Reses hand en legde die op die van Lance, die de akte vasthield. 'V...oor jou.' En als ze dachten dat ze de akte bedoelde, *bene*. Ze zou hun geven wat niet langer aan haar was om te geven, en ze zouden haar er dankbaar voor zijn.

Rese zei: 'Dank u wel.' Er stonden tranen in haar ogen. Ogen die niet makkelijk huilden, die de wereld op een afstand hielden. Iets had haar verwond. Maar ja, zo was het leven.

'Er is nog meer, nonna.'

Lances woorden brachten de spanning terug. *Nee*. De rest moest met rust gelaten worden. 'Niet m...eer.'

'Ik wil niet tegen u ingaan.'

Maar dat zou hij wel doen. Hij dacht dat hij wist wat goed was en net als David zou hij iedere reus te lijf gaan. Inclusief zijn zwakke nonna, die, dat wist hij heel goed, niet zwak van geest was. Ze wierp hem de scherpe blik toe die haar ongenoegen overbracht. Zelfs als kleine jongen had hij zich daar al tegen verzet; nu besteedde hij er gewoon geen aandacht aan.

'Ik weet dat u hier niet over wilt praten, maar ik begrijp niet waarom.' Een poging om haar over te halen.

Ze keek hem boos aan. 'L...aat het m...et rust.'

Hij legde de akte op het tafeltje en haalde een bundeltje geld uit de doos. 'Ik heb een bergplaats vol met deze bundels gevonden in de kelder, bij nonno Quillan. Zilvercertificaten. Ze zijn een heleboel waard.'

Geld in de kelder? *'Antonia, onder...'* Was het nonno's spaargeld, of had papa het daar verstopt voor het een of andere clandestiene doel?

'Deze heb ik ook gevonden.' Hij pakte een stapel enveloppen uit de doos en legde ze zo neer dat ze de namen zag, die erop geschreven stonden; enkele ervan herkende ze, hoewel ze dat niet wilde, mannen die aangesloten waren bij Arthur Jackson, sommigen werden door hem in de luren gelegd waren, net als papa, anderen waren net zo weerzinwekkend als de man zelf.

Een razende woede spoot in haar omhoog. *Stop ermee! Stop ermee!* Was het niet genoeg dat papa vermoord was? Moest zijn naam dan ook nog door het slijk gehaald worden in de ogen van haar kleinzoon?

Lance leunde achterover. 'Hoe komt het dat nonno Marco nooit gezegd heeft dat hij een federaal agent was?'

De woede ebde even snel weg als hij gekomen was. Marco een federaal agent? 'Wat?'

'Ik heb een brief, waarin staat dat Marco Michelli een federaal agent was en dat uw vader Vittorio met hem samenwerkte bij een undercoveroperatie.'

Antonia liet zich achteroverzakken en voelde alle kracht uit haar lichaam wegvloeien. Dat was niet mogelijk.

Maar hij haalde de brief uit de doos. 'Ik heb deze brief van Arthur Jacksons achterachterkleindochter gekregen.'

Alleen al het horen uitspreken van die naam bezorgde haar bijna een hartstilstand. Ze weigerde het vel papier aan te pakken dat hij haar toestak. Iets wat besmet was door Arthur Jackson zou ze met geen vinger aanraken.

'Ik denk dat dat de reden was waarom Vittorio vermoord werd.'

Haar handen trilden. Haar lippen beefden. Haar gezicht hing slap. Hij wist het dus allemaal. Een overweldigende pijn nam bezit van haar.

'Nonna? Alles goed?'

Ze hoorde hem wel, maar kon niet antwoorden.

'Nonna? Rese, ga mama halen.' Lance pakte het dagboek van haar schoot, wreef haar handen warm. 'Zeg iets, nonna. Alstublieft. Het spijt me dat ik u van streek heb gemaakt.'

Haar blik werd wazig. Haar lichaam voelde stijf aan. Haar hoofd leek op een gonzende bijenkorf.

Lance liet zich op zijn knieën vallen en nam haar in zijn armen. 'Alstublieft, nonna. Doe dit niet. Het spijt me.'

Ze wilde hem troosten, hem zeggen dat deze pijn niets met hem te maken had. Dat hij haar vreugde was. Dat hij alles wat ze verloren had, de moeite waard maakte. Maar de woorden wilden niet komen.

Toen zweefde Dori boven haar. 'Mama?' Doria, de schoondochter die hun wereld binnengekomen was toen ze met Roman trouwde, die nu verantwoordelijkheid nam voor de oude vrouw, die niet langer in staat was zelf te eten, zichzelf aan te kleden of zichzelf te verplaatsen. Hoe erg zou de schade deze keer zijn?

Was het geen goed teken, dat ze zich dat nog kon afvragen? De vorige keer was ze wakker geworden met een geknakte geest en een verlamd lichaam. Ze was niet buiten bewustzijn. Misschien was het deze keer niet zo erg. Misschien.

Lance had zijn vingers in zijn haar gestoken en stond daar als een gekwelde ziel in Dantes hel zichzelf de schuld te geven. Zichzelf te veroordelen.

'M...aa.' Dat was niet de klank die ze nodig had.

'Probeer maar niet te praten, mama.' Dori streelde haar voorhoofd met een koele hand.

Ze moest praten, moest tegen Lance zeggen dat hij zich geen zorgen moest maken, dat hij het zichzelf niet moest verwijten. Maar de klanken die kwamen, maakten hem nog banger dan eerst. Ze hield ermee op ze te maken. Hield ermee op het te proberen. Stopte met vechten.

'Ik heb de dokter gebeld.'

Nee. Geen dokters meer. Geen ziekenhuis. Ze wilde haar familie, geen vreemden die haar weg zouden halen. Vroeger kende ze de mensen in het Sint-Barnabasziekenhuis net zo goed als de kaasboer en de bakker en de schoenmaker en de klokkenmaker. Nu waren er gezichten die ze nog nooit gezien had. Mensen die niet wisten dat ze ooit mooi en slim geweest was. Ze zagen alleen haar mismaaktheid.

Ze sloot haar ogen. *Laat me met rust. Laat me.*

Hoofdstuk 6

Lance had het gevoel of iemand een scherp mes in zijn binnenste ronddraaide, terwijl hij in de gang naast nonna's deur stond. Iedere keer dacht hij dat hij het goede deed, dat hij Gods wil deed... Rese stond naast hem, maar zijn gedachten cirkelden maar om één ding. *Mijn schuld.*

Hij vocht tegen de spanning die zijn keel dichtsnoerde. Hij mocht dan misschien niets te maken hebben gehad met het instorten van de Twin Towers op Tony, maar hij was rechtstreeks verantwoordelijk voor nonna. Hij had doorgedrukt, terwijl ze hem gesmeekt had dat niet te doen. Hij had haar dingen willen vertellen die ze niet wilde weten; haar dingen in herinnering gebracht waar ze nooit over gesproken had. Misschien had ze niet eens geweten dat haar papa vermoord was. Wat had hem bezield, om dat er zomaar uit te flappen?

De dokter kwam de kamer uit, een dokter die de moeite had genomen om bij een bejaarde die een beroerte gehad had in de buurt van het ziekenhuis langs te gaan. Hij was bezig geweest met huisbezoeken en had de omweg graag voor haar gemaakt. Dat was beter dan het sturen van een ambulance, een opname in het ziekenhuis. Hij kende Antonia Michelli.

Hij had alleen mama in de kamer toegelaten en daar was Lance blij om. Hij wilde de schade niet zien, wilde niet weten wat hij aangericht had. Maar nu in de gang zei dokter Stern: 'Mevrouw Michelli heeft een korte doorbloedingsstoornis in de hersenen, een zogenaamde TIA, gehad. De medicijnen die ze al gebruikt lijken de schade beperkt te hebben.'

Lance slikte. 'Is ze bij kennis?'

'Ja. Maar ik wil niet dat haar rust verstoord wordt.'

Juist ja. Ik wil niet dat je ongewenste informatie opdringt aan je verzwakte oma.

'Er mag niet meer dan één persoon tegelijk bij haar.' Hij kende ook de rest van de Michelli's. 'Ze heeft rust nodig. Als ze die hier niet kan krijgen, zal ik haar moeten laten opnemen.'

'Ze zal rust krijgen.' Lance wilde haar alleen maar zeggen hoezeer het hem speet, dat hij haar er niet meer mee zou lastigvallen. Wat Marco en Vittorio met Arthur Jackson te maken hadden gehad, zou voor altijd onuitgesproken kunnen blijven. *Basta.* Genoeg.

Nadat de dokter weggegaan was, fronste Rese haar wenkbrauwen. 'Ik weet waar je mee bezig bent.'

'Waarmee dan?'

'Je loopt jezelf de schuld te geven.'

'Ze vroeg me ermee op te houden.'

'Tja, dat is niet je sterkste kant.'

Dat was zwak uitgedrukt. Zijn mobieltje rinkelde en hij bracht Monica op de hoogte van de stand van zaken en van de voorschriften van de dokter. Ze had alle kinderen meegenomen naar het park en ze zouden manieren moeten vinden om ze tenminste de komende paar dagen bezig te houden. Ze mochten niet om nonna heen zwermen. Slechts één persoon tegelijk. En hij was niet meer de beste keus.

'Bid maar voor haar', zei hij tegen Monica. En dat moest hij ook doen. Hij verbrak de verbinding en keek naar Rese. 'Vind je het goed als we naar de kerk gaan?'

'Ja hoor, best.' Ze keek opgelucht, eerlijk gezegd. Hij moest er echt beroerd aan toe zijn.

Ze liepen de trap af, gingen naar buiten en liepen toen een paar straten door naar de kerk. De Mount Carmelkerk was al vanaf 1907, toen hij als souterrainkerk gebouwd was, het middelpunt van zijn buurt. Nu omarmde de ingang met de drie bogen tussen de twee torens van rode baksteen hem. Rese en hij kwamen aan toen de *donne anziane*, oude vrouwen met zwarte sluiers en dikke kousen, de lichte, stenen trap afdaalden na de Italiaanse mis. Velen van hen groetten hem en hij forceerde een glimlach terwijl hij Rese naar binnen leidde.

Hij boog zijn hoofd en knielde op de knielbank. Hoe vaak was hij daar niet geëindigd, in de hoop dat God iets zou kunnen repareren van wat hij verprutst had? Hij moest inmiddels expert zijn in 'verkeerd begrijpen'. In Sonoma, toen alles fout liep, had hij alles aan Rese willen geven – de akte, het geld – hij had geprobeerd haar los te laten, omdat hij dacht dat dat Gods wil was. Maar toen ze wilde dat hij bleef, had het goed geleken om het allemaal naar nonna te brengen, omdat haar goedkeuring nog altijd evenveel voor hem betekende op zijn achtentwintigste als op zijn achtste.

Maar nonna had om hulp gevraagd, niet om een gevecht. *Heer.* Hij verdiende het afkeurende klakken met haar tong, zoals alleen zij dat kon. Of kon ze dat niet meer? Hoeveel progressie zou er verloren zijn gegaan en hoe gefrustreerd zou ze zijn? Hij sloeg zijn handen voor zijn gezicht. *Heer, genees haar. Ik zal het verleden laten rusten. Ik hoef geen antwoorden. Maak haar weer gezond.*

Met zijn hoofd in zijn handen liet hij zich nog verder vooroverzakken, tot zijn billen de kerkbank achter hem raakten. Hij herinnerde zich hoe mama hem een standje gaf voor die houding. *'Houd je rug recht voor degene wiens rug voor jou gegeseld werd.'*

Hij bedoelde het niet oneerbiedig, maar kwam toch weer een beetje overeind, zich bewust van de altijd aanwezige geur van wierook tussen de muren, niet afkomstig van het branden van het grijze poeder, maar van de gebeden die in stille afwachting en geloof opgezonden werden naar de hemel. Hij kon het gemompel en gefluister tussen de spanten bijna horen en voegde het zijne eraan toe.

In uw hart, in uw hand,
alles wat ik ben, naakt sta ik voor U.
Sela, o Heer, sela. In de stilte vindt U mij.
Sela, o Heer, sela. Reinig mij in de stilte.

Zijn songtekst. Het probleem was, dat hij niet rustig kon worden, de stilte niet kon vinden. Hij moest eropuit. Hij stond op en gebaarde Rese voor hem uit te lopen, waarna hij neerknielde om een buiging te maken voor hij wegging. God had hem gehoord, dat wist hij. Maar hij wist niet wat het antwoord zou zijn. En hij kon het nog niet aan om daarachter te komen.

De manier waarop Lance de kerk uitbeende, voorspelde niet veel goeds. Hij had duidelijk geen vrede en troost gevonden, ook al had ze verbaasd gestaan van de schoonheid in de kerk, die inspireerde tot aanbidding. Rese was verbaasd over de grote hoeveelheid gebrandschilderde ramen, de marmeren zuilen, de gebeeldhouwde en geschilderde taferelen langs de wanden en het plafond. Ze had niet gedacht daar ook maar iets van aan te treffen in een wijkkerk.

Maar ze had niets van wat tot nu toe gebeurd was, verwacht. Een snelle uitleg van hun plannen, een oprechte poging dingen recht te zetten, een kans voor Lance om zijn zoektocht voor zijn oma af te ronden – dat was wat ze verwacht had. Nu deed ze haar best hem bij te houden, terwijl ze de door de zon verwarmde trap afliepen.

'Lance?' bracht ze hijgend uit.

Twee straten lang gaf hij geen antwoord en hij zei evenmin iets toen ze zijn appartement bereikten en hij tussen de sleutels bij de deur zocht en zonder woorden een sleutelring omhooghield naar Rico, die een drumriff aan het oefenen was met Star aan zijn voeten. Rico stopte niet, maar knikte alleen maar.

Weer beneden en de achterdeur uit deze keer, gebruikte Lance een van de sleutels om een schuurtje op de achterplaats open te maken, waarna hij er een Kawasaki uit rolde, die zo onttakeld was, dat zijn Harley daarnaast een luxe motorjacht leek.

Reses mond viel open. 'Wat is dat?'

'Rico's motor.'

'Ik dacht dat hij een busje had, dat busje waarmee hij naar Sonoma kwam, met alle geluidsapparatuur.'

Lance veegde het stof van het zadel. 'Dat leent hij als hij een optreden heeft. Dit is zijn vervoermiddel.'

Ze keek weer naar de motor en kon met moeite het woord Vulcan ontwaren op het gebutste metaal. Het ding zag eruit alsof het zo van de schroothoop kwam. Lance zette hem op de standaard, stak zijn hoofd weer in het schuurtje en haalde er een helm uit, lang niet zo gestroomlijnd en mooi als de zwarte die hij voor haar gekocht had.

'Heeft Rico een helm?' Ze zou denken dat hij daar, net als Lance, niet om gaf.

'Het is een oude van Tony. We zullen hem stevig vastmaken.'

'Lance, ik ga niet –' Maar toen hij de helm boven haar hoofd hield, zag ze dat zijn handen trilden. Ze had hem van streek gezien, maar had hem nog nooit zien trillen. Hij had hier behoefte aan.

Ze trok de helm omlaag en verstelde het kinbandje, maar deinsde terug toen hij de motor startte. De uitlaat spuwde een grijze roetwolk uit, waarna de motor bedaarde tot een astmatisch gerochel.

Hij schreeuwde: 'Spring achterop.'

'Lance...' Ze was hem nog maar net gaan vertrouwen met de Harley, op rustige snelwegen in Sonoma.

'Kom op.' Hij wees met een rukje van zijn kin naar de plek achter hem, terwijl de motor piepend en stokkend stationair draaide.

Ze wist wat hij wilde, maar ze kon niet op dat ding stappen. Dat was vragen om een ongeluk. Hoorde hij dat niet? Wat had hij toch met doodskisten op twee wielen?

Hij keek op en ving haar blik. Zijn schouders zakten naar beneden. 'Het geeft niet. Je hoeft niet mee.' Hij haalde zijn huissleutels uit zijn zak en stak ze haar toe. Met zijn andere hand bracht hij de motor tot leven door hem weer op toeren te laten komen.

Hij zou zonder haar gaan en had ze dat niet liever? Maar niet als hij zo van streek was, dat hij ervan trilde. 'Lance... ga nou niet...' O, wat had het ook voor zin? Ze sloot haar ogen en stapte achterop, waarna ze zich aan zijn middel vastklampte. Het zadel was kleiner dan dat van de Harley en zo gemaakt dat ze vanzelf tegen hem aan leunde. Toen hij vaart maakte in het steegje en de straat opreed, pakte ze hem nog steviger vast. Rico's motor had niet het warme geronk van de Harley. De uitlaat zou nagekeken moeten worden om het kabaal te dempen waartegen de helm haar niet beschermde en hij had ongetwijfeld nog meer problemen die smeekten om een monteur.

Terwijl ze door de stad manoeuvreerden, kostte het haar de grootste moeite om niet tegen Lance te schreeuwen dat hij haar terug moest brengen – als het al tot hem door zou dringen. De geagiteerde manier waarop hij optrok en remde, zijn ongeduld over de opstoppingen en de verkeerslichten, lieten haar zien hoe gespannen hij was. Ze wist wat hij wilde, de grote weg, snelheid. Met schokkende helderheid herinnerde ze zich die eerste rit, waarin hij haar met opzet de stuipen op het lijf had gejaagd.

Nu, terwijl ze de snelweg opdraaiden noordwaarts Connecticut in, voelde ze geen woede, maar een soortgelijke woestheid. De wind ranselde haar gezicht en sneed haar de adem af. Ze vond het vreselijk om overgeleverd te zijn aan zijn reflexen, zijn beslissingen, vooral omdat ze er niet van overtuigd was dat hij ze überhaupt nam. In deze stemming was Lance een en al emotie, een en al reactie.

Ze had de touwtjes uit handen gegeven. Dat zou niet zo erg zijn als ze maar wist dat een van hen die wel in handen had, maar ze wist dat hij blindelings voortbewoog. Ze kneep in zijn zij en brulde: 'Een beetje langzamer!'

In plaats daarvan schoot hij om de auto heen, die ze achtervolgd hadden, en toen weer terug, vlak voor een busje langs dat op de andere rijbaan voorbijzoefde. Ze dook weg achter zijn schouder. Dit zou haar dood kunnen worden... of erger.

Hoe zou een coma zijn; verlamming? Hoeveel pijn zou het doen als je al je botten brak? Hoe zou het voelen om al Lances botten te breken? Maar aangezien hij de terugval van zijn oma had veroorzaakt, probeerde hij die waarschijnlijk zelf al te breken. Niemand kon zichzelf zo de schuld geven als Lance Michelli.

Terwijl ze naar de weg gluurde, die onder haar door vloog, probeerde ze zich niet voor te stellen hoe ze samen met hem gelanceerd zou worden en die vreselijke seconden zou moeten doorstaan, waarin je je voorbereidt op de klap waarmee asfalt in zacht weefsel geprent zou worden, hoe spieren verrekten en hoe het gillen pas op zou houden na de genadige, snelle krak van haar nek. En nu was ze echt kwaad. 'Lance, stoppen!'

Maar hij stopte niet. Kilometers snelweg vlogen voorbij, bebost landschap, schilderachtige stadjes en door witte hekken omgeven landgoederen. Ze wist niet of Lance er ook maar iets van zag. Hij deed wat hij altijd deed om de situatie het hoofd te bieden, net zoals zij haar gereedschap zou pakken en zich zou begraven in een project, iets zou afbreken of opbouwen, iedere zaagsnede volmaakt, alles precies op maat, ieder detail overdacht en uitgevoerd. Zichzelf erin verliezend. Wegvluchtend misschien, net als Lance, maar dan zonder de snelheid en het gevaar.

Gevaar. Een flits van een met bloed bespatte muur, het geschreeuw van haar vader, de warme, koperachtige geur van wegvloeiend leven. Ze dwong zichzelf om langzaam adem te halen, kwaad dat ze een flashback kreeg, terwijl die niet eens veroorzaakt werd door het geluid en de geur van een zaag in hout. Alleen maar door de gedachte aan de dood. Een martelende dood. 'Lance!'

Hij stak zijn hand omlaag en pakte haar knie vast, drukte haar been tegen zich aan. Moest dat een geruststelling zijn, dat hij nu met één hand stuurde? Ze kon wel gillen, maar brulde in plaats daarvan: 'We moeten stoppen!'

Hij had haar gehoord, dat merkte ze aan de plotselinge vaartvermindering. Even later liet hij haar knie los en gaf hij met zijn arm aan dat hij rechtsaf de afrit nam. Ze hapte naar adem toen de wind haar longen niet langer geselde. Zijn snelheid nam drastisch af toen ze het plaatsje Darien binnenreden. Opeens bevond ze zich in een plaatje van victoriaanse, koloniale en edwardiaanse architectuur met pittoreske trottoirs van straatkeien met struiken erlangs, die een sterk contrast vormden met de sombere straten van de Bronx.

De spanning in haar armen en benen ebde weg, terwijl hij door het centrum en de schilderachtige straatjes naar een strand reed, dat net zo mooi was als de stranden die ze aan de westkust had gezien. Plezierbootjes dobberden in het water, dat tegen de kust kabbelde, witte zeemeeuwen wiekten boven hun hoofd. De lucht rook fris... Nou ja, op de uitlaatgassen van Rico's motor na dan. Ze voelde zich weer kwaad worden toen Lance het monster tot stilstand bracht en afstapte.

Ze rukte de helm van haar hoofd en keek hem woedend aan.

'Wat is er?'

'Moet je dat nog vragen?'

'Ik zei toch dat je niet mee hoefde?'

'En waar zou je nu dan zijn?'

'Verder.'

Ze stapte af. 'Dat ding is een wrak.'

'Dat is alleen de buitenkant.'

'En hoe zit het dan met die grijze rook die hij uitspuugt en dat doodsgerochel als je hem uitzet?'

Lance gaf een klopje op het handvat. 'Een beetje verwaarloosd. Rico rijdt er zeker niet zo vaak op, zonder mijn Harley om bij te houden.'

Ze schudde haar hoofd. 'Wat mankeert jou? Wat bereik je ermee om als een gek te gaan rijden?'

Hij liet zijn blik afdwalen. 'Het gaat om de kilometers, de weg die onder je door glijdt.'

'Het is vluchtgedrag.'

'Misschien.' Hij fronste zijn voorhoofd. 'Ik kan eigenlijk niet echt ver genoeg wegkomen. Ik moet het alleen proberen.'

Ze zuchtte. 'Moet je het per se zo snel doen?'

'Het voelt sneller op een motor.'

Dat zou kunnen. Zij reed altijd in een Chevrolettruck met vierwielaandrijving. Een heleboel staal.

Ze keek naar het strand, naar de bomen erlangs, het gouden zand, het kobaltblauwe water. Na het lawaai en de geur en de waas van koolmonoxide in de stad, was het ongelooflijk. Ze zou bijna blij kunnen zijn dat ze hierheen gegaan waren. Ze was absoluut blij dat ze gestopt waren. 'Is dat de Atlantische Oceaan?'

Hij keek op, alsof hij zich nu pas realiseerde waar hij was. 'De Long Island Sound.'

Waar zouden ze uitgekomen zijn als ze niet tot hem door had kunnen dringen? Canada? Ze voelde een dwaze aandrang om te lachen – waarschijnlijk een ontlading van de zenuwen. Ze hield haar hoofd iets schuin en zei droogjes: 'Waar is de picknickmand?' Nu de verschrikking voorbij was, rammelde ze van de honger.

Hij snoof. 'Picknicks zijn gevaarlijk.'

'Picknicks met mij, bedoel je.' Ze dacht terug aan de razende climax van hun eerste poging, toen Lance haar overgehaald had om achter op zijn Harley plaats te nemen, waarin hij wijn en kaas gepakt had om samen op te eten in het glooiende landschap in de buurt van Sonoma. Ze had hem gezegd dat ze geen afspraakjes maakte met werknemers, maar had hij geluisterd? Had hij ooit geluisterd?

Hij zette koers naar het strand. 'We zouden sint-jakobsschelpen kunnen gaan zoeken.'

'Nee, dank je.' Ze liep achter hem aan. 'Geen glibberdingen uit de zee.'

'Heb je het ooit geprobeerd?'

Ze schudde haar hoofd. 'Ik ben dol op jouw kookkunst, maar –'

'Zeg dat nog eens.'

Ze gaf hem een stomp op zijn arm. 'Ik ben niet van plan jouw ego te strelen.'

'Je stompt als een man.'

'Mooi zo.'

Hij bleef bij de waterrand staan met een rusteloze blik, die haar deed twijfelen of hij ooit die behoefte aan snelheid en afstand de kop in zou kunnen drukken. Ach, ze wist wel beter.

Het rijden was niet genoeg. Hij kon niet ontsnappen aan wat hij nonna had aangedaan. Het ging er nu niet alleen meer om dat hij dingen goedmaakte, het ging erom hoeveel mensen daarbij gewond zouden raken.

Hij had niet zo moeten aandringen, maar zoals Rese al zei, dat was niet zijn sterkste kant. Hij had nonna gedwongen naar hem te luisteren. Natuurlijk had hij vriendelijk aangedrongen, gevleid, maar hij had niet toegegeven.

Italiaans machogedrag. En hij had nog wel gedacht dat hij dat gen miste. Het werkte bij hem niet hetzelfde als bij pap en Tony. Hij was gevoeliger, voorkomender, maar in de grond net zo vastberaden en veeleisend. Hij staarde over het water.

Een andere vrouw zou de pijn opgevuld hebben met woorden, hem iets geboden hebben wat als excuus kon dienen. Rese stond naast hem, net zo plechtstatig als de eiken en esdoorns achter hem. Hardhout, sterk en duurzaam.

Hij voelde zich als het gebleekte wrakhout, dat meekwam met het tij. Waarom zag hij dingen pas als het te laat was? Nonna vertrouwde hem en hij had dat vertrouwen gebruikt om haar af te breken.

Rese ging op haar hurken zitten en speelde met de kiezelsteentjes in het zand. Haar stilzwijgen deed vermoeden dat ze het begreep, maar zij had geen ervaring met de complexe verwevenheid van hun levens, die iedere stap tot een dans op een kleverig spinnenweb maakte. Hij had nonna losgeschud en de broze herfstdraad die haar nog vasthield, joeg hem angst aan. *Heer...*

Maar hij kon God niet zomaar commanderen. Het was trots om dat te denken. En trots om het van Rese te verwachten, van nonna. Liefde legde iemand niet haar wil op. *'Ze is niet grof en niet zelfzuchtig.'* Die woorden had hij van nonna geleerd, als hij met een blauw oog bij haar aan tafel zat en haar vertelde hoe hij wraak zou nemen op de pestkoppen die Rico te grazen hadden genomen.

'De liefde beschermt altijd, raggazzo mio.'

'Maar ik beschermde hem ook.'

Ze hadden hem verrast, maar dat zou hem geen tweede keer overkomen.

'Liefde zoekt geen wraak.'

'Ha!' Hij had zijn vuisten gebald. *'Ik zal het ze betaald zetten, nonna.'*

'Je bent een kind, je spreekt als een kind. Ooit zul je volwassen zijn.'

Hij kreunde. Rese keek op, maar geen van beiden zei iets. Hij had de grootste pestkop van het stel opgewacht, hem de volgende dag alleen aangetroffen en hem bont en blauw geslagen. Hij had gezegd dat het voor Rico was, maar het was geen rechtvaardiging en gaf geen voldoening. Probeerde hij nog altijd terug te slaan? Tegen wie?

Hij wreef over zijn gezicht. 'We moeten zien dat je wat te eten krijgt.'

Rese stond op. 'En jij dan?'

'Ik heb geen honger.'

'Kom op, Lance. Je weet dat het bij voedsel niet alleen om honger draait.'

Hij trok zijn wenkbrauwen op. 'Waarom dan nog meer?'

'Contact, aanvaarding, verwantschap.'

Ze gaf hem zijn eigen woorden terug. Maar hij had nu het gevoel dat hij een besmettelijke ziekte had. 'Misschien kunnen we een eindje lopen.'

Ze bukte zich en deed haar sandalen uit, liet ze aan haar vingers bungelen en liep naar de waterrand.

'Dat kun je beter niet doen.'

'Waarom niet?'

'Het is koud.'

Met haar tenen spatte ze een waaier van sprankelende druppeltjes op, waarna ze haar hand onderdompelde en hem natgooide.

Hij proestte. Er volgde nog een handvol koud water en toen hij een uitval naar haar deed, zette Rese het op een lopen. Zijn verrassing kostte hem tijd, maar hij vloog achter haar aan. Haar benen waren sterk en vlug en ze bereikte de bomen, pakte een esdoorn vast en verstopte zich achter de stam.

'Denk je dat die je zal beschermen?' Hij kwam dichterbij, een beetje buiten adem.

Ze sloot haar vingers om de stam. 'Ik ben altijd dol geweest op esdoornhout.'

Hij bleef op nog geen halve meter van de boom staan. 'Je mag blij zijn dat ik dol ben op jou.'

'Want anders?'

'Anders zou ik je in het water gooien.'

Ze tilde haar kin op. 'Dan zou je mijn doorweekte persoontje de hele weg naar huis tegen je aan hebben.'

Hij liet zijn gedachten daar niet mee op de loop gaan. Maar hij gunde haar ook niet het laatste woord. Hij drukte zijn handpalm tegen de boomstam en boog zich naar haar toe. 'Dat zou het misschien wel waard kunnen zijn.' Hij draaide om de boomstam heen en bleef staan. Waar was hij mee bezig? Hij sloot zijn ogen. Nonna lag in bed en hij was aan het spelen op het strand? Hij liet zijn voorhoofd tegen het hare zakken. 'Ik weet heus wel waar je mee bezig bent.'

Ze gaf geen antwoord.

Hij deed zijn ogen open en keek haar aan. 'Het is mijn schuld, Rese. Telkens denk ik dat ik het goed doe en dan...'

'Wat zou ze willen?'

'Mij een draai om mijn oren geven.'

Rese keek hem een hele poos nadenkend aan en haalde toen haar schouders op. 'Dat kan ik ook wel doen.'

Hij deed een stap naar achteren. 'Jaja.'

Ze trok haar wenkbrauwen op. 'Denk je van niet? Vraag dat maar aan Sam en Charlie.'

Op haar veertiende had ze de ploerten die haar aangerand hadden, een koekje van eigen deeg gegeven. Lance hield zijn hoofd iets schuin. 'Oké, kom maar op.' Hij wachtte. 'Kom op. Ik zal niet terugslaan.'

Ze schudde haar hoofd en keek toen een andere kant op. 'Dat kan ik niet.'

'Waarom niet?'

'Omdat ik niet kwaad ben. En omdat jij het bent.'

'Denk dan aan alle keren dat ik je het bloed onder de nagels vandaan heb gehaald.'

Ze keek hem kwaad aan. 'Ik ga je niet slaan, Lance.'

'Je lijkt wel een meisje.'

Nu was ze echt kwaad. 'Heb je daar problemen mee?'

Hij grijnsde en voelde iets van de spanning wegebben. 'Ben je gek? Ik ben dol op meisjes.'

Rese haalde haar hand door haar haar. 'Hoor eens, ik ben hier niet zo goed in.'

'Waarin?'

'Troosten. Perspectief bieden.'

Hij was niet uit op troost en hij zag alles haarscherp. Hij zuchtte. 'Ik wil het alleen terugnemen, mijn stommiteit ongedaan maken. Ik zou er alles voor overhebben om nog een kans te krijgen.'

'Die kans zul je heus wel krijgen.'

Hij sloeg zijn handen voor zijn gezicht. 'En als ik die nu niet krijg? Stel nu dat ik haar niet meer kan zeggen hoezeer het me spijt?'

Rese trok zijn handen weg. 'Dat weet ze wel.'

'Hoe dan?'

'Ze kent je.'

Hij nam haar op, terwijl die schrale troost naar binnen sijpelde. Nonna zou hem eerder vergeven dan hij zichzelf kon vergeven. Hij moest bijna lachen. 'Je bent hier beter in dan je denkt.'

Ze haalde haar schouders op. 'Jij ziet de zaken niet meer helder als je een en al emotie bent.'

Hij legde zijn hand tegen de boomstam. 'Is dat zo?'

Ze knikte. 'Maar de overige een procent van de tijd kun je er wel mee door.' Ze zette zich af tegen de boom en rende weer terug over het strand.

Hoofdstuk 7

Als dubbel belichte foto's lopen de beelden in elkaar over;
bedstijlen en witte muren verguld
met zonneschijn uit de wijnstreek,
de drukte van een menigte, de geur van stof...

Een haveloze jongen rolt nonno's portemonnee, maar nonno grijpt hem in zijn kraag voor hij in de mensenmassa kan verdwijnen. Nonno kijkt hem aan met een vriendelijkheid die ik niet begrijp, en houdt zijn hand op. Hoewel hij broodmager is, is de jongen denk ik ouder dan de veertien jaar die ik tel. Zonder de kracht van nonno's blik en de aanwezigheid van mensen op het Plaza, zou hij de benen nemen.

Zijn adamsappel gaat op en neer, terwijl hij de portemonnee in nonno's hand smijt, de hand die niet op de stok rust die de oude man overeind moet houden. Deze jongen moet in nonno een willig slachtoffer gezien hebben, maar als hij dat dacht, kent hij Quillan Shepard nog niet. Hij voelt zich wat ongemakkelijk onder nonno's blik, maar lijkt te beseffen dat deze man niet wraakzuchtig is.

'Hoe heet je?'

Hij wil het niet zeggen, maar moet wel. 'Joseph Martino.'

'Ben je op zoek naar een baan?' Nonno's woorden verrassen zelfs mij. Het zijn moeilijke tijden en werk is nauwelijks te vinden. Biedt hij nu een baan aan aan iemand die zojuist heeft geprobeerd hem te beroven?

'Wat heb je, ouwe?' Het gezicht van de jongen is niet zo hard als zijn woorden.

'Jouw leven,' zegt nonno, 'in mijn hand.'

Weer slikt de jongen. Iemand die verhard is in de misdaad, zou een minachtende opmerking gemaakt hebben. Maar er zijn niet veel mannen die spotten als ze in aanraking komen met nonno's vriendelijkheid. Wat zal papa zeggen als hij ziet dat nonno weer een zwerver mee naar huis genomen heeft? Anderen zijn verder gelopen, maar tussen die twee gebeurt er iets wat me verbaast. Nonno had hem aan de politie kunnen uitleveren. In plaats daarvan heeft hij hem gered.

Misschien ziet nonno zichzelf – een bittere, niet-geliefde jongen, die het nodige heeft meegemaakt in zijn leven. Hoe het ook zij, hij zegt: 'Weet je hoe je druiven moet plukken?'

De jongen haalt zijn schouders op. 'Ik kan het altijd proberen.'

De scènes lopen in elkaar over, als in een film, het ene seizoen na het andere, hooiend, snoeiend, oogstend, waarin Joseph als een zoon voor nonno wordt.

En dan is zijn gezicht verwrongen van pijn als ik hem vertel dat nonno dood is. Dat ik Quillan Shepard heb achtergelaten op de plek waar hij gevallen is. Joseph Martino staat daar met een schep in zijn hand en belooft een graf te maken, een tombe voor onze gevallen held. Dan is hij weg.

De Studebaker zwenkt en slipt de oprit af, de stille straten in. Mensen slapen, zich niet bewust van het geweld, het verdriet dat klopt in mijn borst.

Papa! Nonno! Signore, waarom? vraag ik, maar wat heb ik aan antwoorden die toch niets veranderen? Ik wil dat het anders is. Misschien is papa niet doodgeschoten. Heb ik hem gezien? Ik heb alleen het geluid en het vermoeden en Marco's bevestiging. En de afschuwelijke leegte. *Papa. O, papa.*

En nonno. Zijn laatste woorden, zijn laatste adem toen zijn grote hart het begaf. Te veel verdriet; te veel verlies. Misschien stopt mijn hart er ook wel mee.

Ik houd mijn ogen op de weg gevestigd. Hoewel ik weet dat nonno daar zijn plek zal vinden, kan ik niet opkijken naar de hemel, kan ik niet langs de sterren heen kijken naar de troon, waar engelen Gods lof zingen. Dit is een nacht om te huilen, om mezelf op de borst te slaan en tekeer te gaan tegen het lot. *Mal occhio.* Een vloek op mij. De duivel heeft zijn zin gekregen. Ik sla mijn handen voor mijn ogen en snik het uit.

Rese had gehoopt op een rustig etentje met Lance, Star, Rico en Chaz, als die niet aan het werk was, maar zodra Lance aankwam op Rico's doodskist op wielen, wenkte zijn moeder hem vanuit het raam en riep: 'Komen jullie boven? Ik ben spaghetti aan het maken.'

Lance zette de motor uit. 'Hulp nodig?'

Doria leunde tegen het raamkozijn. 'Ik kan heus wel spaghetti maken.'

'Ik zei toch niet dat u dat niet kon.' Hij klonk moe. De dag had zijn tol geëist.

Zijn moeder wapperde met haar hand voor haar neus. 'Die motor ruikt naar verbrande olie.'

'Misschien staat er iets aan te branden op het fornuis.'

Ze wilde hem van repliek dienen, maar draaide zich toen om en verdween.

Rese stapte af en Lance rolde de motor op het canvas zeil in het schuurtje. Hij stonk inderdaad, hoewel hij tijdens de rit een paar problemen kwijt leek te zijn geraakt. Net als Lance? Hij had zijn uiterste best gedaan voorzichtig te rijden op de terugweg, maar nadat ze de helm aan het handvat had gehangen, was ze blij dat ze de motor in het schuurtje konden achterlaten. Lance had het verwerkt en ze hadden het overleefd.

Hij trok een wenkbrauw op. 'Spaghetti?'

Met een hoop herrie. 'Ik wou dat ze zich niet zoveel moeite getroostte.' Echt.

Hij haalde zijn vingers door zijn verwaaide haren en keek omhoog naar het lege raam. 'Ze zal diep beledigd zijn als we er niet op ingaan.'

Dat sprak vanzelf. Ze was duidelijk lichtgeraakt. Het herinnerde haar aan Lance in hun eerste dagen samen, toen hij zich om niets boos had gemaakt. Glimlachend dacht ze terug aan de keren dat ze hem zonder het te weten razend had gemaakt. Ze wist nu van wie hij het had.

'Natuurlijk gaan we op haar aanbod in. Mmm, spaghetti.'

Hij glimlachte. 'Je hebt honger.'

'Als een paard.'

Het appartement was leeg toen ze zich gingen opfrissen, dus een etentje met Star, Rico en Chaz zou er sowieso niet ingezeten hebben. Alleen eten met Lance zou leuk hebben kunnen zijn, of moeilijk, afhankelijk van zijn gemoedsgesteldheid. En gezien het feit dat hij onderweg niet één keer gestopt was om iets te eten, was hij behoorlijk van streek. Dus uit puur lijfsbehoud bereidde ze zich voor op herrie.

Maar alleen Lances moeder en zijn zus Sofie waren er toen ze binnenkwamen. De lucht was vervuld van een sterk tomatenaroma, dat niet onaangenaam was, de geluidsinstallatie liet een viool horen die een vrolijk wijsje speelde. Rese had het gevoel dat ze zich schrap had gezet voor een aanval die niet kwam – maar ze verwachtte hem nog steeds.

Lance keek zijn moeder vragend aan. 'Hoe gaat het met haar?' Hij liep nog steeds te piekeren over nonna Antonia.

Doria haalde haar schouders op. 'Nog erg onsamenhangend. Ze slaapt voornamelijk.'

'Is ze buiten kennis?'

Doria schudde haar hoofd. 'Niet zoals de vorige keer.'

Rese pakte het glas rode wijn aan dat Sofie, die bij het aanrecht stond, haar aanreikte. Dat zou niet goed vallen op haar lege maag. Maar Doria haalde een bakplaat met grote paddenstoelen uit de oven, die dik besmeerd waren met iets groens en brokkeligs. Het zag er niet bepaald eetlustopwekkend uit.

'Portobello met pesto.' Doria wierp Lance een scherpe blik toe. 'Sofie heeft de pesto gemaakt.'

'Ma.' Hij pakte het glas wijn aan dat zijn zus hem aanbood en nam een paddenstoel. Dat stak hij Rese toe, zodat ze weinig anders kon doen dan het aanpakken.

De paddenstoel was rubberachtig, maar verrassend smakelijk. De honger sloeg toe en het voorafje was met twee slokjes wijn verdwenen. Ze pakte net een tweede hapje aan, toen Lances vader binnenkwam.

'Roman, heb je het brood?' riep Doria.

'Ik heb het brood.' Hij gaf haar een bruine papieren zak en er steeg een warme, gistachtige geur op toen ze het knapperige brood eruit haalde.

Rese dacht dat ze flauw zou vallen.

'Mooi zo, het is nog warm.' Doria legde het in een mand en stopte het in met een doek, alsof het een baby was.

Sofie zette de mand op tafel. Ze had nog geen woord gezegd. Monica was duidelijk de prater. En Lucy. En alle tantes. En een aantal nichten, ooms en zwagers, nichtjes, neefjes en zelfs Lance. Maar nu was het rustig genoeg om na te denken en rond te kijken, en wat Rese zag was een verzakking in het keukenplafond, die weinig goeds voorspelde. Was het beleefd om daar iets van te zeggen? Waarschijnlijk niet.

'Misschien moet u even naar de pasta kijken, mama.' Lance wees met zijn kin naar de dampende pan.

'Dat weet ik. Ik houd hem in de gaten.'

Lance rilde toen ze een kluwen spaghetti omhoogtrok.

'Nou ja, een beetje te gaar.'

'Zal ik hem afgieten?' Hij pakte de pan en leegde de inhoud in een metalen vergiet in de gootsteen.

'De saus is perfect.' Zijn moeder doopte een lepel in de saus en hield die Rese voor. Aangezien Doria niet van plan was de lepel los te laten, kon ze niets anders doen dan vooroverbuigen en de saus van de lepel zuigen.

Rese glimlachte en knikte. De saus was papperiger dan alles wat Lance haar ooit voorgezet had, maar als ze nou maar konden gaan eten...

In de badkamer werd een kraan dichtgedraaid en Lances vader kwam de kamer in. 'Hoe lang duurt het nog?'

'Het is al klaar. Heb je je kinderen al gedag gezegd?'

'Hoezo, ik zie ze toch elke dag?'

'Lance niet, en zijn... Rese.'

Roman schudde zijn hoofd en ging op zijn plek aan tafel zitten.

'Zware dag gehad, pap?' Sofie gaf hem een paar klopjes op zijn hoofd.

'*Oy*.' Zijn handen vielen open, aan weerskanten van zijn bord.

Doria drukte Rese een schaal gehaktballetjes in haar handen, die ze meenam naar de tafel, terwijl ze bij zichzelf overlegde waar ze hem moest neerzetten. Sofie wees een plekje aan voor haar vader. Lance bracht een schaal spaghetti en een kom saus.

Doria kwam achter hem aan met een gemengde salade. 'Snel genoeg voor je?'

'Ja, hoor.' Roman stopte zijn servet in zijn overhemd.

Doria trok het er weer uit en legde het op zijn schoot. 'We hebben bezoek.'

Hij keek op. 'Ik dacht dat het onze kinderen waren.'

'Onze kinderen en onze gast.'

Onder zijn blik liet Rese zich op de stoel glijden, die Lance voor haar naar achteren hield. Ze schoof hem met een onhandig rukje aan. Lance ging tegenover haar zitten, Sofie naast haar en Doria aan het andere hoofd van de tafel, tegenover Roman. Was dit alles? Alleen zij vijven? Vreugde en ontzetting.

Ze zeiden Lances gebed gezamenlijk op en met gebogen hoofd bewoog Rese haar lippen, alsof ze de woorden kende. Romans servet ging weer in zijn overhemd en hij schepte drie grote gehaktballen op zijn spaghetti en overgoot het toen allemaal met saus. Rese pakte alles aan wat haar kant op kwam, waaronder een kommetje met een laagje olie.

'Voor je brood', zei Sofie tegen haar.

Het brood was niet gesneden. Ze scheurden er stukken af als het doorgegeven werd. Rese nam zelf ook een homp en keek toe hoe Sofie haar homp in kleine stukjes brak en die in de olie doopte.

'Wie is er bij nonna?' Lance kon nog steeds aan niets anders denken.

'Celestina. Ze blijft vannacht slapen.' Doria keek op. 'Weet je wie ik in de winkel zag? Dat grappige kleine mannetje met één been. Johnny Grope.'

Sofie trok een bedenkelijke frons in haar voorhoofd. 'Mama, het is niet aardig om gehandicapte mensen grappig te noemen.'

'Maar hij ís grappig. Hij maakt grapjes over zijn naam. Hij zegt dat hij dan wel een been tekortkomt, maar dat hij in elk geval twee handen heeft.'

'En een maffe kop.' Roman nam een grote hap pasta.

De hoeveelheid voedsel op tafel was veel groter dan ze op konden, ook al had Rese nog zo'n honger. En het leek meer op iets wat zij gekookt zou kunnen hebben, dan op wat Lance zou maken. Het smaakte niet slecht, het was alleen machtig.

'Ik heb een nieuwe leerling. Vier jaar oud en ze heeft nu al een geweldige houding.' Doria zei tegen Sofie: 'Net als jij op die leeftijd: een en al nek en benen.'

'Goed om bouillon van te trekken en verder niet.' Lance gaf een gil toen ze hem onder de tafel tegen zijn schenen schopte.

Doria liet nog een gehaktbal op Lances bord ploffen. 'Waar ben je vandaag geweest? Myrna Caravaggio wilde je spreken.'

'Myrna Caravaggio denkt dat ik nog steeds zes jaar ben. Ze zou me in mijn wang knijpen en zeggen hoe schattig ik eruitzag in mijn tomatenkostuum.'

Rese wierp hem een blik toe, die hij met een knipoog beantwoordde.

'Nou ja, je weet hoe leuk ze het vindt om je te zien. Ze komt maar een paar keer per jaar terug en jij was haar lievelingstomaat.' Doria lachte.

'Jaja.'

'Neem nog wat brood, Theresa.' Doria duwde haar het broodmandje in handen.

Het brood was heerlijk, zodra ze eraan gewend was om het in olie te dopen. Rese nam ook nog wat sla. Die was knapperig en smakelijk, zolang ze de slappe, bruine reepjes wist te vermijden, die voor ansjovis moesten doorgaan. Gezien het feit dat ze sinds het vruchtenpasteitje van die ochtend, voor het bezoekje aan Lances oma, niet meer gegeten had, was het allemaal precies wat ze nodig had.

Na het eten bracht ze haar bord naar Lance, die bij de gootsteen stond. 'Ik kan geen pap meer zeggen.'

'Mama's saus heeft zijn eigen zwaartekracht.'

'Dat hoorde ik nog net.' Doria kwam binnen en zette de schaal gehaktballen op het aanrecht.

'Hij blijft aan je ribben plakken.' Roman kneep haar in haar billen. 'Zoals het hoort.' Hij boog zich voorover en wreef met zijn neus langs haar nek.

Rese probeerde niet te kijken. Was dat normaal ouderlijk gedrag? Lance ving haar blik en grijnsde.

'Niet nu.' Doria kronkelde zich vrij.

'Wat nou? Mag een man zijn vrouw niet omhelzen?'

'Stil jij.' Ze lachte. 'Ik heb werk te doen.'

Roman keek de keuken rond. 'Volgens mij wordt dat al gedaan.'

'Gasten hoeven niet af te wassen.'

Rese verstrakte toen Roman haar aankeek. 'Welkom in de familie.' Hij pakte Doria's hand. 'Kom. We gaan een eindje lopen.'

'Ik moet –'

'We gaan een eindje lopen.' Hij trok haar mee, terwijl hij met zwierige tred wegliep.

Rese keek hen na tot de deur achter hen dichtviel. Nou. Lance was beslist een zoon van zijn vader. Hij keek haar niet aan toen ze zich weer omdraaide, maar ging gewoon verder met afwassen.

Was het ook zo duidelijk dat zij een dochter van haar vader was? Lance zei dat ze stompte als een man, liep als een man. Ze werkte beslist als een man; dat had ze gedaan om uit te blinken in zijn wereld. Ze pakte de theedoek en besefte dat dat optimistisch gedacht was, want misschien zagen mensen niet Vernon Barrett, maar haar moeder.

Sofie hield de fles boven haar wijnglas om bij te schenken, maar Rese schudde haar hoofd.

'Dan slaap ik niet meer.'

'Wijn is juist goed als slaapmutsje. Het is goed voor het hart; voor alles eigenlijk.'

'Rese lijdt aan chronische slapeloosheid.' Lance gaf haar een bord aan, dat glibberig was van het sop.

'Spanning?' Sofie schonk haar eigen glas vol.

Rese snoof. 'Wat zou er nou spanning kunnen veroorzaken?' En toen besefte ze hoe dat kon overkomen. 'Ik bedoel...'

'Bedoel je ons?' Sofie nam een slokje.

'Nee.' In elk geval niet afzonderlijk.

Sofie hield haar hoofd iets schuin. 'Heb je weleens ontspanningsoefeningen geprobeerd?'

Het enige wat werkte, was Lances stem en daar was een vertrouwelijker situatie voor nodig dan ze wilde. Ze zwaaide met de theedoek. 'Het is allemaal niet zo erg.'

'Zeg dat maar niet te hard. REM-slaap is van essentieel belang voor je welzijn. En slaapstoornissen kunnen een indicatie zijn voor onderliggende kwalen – of die doen ontstaan.'

Rese verstijfde.

'Hoe oud ben je, als ik vragen mag? Ik ben hoe dan ook ouder.' Ze grijnsde. 'Vorige week dertig geworden.'

Rese droogde het bord af en zette het neer. 'Ik word in juli vijfentwintig.' Ze wilde niet praten over haar leeftijd, haar slapeloosheid of haar aanleg voor schizofrenie. 'En dertig is nou niet bepaald oud.'

'Nou ja, het is zo'n leeftijd waar je volgens iedereen tegen op moet zien.'

Rese knikte. Als zij zonder psychoses de dertig zou halen, zou ze het vieren.

'Nou ja, laat het me maar weten als je wat tips wilt hebben. Om je te helpen slapen.'

Rese haalde haar schouders op. 'Ik voel me prima.'

Sofie zette het laatste bord in de kast en Rese hing de theedoek over de stang om te drogen. Er leek nog een heleboel rommel op het aanrecht en de planken te staan, maar Lance wenste Sofie welterusten en Rese ging met hem mee naar boven.

Hij bleef bij Antonia's deur staan en ging naar binnen. Hoewel hij het niet gevraagd had, bleef Rese in de gang staan en keek vanuit de deuropening toe hoe hij bij het bed bleef staan. Zowel Antonia als zijn tante Celestina sliepen, Antonia opgeslokt door het bed en Celestina over haar stoel heenpuilend.

Lance sloop zo zachtjes naar binnen, dat ze geen van beiden bewogen. Hij had eerder naar boven kunnen gaan. Maar ze wist dat hij bij Antonia ging kijken als ze hem niet kon zien, alsof alleen al zijn aanblik nog een hersenbloeding zou kunnen veroorzaken. Had hij niet gemerkt hoe haar ogen oplichtten, elke keer als hij bij haar kwam? Als hij een spiegel wilde, zou hij daarin moeten kijken.

Antonia werd niet wakker, maar Lance bleef een hele poos naast haar bed staan. Toen mompelde hij: 'Welterusten, *cara mia*', met zoveel liefde in zijn stem dat het pijn deed.

Lances zachte 'welterusten' probeerde tot haar door te dringen, maar ze kon haar ogen niet openkrijgen. De beelden van die vreselijke nacht speelden door haar hoofd, zoals ze zo vaak gedaan hadden. Alleen leken ze nu verwrongen, leek er iets niet te kloppen aan het feit dat Marco haar 'gevonden' had in de tunnel, dat papa hem erover 'verteld' had. Niet als huwelijkskandidaat, maar als samenzweerder?

Het was niet mogelijk. Ze kon niet haar hele leven met Marco hebben doorgebracht zonder het te weten, zonder dat hij het haar verteld had. Marco had haar gered uit papa's problemen. Hij kon er niet bij betrokken zijn geweest.

Hij was in goed vertrouwen naar papa gekomen, zich niet bewust van de geheime contacten met Arthur Jackson. *'Het was uw aanname, juffrouw Shepard, dat ik iemand uit de onderwereld vertegen-*

woordig.' Hij was niet schuldig geweest aan papa's onoverzichtelijke situatie, had alleen discretie gewild voor zijn cliënt. Hoe had hij kunnen weten...? Hoe had hij...? Maar had ze het zich niet afgevraagd? Zoveel van Marco was in nevelen gehuld.

Een golf van pijn. Ze zou niets vertrouwen dat afkomstig was van een erfgenaam van Arthur Jackson. Een federaal agent? Onmogelijk. Dat zou betekenen dat hij gekomen was, terwijl hij het wist van papa. Had hij met haar aangepapt om Vittorio Shepard in de val te lokken?

Zou Marco papa vermoord kunnen hebben? Nee! Lance zei dat ze er samen bij betrokken waren. *Undercover*. Nogmaals, dat was niet mogelijk. Papa zou hem nooit toegestaan hebben haar het hof te maken als een list, om haar op die manier te gebruiken.

'Ik denk dat je me moet kussen.'

'Je papa heeft me gevraagd dat niet te doen.'

Papa, die zich nooit ergens mee bemoeide, die haar vertrouwde in hartsaangelegenheden. Waarom had hij Marco grenzen gesteld? Al die vertrouwelijke gesprekken die ze gevoerd hadden. Zouden ze zoveel over haar te zeggen kunnen hebben gehad? Of had ze in haar naïviteit aangenomen dat ze hun belangrijkste gespreksonderwerp was? Ze was twintig, vol van zichzelf, verguld met Marco's aandacht.

Ze kreunde, in haar slaap of niet, dat wist ze niet. Een federaal agent. *Undercover*. De termen kronkelden om elkaar heen in haar geest. Wat had ze in beweging gezet? Ze had de vloek wakker gemaakt om haar te kwellen in haar laatste dagen. Papa. Nonno. Marco. Haar hart was zacht als boter, een hart dat geleerd had sterk te zijn, maar nu terugzonk naar die donkere dagen...

Marco zegt dingen die ik niet wil horen. 'Met je trouwen?'

'De problemen van je papa zijn nog niet voorbij.'

'Welke problemen? Hoe weet je dat? Wat heeft hij je verteld?'

Marco schudt zijn hoofd. 'Je weet al meer dan je zou moeten weten.' Hij staat naast de auto en strekt zijn benen na zoveel uur rijden. Het gras en de varens ruiken lekker in de middagzon, geplet op de plaatsen waar hij het leven weer heeft teruggestampt in zijn benen. 'Laat ik volstaan met te zeggen dat je veiliger zult zijn met een nieuwe naam.'

Verbijsterd en kwaad kijk ik hem aan. 'Hoe kan ik met je trouwen, terwijl ik in de rouw ben?'
'Verzachtende omstandigheden.'
Is mijn verdriet een omstandigheid? 'Ik ken je niet.'
'Er zijn wel huwelijken gesloten op basis van minder.'
'Voor mij niet; niet op deze manier. Ik wil...' Wat maakt het uit wat ik wil? Woede neemt bezit van me. 'Ik haat je.'
'Antonia...' Hij pakt mijn hand. 'Laat me je helpen.'
Ik ruk mijn hand weg. 'Het kan me niet schelen wat er gebeurt. Laten ze me maar vermoorden.'
'Nee, dat laat ik niet gebeuren.' Zijn woorden sluiten zich als een koude hand om mijn hart. 'Je zult veilig zijn als mevrouw Michelli.'
'Pff.' Ik maak een wegwerpgebaar. 'Wat betekent het voor jou?'
'Je weet wat het voor me betekent.' Zijn ogen zijn ondoorgrondelijk. Wat denkt hij dat ik weet?
'Wat is er gebeurd? Waarom wil je me dat niet vertellen?'
'Ze hebben je vader opgewacht.'
'Dat weet ik. Ik heb ze zien komen.'
'Daarom ben je in gevaar.'
'Dat kan me niet schelen.'
'Mij wel.'
'Waarom was je daar? Hoe wist –'
Hij pakt mijn handen. 'Niet verder vragen. Hoe minder je weet, hoe beter.'
Waarom probeer ik het te begrijpen? Ik ben vervloekt. De Heer heeft zijn gelaat van me afgewend en nu zal ik alleen nog maar ongeluk en tegenspoed kennen. Wat Marco zegt zou de waarheid kunnen zijn; het zouden ook leugens kunnen zijn. Wat maakt het uit?
Hij laat me weer plaatsnemen in de auto. 'Waar gaan we heen?'
Hij knijpt even in mijn hand. 'Naar huis.'

Hoofdstuk 8

Lance werd wakker met de afdruk van de donkerblauwe leren kussens op zijn gezicht en een smaak van koper in zijn mond. Zijn kuiten en knieën deden pijn van het urenlange moeizame sjokken door een kniehoge laag teer. Toen hij zijn arm uitstak om te wrijven, besefte hij dat zijn lichaam geen pijn deed; het was de droom, die nog was blijven hangen.

Hij werkte zich overeind op een onderarm en veegde het zweet van zijn wang, terwijl de werkelijkheid van de dag tot hem doordrong. Hij had zich voorgenomen het verleden aan het licht te brengen, het onrecht ongedaan te maken, vrede en herstel te brengen, maar het ene probleem had zich op het andere gestapeld, tot het allemaal op een kaartenhuis leek. Zijn maag kromp samen van bezorgdheid.

Nonna had er vredig uitgezien in haar slaap, maar hij wist dat die vrede ver te zoeken zou zijn als ze wakker werd. Ze moest bang zijn, ontmoedigd en kwaad als een kat met zijn staart tussen de deur. Hoe had hij zo onnadenkend kunnen zijn? Hij kreunde.

Waar de familie ook bij betrokken mocht zijn geweest, het was voorbij. Verleden tijd. Als ze beter werd, zou er niets meer zijn om haar van streek te maken, om nare herinneringen wakker te maken. Hij zou er nooit meer over beginnen. Ze mocht de doos houden, of nee, hij zou hem beter kunnen verstoppen, zodat ze hem niet meer zou zien en toch weer van streek zou raken. Welke geheimen hij ook herbergde, ze zouden mettertijd vervagen.

Hij kwam overeind en zag Rico geluidloos op bongo's spelen bij de muziek die hij op zijn koptelefoon hoorde. Lance keek op zijn horloge. Vroeger dan hij dacht, maar nog altijd de eerste keer in de geschiedenis dat hij langer had geslapen dan zijn vriend. Natuurlijk had hij het grootste deel van de nacht liggen woelen en tobben. Hij had Sofie om een ontspanningsoefening moeten vragen.

Hij keek even naar de slaapkamerdeur en vroeg zich af of Rese geslapen had. Ze was gisteravond niet in de stemming geweest voor hulp of steun, had niet geweten hoe snel ze de deur tussen hen dicht moest doen. En geef haar eens ongelijk. Hij was een wandelend gevaar. Hoe laat je je leven in één klap ontsporen?

Rico schoof zijn koptelefoon aan één kant achter zijn oor, maar stopte niet met trommelen. 'Zin om er een tekst op te schrijven?'

Lance rekte zich uit en ging zitten, terwijl hij de deken wegtrapte. Hij schraapte zijn keel. 'Dan zou ik het eerst moeten horen. Zien wat er komt.'

Rico zette de koptelefoon af en liep ermee naar Lance. 'Zit je daar goed?'

Lance keek naar de bank. 'Koop nooit een bank zonder erop te slapen.' Hij zette de koptelefoon op, leunde achterover en liet het geluid van de steeldrum, Stars ijle stem en het ritme van de bongo op zich inwerken. Het was mooier dan hij verwacht had, met een intensiteit en een diepte van toon die hem verbaasden.

Hij liet zijn geest om de klanken en het ritme slingeren, op zoek naar rijm en tekst. Maar het enige wat kwam, waren losstaande woorden. *Steun. Wenken. Bekoorlijk. Huilerig. Beroofd. Kwiek. Mogelijkheid.* Hij sprak ze uit zoals ze in hem opkwamen, met gesloten ogen en zijn oren bedekt. Niets wat echt bij elkaar paste. Geen speciale emotie of gedachte waar hij iets mee kon, alleen een eenvoudige stroom van verlangen en hoop. Hoorde hij Stars geest? Of die van hemzelf?

Hij opende zijn ogen en keek Rico aan.

'*Man*, dat moet je doen.'

Lance zette de koptelefoon af. 'Wat moet ik doen?'

'Dat. Dat sprekende geweten, of wat het ook was.'

Lance schudde zijn hoofd. 'Het zal voor iedereen anders zijn, Rico. Waarom zou ik mensen moeten vertellen wat ze eruit moeten halen? Hun eigen geweten moet spreken.'

Voor de verandering ging Rico eens niet meteen tegen hem in, zelfs als dat kon betekenen dat hij zijn aandeel in hun project zou hebben.

Lance gaf de koptelefoon terug. 'Het is krachtig genoeg zoals het is. Ik denk dat je iets op het spoor bent. Heeft Saul het gehoord?'

Hij schudde zijn hoofd. 'Dit is de eerste opname. Ik wilde jouw indruk.'

'Mijn indruk is dat je ermee verder moet gaan.' Rico zou wel weten dat hij dat niet zomaar zei. Hij was altijd de meest kritische geweest toen ze opgroeiden en nog meer toen ze er serieus werk van gingen maken. Als hij het slecht had gevonden, had hij het wel gezegd.

Rico keek hem aandachtig aan. 'Mis je het niet?'

Lance sloeg zijn ogen neer. Muziek had een grote plaats ingenomen in hun vriendschap, in hun leven. 'Jawel.'

'Maar je komt niet terug.'

Langzaam schudde hij zijn hoofd. 'Misschien ga ik iets doen in het hotel, als Rese het nog steeds wil.' Als ze er ooit terug zouden komen. Als nonna... als nonna beter was.

Rico zette de bongo's weg. 'Je zou een solocarrière kunnen beginnen, *man*.'

'Daar gaat het niet om.' Hun samenzang en de kracht die daarvan uitging waren het beste van alles. 'Het was fantastisch om met jullie samen te werken. Ik kan het alleen niet meer.' Hij was niet van plan te gaan preken over de kwade kanten van zijn vroegere levensstijl. Eigenlijk kon hij best samenspelen met Rico én zijn leven beteren. Zoals Chaz zei: het was een keuze toe te geven aan de verleidingen of niet.

'Misschien heb je gelijk, *man*.' Rico haalde zijn schouders op. 'Star zegt dat een kosmische samenloop van omstandigheden ons bij elkaar gebracht heeft om deze *sound* te maken. Ze heeft nota bene nooit eerder gezongen!'

Of het een kosmische samenloop van omstandigheden was, wist Lance niet, maar Star was wel honderdtachtig graden omgedraaid. 'Weet je wat ze hiervoor deed?'

Rico haalde zijn schouders op. 'Renaissancefestivals. Shakespeare en zo. Ze heeft al die teksten in haar hoofd.'

'Dat heb ik gehoord, ja. Maar haar artistieke werk?'

Rico fronste zijn wenkbrauwen. 'Welk artistieke werk?'

'Ze schilderde.' Lance dacht aan het doek dat nu in het koetshuis hing, waar Star zo obsessief aan gewerkt had. Hij had zijn reactie op haar techniek niet overdreven toen hij die intrigerend noemde. 'Ze leek op het punt te staan om met haar werk door te breken, toen Maury de boel kapotmaakte. Haar kapotmaakte.'

Rico keek naar de slaapkamerdeur. 'Daar praat ze niet over. Dit is wat ze wil.' Hij keek weer naar Lance. 'Wat is er?'

Lance schudde zijn hoofd.

'Wat is er?' drong Rico aan.

'Het lijkt wel of ze haar identiteit nu aan jou ontleent. Zoals ze die op artistiek gebied aan Maury ontleende.' En geprobeerd had die aan hem te ontlenen door zijn lof op te zuigen als nectar en, toen dat geen succes had, over te gaan op Rico. Ogenblikkelijk.

Rico wilde ertegen ingaan.

Lance spreidde zijn handen. 'Het is niet mijn bedoeling om moeilijkheden te veroorzaken.'

'Wat bedoel je dan?'

'Het gaat bij Star allemaal om het spelen van een rol, iemand anders worden. Ze is als een fenix die uit de as oprijst om steeds een nieuwe versie van zichzelf te maken, maar met de passie van iemand anders.'

Rico stond op en begon te ijsberen. 'Ik heb haar niet gedwongen te gaan zingen. Ze pakte de microfoon van jou aan.'

Die jamsessie op zolder had hen allemaal verrast – Stars aparte, hese stem, haar podiumpresentatie. Maar hij liet zich niet van zijn punt afbrengen. Muziek was Rico's leven, een deel van zijn wezen. Star had zich daar met parasitaire kracht aan gehecht. 'Het is een grote verantwoordelijkheid, Rico. Ik hoop gewoon dat je het aankunt.'

Rico's gezicht betrok. 'Weet je wat jouw probleem is? Je denkt te veel.'

Lance schoot in de lach. 'Zou je dat op een bandje willen opnemen voor Rese? Ze is er volkomen van overtuigd dat ik die vaardigheid mis.' Die zelfspot haalde Rico uit zijn defensieve houding.

'Jij hebt je handen ook vol, *mano*.'

'Ja.' Maar dat was anders. Rese twijfelde niet aan wie ze was; haar onzekerheid betrof hem. Hij stond op, rekte zich uit en ging toen naar de badkamer om zich te wassen en aan te kleden.

Toen hij uit de badkamer kwam, was Rico nog steeds de enige die wakker was. Hij zat op de bank met zijn koptelefoon op en zijn ogen dicht. Zijn handen lagen voor de verandering eens stil en hij zei zachtjes voor zich uit: 'Mogelijkheid. Verantwoordelijkheid.'

Lance stoorde hem niet. Hij zou zachtjes naar buiten glippen om naar de kerk te gaan en dan even bij nonna gaan kijken. Hij zou haar toch ooit onder ogen moeten komen; hij wilde alleen niet het gevaar lopen haar van streek te maken. Maar toen hij de gang in liep, belandde hij voor nonna's deur in een wespennest van tantes en zussen. Ze richtten zich als één man tot hem. Hoewel de dag nog maar net begonnen was, zei hij: 'Wat heb ik gedaan?'

'Nonna wil dat je komt', zei Monica tegen hem.

Om hem ongenadig op zijn falie te geven waarschijnlijk.

'Ze wil niemand anders binnenlaten. Ze wordt razend als we ook maar een voet over de drempel zetten.'

Dina voegde eraan toe: 'Ze is buiten zichzelf. Ze krijgt vast nog een beroerte.'

Zijn hart krampte samen.

'Bel de dokter', zei Celestina.

'Wacht.' Lance deed de deur op een kiertje open.

Zijn moeder keek hem kwaad aan. 'Wat is dat toch met jullie tweetjes?'

'Niets. Het is voorbij.' Hij deed de deur open en ging naar binnen, waar nonna als een furie tussen de lakens lag. 'Nonna, wat is er aan de hand?'

Zodra hij dicht genoeg bij haar was, greep ze zijn arm beet met haar goede hand. De andere lag tegen haar borst en het geluid dat uit haar keel kwam was een mengeling van kreunen en snauwen. Hij voelde haar trillen.

Hij streek het grijze haar uit haar gezicht en streelde de verwrongen gelaatstrekken met zijn vingertoppen. 'Het spijt me dat ik u van streek heb gemaakt, nonna, maar het is nu voorbij. Voorgoed.'

Ze slaakte een kreet en ongewild maakte hij een sprongetje. 'Wat is er?' Haar gebaren waren riskant. 'Als u niet rustig wordt, bellen ze de dokter.' En die zou haar laten opnemen in het ziekenhuis. Dat moest nonna weten.

Haar greep verslapte. Ze knipperde ten teken dat ze het begrepen had, waarbij het ene ooglid beter meewerkte dan het andere. Ze was veel meer bij kennis dan de vorige keer. Ze kon dan misschien nog wel geen woorden vormen, maar ze begreep ze wel.

Hij kneep even in haar hand. 'U weet dat ik alles zal doen wat u wilt. Maar u moet rustig blijven. Lukt dat, denkt u?'

Ze gebruikte een woord dat aan duidelijkheid niets te wensen overliet, een woord waarvoor hij vroeger een draai om zijn oren gekregen zou hebben. Maar ze leek zich er niet van bewust te zijn dat ze niet alleen maar bevestigend geantwoord had.

'Wilt u me iets vertellen?'

Ze snauwde hem weer een woord toe dat beslist nooit eerder over haar lippen was gekomen. Of ze zat hem uit te schelden, of ze communiceerde op een vreemde manier, die haar brein had bedacht. Twee duidelijke woorden, misschien wel twee tegenovergestelde meningen.

'Nee?'

Ze snauwde het nog een keer.

'Wilt u dat ik iets haal?' Net zoals de vorige keer, waarbij hij haar kamer doorzocht had op alles wat misschien iets voor haar zou kunnen betekenen.

Daar was het eerste woord weer, duidelijk en precies. Niet dat hij eraan twijfelde dat ze deze woorden kende, maar nu hij ze uit nonna's mond hoorde, moest hij zijn uiterste best doen om niet te lachen. Want dan zou ze hem slaan, al zou het haar haar laatste krachten kosten.

De vorige keer was het Conchessa's brief geweest die ze wilde, zodat ze hem naar Ligurië kon sturen voor de informatie die zij hem niet kon geven. Maar ze had gezegd dat hij dat met rust moest laten. Nonno was begraven; dat was alles wat ze wilde – behalve hetgeen ze nu wilde.

'Iets in deze kamer?' Hij keek om zich heen.

Ze probeerde hem naar zich toe te trekken, waarbij haar hand naar haar keel klauwde, naar haar ketting met muntjes en een kruisje en, zag hij nu, een sleutel.

Hij pakte de sleutel. 'Deze?'

Ze gebruikte het eerste woord heel droogjes. *Ja, natuurlijk. Wat dacht je dan?* Zijn opluchting was voelbaar. De vorige keer had het veel langer geduurd om erachter te komen wat ze wilde, maar toen hij de ketting losmaakte van haar nek en de sleutel eraf haalde, voelde hij weer iets van Gods plan. De sleutel had een ongebruikelijke vorm, lang en plat, met vierkante nokjes en de woorden *National Safe Corp* en een identificatienummer op de bovenkant. Hoewel hij nooit iets had gehad dat waardevol genoeg was om er een nodig te hebben, vermoedde hij dat het de sleutel van een kluis was.

'Wilt u iets van de bank hebben?'

Het *ja*woord. Dat moest wel.

Hij vermoedde dat er regels waren om in een kluis te komen die niet van hem was, maar hij zou hemel en aarde bewegen om het te doen. 'Goed.' Terwijl hij de sleutel in zijn hand verborg, kuste hij haar ingevallen wang en voelde hij haar opluchting.

Ze greep zijn hand, sloot hem om de sleutel en keek toen naar de deur waar de anderen op een kluitje bij elkaar stonden en fluisterde het *nee*woord. Ze wilde dat het tussen hen zou blijven... weer.

'Goed', fluisterde hij terug. 'Maar gedraag u een beetje.'

Ze knipperde met haar ogen en hij durfde te zweren dat het een glimlach was, die haar gezicht probeerde te vormen. Hij wilde niet dat het pijn, woede of angst was.

'T'amo.' Hij kuste haar andere wang met respect.

Ze sloot haar ogen.

Nu zou ze rusten. Nu zou ze beter worden. *Alstublieft, God.*

Banken en bankiers. Wantrouwen en angst. Doos. Sleutel. Bank. Bankiers. Angst.

Ik geloof niet dat papa bij de bank ging werken om nonno Quillans ongelijk te bewijzen, maar hij probeert beslist hem van mening te doen veranderen. Nonno zal niet toegeven. Hij gelooft niet in lenen of uitlenen, hoewel hij met gulle hand geeft. En iemand anders zijn geld laten beheren, daar heeft hij geen vertrouwen in.

Hoewel hij ooit al zijn geld kwijtgeraakt is bij een overstroming en nog een keer, toen zijn vrachtwagen uitbrandde met al het papiergeld dat hij boven de as verstopt had, is hij omtrent banken niet van gedachten veranderd. Hij heeft te veel bankiers gekend, zegt hij, waarbij hij zijn zoon een knipoog geeft. Steeds opnieuw probeert papa hem te wijzen op de voordelen die het heeft om je geld aan het werk te zetten door middel van investeringen. Als leningverstrekker bij Arthur Jacksons bank houdt hij nonno alle redenen voor om te lenen en over een langere periode af te betalen.

Naast het investeren in kansrijke ondernemingen zouden ze het huis kunnen opknappen, de wijnstokken kunnen weghalen en andere gewassen kunnen planten. Nonna Carina's broers en hun zonen hebben allemaal hun bedrijf verkocht of verloren door het instorten van de wijnmarkt en alleen nonno's land is overgebleven.

Sommige plannen van papa lijken me goed en ik zou het niet erg vinden om nieuwe gordijnen en vloerkleden te krijgen. Waarom zou je niet wat rente verdienen op het geld als de Sonomabank inderdaad zo veilig is als papa beweert? Zou hij het niet weten?

De kansen liggen voor het grijpen, zegt papa, om te kopen nu de prijzen laag zijn. Zijn eigen verdiensten investeert hij zorgvuldig – op het geld voor onze belastingen en kosten voor levensonderhoud na. We zijn veel beter af dan mensen in de steden. Ik durfde amper te kijken naar de mannen die in de rij stonden in San Francisco, toen papa daar een afspraak met iemand had en me meenam. Het leek wel of niemand zijn hoofd meer rechtop kon houden.

Papa heeft tenminste een baan, ook al respecteert nonno zijn beroep niet. Papa moet niet veel hebben van poëzie. Ze houden van elkaar, maar ze zijn zo verschillend. Ik houd zielsveel van allebei, maar ik kan ze niet dichter bij elkaar brengen. Papa kan beter niet verder aandringen, maar als hij hoort van een grote kans, probeert hij nonno ervan te overtuigen dat hij zijn spaargeld moet investeren. Hij haalt zelfs de Bijbel aan, over de dienstknecht die zijn talent in het zand begroef, en daardoor denk ik dat nonno ergens geld begraven heeft, maar ik weet niet waar.

Nonno zegt: 'Alles op zijn tijd.' En papa schreeuwt: 'Nu is het de tijd.' Ze zijn te koppig. Ik glip weg naar de wijngaard, dankbaar dat nonno de wijnstokken niet wil weghalen. Deze wijnstokken zijn zijn erfenis, zegt hij, zijn verantwoordelijkheid. Hij heeft me uitgelegd dat de stam resistent bleek tegen het ongedierte in de aarde dat de andere variëteiten vernietigde, dat mijn overgrootvader dr. Angelo DiGratia net zolang had geëxperimenteerd tot hij dit stuk land gevonden en beplant had.

Ik ga tussen de rijen zitten. Vroeger stelde ik me voor dat het bomen waren en dat ik net als Alice in Wonderland veranderd was in een reus. Sommige wijnstokken zijn jong, maar de meeste zijn oud en leveren een krachtige druif, voor een goede wijnoogst. Ik probeer me maïsplanten voor te stellen in hun plaats, maar dat lukt me niet. Nonno heeft gelijk over de wijnstokken. Heeft hij ook gelijk over de banken?

Papa zegt dat de faillissementen voorbij zijn, maar door wat ik gezien heb in de stad heb ik daar mijn twijfels over. Als zoveel mensen geen werk hebben, hoe kunnen ze dan geld op de bank zetten, zodat de bank het kan uitlenen? Maar papa houdt vol dat Arthur Jackson belangrijke klanten heeft. Ik mag Arthur Jackson niet, hoewel ik niet kan aangeven waarom. Er kruipt een koude rilling langs mijn rug omhoog en ik schud mijn hoofd en laat het achteroverzakken om mijn huid door het rossige schijnsel van de zon te laten verwarmen, terwijl die in het westen ondergaat.

Een warme, rode gloed...

Antonia huiverde bij de herinnering aan Arthur Jacksons gezicht in het schijnsel van het lucifervlammetje. Hij hield zich schuil in het duister. Om toe te zien op de moord op haar papa? Op die van haar? Stel dat Marco haar niet gevonden had? Als Arthur Jackson haar gevonden had? Al die...

Ze keek haar kamer rond, die nu leeg was, maar niet voor lang. Haar familie zou terugkomen. Haar familie... Ze slikte moeizaam. Voor hen moest ze het onder ogen zien. Lance moest het weten. Hij probeerde het nog steeds te begrijpen. En misschien zou God het laatst lachen; want hoewel ze het geloof had gepraktiseerd en doorgegeven, kon ze eigenlijk niet geloven in een rechtvaardig God.

Rese werd wakker met Stars hand over haar keel, haar schouder bedekt met Stars rode krullen, die blond waren bij de wortel, en had het gevoel dat ze een déjà vu had. Vele avonden was Star haar raam binnengeklommen en bij haar in bed gekropen, rillend en huilend. *'Ik kan dit leven niet aan.'* En Rese had haar gezegd dat ze het wel kon, dat ze samen door zouden gaan.

Het was een vreemde verbondenheid, gebaseerd op niets anders dan pure nood. Twee kleine meisjes die hunkerden naar liefde; Stars behoefte aan veiligheid, Reses behoefte om nodig te zijn. De verantwoordelijke. De betrouwbare.

Geeuwend wreef ze in haar ogen en keek op haar horloge. Na tienen. Het was haar zowaar gelukt om te slapen, maar het was vreemd om zich weer bewust te worden van Lances kamer, Lances wereld – en Lance.

De dag van gisteren had dingen veranderd. Er zou geen eenvoudige oplossing zijn, geen onmiddellijke terugkeer naar Sonoma. Ook al had ze voor een hele week geen reserveringen gemaakt, ze was ervan uitgegaan dat ze maar een paar dagen zouden blijven, zo lang als nodig was om de zaak af te ronden, om dan weer terug te gaan naar het hotel. Antonia had haar zegen gegeven aan hun onderneming – het doel van hun reis – maar Lance kon nu niet weg, ook al zou hij zichzelf er niet de schuld van geven. Hij hield te veel van haar.

Dat had ze gisteravond duidelijk gehoord aan zijn stem. Alles wat Lance voelde was duidelijk hoorbaar in zijn stem. Toen hij de kamer uitgelopen was, had ze hem in haar armen willen nemen en willen zeggen dat alles goed zou komen. Maar dat was iets anders dan ze gedaan had achter op de motor, toen ze zich aan hem vastgeklampt had alsof haar leven ervan afhing. Hij zou met dat gebaar aan de haal zijn gegaan en daar was ze niet op voorbereid. Ze wist hoe het voelde op de finishlijn.

Dus nu was ze hier. Zijn oma was ziek, zijn familie bezorgd. Ze zouden nu in elk geval niet meer zo met haar bezig zijn. Ze zou irrevelant zijn, dankzij... Antonia's hersenbloeding? Dat klonk niet aardig, maar zo bedoelde ze het niet. Als ze dat wat Antonia van streek had gemaakt, ongedaan kon maken, zou ze het doen.

Er waren heel veel dingen die ze ongedaan zou willen maken, maar hoe kon ze van tevoren weten wat er zou gebeuren? Ze sloeg een hand voor haar ogen, gegrepen door alle gemiste kansen. Als ze geweten had dat de contactdoos defect was, zou ze de stekker van de werklamp die explodeerde er niet in gestoken hebben, zou ze pa niet hebben laten schrikken met haar gil. Het gezoem van het zaagblad, de met bloed bespatte muur.

Het verdriet raakte haar als een stomp in haar maag. Haar adem kwam met onregelmatige stootjes. Niet nu! Ze bedwong de gedachten en beelden. Ze werd het tenminste een klein beetje de baas. Ze stond er niet machteloos tegenover. Niet meer. Star ademde met een fluitend geluid uit door haar neus, terwijl Rese onder de dekens vandaan schoof en naar de badkamer ging.

Er had al iemand gedoucht. Er zaten druppeltjes op de muur, de lucht was nog vochtig en de vloer was nat. Ze rook Lances geur. Ze had geen idee welk geurtje of welke aftershave hij gebruikte, alleen dat ze de geur altijd met hem zou blijven associëren. Ze was nog nooit in een parfumeriezaak geweest en was dat ook niet van plan. Schoon was goed genoeg voor haar. Maar ze moest toegeven dat zijn geur prettig was.

De tegelvloer – gelegd voordat de ongeglazuurde variant verplicht werd – was glad onder haar natte voeten. Ze hield van dat glibberige gevoel, het gladde oppervlak. Ze herinnerde zich hoe haar kleine vingertjes onder pa's grote hand over de balk gleden die ze geschuurd had.

'Hoe voelt het?'

'Zacht. Nee, wacht. Er zit een uitsteekseltje in, en een bobbeltje.'

'Ga dan nog even door met schuren, Rese. Maak dat eikenhout zo zacht als fluweel.'

Een mooie herinnering. Die waren er, niet alles was overschaduwd door wat er sindsdien gebeurd was. Ze droogde haar haar – waar ze snel mee klaar was omdat het zo kort was – wikkelde de handdoek om haar hoofd en trok een spijkerbroek en een olijfgroen shirtje aan. Ze schoof haar voeten in de sandalen die Lance voor haar gekocht had op de dag dat ze gaatjes in haar oren had laten maken. Het was niet meer dan een dun leren bandje tussen haar tenen. Geen bescherming tegen vallende stukken hout of buis of elektrische vonken. Maar hierin zagen haar voeten er slank en elegant uit.

Elegant? Ze stak haar handen uit, spreidde de vingers en zag de spieren onder de huid bewegen, keek naar haar pols, de pezige onderarm. Haar armen hadden gewerkt en toch waren ze nog altijd vrouwelijk. Geen gemanicuurde nagels, geen ringen of armbanden, maar absoluut vrouwenarmen.

Het stelde haar niet meer teleur, zoals het vroeger misschien gedaan zou hebben. Ze had bewezen wat ze wilde bewijzen. Ze kon in haar vakgebied functioneren zoals pa verwachtte. Zonder hem deed het er alleen niet meer toe. Ze was niet langer Barrett Renovatie. Ze was... ja, wat was ze eigenlijk?

Ze liep de woonkamer in, langs Rico, die geluidloos zat te trommelen op de muziek die hij door zijn koptelefoon hoorde, om zich bij Chaz in het keukentje te voegen – zijn universiteit. Lance had het geloof in woorden gegoten die ze begreep. De wereld onderging een renovatie. Ze stelde zich een uitgebrand huis voor, zorgvuldig opgeknapt, maar niet volmaakt, omdat het origineel zo zwaar beschadigd was. Om de vergelijking nog wat verder door te trekken: zelfs al zag alles er nog niet goed uit, dat was niet erg; het was werk in uitvoering. Het was alleen dat haar toekomst zo onzeker was.

Ze had vannacht over haar moeder gedroomd, toegekeken hoe ze probeerde haar weg te zoeken uit een doolhof van roestvrijstalen muren zo hoog als wolkenkrabbers, en het benauwde gevoel was ze nog niet kwijt. Het was nog geen twee maanden geleden dat ze ontdekt had dat mam nog leefde en er moesten besluiten genomen worden omtrent haar verzorging. Pa had voor haar de beste kliniek gevonden die er was en zijn levensverzekering dekte de kosten. Maar het verlangen bleef om mam naar huis te halen.

Zou zij een goede verzorger kunnen zijn? De tijd zou het leren – dat en andere dingen. *'Ooit psychoses gehad?'* De dokter in de psychiatrische kliniek had geen grapje gemaakt toen hij dat vroeg. Ze was ingestort na pa's dood, had wekenlang nauwelijks gefunctioneerd. Shock, hadden ze het genoemd. Maar verstarring was een symptoom van schizofrenie. Zouden ze het anders geïnterpreteerd hebben als ze de medische geschiedenis van haar moeder gekend hadden?

Ze ging zitten en werd begroet door een zacht 'Goedemorgen' van Chaz' diepe bariton.

'Chaz, ben jij op de hoogte van de situatie van mijn moeder?'

Hij keek op. 'Een beetje.'

'Zou God willen dat ik zo was? Schizofreen?'

Chaz trok een rimpel in zijn voorhoofd. 'Wat God wil gaat mijn verstand te boven. Maar als ik weet wie Hij is, dan kan ik alles wat Hij wil als rechtvaardig en goed accepteren.'

'Wat voor nut zou het hebben als ik mensen zou zien die er niet zijn en mensen die er wel zijn domme, gevaarlijke dingen zou aandoen?'

'Wat in de ogen van de wereld dwaas is, heeft God uitgekozen om de wijzen te beschamen; wat in de ogen van de wereld zwak is, heeft God uitgekozen om de sterken te beschamen.'

Ze had gewild dat Chaz haar zou vertellen dat God niet zou toestaan dat het zou gebeuren, dat er, omdat ze nu geloofde, magische woorden of een of andere rite zouden zijn om de ziekte af te weren. Zou Hij haar niet liever bereidwillig en bruikbaar willen zien? Ze was een harde werker en een vakvrouw. Ze zou heel veel kunnen doen als ze de kans kreeg.

'Bij mij thuis is er een man, Ubaiah, die verlamd en blind is. Hij kan niets zelf. Elke dag leggen zijn verzorgers hem bij de deur van mijn vaders kerk. De vliegen verzamelen zich op zijn huid.'

Rese liet het tot zich doordringen zonder haar afkeer te tonen.

Chaz ging op dezelfde vlakke toon verder. 'Mensen die langs de kerk komen, raken hem aan als een amulet, waardoor hun last van hen afgenomen lijkt, hun problemen plotseling minder zwaar zijn.'

'Zet hij ze aan het denken?'

'Misschien. En misschien is hij echt een kanaal van genade en genezing. De zoom van Christus' kleed.'

Rese leunde achterover. 'Weet hij het?'

Chaz haalde zijn schouders op. 'Dat kan hij niet zeggen.'

Maar als hij een rol vervulde, zou dat dan ook kunnen gelden voor mam? Zij had iets bevestigd wat Star zich alleen maar ingebeeld had in de donkere ogenblikken als mensen haar afschuwelijk behandelden, als ze omhoogkeek, weg van het lichamelijk misbruik, en elfjes zag. Mam had haar het elfenkind genoemd en Star een diepere troost geboden dan Rese ooit gekund had. Ze begreep dat hele elfjesgedoe niet echt, maar waarom zou de aanwezigheid zich niet kunnen manifesteren als iets moois tegenover onbevattelijke kwaadaardigheid?

En als mam Stars elfjes had gezien, ervoer ze dan zelf ook iets van God? Lance zei dat God een open hart altijd wist te vinden. Misschien was gezond verstand niet vereist. Alleen God wist wat het van mam vergde om haar dagen door te komen en toch hadden haar woorden Star dieper geraakt dan iemand zich kon voorstellen.

Het dwaze om de wijzen te beschamen, het zwakke om de sterken te beschamen. Chaz zei dat als ze wist wie God was, ze alles wat Hij wilde als rechtvaardig en goed zou kunnen accepteren. Ze ging rechtop zitten.

Dus – wie *was* God dan?

Lance kwam binnen en zag Chaz en Rese met hun hoofden bij elkaar zitten, Chaz' lange vinger op de bladzijde en Rese met die uitdrukking op haar gezicht die hem uitdaagde en amuseerde en voor zich innam. Hij voelde een steek van jaloezie.

Was dat niet zielig? Hij had afstand gedaan van de mentorrol omdat hij haar vertrouwen verspeeld had. Wat zou hij haar nu kunnen vertellen dat niet juist zou bewijzen hoe schijnheilig hij geweest was door over de waarheid te praten, terwijl hij haar al die tijd misleidde en dingen achterhield?

Chaz was degene die nooit wankelde. Lance trok een rimpel in zijn voorhoofd. Hij zou hen met rust moeten laten, maar hij liep naar hen toe en ging bij hen zitten, blij toen Chaz het leeslint in de bijbel schoof om aan te geven waar hij gebleven was.

'Hoe is het met haar?' Chaz moest de commotie in de gang gehoord hebben, of misschien raadde hij alleen maar waar hij geweest was. Hoewel ze elkaar pas vier jaar geleden ontmoet hadden en uit zeer verschillende culturen afkomstig waren, leek het soms wel of Chaz zijn alter ego was, zijn betere ik.

'Ze scheldt als een viswijf. Alleen weet ze het niet.' Hij vertelde hun over de woorden die nonna aangenomen had voor *ja* en *nee*. 'En ze is consequent. Het is net een code.' Hij ving Reses blik. 'Wat is er?'

'Niks.'

'Krijg ik opeens tentakels, werp ik mijn huid af? Wat is er?'

Ze stak haar kin omhoog. 'Je zei dat zonder te spotten. De mannen op mijn werk zouden er een smeuïg verhaal van gemaakt hebben.'

'Ben je gek? Ik moest mijn uiterste best doen om niet te lachen.'

'Dat had je nu kunnen doen.' Ze boog zich naar hem toe. 'Maar je vertelde het alsof het gewoon het zoveelste symptoom was.'

Wat bedoelde ze?

Chaz sloeg zijn bijbel dicht. 'Ik ga denk ik maar eens onder de douche, nu die nog vrij is.' Hij bood hun privacy, hoewel Lance niet wist wat Rese probeerde te zeggen. Rico was achter het drumstel gaan zitten, nog altijd met zijn koptelefoon op, en gebruikte de *airbrushes*, nu iedereen wakker was, op Star na.

Rese fronste haar wenkbrauwen. 'Jij weet niet hoe het is om het mikpunt van iedere grap te zijn of te moeten aanhoren dat mensen de spot drijven met iemand van wie je houdt.'

Had ze verwacht dat hij de draak zou steken met nonna, dat hij misbruik zou maken van iemands zwakheid? Nou, dan kende ze hem nog niet.

Rese sloeg haar handen in elkaar. 'Je zag de humor er wel van in, maar je lachte niet achter haar rug. Je maakte ons niet aan het lachen.'

Nu blies ze het te veel op. 'Dat had ik misschien wel kunnen doen, als ik niet zo bezorgd zou zijn geweest.'

'Ik weet hoe dat eruitziet, Lance, dat gemene trekje dat profiteert van zwakheid.'

Hij was geen spotter of grappenmaker. En hij kwam inderdaad op voor mislukkelingen, had een zwakke plek voor pechvogels. Maar dat betekende nog niet dat hij een medaille verdiende. 'Dit kreeg ik van haar.' Hij haalde de sleutel uit zijn zak en bekeek hem aandachtig.

Rese boog zich voorover. 'Een sleutel van een bankkluis?'

'Weet jij hoe zoiets werkt?'

'Als je er niet voor gemachtigd bent, kom je er niet in.'

Hij keek bedenkelijk. 'Kan het niet anders?'

'Misschien met een gerechtelijk bevel.'

'Dat zou te lang duren.'

Ze pakte de sleutel, liet haar vingers over het gladde oppervlak glijden en las de inscriptie. 'Ik denk niet dat je deze zonder haar kunt gebruiken.'

Hij keek op. 'En met haar?'

'Hoe bedoel je?'

'Als zij hun nu zegt dat ik erin mag?'

Langzaam zag hij het begrip dagen in haar ogen. 'Als zij het hun zegt.'

'Ja.'

'Je gaat haar laten schelden tegen de mensen bij de bank.'

Hij spreidde zijn handen. 'Wie zal dat ooit weten? Ze doet het in het Italiaans.'

Hoofdstuk 9

Verdriet en angst zijn water en olie.
Ik kan ze niet allebei in mijn hart houden.
Wanhoop dooft de angst,
want als je niet kunt liefhebben, wat heb je dan te verliezen?

Ik hap verschrikt naar adem als Marco de auto opeens een open plek tussen de struiken inrijdt en op de rem trapt. 'Wat doe je?'

Hij legt een vinger op zijn mond en gebaart dat ik stil moet zijn. De weg is zo kronkelig, dat het even duurt voor de auto ons passeert. Marco kijkt er ingespannen naar; er zitten twee mannen in.

'Wie zijn dat?' fluister ik.

'Dat weet ik niet. Misschien niemand.' Maar zijn vingers klemmen zich om het stuur.

We wachten in stilte, de oren gespitst op het geluid van banden, een motor. Aanvankelijk klinkt het zo zachtjes, dat ik niet weet of ik het me verbeeld, maar dan komt er een auto langzaam achteruitrijden en de inzittenden buigen zich naar buiten en wijzen. Marco duwt me omlaag en sist: 'Blijf liggen.'

Voorzichtig doet hij zijn portier open en draait het raampje naar beneden. Dan glipt hij naar buiten, hurkt achter het portier neer en gluurt over het randje. De andere auto komt steeds dichterbij en verdwijnt dan achter de struiken die ons verbergen. Alleen uit het geluid kunnen we nog afleiden wat er gebeurt. Ik verstrak als de motor uitgaat en het geknars van de wielen stopt.

Mijn keel is kurkdroog en ik kijk even naar Marco, die een pistool getrokken heeft. *O, God. Signore...*

Hij gebaart dat ik stil moet zijn, maar de stilte wordt verbrijzeld door een oorverdovende kogelregen. Brekend glas belandt op me en om me heen. Ik sla mijn handen voor mijn oren terwijl naast me de ene explosie op de andere volgt – Marco's pistool dat terugvuurt, enkele schoten. Hij sprak de waarheid; iemand wil me vermoorden.

En plotseling doet het er wel wat toe, meer dan ik besefte. Ik wil blijven leven! Ook al ben ik kapot van verdriet om alles wat ik heb verloren. Ik schuif uit de stoel en kruip de auto uit, achter Marco. Hij beweegt niet en laat ook niet merken dat hij weet dat ik er ben. Hij zit doodstil, met geheven pistool en elke spier in zijn lijf gespannen.

Er knappen takjes. Marco veert op, vuurt, duikt weg. Er volgt geen tegenschot, alleen het kraken van grote varens, een plof. Ik wil het zien, maar het zware, metalen portier blokkeert wat er gebeurt, net zoals mijn eigen naïviteit me eerder verblindde. Ik proef aarde en bloed en het metaal van de auto, waar ik mijn gezicht tegenaan druk.

Er prikt een tak in mijn kuit, maar ik verroer me niet. Ik voel iets achter me, meer dan ik het hoor, draai mijn hoofd met een ruk om en geef een gil. Marco draait zich vliegensvlug om. Er klinken twee schoten. De man valt happend naar adem op de grond, terwijl het lange geweer uit zijn handen valt. Hij krimpt ineen en blijft dan stil liggen. Ik sla mijn handen voor mijn gezicht, maar trek mijn vingers dan weg. Ik wil niet kijken, maar doe het toch.

Marco grijpt me bij mijn schouder. 'Ben je gewond?'

Niet in staat iets te zeggen, schud ik mijn hoofd. Maar als ik dat doe, voel ik mijn huid branden en steken en zie ik bloedspetters op mijn handen.

Hij tilt mijn kin op. 'Niet wrijven. Het is glas.' Hij haalt drie splinters van mijn gezicht en trekt me dan overeind. Als hij de met glas bezaaide stoel ziet, zegt hij: 'Kun je staan?'

Ik kan staan; ik kan bewegen; ik kan ademhalen – in tegenstelling tot de man achter me. Met zijn pistool voor zich uit loopt Marco naar de man toe, hurkt neer en drukt zijn vingers tegen zijn hals om te voelen of er nog een hartslag is – net als hij bij nonno gedaan heeft.

Ik onderdruk een snik.

Hij komt overeind en werpt een blik op het tweede lichaam, boven aan het talud, dat de aarde met bloed doordrenkt. Dit gebeurt niet echt. Mensen doen zoiets niet... ik dacht dat Marco de tweede man ook zou controleren, maar hij weet zeker dat hij al dood is en ik wil er niet aan denken hoe hij dat weet.

Met moeite breng ik uit: 'En wat nu?'

Marco glimlacht; het is niet meer dan een krullen van zijn mondhoeken en een oplichten van zijn ogen. 'Goed zo.' Hij tilt mijn gezicht op. 'Met jou kan ik praten.'

De lucht keert terug in mijn longen en ontsnapt met een lach. 'Hoe bedoel je?'

Nu verschijnen er pretlichtjes in zijn ogen. 'Je bent een moordgriet.'

'Hoe kun je grapjes maken op een moment als dit?' Maar dat is precies wat hij doet, om zichzelf of mij eruit wakker te schudden. 'Wat moeten we doen?'

Hij stopt zijn pistool in zijn zak. 'Het glas van de stoel af halen.' Hij loopt het struikgewas in, stampt een tak naar beneden en breekt het bebladerde uiteinde af.

Ik schud mijn rok uit en zie nu pas dat mijn kousen gescheurd zijn en dat mijn benen onder het bloed zitten, van toen ik uitstapte, vermoed ik.

Marco gaat aan de slag met de tak en veegt het glas op de vloer en dan zo veel mogelijk op de grond. 'Kijk uit waar je loopt.'

'Denk je dat de auto het nog doet?'

'De meeste kogels gingen hoog over, omdat we in een kom zaten. Ik denk niet dat de motor beschadigd is, maar daar komen we snel genoeg achter.'

'Marco...'

Hij draait zich om bij het horen van de toon van mijn stem.

'Wat moet er met hen gebeuren?'

'Ik zal een telefoontje plegen als we ver genoeg weg zijn.'

'Naar de politie?'

Hij knikt.

'Zullen ze ons helpen?'

Hij trekt mijn portier open. Het glas knerpt. 'Stap in.' Hij houdt mijn elleboog vast. 'Probeer niet over je huid te wrijven; je zit onder de splinters.'

Hij ook, aan het glinsteren van zijn haar te zien.

'We zullen ons wel wassen als we ergens stoppen.'

Ik stap voorzichtig in, nu dankbaar voor zijn auto, voor hem. En dan dringt het tot me door dat hij twee mensen gedood heeft. Het was zelfverdediging, maar toch heeft hij het gedaan. Mijn maag draait zich om door de geur van bloed, de schok van het zien sterven van mannen, ook al waren het gewelddadige mannen die me dood wilden hebben.

Mijn ledematen worden koud. Ik had het kunnen zijn, die daar lag te bloeden op de grond. Het had mijn leven kunnen zijn, dat daar wegvloeide. Als Marco niet... Wie is Marco? Waarom heeft hij een pistool en weet hij hoe hij dat moet gebruiken?

Alsof hij mijn gedachten kan lezen, haalt hij het wapen uit zijn jaszak en geeft het mij. 'Wil je dit voor me laden? De patronen liggen onder de stoel.'

Met trillende handen pak ik de doos patronen, maar ik heb geen idee hoe ik ze erin moet doen. Hij geeft me aanwijzingen terwijl hij rijdt en ik doe wat hij zegt.

Ik leg het geladen pistool behoedzaam op de stoel tussen ons in. 'Maar ze zijn nu toch dood?'

'Ik wil liever niet verrast worden.'

'Zouden er nog meer kunnen zijn?'

Hij aarzelt even en zegt dan: 'Dat zou kunnen.'

'Waarom heb je een pistool? Hoe weet je –'

'Voor bescherming.' En hij heeft me beschermd.

'Ze hadden machinegeweren.'

'Tommyguns. Die maken een mens lui. Dan ga je overal kogels om je heen sproeien, terwijl je aan één goed schot genoeg hebt.' Hij steekt de herladen revolver weer in zijn jaszak.

'Marco...'

'Ik beheer heel wat geld voor belangrijke mensen. Ik moet weten hoe ik mezelf moet verdedigen. En jou.' Hij kijkt even opzij. 'Ik zei toch dat ik je zou beschermen.'

'Ik begrijp het niet. Wat gebeurt er allemaal?'

Hij blijft zo lang zwijgen dat de vraag tastbaar tussen ons in blijft hangen.

'Je vader is ergens bij betrokken geraakt dat boven zijn macht lag, denk ik.'

De tranen prikken in mijn ogen. 'Dat slaat nergens op. Papa zou nooit –'

'Hou jezelf niet langer voor de gek. Jij zag het al voordat ik kwam. Je zei het die eerste dag op de veranda.'

'Ik bedoelde niet –'

'Jawel, *cara mia*. Je kunt het ontkennen, maar ik geloof je niet.' Hij remt af voor een kruispunt en geeft dan weer gas. 'Ik vind het heel erg voor je, van je vader.' Zijn stem wordt schor, alsof het hem inderdaad kan schelen. 'Hoor eens, schat. Zulk soort dingen gebeuren voortdurend. Iemand denkt dat hij alles in de hand heeft, maar hij weet niet waar hij mee te maken heeft. Of met wie.'

Ik zie Arthur Jackson voor me, leunend tegen zijn auto, zijn gezicht verlicht door het lucifervlammetje. 'Papa was niet dom.' *Dus waarom, waarom, waarom?*

'Ik geloof ook niet dat hij dom was.'

De tranen springen in mijn ogen. 'Hij zou niet het gevaar lopen –' Mijn stem stokt.

'Hij kende het gevaar. Waarom zou hij me anders verteld hebben waar ik je kon vinden?'

Ik begin te snikken en de tranen stromen over mijn wangen en prikken in de wondjes. Ik schud mijn hoofd. 'Ik geloof het niet.'

Marco zegt: 'Ik vind het ook heel erg van je nonno.'

Uit wat ze kon opmaken uit Lances kant van het gesprek, bevestigde de advocaat van de familie dat hij geen toegang tot de kluis kon krijgen zonder Antonia en had hij zijn twijfels over haar beperkte spraakvermogen. Omdat zij haar vaders zaken behartigd had, had Rese ook haar twijfels, maar Lance hield vol dat Antonia zich voldoende duidelijk kon maken, alsof hij, door de advocaat daarvan te overtuigen, kon maken dat het zo was.

Lance haalde onder het praten zijn hand door zijn haar en pakte het beet alsof hij het eruit zou willen trekken. Ze wist hoe graag hij het goed wilde maken als hij dacht dat hij het verprutst had. Ze had dat gemerkt aan de receptenkaartjes met gedetailleerde aanwijzingen die hij gestuurd had, zodat ze de ontbijtjes in het hotel zonder hem had kunnen maken.

Nu was hij net zo vastberaden, maar de dokter had erop gestaan dat Antonia de komende paar dagen absolute rust zou krijgen. Lance zou de hele buurt ervan kunnen overtuigen dat het zou werken, maar hij kon zijn oma nergens mee naartoe nemen voordat ze sterk genoeg zou zijn. Dat betekende natuurlijk niet dat hij zich rustig zou houden. Zodra hij opgehangen had, pakte hij haar bij haar elleboog en liet die onheilspellende sleutelbos voor Rico's neus bungelen.

'Wees een beetje lief voor haar.' Rico liet een kwast boven zijn hoofd ronddraaien en ving hem weer op.

'Ik zal zelfs tanken', riep Lance terug.

Ze was niet van plan om ruzie te maken. Als Lance vond dat Rico's motor veilig was, best. Hij kon er niet nog meer schuldgevoelens bij hebben, maar ze nam aan dat haar dood wel wat wroeging zou veroorzaken. Ze voelde zich niet meer zo dapper toen hij de motor weer uit het schuurtje rolde. Had hij er gisteren ook zo slecht uitgezien?

'Het spijt me dat ik geen motorjacks heb.' Hij gaf haar de helm.

'Geeft niet.' Ze zette de helm op.

Hij bleef even naar de motor staan kijken. 'Ik wou dat ik mijn Harley had.'

Rese wees naar de Kawasaki. 'En dan de kans voorbij laten gaan om op deze droommachine te rijden?'

'Ik vond je leuker toen je nog tegenstribbelde.'

'Dat geloof ik graag.' Het tafereel met zijn ouders was leerzaam geweest. Zij stribbelt tegen; hij dringt aan. Zo hoefde Lance er minder moeite voor te doen. Ze rechtte haar rug. 'Klaar?'

Ze was voorbereid op de snelheid en de verschrikking van gisteren, maar deze keer nam hij haar mee de stad in en het grootste deel van de route konden ze maar stapvoets rijden. Vanwege de verstikkende uitlaatgassen van het verkeer en het voortdurende gas geven om de motor niet te laten afslaan, gaf ze bijna de voorkeur aan de duizelingwekkende snelheid op de snelweg.

Hij handelde deze keer niet impulsief; hij had een onwrikbare vastberadenheid over zich en ze raadde hun bestemming voor de rechthoekige krater in zicht kwam. Ze had geweten dat ze deze plek vroeg of laat zouden bezoeken. Gisteren was het een vlucht; dit tochtje was een bewuste kwelling. Omdat hij het niet kon herstellen, wilde Lance zich wentelen in alles wat verkeerd was in zijn leven.

Hij vond een parkeerplek op straat, een meevaller die hij als zijn recht beschouwde, alsof God hem goed gezind was. Maar zijn zelfvertrouwen verdween als sneeuw voor de zon toen ze naar het hek van harmonicagaas liepen en erdoorheen keken, terwijl de mensen om hen heen dromden. Ze concentreerde zich op wat ze zag, wilde het eerst zien zonder dat Lances verdriet haar eigen indrukken zou inkleuren.

Een lege plek tussen de hoog oprijzende gebouwen, ruimte in een stad die geen ruimte had. Betonnen hellingen en bouwplatforms in plaats van het puin dat op ieders netvlies gegrift was toen de rampbeelden telkens opnieuw vertoond werden. Waar was de verwoesting? Op de een of andere manier had ze rook verwacht. Dit zag er schoon en netjes en georganiseerd uit. Het leek of het zo gepland was.

'Wat is dit allemaal?' Ze herkende de bouwput van een heel groot gebouw, maar was niet op de hoogte gebleven van de plannen.

'Het nieuwe complex. Vijf gebouwen. Daar' – hij wees naar een plek op het bouwterrein – 'zal de Freedom Tower verrijzen met een hoogte van 541 meter en een glazen spits die naar de hemel wijst. In het World Financial Building kun je het ontwerp bekijken.'

Ze keek naar de ondergrondse verdiepingen en bouwlagen voor haar. 'Het is niet wat ik verwacht had.'

'Mensen die hier nu komen, zien hoop, vastberadenheid. Overwinning zelfs.' Hij staarde in het gat. 'Ik zie alleen Tony.'

Ze keek over het gat heen naar een sierlijk stenen gebouw, waarvan de voorkant afgebrokkeld en geruïneerd was en waar de ramen uitgeblazen waren. Daarnaast stond nog een toren, gehuld in zwarte netten. Overal eromheen reden auto's, liepen voetgangers en werden zaken gedaan. De stad zou het nooit vergeten. Degenen die geliefden verloren hadden zouden het nooit vergeten. Maar de tijd ging door; het leven ging door. 'Je zult ooit verder moeten, Lance.'

Zijn ogen vernauwden zich iets. 'Is Gina verder gegaan? Haar zoons?'

'Zul je het haar kwalijk nemen als ze dat doet?'

Hij keek een hele poos in het gat. 'Nee.'

'Waarom neem je het jezelf dan wel kwalijk?'

Hij keek even opzij. 'Hoe bedoel je?'

'Dat jij je leven leeft, terwijl Tony dat niet meer kan.'

Hij stak zijn vingers door het gaas. 'Misschien als pap niet zo teleurgesteld zou kijken, elke keer als ik binnenkom, alsof hij nog altijd hoopt dat het Tony zal zijn.'

'Kom nou toch.'

'Zeg nou zelf. Heeft hij gisteravond ook maar één woord tegen me gezegd?'

In gedachten liet ze de avondmaaltijd de revue passeren. Dat moest toch haast wel? Er was geen vijandigheid tussen hen geweest, geen frictie. Of wel? Maar ze kon zich niet herinneren dat er iets gezegd was. Voor Lance, met al zijn woorden, moest die stilte oorverdovend zijn.

Hij slikte. 'Tony had moeten blijven leven, daar gaat het om, Rese. Hij had drie kinderen, een vrouw. Mensen waren van hem afhankelijk, niet alleen zijn gezin. Hij had een onderscheiding voor voorbeeldige dienstverlening aan de stad New York. Hij had nog zoveel kunnen doen.'

'Dus God heeft er een potje van gemaakt?'

Hij fronste zijn wenkbrauwen. 'Nee. Ja. Ik weet het niet.' Hij liet zich met een schouder tegen het hek zakken, terwijl hij, vermoedde ze, de nachtmerrie zag die voor hem veel persoonlijker was dan het ooit voor haar zou zijn.

'Het is renovatie, Lance. Geen nieuwbouw.'

Hij keek een hele poos naar de betonnen rand onder hen, hier en daar gestut met staal. Toen zei hij: 'Dat weet ik wel. Maar ik weet ook dat het kwaad niet zonder aanzien des persoons te werk gaat. Dat willen mensen wel graag geloven, maar dat is niet zo. Hij loert op de aarde rond als een brullende leeuw. Hij is op zoek naar de slimsten, de besten. En dan zegt God: "Let eens op mijn dienaar Job."'

Ze wist niet waar hij het over had, maar zijn stem klonk scherp. 'Denk je dat God Tony uitgekozen heeft?'

Lance hield zijn hoofd iets schuin. 'Ik denk dat we pionnen zijn in een spel dat we niet kunnen zien. Er worden zetten gedaan en stukken opgeofferd. We kunnen God haten en wanhopen. Of God ondanks alles liefhebben.'

Ze legde haar hand op zijn arm. 'Waar kies jij voor?'

Hij antwoordde zonder op te kijken. 'Je weet waar ik voor kies.'

'Zeg het dan.'

Hij slikte. 'Ik kies ervoor om God lief te hebben en te dienen.'

'Dan mag je niet wanhopen. Het is het een of het ander.'

'Misschien.' Hij pakte het hek beet en keek een hele poos voor zich uit. 'Maar dit is een wereld waar helden sterven en klunzen achterblijven om de draad weer op te pakken.'

Het dwaze van de wereld om de wijzen te beschamen, het zwakke om de sterken te beschamen. Ze zou hem willen vertellen wat Chaz gezegd had, maar Lance leek niet meer tegen haar te praten.

'Of ik aanvaard dat dit zijn bedoeling was, dat Hij Tony met opzet weggenomen en mij achtergelaten heeft en dat dat op de een of andere manier goed en volmaakt is, of ik geef de hoop op en vervloek Hem.' Zijn knokkels werden wit. 'Ik verzet me; ik twijfel, maar heb niet de moed om me af te wenden, omdat ik liever een wrede God liefheb dan dat ik helemaal geen God meer heb.'

Hij zei het niet om haar te shockeren. Hij beleed een loyaliteit en liefde voor Iemand die dat niet waard leek, maar die hij toch wilde blijven dienen. Het zou haar moeten beangstigen, maar dat deed het niet. Ze rechtte haar schouders. 'Wat gaan we nu doen?'

Ze verlieten Ground Zero, maar bleven in de stad. Omhoogkijkend vanaf de motor beleefde Rese haar droom opnieuw – alleen bevond zij zich nu in de doolhof, niet mam. Het effect van de hoog oprijzende gebouwen was angstaanjagend en zenuwslopend. En er leek geen ruimte te zijn om adem te halen, iedere centimeter was in gebruik. Ze was blij toen Lance voorstelde de veerboot naar Staten Island te nemen, zodat ze haar benen even kon strekken.

Toen ze om het Vrijheidsbeeld heen voeren, met de zeewind in hun gezicht, zei ze: 'In de zesde klas heb ik een werkstuk gemaakt over dat beeld, over het feit dat het aangevoerd werd in onderdelen die in elkaar gezet moesten worden en over de voordelen en nadelen van koper als bouwmateriaal.'

Leunend op de reling keek Lance haar schuins aan.

'De leraar vroeg zich af of ik me niet beter had kunnen richten op de symboliek van het beeld met betrekking tot de Amerikaanse geschiedenis.'

Hij moest lachen.

In South Ferry gingen ze aan land en reden naar Greenwich, waar Lance en Rico op de trottoirs hadden gezongen tot ze ontdekt waren en in clubs geboekt werden. Hij wees naar een deur toen ze erlangs tuftten in een wolk van hun eigen uitlaatgassen. 'Daar beleefden we onze doorbraak.'

Aan de buitenkant zag de club er niet bijzonder uit en zo halverwege de middag was er niets te beleven. Maar ze kon zich voorstellen hoe ze daar hun apparatuur hadden opgezet, zoals Lance in de eetzaal van het hotel had gedaan, het enthousiasme dat ze gevoeld moesten hebben, dat ze hun muziek ergens mochten laten horen. Het begin van een droom. Had Lance dat echt achter zich gelaten? Zou hij tevreden zijn met het hotel?

Toen hun magen net zo begonnen te rammelen als Rico's motor, ging zij vlug bij Grey Papaya een paar hotdogs halen, terwijl Lance een blokje om reed. Ze hoefde zich geen zorgen te maken of er een tafeltje vrij was. Er waren geen tafeltjes. Toen Lance eraan kwam, stapte ze weer achter op de motor. Hij had geen parkeerplek gevonden, dus parkeerde hij dubbel achter een bestelbus. Ze gaf Lance zijn hotdog en nam een hap van de hare. Het broodje was knapperig, de hotdog heerlijk van smaak, ook al was ze vergeten er saus op te doen.

'Eet jij je hotdogs het liefst puur?' Lance keek over zijn schouder.

'Ik maakte me zorgen dat jij rondjes moest rijden.' En eten was zijn terrein. Ze bleef zitten, maar hij zwaaide zijn been over het zadel en ging zijdelings op de motor zitten.

Hij beet in zijn hotdog en glimlachte. 'Soms is eenvoud het best.'

'Waardoor smaakt het zo lekker?'

'Door de locatie.'

Ze fronste haar wenkbrauwen.

'Een hotdog die je in New York eet, smaakt beter dan een hotdog op iedere andere plek in de wereld.'

Ze snoof, maar daar op straat smaakte die simpele hotdog inderdaad beter dan iedere andere hotdog die ze ooit gegeten had. Maar dat gaf ze niet toe. Het zou hem alleen maar verwaand maken.

In de binnenstad bestudeerde ze de architectuur: beeldhouwwerken op de gebouwen, hele figuren of alleen gezichten, plantmotieven op hoeken en deuren, kunst in beton en steen die gelijkenis vertoonde met wat zij deed met hout. Veel gebouwen stonden in de steigers en ondanks zichzelf keek ze naar de huizen die ze zelf graag onder handen zou willen nemen – als ze zich nog met renovatie zou bezighouden. Net als Lance met zijn muziek, was het niet makkelijk om het los te laten. Maar het was ook niet makkelijk om het te blijven doen. Niet na het ongeluk, niet als alleen al het geluid van een cirkelzaag...

Brad had zich afgevraagd of ze het nog kon, en ze nam aan dat dat zo was, aangezien ze de vervallen villa veranderd had in een prachtig hotelletje, maar ze zou niet in staat zijn de spanning voor de jongens te verbergen. Het was goed dat ze het losgelaten had. En zij verdienden het dat ze aan de nieuwe eigenaars waren overgeleverd. Ze wilde alleen dat ze hen de naam had laten veranderen. Die buitten ze natuurlijk uit.

De dag was ongemerkt voorbijgegaan. Toen het donker werd, reed Lance langs het Empire State Building met de mensenmassa die als een slang naar de kaartjesbalie en de liften kronkelde. In plaats daarvan nam hij haar mee naar de flat van Saul Samuels. De portier bracht hun verzoek via de intercom over aan de impresario die Rico binnengehaald had en die Lance ook leek te kennen.

Even later liet de man hen binnen in de hal van het gebouw. 'Meneer Samuels zei dat u het dak op mocht. Hij heeft de deur van het slot gedaan.'

Geen cadeauwinkeltje of panoramadek vol toeristen; Rese liep een tuin in met uitzicht over de stad. In potten geplaatste bomen op een dak. Als dat niet het verschil was tussen Lances kant van het land en de hare, wat dan wel? Bij de tot haar middel reikende omheining keek ze naar beneden. Alle rijkdom van de wereld lag onder haar uitgespreid. Maar toen ze omhoogkeek, zag ze alleen de rossige tint van de hemel boven haar. 'Geen sterren?'

Lance legde zijn handen op de muur. 'Die zijn allemaal aangeroepen om een wens te doen en gevallen.'

Neerkijkend op alle gevallen wensen vroeg ze: 'En zijn ze uitgekomen?'

'Misschien. Sommige.'

Ze speurde de hemel weer af naar een enkel stipje sterrenlicht, een zwak straaltje om een wens aan op te hangen. Maar ze zou toch niet weten wat ze moest zeggen. 'Wat zou jij wensen, Lance?'

Hij bleef zo lang zwijgen, dat ze de gevallen sterren bijna kon horen zuchten vanaf de grond, waar ze geland waren. Zelfs niet één wens tussen hen. Dat was toch wel treurig.

'Is er niets wat je zou willen?'

Hij slikte. 'Te veel.'

Natuurlijk. Lance stond daar niet net zo als zij, zich afvragend wat ze nu eigenlijk wilde in het leven, niet gewend aan wensen of hoop, zich slechts wapenend voor wat er nu weer komen zou, klaar om dat het hoofd te bieden. Hij was de dromer, vol hoop.

Het geluid van verkeer en sirenes in de stad die nooit slaapt leek ver weg. Ze had niet geweten dat Lance zo stil kon zijn, maar toch was het geen lege stilte, maar een die gevuld was met gedachten en gevoelens, alsof hij de wensen die hij niet uit kon spreken toevertrouwde aan de lege lucht boven hen. Ze zouden zich als een nevel vastzetten, sprankelende dauwdruppeltjes bij het eerste ochtendlicht. Lances wenssterren.

Lance zette de motor weer in het schuurtje en draaide zich om. Hij was niet echt onderhoudend gezelschap geweest, maar Rese had hem nieuwe impulsen gegeven. Dat betekende veel voor hem. 'Hoe komt het dat ik nergens gaatjes in heb hoeven laten maken? Geen dubbele ringetjes in beide oren, geen knopje in mijn neus?'

Haar wenkbrauwen gingen omhoog. 'Ik wou dat ik eraan gedacht had.'

Hij schoot in de lach. 'Gelukkig niet. Pap rukte dit er al bijna uit.' Hij gaf een tikje op het knopje met het diamantje in zijn linkeroorlel. 'Hij zou me de huid vol schelden als ik met nog meer gaatjes thuiskwam.'

'Je bent achtentwintig.'

'En hij is drieënzestig. En als hij me op zijn drieëntachtigste de les wil lezen, doet hij dat nog.'

'Zou hij je slaan?'

'Noem het fysieke communicatie.'

Ze trok een rimpel in haar voorhoofd. 'Pa's ergste straf was zwijgen. Het enige wat hij hoefde te doen was niets zeggen en dan wist ik niet hoe snel ik een manier moest verzinnen om mijn leven te beteren.'

Lance liep naar de deur, deed hem van het slot en hield hem voor haar open. 'Bij mij dringt het allemaal wat moeilijker door.'

Rese bleef even staan. 'Zou jij je kinderen slaan?'

Lance leunde met zijn heup tegen de deurpost. 'De meisjes niet.'

Haar kin schoot omhoog, zoals hij geweten had. 'Omdat die te teer zijn?'

'Te kostbaar.'

Ze keek hem woedend aan. 'Ik dacht dat zoons het meest geliefd waren.'

'Vergeet het maar. Die zijn te dom. Die moet je het gezonde verstand inpeperen.'

'Heb je enig idee hoe dat klinkt?'

Hij spreidde zijn handen. 'Wablief?'

Ze gaf hem een duw. 'Wees nou even serieus.'

Hij wenkte haar de schemerige gang vol familie-overblijfselen in. 'Ik weet het niet, Rese. Ik heb nog nooit nagedacht over kinderen. Nou ja, op zich wel, maar ... nooit over de bijzonderheden.' Hij trok de deur achter hen dicht. 'Er staat te veel op het spel bij kinderen. Je hebt hun hele leven in je hand. Ik weet het niet...' Hij schoof de grendels op de deur. 'Je kunt het te makkelijk verknallen.'

'Denk je dat je geen goede vader zou zijn?'

Hij gaf geen antwoord.

'Dat meen je toch niet? Lance, ik heb je met ze gezien Met je neefje in de zandbak.'

'Dat is zonder risico. Andermans kinderen kun je niet verpesten.'

Ze fronste haar wenkbrauwen. 'Waarom doe je dit?'

'Wat?'

'Net doen of je iemand bent die je niet bent.'

'Ik zeg alleen –'

'In Sonoma had je alle antwoorden. Er was niets wat je niet kon. Je wist precies wat ik nodig had, wat Star nodig had. Zelfs wat Evvy nodig had. Hier lijkt het wel of je dat allemaal vergeten bent. Is het ooit bij je opgekomen dat je vader zich zou kunnen vergissen?'

Hij keek haar aan. 'En als dat nou niet zo is?'

'Dan moet je daar iets aan doen.'

Terwijl hij in haar sterke, praktische gezicht keek, kon hij zich dat bijna voorstellen. Misschien had hij alleen het juiste evenwicht nodig, de juiste persoon aan zijn zijde – voor altijd. De gedachte bleef in zijn borst steken. Bobby had gelijk dat het onbekend gebied was. Maar in het schemerige licht in het gangetje, dat haar gezicht een verweerd uiterlijk gaf, kon hij zich bijna voorstellen dat ze samen oud zouden worden.

Als hij het haar echt zou vragen, zou ze dan ja zeggen? Na hoe hij het er tot nu toe had afgebracht? Weinig kans. Maar het weerhield hem er niet van het te willen. 'Rese...'

Ze wreef over haar nek. 'Bedankt dat je me de stad hebt laten zien.' Ze liep naar de trap.

'Graag gedaan.' Hij liep achter haar de trap op. Juist ja. Hij moest niet te dichtbij komen, niet te persoonlijk worden. Niet meer willen dan hij zou moeten. Niet net doen of er zelfs maar een kans was op een vaste relatie.

Hij moest ermee ophouden meer in haar woorden te leggen dan ze bedoelde. Ze had tenslotte 'je kinderen' gezegd, niet 'onze'.

Hoofdstuk 10

De angst sluipt op zachte voeten naderbij,
een doodsmasker, oplichtend in de gloed van een vlammetje.
Eén lucifertje toont me wat ik niet wil zien,
niet kan aanzien. Papa. Papa!

Marco komt in het donker haastig naar me toe. 'Stil maar, *cara*, stil maar.' Gekleed in een onderhemd en een lange onderbroek gaat hij op het bed zitten en trekt me tegen zich aan. Ik voel meer dan troost in zijn omhelzing. Ik voel angst dat ik hen naar ons toe zal lokken, naar dit pension of het volgende, moordenaars die erop uit zijn om mij snel en voor eeuwig het zwijgen op te leggen.

Mijn adem komt met onregelmatige stootjes. 'Ik kan mijn dromen niet tegenhouden, Marco.' Dagenlang heb ik glassplinters gevonden in mijn haar, hoewel de sneetjes dichtgegaan zijn en op sommige ervan al een korstje zit. Het ergste geweld vindt plaats in mijn dromen. Bloederige lichamen met papa's gezicht.

Hij kijkt een poosje voor zich uit. 'Schuif dan maar opzij.'

Rillend maak ik plaats voor hem in het doorgezakte bed. In de drukkende hitte houdt hij me vast, met mijn rug tegen zijn borst, de knieën in elkaar, maar toch blijf ik vanbinnen rillen.

'Als je gilt, zal ik mijn hand op je mond leggen, maar nu zul je niet meer gillen.' En zijn armen zijn sterk en strak om me heen.

Het is de eerste keer dat we samen in bed liggen, de eerste keer dat hij me vasthoudt zoals een man zijn vrouw vasthoudt. Hoe zou het zijn om samen met hem oud te worden in mijn bed? Maar hij is al oud en ik zal het misschien nooit worden. Ik begin te beven, maar hij mompelt in mijn nek: 'Stil maar, Antonia, stil maar.'

De rechter van vanochtend lijkt ver weg, een tafereel dat zich afspeelde op een toneel dat ik vol ongeloof gadesloeg. Na de aanval leek het goed en noodzakelijk, maar na alles waarop ik gehoopt had? Alles waarvan ik gedroomd had? Niet een haastige bruiloft met een man die ik niet ken, maar die alles voor elkaar lijkt te krijgen.

De rechter had bezwaar gemaakt tegen het ontbreken van onze geboorteakten, tot Marco hem apart nam en iets in zijn oor fluisterde. Er werd een telefoontje gepleegd; toen stonden we met twee getuigen voor hem en gaven ons jawoord. Maar toch kan ik nauwelijks geloven dat het echt gebeurd is.

Als de ochtend komt, voel ik me net zo kapot als mijn zijden Milanese prinsessenpetticoat, waarvan het kant hopeloos gerafeld is. Gisteravond heb ik mijn rok en blouse gewassen in het fonteintje aan het eind van de gang en ze zijn gekreukeld opgedroogd, maar daar kan ik niets aan doen. Als we de ontbijtzaal binnenkomen, bekijkt de vrouw die het pension runt ons achterdochtig. Geen ringen aan onze vingers, kringen onder onze ogen.

'Ze denkt vast dat ik je vannacht geslagen heb', mompelt Marco. 'Ze is op zoek naar blauwe plekken en bulten.'

Ik speur de gezichten in de ontbijtzaal af. Hebben ze me allemaal horen gillen? 'Ik zou kunnen strompelen', fluister ik terug.

Om Marco's mond speelt even een vals lachje. 'En een beetje kreunen als je gaat zitten.'

Ik steek mijn kin in de lucht. 'Je vindt het nog leuk ook.'

'Ik zou niet durven.'

Maar ik heb hem met een pistool gezien, heb hem zien doden. Zou hij wrede trekjes hebben? 'Als je me ooit slaat, zal het je berouwen.'

Hij trekt zijn wenkbrauwen op. 'Zou ik een schoonheid als jij slaan?' Maar er blinken weer pretlichtjes in zijn ogen. Hij steekt de draak met me en ik gun hem niet de voldoening dat ik reageer.

Hij leidt me naar de lege kant van de lange tafel. 'Zal ik voor je opscheppen?' Hij wijst naar de uitgestalde etenswaren op het buffet.

Ik knik, doodmoe opeens. Het zou andersom moeten zijn. Hij zou aan tafel moeten zitten met zijn servet in de kraag van zijn overhemd en ik zou een bord voor hem neer moeten zetten. Zo zal het zijn als... De gedachte doet mijn hoofd tollen. Ik ben zijn vrouw. Hoe heeft dit kunnen gebeuren?

Het verdriet snijdt door me heen. *Nonno, waar bent u? Papa?* Zij zijn de mannen die ik ken, de mannen die ik liefheb. Ik had gedold met Marco, genoot van de manier waarop mijn hart sprongetjes maakte. Ik vond het leuk hem op de kast te jagen, te verleiden, maar nu...

Hij zet mijn bord voor me neer. Het lijkt in niets op het ontbijt dat ik altijd klaarmaakte. Het land is arm; het eten is daar een afspiegeling van. Hoeveel beter was het in Sonoma! Ik ging elke zaterdag met een kwartje naar de bioscoop. Mijn kleren waren schoon, mijn lakens werden besprenkeld met citroenwater. We hadden onze tuin, nonno's wijnstokken. Seizoenarbeiders kwamen naar ons toe. We stopten geld in hun zakken, eten in hun maag.

Bedelaars kregen altijd wat aan onze deur. Papa en nonno hadden nooit in de rij gestaan bij de gaarkeuken of tussen de mensen in het arbeidsbureau. Geen van beiden reisde stad en land af op zoek naar werk. Dat heb ik nu al te vaak gezien, die hulpeloze gezichten. Ik wil dat Marco me naar huis brengt. Wie zal de paprika's plukken, de druiven oogsten? De tranen springen in mijn ogen. Mijn huis, de mensen die ik liefheb. Allemaal weg.

Marco gaat naast me zitten. 'Kop op', fluistert hij. 'Iedereen kijkt naar je.'

'Dat kan me niet schelen.' Ik haat ze allemaal, die starende gezichten.

'Mensen onthouden dat. En als anderen navraag komen doen...'

Mannen met geweren en verdorven harten. Er zijn ergere dingen dan het verliezen van mijn huis. Ik recht mijn rug en bied mijn verontschuldigingen aan. *'Io lo fatto.'*

'Geen Italiaans, schat. En je hoeft jezelf niets te verwijten.' Hij tilt mijn hand op en kust de vingers.

Een warme gloed trekt door mijn buik.

'Probeer net te doen of je geniet van je huwelijksreis.'

Er komt een echtpaar naast ons zitten. Marco knoopt een gesprekje aan, maar het woord *huwelijksreis* blijft als een brok in mijn keel steken.

Hij zegt: 'Nee, we zijn alleen maar op doorreis. We willen een stuk land gaan bekijken in Pennsylvanië.'

'Daar wonen die Amish-lui', zegt de andere man. 'Met die baarden.'

Marco glimlacht. 'O ja?'

Hij heeft niet echt gelogen, want we zullen door Pennsylvanië rijden en heel wat stukken land zien door de ramen van zijn Studebaker, maar naarmate het gesprek vordert, dringt het tot me door dat hij er een heel verhaal van maakt en dat de bleke Zweed met wie hij praat er geen flauw benul van heeft dat we op de vlucht zijn, dat ik niets anders heb dan de kleren die ik aanheb.

Waarom zei hij dat ik geen Italiaans mocht praten? Als ik hem niet *La Bohème* had horen zingen, zou ik nooit geloofd hebben dat hij een landgenoot was. Ik heb mijn afkomst altijd gekoesterd, een cultuur die zelfs nonno aangenomen had. Marco is als een kameleon veranderd in iemand die ik niet ken. Maar ik zie het pistool in zijn hand weer voor me en besef dat er niets aan hem is wat ik wel ken.

Als de man hem naar zijn beroep vraagt, houdt Marco zich op de vlakte, maar geeft alleen de indruk dat niet iedereen last heeft van de moeilijke tijden. Ik bloos als hij mij omschrijft als zijn jonge bruid, terwijl ik hem alleen grotendeels aangekleed in mijn bed heb toegelaten om te voorkomen dat ik weer zou gaan gillen. Stel dat de nachtmerries blijven? Wat moet ik dan doen?

Als we weer in de auto zitten, vraag ik: 'Moeten we mensen vertellen dat we getrouwd zijn?'

Hij kijkt me glimlachend aan. 'Natuurlijk.' Hij steekt zijn hand uit en geeft me een klopje op mijn knie. 'We zíjn toch getrouwd?'

Pronto, hoe kan ik dat vergeten?

Rese gaf haar pogingen om te slapen op en liet zich uit bed glijden. Zonder raam was het onmogelijk om te schatten hoe laat het was en de wijzerplaat van de wekker was niet verlicht. Ze wilde niemand storen, maar ze was te rusteloos om in bed te blijven. Thuis zou ze naar haar werkplaats gegaan zijn om te schuren, te schaven of te timmeren. Haar spieren hunkerden naar die ontspanning.

Hier kon ze dat niet doen, maar ze glipte op haar tenen de slaapkamer uit, zodat ze Lance niet zou wekken. Hij was al wakker, met alleen het licht van de dageraad dat door het raam naar binnen scheen. Hij keek op en legde zijn potlood neer.

'Wat ben je aan het doen?' fluisterde ze.

'Iets aan het opkrabbelen.'

'Een liedje?'

Hij knikte.

'Mag ik het horen?'

'Het is nog niet af.'

Ze ging tegenover hem zitten, terwijl er een kiem van ongerustheid ontstond. 'Wat ga je ermee doen?'

'Dat weet ik niet.' Hij leunde achterover en rekte zich uit. 'Soms komt er gewoon een lied in me op.'

'Werd je ermee wakker?'

Hij knikte.

Het verbaasde haar niet. 'Zo ontstaan mijn ideeën ook. Iets wat me soms al dagen dwarszit, wordt me dan plotseling duidelijk als ik wakker word.' De energie die dan volgde was altijd productief.

Lance glimlachte. 'Ik dacht dat jij dingen in het holst van de nacht verwerkte, met elektrisch gereedschap in de werkplaats.'

Ze ging in kleermakerszit zitten. 'Dat is anders. Dat is als ik weet wat er mis is en het niet kan oplossen.'

'Aha.' Hij pakte zijn gitaar. Met gesloten ogen begon hij zachtjes te tokkelen, waarbij hij geluidloos zijn lippen bewoog, opgaand in het creatieve proces dat ze onderbroken had. Het kon haar niet schelen. Als hij klaar was, zou hij het haar laten horen.

Ze was onrustig geweest, maar nu voelde het goed om daar te zitten zonder te praten. Dat vond ze zo leuk aan Lance: vol woorden, maar in staat om te zwijgen. Trouwens, hij was met zijn hoofd bij zijn lied. Goed, ze was nieuwsgierig. Hij hield een songtekst meestal niet voor zich, zelfs de autobiografische niet, die zoveel onthulden. En hij had ze soms ter plekke verzonnen, haar er al deelgenoot van gemaakt voordat ze 'af' waren.

Waarom was deze songtekst zo geheim? Ze kwam met een ruk overeind. De dingen die hij in het verleden achter had gehouden, hadden haar gekwetst. 'Lance?'

'Het gaat over gisteren.' Nu deed hij het weer, haar gedachten lezen. 'Ik probeer het te begrijpen.'

Zijn eigen strijd. Die ging haar niet aan. 'Sorry.'

'Waarvoor?' Hij keek haar vriendelijk aan.

Voor haar twijfel. Haar angst. De veronderstelling dat het iets met haar te maken had. 'Dat ik me ermee bemoeide.'

Een van zijn mondhoekjes krulde om. 'Je hebt je er niet mee bemoeid.'

'Gelukkig maar.'

En nu vond ze het best om gewoon tegenover hem te zitten. Het leek hem niet veel te kunnen schelen. Toen het wat lichter werd, bladerde ze een fotoboek door over de geschiedenis van de Bronx, Lances wereld. Zijn opmerking over de hotdog had iets duidelijk gemaakt. Hij kon weggaan uit New York, maar New York zou hem nooit helemaal verlaten. Hele stukken uit het boek verhaalden uitvoerig over de Italiaanse invloed en erfenis in de wijken. Ze las voornamelijk de onderschriften onder de foto's, maar kreeg zo een aardig beeld.

Ze had zich nooit rekenschap gegeven van haar geschiedenis, wist niet eens wat de achtergrond van de Barretts was en nog minder wat die van mam was. Ze had een tante, Georgie, pa's zus, maar als mam nog familie had, dan kende ze die niet. En ze betwijfelde of er boeken waren waarin de inbreng van haar voorouders beschreven werd. Ze had zich gericht op haar eigen prestaties en op die van pa. Maar dat was nu niet bepaald een geslacht.

Lance maakte deel uit van – Ze keek verbaasd op toen Star de slaapkamer uit kwam. 'Jij bent vroeg op.'

Gapend frommelde Star haar haar boven op haar hoofd. 'We gaan zingen in de Java Cabana.'

Ging Star nu al zingen? Star, die dagen, weken in bed doorbracht?

'Je moet komen', zei Star. 'We laten mensen langzaam aan hun dag beginnen door hun geprikkelde aura's te kalmeren.'

Zag zij er zo geprikkeld uit, of had haar gewoel in bed haar op het idee gebracht? Rese trok een rimpel in haar voorhoofd. Ze wist gewoon niet wat ze moest denken of doen of willen of hopen. Zo moeilijk zou het niet moeten zijn, maar bij Lance leek alles gecompliceerd. Hun leven van alledag was voor hem slechts de buitenkant en daaronder lag die peilloze diepte van... onzekerheid.

Rico voegde zich bij hen, met zijn zwarte haar, dat in strengen, sommige omwikkeld met draad, tot op zijn schouders hing. In zijn zachte, soepel vallende shirt en nauwsluitende leren broek zag hij eruit als een zigeuner, met zijn vingers die op de bongo's onder zijn arm trommelden en Chaz' steeldrum op zijn rug als een melodieus schildpadschild.

'Je moet echt komen.' Star keek van haar naar Lance, die op de bank verbeten op zijn gitaar zat te tokkelen.

Rese schudde haar hoofd. 'Een andere keer.'

Star liet haar haar over haar naakte schouders en over het afgeknipte haltertopje vallen dat haar elfjesgestalte en doorschijnende buik onthulde. Haar rok bestond uit blauwe stroken batikstof, die ruisten en uit elkaar gingen als ze liep, waardoor haar magere benen zichtbaar werden, helemaal tot aan de touwsandalen die meer thuis leken te horen in Californië dan in Manhattan. Samen zagen ze er net zo bovenaards uit als hun muziek.

Toen de deur achter hen in het slot was gevallen, zei ze: 'Kan Rico haar beschermen als ze er zo bijloopt?'

'Java Cabana is in de theaterbuurt. Daar valt ze niet uit de toon.'

Rese wist niet of hij de acteurs of de mensen op straat bedoelde, maar vroeg er niet naar. Lance keek hen met een nadenkende blik na.

'Wat is er?'

Hij kneep zijn ogen tot spleetjes. 'Ik blijf maar zoeken naar de echte Rico.'

'Misschien had hij de blauwe fee gewoon nodig om een echte jongen van hem te maken.'

'Nee, daar kwamen ezelsoren aan te pas.'

Rese schoot in de lach. 'Kijkt hij uit naar de jouwe?'

'Waarschijnlijk wel.' Hij legde de gitaar met een zucht opzij. 'Heb je zin om te helpen met het ontbijt?'

Ze keek naar het keukentje. 'Goed.'

Maar ze liepen de trap af naar het restaurant.

'Bedoel je ontbijt hier beneden? Ga je het restaurant openen?'

'Het restaurant is tijdelijk gesloten. Maar het is zaterdag en ik ben thuis; de familie zal verwachten dat ik iets klaarmaak.' Lance pakte een grote doos eieren uit een manshoge ijskast.

Wat betekende dat het ontbijt een gekkenhuis zou worden. Ze keek verlangend naar de deur. Waarom was ze niet weggezweefd met Star? Omdat ze niet zweefde. Ze was als een rots, die de volgende uitdaging onder ogen zag. 'Wat gaan we maken? Flensjes?' Het eerste wat hij haar had leren maken, haar eerste succes zonder hem.

'Ze zullen iets stevigers willen. We zullen alles klaarzetten om omeletten te maken.'

Rese hakte de lange, rode pepers fijn en de bruine paddenstoelen die Lance *porcini* noemde, terwijl hij flinterdunne plakjes parmaham, *prosciutto*, sneed. Toen mengde hij het eierbeslag en strooide daar een kruid in, dat hij tussen zijn vingers fijnwreef, waarbij het aroma vrijkwam.

Rese snoof. 'Wat is dat?'

'*Nipetella*, een soort muntachtige variant van tijm.'

Hij hield een takje onder haar neus. Het rook naar het bos en zij zou er nooit aan gedacht hebben zoiets in eieren te stoppen.

'Het versterkt de smaak van de paddenstoelen.'

Ze vond het leuk hoe hij woorden als versterken en paddenstoelen met elkaar combineerde. Die weken in de keuken van het hotel zonder hem hadden zo leeg aangevoeld, zelfs met Star, Chaz en Rico en alle gasten voor wie ze kookten. De keuken was dan misschien het hart van een huis, maar Lance was het hart van een keuken.

Ze begon er net plezier in te krijgen toen Monica met haar gezinnetje kwam binnenvallen.

'O, mooi, jij kookt. Eieren? Nicky wil een omelet zonder vulling. Franky wil wel *prosciutto*, maar geen pepertjes.' Ze drukte een hand tegen haar maag. 'En laat mij geen *porcini* ruiken.'

Lance wuifde haar weg, net als hij bij Rese gedaan had toen ze hem gezegd had dat ze niet van artisjokken hield.

'Mary en John houden ook niet van paddenstoelen. Geen kaas in die van Bobby. En houd je in met de pepertjes.'

Lance pakte zijn zus bij de arm en leidde haar weg van het fornuis. 'Blaas je woordenstroom die kant op; de eetzaal is een beetje stoffig.'

Monica deed een uithaal naar zijn hoofd, maar hij dook terug naar het fornuis en gaf Rese een knipoog. Ze voelde zich helemaal warm worden. Misschien was het toch niet zo verstandig om samen met hem in een keuken te zijn.

Hij stond bij het fornuis en goot omeletbeslag en vulling in koekenpannen, die op laag vuur stonden. Maar toen kwamen Lucy's kinderen binnenrennen, grepen hem bij zijn benen, bewerkten hem met hun vuisten en lieten het geluidsniveau met enkele decibellen stijgen. Hij schreeuwde: 'Neem het even over, Rese, terwijl ik deze jongens een lesje leer.'

Ze begon iets te begrijpen van lichamelijke communicatie. Daar kwamen vuisten en verstrengelde ledematen en gelach aan te pas. Terwijl zij daarmee bezig waren, draaide zij zich om naar het fornuis. Hoewel ze in het hotel met wat aanwijzingen *frittata* had weten te bakken, ging wat hij hier aan het doen was haar boven de pet. Gelukkig kwamen Lucy en Monica haar helpen; samen vouwden ze de omeletten dubbel en lieten ze ze op voorverwarmde borden glijden, die Lance had klaargezet. Rese trok een rimpel in haar voorhoofd. Er waren weer meerdere mensen nodig om zijn taak over te nemen.

Lucy duwde met de rug van haar hand haar bril omhoog. 'Mijn kinderen zijn niet altijd zo wild, hoor. Dat komt door Lance.'

'Wie moet ze anders voorbereiden op het leven op straat?' schreeuwde Lance, toen Monica's kinderen zich ook in het gewoel stortten.

'Als kind was hij ook altijd aan het vechten, dan nam hij het op voor iemand die kleiner was – of slimmer.' Lucy lachte.

'Ja,' stemde Monica in, 'maar soms kletste hij zich eruit. En met die ogen?'

Rese wist welke invloed Lances ogen hadden. Het was een oneerlijk voordeel.

De kakofonie laaide weer op toen Bobby binnenkwam en schreeuwde dat hij hoofdpijn had en vroeg of het nou nooit eens rustig kon zijn?

Monica rolde met haar ogen. 'Dat je hoofdpijn hebt is je eigen schuld; reageer dat niet af op de kinderen.'

Maar Lucy joeg ze de eetzaal uit en Lance kwam weer terug naar het fornuis.

Bobby rammelde met kastdeurtjes. 'Is hier dan nergens een aspirientje te vinden?'

Monica slaakte een zucht. 'Ik zal wel een aspirientje voor je halen. Let jij even op de kinderen.'

Hij hees zijn spijkerbroek omhoog rond zijn smalle heupen. 'Ik ga die aspirine wel halen; let jij maar op de kinderen.'

'Je had naar je werk moeten gaan', schreeuwde ze hem achterna.

Lance zei: 'Zorg dat je kinderen te eten krijgen. Volle monden maken minder lawaai.'

Monica laadde haar armen zo vol met borden, dat het duidelijk was dat ze serveerster was geweest, waarschijnlijk in ditzelfde restaurant. Rese merkte de verschillen op in de omeletten die Monica naar de eetzaal bracht. Lance had ze precies zo klaargemaakt als ze had gevraagd, ondanks hun gekibbel. Hoe had hij ze uit elkaar kunnen houden? Zijn geest kon kennelijk goed omgaan met chaos.

Meteen daarna ging hij verder met de volgende portie voor Lucy en haar kinderen. Haar man Lou was zeker aan het werk of nog in bed. Hij had zijn gezicht tenminste nog niet in de keuken laten zien. En Lances ouders hadden zich ook nog niet bij hen gevoegd.

'Rese, kun jij de schalen met fruit neerzetten?' Lance knikte naar de schalen met schijven meloen en bessen op het aanrecht. Wanneer had hij dat gedaan? Of misschien had Lucy het gedaan, die ook goed leek te kunnen koken.

Rese bracht de schalen naar de eetzaal. Die was twee keer zo lang, maar smaller dan die in het hotel en volgepropt met tafels. De oude mannen, die kamers achter in het huis hadden, waren aan een van de twee lange, tegen elkaar geschoven tafels gaan zitten, die krioelden van de kinderen. Ze had net op allebei de tafels een schaal neergezet, toen Bobby terugkwam en in zijn eentje aan een klein tafeltje langs de wand ging zitten. Als hij hoofdpijn had, waarom bleef hij dan niet boven?

Ze ging terug naar de keuken en zag Lance met zijn kin op zijn borst tegen het handvat van de oven geleund staan. Ze liep haastig naar hem toe. 'Wat is er?'

Hij ging weer rechtop staan. 'Ik stond aan nonna te denken.'

Te midden van het pandemonium waren zijn gedachten bij zijn oma. Ze begon te begrijpen hoe hij haar doelbewust kon hebben misleid toen Antonia's wensen dat vereisten. En die misleiding had zijn scherpe kantjes een beetje verloren.

De waarheid was, dat als hij haar verteld had dat de villa van zijn familie was en dat hij iets wilde zoeken voor zijn zieke oma, ze hem botweg de deur gewezen zou hebben. Ze was absoluut niet in staat geweest om een vreemde vriendelijk tegemoet te treden. Ze had zelf amper haar hoofd boven water kunnen houden.

'Het komt wel goed met haar, Lance.'

'Het valt niet mee om hier te zijn zonder haar.' Hij liet zijn blik door de keuken dwalen. 'Dit was mijn toevluchtsoord. Wat ik ook gedaan had, ik wist dat ik hier troost zou vinden.'

Maar Antonia was oud. Ze zou misschien nooit meer in deze keuken werken. Zijn wereld was aan het veranderen en Lance hield niet van verandering. Hij was doordrenkt van traditie, van familiegewoontes. Hij wilde een momentopname, maar de film ging door. Hij zoog zijn longen langzaam vol met lucht en liep weer naar het fornuis.

Rese keek toe hoe hij boter in de pan deed, het eierbeslag erin goot en de vulling erop strooide. 'Komen je ouders ook beneden?'

'Op zaterdag ontbijten ze altijd op de markt, dan ontmoeten ze al hun vrienden die naar de buitenwijken verhuisd zijn, maar hier hun inkopen komen doen.'

'Waarom zijn zij niet verhuisd?'

Hij haalde zijn schouders op. 'Ze zouden het appartementencomplex denk ik voor een behoorlijk bedrag kunnen verkopen, maar dan zou de familie zich verspreiden. Daar zou mama niet tegen kunnen.'

'O.' Een moeder die haar kinderen graag om zich heen had, die geen onzichtbare vriend had, Walter, die aandrong op moord.

'Kom hier.' Lance zette haar voor zich bij het fornuis en gaf haar de bakspaan in haar hand. Toen sloot hij zijn hand om de hare en samen vouwden ze met vloeiende bewegingen de volgende ronde omeletten dubbel. Zijn stoppelige kaak streek langs haar oor en zijn adem verwarmde de zijkant van haar hals. Ze zou hem moeten laten ophouden, maar dit samenwerken bij het fornuis was zo...

'Lance, heb je – O, sorry.' Sofie bleef in de deuropening staan. Haar donkerbruine haar was achterovergeborsteld in een paardenstaart, waardoor de knappe gelaatstrekken die ze van haar moeder geërfd had, extra duidelijk naar voren kwamen. Hoewel Lance de donkere huidskleur van zijn vader had, hadden hij en Sofie de schoonheid van hun moeder.

Lance draaide zich om. 'Wat wou je vragen, Sofie?'

'Ik heb haast. Ik vroeg me alleen af of je iets gemaakt had wat ik mee kan nemen.'

'Als je even wacht.'

Rese ging opzij, terwijl hij een van de omeletten met ham, pepertjes en champignons strak oprolde en in vetvrij papier wikkelde voor zijn zus. 'Moet je studeren?'

'Ik heb maandag een presentatie.' Sofie hees haar aktetas wat hoger op haar schouder. 'Daar moet ik nog het een en ander aan doen.'

Rese herkende die gedreven uitdrukking, die ontevredenheid met alles wat minder dan volmaakt was. Het was alsof ze zichzelf zag.

Lance pakte een zoutvaatje en strooide wat zout op de schouder van zijn zus. *'Al lupo.'*

'Grazie.' Ze glimlachte.

'Prego.' Hij gaf haar het pakketje en een kus op de wang, die gênant was door zijn tederheid.

Sofie zei alleen maar: 'Geef nonna een dikke kus van me.'

'Ik mag even niet naar binnen. Ze maakt zich vreselijk druk als ze mij ziet en ik heb nog niet gedaan wat ze van me vroeg.'

'Doe het dan.'

'Dat kan ik nog niet.'

Ze keek hem onderzoekend aan. 'Oké.'

Weer merkte Rese Sofies terughoudendheid op. Ze probeerde niet meer uit Lance los te peuteren dan hij wilde zeggen. Ze respecteerde de grens – een abnormaliteit in deze familie.

'Bedankt voor het ontbijt.'

Rese beantwoordde het glimlachje dat Sofie haar toezond toen ze wegging. Lance keek haar wat langer na dan hij anders gedaan zou hebben. Er was iets aan de hand met Sofie, maar Lance zei niet wat. Hij kwam terug en begon de omeletten op borden te leggen. Rese bracht ze voorzichtig naar de eetzaal, waar Lucy toesnelde om de borden rond te delen.

Bobby hief zijn hoofd op uit zijn handen en pakte het bord aan dat Rese hem aanreikte. 'Bedankt.'

'Graag gedaan. Hopelijk is je hoofdpijn een beetje weg.'

'Het enige wat helpt is een beetje rust en stilte.'

'Op kantoor zal het lekker rustig zijn', zei Monica.

'Denk je dat? Denk je dat telemarketing rustig is? De hele dag schreeuwende mensen aan mijn oor, die de hoorn op de haak gooien.'

'Daar ben je aan gewend; dat doe je al vijftien jaar. Je bent de beste verkoper die ze hebben.'

'Denk je dat ik het leuk vind? De hele dag klagende mensen?'

'Dan voel je je meteen thuis.'

'O, wat grappig. Heel grappig.'

Rese ging er gauw weer vandoor naar de keuken. 'Zijn ze altijd zo?'

'Alleen als Monica niet aan Bobby's behoeften tegemoetkomt. Dan gaat hij te veel drinken en wordt-ie vervelend.'

Rese trok haar wenkbrauwen op. 'Dat gaat ons toch niet aan?'

'Klinkt het alsof ze daar rekening mee houden?'

'Niet echt.'

'Er zijn hier niet zoveel geheimen.'

Anders dan in Sonoma, waar geheimen zich leken voort te planten. Rese friemelde aan het haar in haar nek. 'En Sofie dan?'

Hij trok een rimpel in zijn voorhoofd. 'Dat is anders. We praten er niet over omdat zij er niet over praat.'

Rese knikte. 'Het zijn trouwens mijn zaken niet.'

'Kom hier.'

Ze deed een stap naar hem toe.

Hij tilde haar kin op, waarbij zijn vingertoppen in toom gehouden energie uitstraalden. 'Het zijn jouw zaken wel. Ik wilde je hier hebben, er middenin.'

'Waarom?'

'Omdat ik van je houd.'

Rese keek hem aan. Hij had gezegd dat hij om haar gaf, zelfs dat hij verliefd op haar werd – maar 'ik houd van je'? De laatste die dat tegen haar gezegd had, had haar naar bed gestuurd en met het fornuis geknoeid.

'Ga slapen, Theresa. Morgenochtend zal alles anders zijn. Ik houd van je, liefje. Je weet dat ik van je houd.'

Ze had die laatste woorden uit haar geest gebannen, geweigerd haar moeders liefde in verband te brengen met wat er die nacht gebeurd was. Maar dat zou ze niet meer doen. Nu zag ze dingen onder ogen. Geen misleiding meer, zelfs niet in haar eigen gedachten.

Lances ogen werden diepzwart. Ze wist wat hij wilde horen, wat hem zo moeiteloos afging, de liefde en genegenheid die iedere relatie die hij had doordrenkte. Hij was iedere week verliefd, had hij gezegd. Nou, zij niet, ook al imiteerde haar hart Rico op de bongo's.

Hij liet haar los en draaide zich om naar het fornuis. 'Wil jij er al één?'

'Als jij hem klaarmaakt.' Ze had hem teleurgesteld, maar daar kon ze niets aan doen. Tweeënhalve maand was voor hem misschien lang genoeg om te concluderen dat hij van haar hield, maar waar het haar om ging was bestendigheid, betrouwbaarheid, veiligheid. Waar het om ging was waarheid.

'Ik dacht dat jij nu de keukenexpert was.'

Ze snoof. 'Ik ben geen chef-kok.'

Hij liet langzaam zijn adem ontsnappen. Hoe kon lege lucht zoveel zeggen?

'Wat is er?'

'Ik ook niet.'

Ze keek hem aan. 'Hoe bedoel je?'

'Ik heb geen diploma's. Ik heb het van nonna en mijn achternicht zuster Maria Conchessa geleerd. Maar... ik heb geen koksopleiding, geen diploma, ik heb het gewoon ouderwets in de praktijk geleerd.'

Het zou niet uit moeten maken. Het veranderde niets aan zijn capaciteiten. Het was slechts een titel, een papiertje. Had hij zichzelf ooit chef-kok genoemd? Zij had hem zo aangekondigd op de website en hij had haar niet gecorrigeerd. Net als alle anderen had Lance haar een leugen laten geloven.

Plotseling vlamde de woede op. 'Dan zal ik je anders moeten aankondigen.' Ze had hem helemaal van de website gehaald, maar was van plan hem er weer op te zetten als ze ooit terug zouden keren naar het hotel.

De pezen in zijn nek spanden zich. 'Misschien moet je iemand anders zoeken.'

Wat? Eerst zegt hij dat hij van haar houdt en dan houdt hij zich niet aan hun afspraak? 'Ik ben er niet blij mee dat je tegen me gelogen hebt en ik vraag me af wat er nog meer boven water komt, maar je bent mijn compagnon, Lance.' En daar zou ze hem aan houden.

Hij zette de pan met een klap op het fornuis. 'Ik kan niet alleen voor je werken, dat heb ik je gezegd.' De emotie steeg uit hem op als hitte van het asfalt.

'Ik weet dat je van streek bent en dat alles op losse schroeven staat. Laten we nou gewoon –'

Hij greep haar armen beet. 'Ik heb gezegd dat ik van je houd.'

De emotie kroop naar binnen, joeg door haar heen en stroomde toen over. Ze trok haar muren net zo snel op als ze ingestort waren. 'Je verwart liefde met tragiek.'

'Ik ben niet verward.' Zijn greep werd milder. 'Ik ben van streek.'

Ze knikte. 'Dat weet ik.'

'Maar dat betekent nog niet dat ik het verschil niet weet.'

'Lance...'

'Ik wil je in alles naast me hebben. Hier in mijn gekke familie. In ons bedrijf in Sonoma.'

Had hij 'ons' gezegd?

Hij legde zijn handen om haar hals en ondersteunde haar kin met zijn duimen. 'Ik wil met je bekvechten, net als Bobby en Monica. Ik wil je zo goed kennen...'

Ze verstrakte. 'Niet doen.'

'Wil je dat ik doe alsof?'

Ze keek hem kwaad aan. Haar hele leven had ze in de fantasiewereld van iemand anders doorgebracht. 'Ik ben er nog niet klaar voor.'

'Ik ook niet.' Hij nam haar gezicht in zijn handen en de spieren van zijn keel maakten krampachtige bewegingen. 'Ik zal er nooit klaar voor zijn.'

Wat?

'Ik zal het nooit goed kunnen maken. Ik zal het nooit allemaal voor elkaar hebben. Maar ik ben bereid samen met jou te falen.'

Ze keek hem aan. Was dat iets goeds?

'Ik ben bereid het telkens opnieuw te verknallen. Fouten te maken en je hoorndol te maken.'

Haar keel snoerde dicht. Terwijl hij het allerliefste tot zijn doel wilde komen en het goed wilde doen?

'Ik heb nog nooit een relatie lang genoeg laten duren om de ander te laten zien dat ik een mislukkeling ben. Ik liet ze achter met het verlangen naar wat ze dachten gezien te hebben, liet ze in het sprookje geloven.' Hij liet haar los. 'Bij jou wil ik zijn zoals ik ben.'

De woorden bleven in haar keel steken. Ze had gewacht tot hij zou laten zien dat hij betrouwbaar was, geloofwaardig, standvastig. Degelijk, net als pa. Terwijl Lance Michelli net zomin degelijk kon zijn als zij Stars licht en regenboog kon zijn. Hij bood haar iets anders. Echtheid.

Hoofdstuk 11

'Kom bij me, mijn zwaarmoedige lief.
Kruip dicht tegen me aan en wees niet zo neerslachtig.
Al je angsten zijn misschien een hersenschim.
Je weet toch dat ik van je houd!'

Het liedje speelt maar door mijn hoofd, net zo monotoon als het geronk van de motor. Mijn blik dwaalt door de ruimte die mijn leven nu al dagen bepaalt. Marco's handen zijn lang en hoekig en liggen gevouwen over het stuur. De mouw van zijn overhemd is gekreukt op de elleboog, de marineblauwe bretel zit gedraaid op zijn schouder.

Hij kijkt glimlachend opzij. 'Het hele land is somber, Antonia. Laten wij dat niet zijn.'

Hij heeft gelijk, maar wat kan ik eraan doen? 'Het spijt me. Het komt gewoon...'

'Heb ik je ooit verteld over de hond met twee poten die ik had?'

Ik trek ongelovig mijn wenkbrauwen op.

'Echt waar. Het was een bruin-wit vuilnisbakkenrasje en zijn vacht was zo ruw dat je de keuken ermee kon schrobben.'

'Miste hij zijn voorpoten of zijn achterpoten?'

'Van allebei één, en gelukkig aan weerszijden.'

Ik geloof hem niet, maar kan niet nalaten te vragen: 'Hoe was hij ze kwijtgeraakt?'

'Dat weet ik niet; ik vond hem zo, bij het spoorwegemplacement. Misschien dat zijn eigenaar op de trein was gesprongen en dat de hond de sprong niet had kunnen maken.'

'Dus je nam hem mee naar huis?'

'Min of meer. Mama hield niet zo van honden en dit scharminkeltje was een geval apart. Ik gaf hem te eten in het steegje, tot hij wist dat hij me kon vertrouwen.'

'Dat is meer dan de meeste jongens zouden doen. Hoe oud was je?'

'O... het is een aantal jaren geleden.'

Ik trek mijn wenkbrauwen op. 'Je was al groot? Volwassen, bedoel ik?'

Hij grijnst. 'Ja, ik ben al een poosje volwassen.'

'Hoe oud ben je?'

'Je onderbreekt mijn verhaal.'

Ik laat me weer in mijn stoel zakken.

'Algauw begon die hond achter me aan te lopen als ik dingen bezorgde en zo.'

'Voor mensen met veel geld?'

'Dat kwam later. Dit waren voorbereidende baantjes; ik deed zaken in de havens en op spoorwegemplacementen. Op het Centraal Station redde de hond mijn leven.'

Ik leun tegen het portier en kijk hem met een vernietigende blik aan.

'Geloof je me niet?'

'Hoe liep hij dan?'

'Net zoals jij en ik. De ene voet voor de andere. Hij had zo goed geleerd zijn evenwicht te bewaren dat hij bijna zou kunnen koorddansen.'

'Marco...'

Hij tilt zijn hand op, laat hem weer op het stuur vallen en blijft dan zo lang zwijgen dat ik toegeef.

'Hoe heeft hij je leven gered?'

'Hij gooide zichzelf voor een trein.'

Ik hap naar adem.

'Waarom vind je dat zo erg, als ik het toch maar uit mijn duim zuig?'

'Maar dat doe je niet, hè?'

Hij knijpt even in mijn hand. 'Nee. En hij werd niet geraakt door een trein.'

Opluchting en ergernis strijden om de voorrang.

'Maar hij heeft wel de achillespees doorgebeten van een man die een mes tegen mijn keel hield.'

'Waarom?'

'Omdat ik hem goed te eten had gegeven.'

'Nee, waarom hield iemand een mes tegen je keel?' Ik geef hem een duw tegen zijn arm en we maken een slinger over de weg.

'O, dat. Hij wilde hebben wat ik moest bezorgen.'

Ik probeer iets op te maken uit zijn gezicht. 'Heb je daarom een pistool bij je?'

'Nu je 't zegt, dat ben ik vanaf die tijd ongeveer gaan doen, ja.'

Ik schiet ondanks mezelf in de lach. 'Je bent onmogelijk. Wat is er met de hond gebeurd?'

'Ik heb hem aan het circus verkocht.'

'O!' Ik gooi mijn handen in de lucht.

'Echt. Ze leerden hem op een bal lopen. Koorddansen lukte hem niet, maar hij was geweldig op die grote, rode bal.'

Ik stomp op mijn bovenbenen. 'Ik weet niet wanneer ik je kan geloven.'

'Je moet me altijd geloven. Ik vond het vreselijk om dat kleine mormel kwijt te raken, maar ik had een nieuwe positie bemachtigd, waardoor ik te vaak weg zou zijn. Bij het circus kreeg hij genoeg te eten, een veilige plek om te slapen en hij zou bijzonder zijn, met twee optredens per dag.'

Ik trek een rimpel in mijn voorhoofd. 'Hoe kon je afstand van hem doen?'

Hij richt zijn aandacht weer op de weg. 'Dat is het moeilijkste wat er is.'

Ja, dacht ze. *Ja.*

Een hand op haar schouder bracht Antonia terug in het heden. Ze keek naar het bord op het dienblad. Lance moest die omelet gemaakt hebben. Monica bracht hem weliswaar naar boven, maar zij zou er te veel pepertjes in gedaan hebben en haar eierbaksel zou dik en sponsachtig zijn. Zij kookte net als haar moeder.

Deze omelet had Lances kenmerkende *nipetella,* die de licht gebakken *porcini* accentueerde, een dun gouden randje en een geurig aroma, dat haar eetlust opwekte. Monica ging naast haar zitten en stak de vork erin zonder dat allemaal te waarderen. Maar ze was vriendelijk en bereidwillig toen ze de vork naar haar mond bracht en Antonia was dankbaar voor kleine dingen. Ze kon het niet zeggen, maar ze hoopte dat ze het wist. Ze hoopte dat ze het allemaal wisten.

Lance drukte zijn vingers op de snaren en sloeg de noten hoog op de hals aan, waarna hij eindigde met een vederlichte aanraking om de flageolettoon puur en zacht te laten naklinken. Terwijl die wegstierf, begon hij met het ritme en toen met de woorden, dankbaar dat het vanzelf ging, omdat hij zich niet kon concentreren. De ochtend was goed begonnen, maar verkeerd geëindigd doordat hij meer gezegd had dan hij had willen zeggen, meer dan Rese wilde horen. Haar partner; haar zakenpartner. Waarom kon hij dat nu niet onthouden? Chef-kok en schoonmaker.

Dat was wat ze aangeboden had toen hij de banden had willen verbreken. *'Ik heb een hulp in de huishouding nodig, maar met een partner neem ik ook genoegen.'* Waarom was hij met die uitdrukking aan de haal gegaan? Partner... vrouw, minnares, moeder van zijn kinderen. Jaja. Terwijl ze hem voor geen cent vertrouwde.

Ze had een grote aantrekkingskracht op hem uitgeoefend, zelfs met haar slobbertruien en werklaarzen, het korte haar dat haar jukbeenderen scherp accentueerde, de harde gezichtsuitdrukking, waar hij doorheen had leren kijken. Die uitdrukking was niet hard meer, maar innemend en mysterieus. Net zoals hij de gedachten van een marmeren beeld zou kunnen gaan raden, had hij geleerd haar te doorgronden.

Wat hij zag, stond hem echter niet aan. Als ze een meisje uit de buurt was geweest, dan zou ze na drie maanden van hem zijn geweest. Maar Rese was geen meisje uit de buurt. Ze had hem het lid op de neus gegeven. En het was zijn eigen schuld.

Hij was ermee opgehouden haar te imponeren, alles te zijn wat ze nodig had. Hij had haar binnengelaten, haar de echte Lance Michelli laten zien. *Dit is waar ik woon. Dit is hoe ik ben. Ik zweet in mijn T-shirts; ik praat in mijn slaap. Ik huilde bij* Bambi *en pap gaf me een klap voor mijn kop.* Misschien had Rese gelijk, dat hij vanmorgen door zijn bezorgdheid om nonna toenadering had gezocht. Dat hij de pijn en de schuld over haar terugval had verward met het verlangen dat volgens hem liefde was. Misschien begreep hij er helemaal niks van.

Hij probeerde zich te concentreren op het jammen met Rico en Chaz en wilde zich laten meevoeren met de muziek, maar zijn gedachten bleven bij nonna, bij de dingen die hij gevonden had en waar ze niet over wilde praten, en bij de manier waarop hij de zaak geforceerd had – zoals hij zich bij Rese naar binnen had gewerkt en haar ook had gekwetst. Hij miste het seintje voor zijn solo, maar Chaz viel voor hem in op het keyboard.

Rico's voorstel om te gaan jammen had hem verrast, omdat Star en hij zo opgingen in hun nieuwe richting. Maar natuurlijk had hij Star bij het ensemble betrokken en dat veranderde de dynamiek. Lance keek toe hoe ze wiegde en neuriede, terwijl hij wat mineurakkoorden aansloeg.

Hij mocht Star graag, maar hij kon geen hoogte krijgen van haar en Rico. Maar ja, van zichzelf kon hij ook geen hoogte krijgen. Het enige wat hij wist was dat er iets veranderd was. Misschien was de tijd van op straat zingen met Rico echt voorbij. Het was allemaal niet zo belangrijk meer. Hij was degene die de omslag maakte, vanbinnen.

Hij keek naar Rese, die in kleermakerszit op de bank zat te kijken. Als de muziek haar al in vervoering bracht of iets met haar deed, dan liet ze dat niet merken. Maakte ze zich nog steeds zorgen dat hij terug zou keren naar de band? Dat dit was wat hij wilde? Hij zou het haar moeten zeggen, maar dan zou hij vanzelf uitkomen bij wat hij wél wilde en dat wilde ze niet horen. Daar had ze geen misverstand over laten bestaan.

Hij raakte de tekst kwijt en improviseerde een onzinregeltje. Chaz en Rico keken elkaar even aan. Ze waren weleens vaker met hem meegegaan als hij een gedachtesprongetje maakte. Hij zwichtte vrijwel nooit voor 'la-la-la', maar de woorden die kwamen waren niet altijd wat hij op papier gezet had. Hij kwam bij het refrein en zong het, terwijl Rico's stem erbovenuit steeg. Maar toen voegde Star haar stem erbij en was de harmonie weg.

Lance liet het hen overnemen en richtte zich in plaats daarvan op zijn gitaarspel. Dat was het mooie aan muziek: het was flexibel. Een beetje geven hier, een beetje nemen daar. Hij ging langs de hals van de gitaar omhoog met een tegenmelodie. Het was mooi; het was nieuw. Hij voelde iets van trots over zijn talent. Dus dat had hij niet uitgeroeid.

Toen Rico vol vuur aan een ritmisch basispatroon begon, kwam pap naar boven, keek om het hoekje van de deur en liep weer weg. De uitdrukking op zijn gezicht zei genoeg. Lance stopte met spelen, legde de gitaar neer en stond op. Chaz trok zijn wenkbrauwen op, maar Star en Rico gingen gewoon verder met een nummer zonder tekst of gitaarbegeleiding. De muziek hield geen seconde op. Hij kon gewoon verdwijnen.

'Laten we naar buiten gaan', mompelde hij tegen Rese, waarna hij wat geld uit de schaal op de boekenkast griste.

Ze keek hem vragend aan, maar hij wilde haar niet vertellen dat de onuitgesproken boodschap op paps gezicht alle oude herinneringen had losgemaakt. *'Waarom zoek je geen werk? Maak iets van je leven.'* Zelfs toen het er goed had uitgezien en de optredens zich opstapelden, had pap zijn hoofd geschud. *'Wie gaat je pensioen betalen?'* Het kwam niet in hem op dat ze beroemd genoeg zouden kunnen worden om zelf hun pensioenen te kunnen betalen.

'Waar is die schaal met geld voor?' Rese onderbrak zijn gemijmer toen ze de gang op stapten.

Hij deed de deur achter hen dicht. 'Daarin leggen we onze extratjes bij elkaar.'

Ze glimlachte. 'Ik vind jullie vriendschap leuk.'

Hij haalde zijn schouders op. Ze hadden niet besloten daar allemaal hun kleingeld in te gooien. Het was vanzelf zo gegroeid. Chaz verdiende goed bij het Westonrestaurant, maar stuurde het grootste deel van zijn salaris naar Jamaica, omdat hij zuinig leefde door een kamer met Rico te delen. Rico had het af en toe goed gedaan, maar de muziekwereld was hard en onzeker, hoe goed je ook was.

En Rico wás goed. Vernieuwend, maar toch nauwkeurig als een metronoom. Hij kon een heel gesprek gaande houden zonder een maat te missen. Maar hij kon niet goed met geld omgaan, leek altijd tekort te komen. De schaal was waarschijnlijk het resultaat van een van zijn zoektochten door het appartement naar kleingeld. Lance nam de gewoonte aan om zijn zakken op één plek te legen, zowel briefjes als muntgeld, om Rico ervan te weerhouden in zijn spullen te snuffelen.

Hij leidde Rese de trap af, langs de kinderen die in het trappenhuis aan het spelen waren en hem in een hinderlaag wilden lokken en achter hem aan de straat op liepen. Hij gaf hun een paar dollar en ze renden weg, terwijl ze schreeuwden: 'Dank u wel. Bedankt, oom Lance.' Hij vond het prachtig om oom genoemd te worden.

'Kan dat geen kwaad, dat ze zomaar de straat op rennen?' Rese volgde hen met haar blik.

Hij haalde zijn schouders op. 'Ze weten dat ze in de buurt moeten blijven; de snoepwinkel, de ijscokar. De kleintjes slapen, dus Lucy en Monica zullen blij zijn met de rust.'

'Het is niet bepaald rustig.' Rese keek over haar schouder naar de ramen waaruit de muziek schalde.

'Dat is witte ruis. Iedere baby in dat gebouw leert door Rico's drumstel heen te slapen.'

Rese snoof. 'Het is nou niet bepaald het wiegelied van Brahms.'

'Het is beter.' Hij grijnsde. En toen stelde hij zich een baby van zichzelf voor, die wegdoezelde bij het geluid van de *airbrush* op de cimbaal en slikte. 'Wil jij kinderen, Rese?'

Het duurde zo lang voor ze antwoord gaf, dat hij zijn hoofd schuin hield om de uitdrukking op haar gezicht te zien.

Ze zei: 'Niet als ik schizofreen ben.' Op haar gezicht was niets anders te lezen dan oprechtheid, maar hij wist dat het vanbinnen aan haar vrat.

'Dat zie ik nog niet gebeuren.'

'Tja, nou ja, pa zag het ook niet, maar hij zag wel dat mam zijn ondergoed gebruikte als gordijn. Hij werd erop attent gemaakt toen buren hem verbrande struiken en tuinmeubels lieten zien.'

'Hoe komt het dat hij jou alleen liet met haar?'

Rese haalde haar schouders op. 'Ik denk dat hij niet wilde toegeven dat het erger werd. Ze ging pas in het laatste jaar hard achteruit. Daarvoor was ze meestal normaal; meer dan dat: ze was geweldig.'

'Toch was je nog maar een klein meisje.'

'Zo voelde het niet. Een groot deel van de tijd leek het alsof ik de moeder was. Pa begon me zelfs instructies te geven. "Vandaag niet op het dak spelen, hoor schat." En zijn: "Hoe ging het vandaag?" betekende: "Heeft mam iets gedaan wat ik moet weten?"'

Hij wilde er niet aan denken dat Rese in zo'n positie verkeerd had, maar het verklaarde haar onafhankelijkheid, haar moed en vastberadenheid. 'Dat moet zwaar geweest zijn.'

'Het was zwaar om tussen hen in te zitten.' Op de hoek bleef ze even staan, terwijl de wind het haar op haar voorhoofd deed opwaaien. 'Ik wilde pa niet teleurstellen, maar ik hield zoveel van haar.'

Het was voor het eerst dat ze dat zei, maar hij had al vaker iets gezien van de loyaliteit die ze had voor de moeder die had geprobeerd haar te vermoorden.

Ze trok een rimpel in haar voorhoofd. 'Ik denk dat ik wist dat ik haar niet altijd bij me zou hebben. Alles was zo precair, zo onzeker.'

Ze hield van zekerheid. Niet van verrassingen. Nadat ze zo lang geloofd had dat haar moeder dood was, was de ontdekking dat ze nog leefde behoorlijk hard aangekomen. Hij knikte. 'Nu heb je haar terug.'

Ze draaide zich om. 'Ik had niet verwacht dat je dat zou zeggen.'

'Wat had je dan verwacht?'

'Ik weet het niet: "Je bent beter af zonder haar." "Het is maar goed dat ze haar opgesloten hebben."'

'Waarom zou ik zoiets zeggen?'

'Omdat de meeste mensen een gestoorde schoonmoeder geen prettig vooruitzicht vinden.'

Hij moest onwillekeurig lachen. 'Zei je schoonmoeder?'

Ze fronste haar voorhoofd. 'Hypothetisch.'

Hij pakte haar hand en bracht haar vingers naar zijn lippen. 'Ik zou je moeder dolgraag leren kennen.' Hij voelde een rilling door haar heen gaan.

Maar ze vermande zich, op en top Vernon Barretts dochter. 'Je leert mijn moeder niet *kennen*, Lance. Misschien denkt ze wel dat je de president bent, of de duivel. Misschien weet ze niet eens dat je er bent.' Ze probeerde zich los te trekken.

Hij hield haar vast. 'Dat kan me niet schelen.'

'Omdat je niet weet hoe het is.'

'Je hebt gelijk. Ik heb niet bij haar gewoond. Maar iedereen heeft wel iets, Rese.'

'Wat? Wat heb jij dat ik niet met mijn hele...' Ze trok haar hand met een ruk los en stampte weg over het trottoir, waarbij haar spiegelbeeld heel even omlijst werd door de etalage van *Borgatti's Pasta*, waarin een certificaat hing van de bemanning van ladderwagen 38, die de Borgatti's bedankten voor hun vrijgevigheid gedurende de donkerste periode in de geschiedenis van het brandweerkorps van New York. Rese liep eraan voorbij zonder het te zien.

Hij maakte zijn blik los van het certificaat en haalde haar in. 'Dus je houdt van mensenmassa's, lawaai, openlijke blijken van genegenheid?'

Ze gaf geen antwoord, maar richtte haar aandacht op het gedeelte van Arthur Avenue dat authentieker was dan het Little Italy van Mulberry Street in Manhattan. Lance wist hoe het overkwam, deze kleine enclave van het verleden, de mensen die verenigd waren door geschiedenis en tradities. Apart. Buitenlands. Grappig.

Lamskoppen bij *Biancardi's*, compleet met ogen, hersenen en tanden. Religieuze snuisterijen en andere curiosa en om de andere winkel een levensmiddelenzaak. Zijn plek. Zijn mensen. Was dat wat Rese zag, wat ze dacht te willen?

'Iedereen die je fouten kent, iedere domme vergissing van de ene keuken doorverteld naar de andere. Vooroordelen die al generaties lang ingesleten zijn. Verwachtingen waaraan je nooit kunt voldoen.' Paps woordeloze blik.

Rese ging langzamer lopen.

Hij ook. 'Trek in pizza?'

Ze schudde haar hoofd, maar ze hadden sinds het ontbijt niets meer gegeten. Ze had honger, ook al wilde ze dat niet toegeven.

'Die van *Giovanni* is lekker.' Hij gebaarde haar naar binnen te gaan. 'Wat vind je lekker? Quattro formaggio? Capriciosa?'

'Je spreekt een vreemde taal.'

Hij bestelde twee punten uit de glazen vitrine en nam ze mee naar het kleine, met kaasdoek bedekte tafeltje. De serveerster, Anita, bracht hun drankjes met een verlegen glimlach die haar vooruitstekende tanden toonde, die leken op kinderen die op een rijtje stonden. Lance bedankte haar.

Rese tilde het flinterdunne uiteinde van haar pizzapunt op. 'Wat is-ie dun.'

'Niet meer dan een kwart centimeter in het midden, anders is hij niet Napolitaans.' Hij sloeg zijn punt dubbel en bracht hem naar zijn mond.

'Ik dacht dat een New Yorkse pizza dik was.'

'Dat is de Siciliaanse versie. Een slechte imitatie.'

'Je meent het.'

'Ik zou het moeten weten. De helft van mijn familie is afkomstig uit Napels, waar de pizza oorspronkelijk vandaan komt. Al het andere is namaak.'

Rese keek hem met half dichtgeknepen ogen aan. 'Is alles zo zwart-wit?'

'De Italiaanse vlag had zwart-wit moeten zijn. Maar dan hadden we weer ruziegemaakt over welke kleur eerst moest komen.' Hij beet in de knapperige, kleverige punt. 'Hier neem je een standpunt in en verdedig je dat op leven en dood. Of je nu goed zit of fout.'

'Net als de mannen in mijn werkploeg. Die wisten het altijd beter, vooral Brad. Zei ik esdoornhout, dan zei hij eikenhout. Zei ik laten staan, zei hij slopen. Ik denk dat hij elke keer als pa op zijn voorstel inging en niet op het mijne, een streepje op zijn riem zette.'

'En als Vernon op jouw voorstel inging?'

Ze keek op. 'Mij ging het niet om het winnen. Mij ging het erom dat ik het juiste deed.'

'Dus esdoornhout was goed en eikenhout verkeerd?'

'Als het beter was voor het project waar we mee bezig waren, wel.' Ze dronk haar glas ijsthee in één teug leeg.

'Dat is geen kwestie van oordeel?'

Ze zette het glas neer. 'Hij zou alles gezegd hebben om mij te verdringen.'

'Als zijn voorstellen nergens op sloegen, waarom ging je vader er dan op in?'

'Ik zeg niet dat Brad niet goed was. Hij verstond zijn vak. Hij had alleen... een hekel aan me.'

'Waarom?'

Ze schoof haar stoel naar achteren. 'Hij voelde zich bedreigd, denk ik.'

'Je bent inderdaad intimiderend.' Lance glimlachte. 'Dat gaf Brad wel met zoveel woorden toe. Maar hij wil je toch terug.'

Ze zuchtte. 'Ik geloof er niks van. Daar zit meer achter.'

'Hij weet wat je in je mars hebt. Dat respecteert hij.'

Ze snoof, maar Brad had oprecht geleken in dat ene gesprek dat Lance met hem gehad had. Aan Reses talent twijfelde hij niet; hij wist alleen niet of ze in staat was om verder te gaan na haar vaders fatale ongeluk.

'Je kunstenaarstalent is overduidelijk, zelfs voor een ongeoefend oog. De meubels die je voor mij gemaakt hebt, zijn schitterend.'

'Het maken van jouw bed en kleerkast veroorzaakte geen flashbacks.'

Hij wist dat ze het ongeluk steeds opnieuw beleefd had, maar dat had ze nooit met zoveel woorden toegegeven. 'Hoe denk je dat dat komt?'

'De context, denk ik.' Ze speelde met het korstje van haar pizza. 'Het is iets totaal anders.'

'Je hebt talent. Het is een goede manier om dat te gebruiken.'

Ze veegde haar mond af met het papieren servetje. 'Waarom kan niemand anders dat erkennen?'

Lance leunde achterover in zijn stoel. 'Wil je het echt weten?'

De stilte voor ze knikte had hem moeten waarschuwen, maar hij ging toch door. 'Jij denkt altijd het slechtste van mensen. Je laat ze vechten voor een eerlijke kans. En dan ben je zo goed, dat ze je alleen al uit principe een hak willen zetten.'

Ze tilde haar kin op. 'Met andere woorden: ik ben onhebbelijk.'

Hij grijnsde. 'Daar komt het wel op neer.'

'Dus... omdat ik weet wat ik kan verwachten van mensen en niet wil dat ik gelijk krijg -'

'Kijk, daar heb je het al.' Lance zette de voorpoten van zijn stoel weer op de grond. 'Het ergste vrezen en dat als een uitdaging accepteren. De eerste blik die je me toewierp was strijdlustig.'

'Je stond plotseling voor mijn neus, zonder waarschuwing.'

'Ik had twee keer geklopt en geroepen. Het was niet mijn schuld dat je in je eigen wereldje zat.'

'Eigenlijk... Nee, laat maar.'

'Eigenlijk wat?'

'Ik stond aan pa te denken. Beleefde het allemaal opnieuw.' Ze fronste haar wenkbrauwen. 'Jij haalde me uit die herinnering en... daar reageerde ik op.'

Dat verklaarde een heleboel. De spottende manier waarop ze gereageerd had op zijn wens om de functie van dienstmeisje en kok te vervullen. De manier waarop ze zijn oorbel en hem in het algemeen afgekeurd had. Met haar rug tegen de muur en al haar energie geconcentreerd op het opknappen van de villa zonder in te storten, moest ze een getuige van een ogenblik van zwakte wel als een bedreiging ervaren hebben. Het was niet paranoïde of onhebbelijk. Het was begrijpelijk.

Hij zette zijn ellebogen op tafel. 'Heb ik je weleens verteld dat ik je geweldig vind?'

'Ik dacht dat je onhebbelijk zei.'

'Dat zei jij.'

'Je sprak me niet tegen.'

'Ik heb je beloofd dat ik eerlijk zou zijn.'

'Dan zal ik nu op mijn beurt eerlijk zijn.'

'Ga je gang.'

'Jij tergde me met opzet, door binnen te komen lopen alsof het huis van jou was en daar met die doorgezakte heup en uitdagende blik te gaan staan, alsof er onder de oppervlakte iets broeide. Toen haalde je me tegen beter weten in over en genoot ervan dat ik het niet kon laten om de gok te wagen.'

Hij spreidde zijn handen, al aanstalten makend om zich te verdedigen.

Maar ze ging verder. 'Jij legt de verantwoordelijkheid altijd bij een ander, bijvoorbeeld door te zeggen: "Hé, ik heb je gewaarschuwd, maar je wilde het zelf."'

Oké, dat was waar.

'Jij zorgt dat mensen het slechtste van je denken, maar dat is allemaal gespeeld.'

Hij trok lachend zijn wenkbrauwen op. 'Zeg dat maar eens tegen pap.'

'Nou, dat maakt er ook deel van uit. Je kon niet met Tony vechten om de plaats van de lievelingszoon, dus je nam de rol van de verloren zoon op je.'

Lance trok een rimpel in zijn voorhoofd. 'Dus ik wil een mislukkeling zijn?'

'Je wilt het juiste en goede doen. Net als Tony. Maar zolang Tony er was, was het goede van jou niet goed genoeg. Nu is Tony dood en weet noch jij, noch je vader hoe je dat te boven moet komen.'

Lance keek naar zijn bord, terwijl hij krampachtige bewegingen maakte met zijn kaken. Hij had niet verwacht dat ze het mes zo diep in hem zou zetten. 'Wat heeft Chaz je allemaal verteld?'

'Jij hebt me het verhaal van de verloren zoon verteld.'

'Ik kan me niet herinneren dat ik het op mezelf toepaste.'

'Het is zo duidelijk als wat.'

'Nou, ik zie pap nog niet de straat in komen rennen met ringen en mantels.' En dat zou zijn leven lang niet gebeuren, wat hij ook zou doen of nalaten. Hoe kon hij het uitleggen? 'Hier in de buurt staat het bij je geboorte al praktisch vast wie je bent. Ze tilden me op en zeiden: "Moet je die ogen zien. Dat wordt een lastpak."'

Ze knikte. 'Je hebt inderdaad dodelijke ogen.'

Hij boog zich naar haar toe. 'Zit je met me te flirten?'

'Het is niet best als je dat moet vragen.' Ze bloosde.

Had hij haar ooit zien blozen? Misschien toen ze zijn hoofd eraf had willen slaan met een schep, maar nooit omdat ze haar boekje te buiten was gegaan, zich kwetsbaar had opgesteld.

Ze snoof. 'Ik kan me niet voorstellen wat ze zeiden toen ik geboren werd.'

'Dat zal ik je zeggen. "Dit kind wil niet huilen; ze verbergt wie ze is. Maar iedereen met ogen in zijn hoofd zal haar schoonheid zien, haar moed, haar kracht."' Hij nam haar handen in de zijne. '"En de man die haar vasthoudt, zal het enige juiste in zijn leven gedaan hebben."'

Hoofdstuk 12

Rese had niet verwacht dat het gesprek die kant op zou gaan. Met Lance praten was als scheren langs de rand van een zwart gat; de leemte zoog woorden op die ze nooit meer terug zou kunnen nemen. Dat was begonnen op het moment dat hij over haar drempel stapte.

Ze was zo onbeschoft geweest, dat hij meteen rechtsomkeert gemaakt zou hebben als hij geen toegang tot het hotel had moeten hebben voor Antonia. Hij moest zich heel erg ingehouden hebben, had een zelfbeheersing getoond waarvan ze niet wist dat hij die bezat. 'Zeg eens... hoe graag wilde je met me op de vuist, die eerste dag?'

'Ik sla geen vrouwen.' Hij bleef strak voor zich uit kijken toen ze *Giovanni's* uit liepen en verder wandelden.

'Op een schaal van een tot tien.'

'Welke kant is het hoogst?'

Ze schoot in de lach. 'Ik wou dat ik geweten had hoeveel moeite het je kostte.'

Hij keek haar aan. 'Zodat je het vuurtje nog een beetje had kunnen opstoken?'

'Precies.'

'Juist ja.' Hij knikte langzaam. 'Wat ik als een dwangmatige behoefte om je met anderen te meten beschouwde, is dus eigenlijk bedoeld als marteling.'

'*Jij* was niet eerlijk. Het was je verdiende loon.'

'Je had alleen gewild dat het erger was geweest.'

Ze haalde adem om te reageren, maar kon het plagerijtje niet langer volhouden. Toen ze weer voor zich zag hoe hij daar gestaan had op haar oprit, bereid om alles op te geven, de pijn hoorbaar in ieder woord, zichtbaar in iedere beweging, bleef ze staan. 'Ik wil je niet kwetsen, Lance.' Zoiets persoonlijks had ze nog nooit tegen iemand gezegd en haar hart bonkte van onzekerheid. Waar was de vrouw die door de werkploeg de ongenaakbare genoemd werd?

Hij keek haar aan en pakte haar handen. 'Dat is onvermijdelijk.'

Ze begon haar hoofd te schudden.

Maar hij zette zijn argument met een hoofdknik kracht bij. 'Het leven doet pijn. Zet twee mensen bij elkaar en je hebt strijd.' Hij bracht haar handen naar zijn lippen. 'Maar goedmaken daarentegen...'

Nu ging hij weer aan de haal met het weinige dat ze geboden had, alsof ze het stokje doorgegeven had. Ze trok zich terug.

Een vrouw met vuurrood haar liep langs hen heen met een glimlach op haar gezicht, dat gerimpeld was door te veel sigaretten. Lance zwaaide, maar werd weer serieus toen hij zag hoe ze met onvaste tred verder liep. 'Ik vraag me af hoe het met nonna gaat.'

Het verbaasde Rese hoe lang hij het volgehouden had om er niet over te beginnen. 'Is je moeder bij haar?'

Hij keek op zijn horloge. 'Pap, of een van de tantes. Mam geeft nu les.'

'Wat voor les?'

'Dansles.'

'Echt?' Maar ze kon het zich wel voorstellen; de elegante manier waarop ze zich bewoog, haar flair, haar figuur.

'Pap nam een dansles om haar te kunnen ontmoeten. En vroeg haar diezelfde avond nog ten huwelijk.'

'Michelli's laten er geen gras over groeien.'

'We worden ook niet afgewezen. Je hebt geschiedenis geschreven.' Hij moest bijna lachen. 'Gina trouwde met Tony na drie afspraakjes.'

'Dus je vergelijkt jezelf met hem?'

'Slechte gewoonte.'

'Ik wil niet dat je Tony bent.'

'Je hebt hem niet gekend.'

'Ik ken jou.'

Hij keek haar met een indringende blik aan. 'O ja?'

'Al drie hele maanden.' Ze krabbelde terug voor hij er meer van zou kunnen maken dan ze bedoelde.

'Gina kende Tony al haar hele leven.'

'Een oneerlijke voorsprong.'

Lance liet zijn ogen over haar heen glijden, maar zijn gedachten leken ver weg.

'Wat is er?'

'Ik vraag me af wat Tony van je zou vinden.' Maar voor ze antwoord kon geven, keek hij met een ruk opzij. 'O, o.'

Ze volgde zijn blik naar twee oudere mannen die aan de overkant van de straat naar elkaar stonden te schreeuwen. Lance rende de straat over, precies op het moment dat ze op de vuist gingen. Anderen kwamen uit het clubgebouw rennen, sommigen nog met biljartkeus in hun handen. Terwijl ze ook vlug overstak, dacht ze dat ze de vechtende mannen uit elkaar zouden halen, maar de meesten mengden zich duwend en schreeuwend in de strijd. Lance plaatste zich tussen de vechtjassen, die hem net zo graag een opdoffer leken te willen verkopen als elkaar. Hij pakte een van de oudere mannen beet en trok hem met een ruk uit het gewoel.

Hoewel het bloed uit de neus van de man gutste, bleef hij schelden en met zijn vuisten zwaaien. Lance trok hem weg bij de lawaaierige menigte, waarvan de meesten nog wel schreeuwden, maar niet meer vochten.

'Porca miseria!' schreeuwde de man, terwijl Lance zijn T-shirt uittrok en dat tegen de bloedende neus hield.

'Het gaat pijn doen, Carmine, houd dit tegen je neus.' Hij liet de man voorzichtig naast een brandkraan op de stoeprand zakken, en Rese zag even een donkere plek op Lances schouder. Een blauwe plek? Ze boog zich voorover, maar hij ging anders zitten.

'Wat bezielt je, ouwe?' blafte een dikke, gedrongen vrouw met een zwarte rok en dito trui en hoofddoek. Ze kwam over de stoep aanlopen met een stel honden en nog twee in het zwart geklede vrouwen.

Carmine hief zijn vuist op. 'De volgende keer ruk ik zijn ogen eruit.'

'Hij heeft geen ogen. Hij is net zo blind als jij.'

Lance deed een stap achteruit toen de vrouwen zich over zijn beschermeling ontfermden. Hij veegde met zijn arm het zweet van zijn wang, maar hij had zijn T-shirt achtergelaten bij Carmines neus. Rese bereikte hem op het moment dat hij met zijn duim het bloed van zijn lip veegde. Hij was in elk geval één keer goed geraakt.

'Gaat het?'

Hij wreef het bloed van zijn hand. 'Ja.'

'Waarom vechten ze?'

'Sal en Carmine? Ze haten elkaar. Het is maar goed dat ze te oud zijn om elkaar echt iets aan te doen.'

'Waar hebben ze ruzie over?'

'Ik weet niet of ze zich dat nog herinneren. Waarschijnlijk om een vrouw. Het gaat meestal om een vrouw.'

Ze dacht aan het dikke, zwarte vrouwtje en schoot in de lach. 'Meen je dat nou?'

Hij grijnsde. 'Zeker weten.'

'Dat is belachelijk.'

'Het is een vendetta.'

Dat woord had hij al eerder gebruikt. Het riep beelden op van gangsterfilms en onderwereldfiguren, die net zoveel verschilden van die oude mannetjes als zij. 'Wees nou even serieus.'

'Dat ben ik ook.' Hij ging met zijn tong langs het scheurtje in zijn lip. 'Mensen denken dat een vendetta iets ergs is.' Hij keek naar de vrouwen, die Carmine overeind hesen, terwijl ze hun vuisten ophieven naar Sal en de anderen in het clubgebouw. 'Maar het betekent eigenlijk dat je zelf je eigen zaakjes regelt. Het gaat de hele familie aan. Als iemand onrecht aangedaan wordt, heb je de plicht dat te herstellen.'

Ze keek hem onderzoekend aan en wachtte op verdere uitleg, maar hij draaide zich om en liep weg bij het opstootje.

Weer zag ze iets en ze boog zich naar hem toe om het beter te kunnen zien. Een kruis en een doornenkroon op zijn linkerschouderblad. 'Heb je een tatoeage?'

'Sorry, jij krijgt er geen.'

'Ik?!'

Hij trok een zuinig mondje. 'Ik moet ergens een grens trekken.'

Ze zette haar handen in haar zij. 'Ik zou niet eens gaatjes in mijn oren hebben als jij –'

'Kom op.' Hij pakte haar bij haar arm. 'Ik wil ons niet te kijk zetten.'

Ze keek achterom naar de nog altijd sputterende rivalen, de blaffende honden en de kijvende vrouwen. 'Met knokken op de stoep zet je jezelf niet te kijk?'

'Neuh. Maar met blijven rondhangen zonder T-shirt aan wel.' En aan de starende blikken in hun richting te oordelen, moest dat wel zo zijn.

Haar blik ging weer naar de tatoeage. Een kruis van zeven, acht centimeter hoog en de doornenkroon als een rouwkrans om de dwarsbalk. 'Waarom neem je een tatoeage en verberg je hem dan onder je kleren?'

Hij wreef over zijn schouder. 'Het is iets persoonlijks.'

'In welk opzicht?'

'Ik draag zijn kruis op mijn rug om mezelf eraan te herinneren wat Hij gedaan heeft en om bereid te zijn mijn eigen kruis te dragen.'

En zijn vader dacht dat hij de verloren zoon was? Of Tony was volmaakt, of er was sprake van een groot misverstand. Zijn lip begon weer te bloeden.

'Doet het pijn?'

'Nee.' Hij likte het bloed weg en raakte toen een litteken in zijn zij aan. 'Dit wel.'

'Hoe kom je daaraan?'

'Door een mes.'

'Ben je neergestoken?'

Hij sloeg zijn arm om haar schouder. 'Dat kan gebeuren.'

'Dat kan gebeuren?'

'Als je een vriend van Rico bent.'

Bevriend zijn betekende voor Lance en Rico meer dan voor de meeste mensen. Vurig toegewijd. Onderling verbonden. Het gevecht van de een werd dat van de ander. Lance had haar genoeg over hun jeugd verteld om dat te begrijpen. Maar ze had zich niet gerealiseerd dat die gevechten levensbedreigend waren geweest.

Ze keek even naar Lance, die opgepept leek door het opstootje. Niet omdat hij had willen vechten, vermoedde ze, maar meer om wat Lucy had gezegd: omdat hij wilde opkomen voor de zwakken. Als ze nu naar hem keek, zag ze dat hij Jezus' kruis op zijn rug droeg. Wat voor man legde zoiets vast in zijn huid?

De muziek was helemaal opgehouden, maar al lang daarvoor wist Antonia dat Lance weggegaan was. De betovering was weg. Ze waren allemaal getalenteerd, maar Lance en Rico samen deden de lucht tintelen. Sinds ze kleine jongens waren – Rico's handen die nooit stillagen, Lance die over alles versjes maakte – was wat ze samen deden bijzonder geweest.

Ja, ze konden rauw zijn, maar zelfs in de hardere nummers voelde ze de kracht. En als ze hun stemmen samenvoegden en een van Lances ballades tot leven brachten, gebeurde er iets tussen hen dat bijna heilig was. Rico had ritme in zijn lijf, maar het talent van haar kleinzoon steeg daar bovenuit. Hij was een echte bard, ook al was zijn luit dan versterkt en vervormd. Ze moest bijna lachen, maar haar mond werkte niet mee. Ze was blij dat niemand had gezien dat ze het probeerde.

Anna zat te snurken in de stoel. De lange middag en de kamillethee die ze samen gedronken hadden, wiegden haar dochter in slaap nu het lawaai aan de andere kant van de gang verstomd was, maar Anna kende de harten van de jonge mensen niet zoals zij ze kende. Zij had Lances vingers niet sterk zien worden op de snaren van de ene gitaar na de andere.

Antonia dacht terug aan de keren dat hij haar keuken was komen binnenrennen om haar een nieuw akkoordenpatroon te laten horen of een melodielijn die paste bij de tekst die hij in gedachten had. Terwijl zij de scherpe uien en geurige venkel fijnsneed, had hij naast haar gezeten om het verder uit te werken. Soms had zij een regel in andere woorden uitgedrukt, omdat nonno Quillans dichtkunst ook haar in het bloed zat.

Ze zonk nog verder weg, naar het gouden licht in de belvédère en naar nonno, die springlevend en krachtig was, ondanks de wandelstok met de zilveren knop, die hij altijd bij zich had.

'Waarom bent u dichter geworden, nonno?'

Hij kijkt me aan met grijze ogen vol emotie en ik weet dat hij me de waarheid zal vertellen. 'Omdat sommige dingen die je meemaakt niet in gewone woorden zijn uit te drukken.'

'Zijn het allemaal uw eigen ervaringen?'

'De mijne en die van mensen om me heen en van mensen van vroeger.'

'Zoals Wolfs tekeningen?'

Hij knikt, terwijl hij de schilderingen voor zich ziet die zijn vader aangebracht heeft op de wanden van een grot, hoog in de Rocky Mountains. Als kind, gevangen genomen door de Sioux, had Wolf zijn leven op de wanden getekend en met zijn opmerkelijke visuele geheugen heeft nonno Quillan onthouden hoe die eruitzagen.

Ik hoor bij hen. Die gedachte zwelt in mijn binnenste aan.

Antonia nam dat gevoel mee bij het ontwaken; ze kon nonno Quillan bijna nog zien. *U bent herboren in Lance, nonno. Uw zachte hart, uw smachtende geest. Uw ervaringen en de zijne, uitgedrukt in ongewone taal.* Ze kon de onderlinge verbondenheid niet ontkennen en toen haar gedachten naar haar vader gingen, wist ze dat dat gedeelte ook verweven moest zijn. Haar hart krampte. Waarom bracht Lance haar niet waar ze hem om gevraagd had? En zou ze het kunnen verdragen als hij het haar wel bracht?

Rook vormde een stralenkrans om de lampenkappen, op de achtergrond klonk bigbandmuziek. Rese keek van een afstandje toe hoe Lance een potje poolbiljart speelde. Ze vermoedde dat hij na het eten naar het clubhuis was gegaan om het goed te maken met de mannen tegen wie hij het die middag opgenomen had – hoewel hij zelf geen klappen had uitgedeeld. Dezelfde mannen die tegen hem gesnauwd en gescholden en geduwd hadden toen hij Carmine uit hun greep bevrijdde, stonden nu met hem te lachen en te kletsen alsof hij een van de hunnen was.

Sal sloeg een arm om zijn middel en pakte zijn kaak beet met een vaderlijk gebaar, maar ook een beetje intimiderend. 'Als je deze bal wegspeelt, verdubbelen we onze winst.'

Maar het was geen gewoon poolbiljart dat ze speelden. Het waren kunststoten, ballen die zo werden neergelegd dat ze in een bepaalde volgorde in de pockets moesten verdwijnen, terwijl de speelbal over de tafel ketste. Lance had al eerder uitgelegd dat het clubhuis meer was dan een biljartzaal. Er was ook een achterkamer die bestemd was voor activiteiten die niet goedgekeurd werden door de staat New York. Het ging om illegale loterijen, weddenschappen en geld.

Sal en hij stonden op honderdtien dollar en hij kon dat bedrag verdubbelen met een geslaagde stoot. Dat er gewed werd bij poolwedstrijden, wist ze. Mensen legden hun tiendollarbiljet op de rand van de tafel en de winnaar mocht het houden. Maar dit werkte een beetje anders en de inzet was beslist hoger.

Lance maakte zich los uit Sals greep en liep om de tafel heen. Hij zette de ballen zo voorzichtig op alsof het vogeleieren waren, waarbij hij er een nauwelijks merkbaar iets dichter tegen de andere schoof en zich ver vooroverboog om de lijnen te bekijken. Hij blies op zijn handen en wreef ze tegen elkaar, gaf haar een knipoog, krijtte zijn keu en richtte die horizontaal op de tafel.

Rese hield haar adem in toen hij de keu niet meer dan een centimeter tussen zijn vingers heen en weer liet glijden. Toen, bijna sneller dan ze kon zien, stootte hij. De ballen schoten alle kanten op en vlogen als bange konijntjes naar hun pockets. Op de gele bal na, die op het randje bleef wankelen en ten slotte bleef liggen, verdwenen ze allemaal in de pockets. Lance liet zijn schouders hangen.

De zaal barstte uit in gejuich en schimpscheuten. Lance verdroeg de klappen op zijn schouders en de goedmoedige hoon, Sals tonggeklak en diens onwillige erkenning dat het beter was dan wat hij ervan had kunnen maken. Ze hadden hun winst niet verdubbeld, maar hij en Sal staken elk vijfenvijftig dollar in hun zak. Lance weigerde in te gaan op een volgende weddenschap en zei: 'Het spijt me, Tino. Ik had allang in bed moeten liggen.'

Ze dacht niet dat hij het zo bedoeld had, maar alle ogen gingen naar haar en de schuine opmerkingen waren niet van de lucht.

'Wegwezen jullie!' Lance gebaarde hun weg te gaan, sloeg een arm om haar schouders en slenterde vol bravoure naar buiten. 'Nou, ik heb vijftig pop in mijn zak branden. Zin om die uit te geven?'

'Ik dacht dat je allang in bed had moeten liggen.'

'Dat greep terug op de tijd dat ik net begon mee te spelen. Toen moest ik om twaalf uur thuis zijn, anders werd mama woest.'

'Hoe oud was je toen?'

'Elf.'

'Liet ze je tot twaalf uur buiten?'

'In het weekend. Ze wist dat een van hen me veilig thuis zou brengen.'

De buurtfamilie.

Hij legde zijn hand beschermend om haar schouder onder het lopen. 'Ik speel al pool sinds ik boven de tafel uit kom, maar dat stelletje daarbinnen wilde me pas laten meespelen als ik mezelf bewezen had.'

'Hoe kon je jezelf bewijzen als ze je niet lieten meespelen?'

'Ik daagde ze uit. Ik liet mijn geld voor me spreken. Honderd dollar voor het voorrecht om van hen te verliezen.'

'Slim.'

Hij glimlachte. 'Ik verloor niet altijd. Sal en Tino namen me onder hun hoede. Ze leerden me hoe ik moest opzetten, hoe ik op de Engelse manier moest spelen. Sal was veel scherper in die tijd. Hij heeft wat aan kracht ingeboet.'

'Hoe kwam je aan die honderd dollar?'

'Door fooien voor het afruimen van de tafels in het restaurant, door boodschappen te doen voor iedereen, door de andere kinderen met alles te verslaan.' Hij haalde zijn schouders op. 'Ik had de hele zomer gespaard en ging toen naar binnen om mijn potje te spelen. Ze dachten: als-ie oud genoeg is om veel te verliezen, dan is-ie goed genoeg om het te leren.'

Ze kende de druk van het zichzelf bewijzen. Zij had het ook op jonge leeftijd moeten doen. Maar Lance had er respect mee verdiend, geen rancune. Hoe kwam het toch dat iedereen hem altijd het voordeel van de twijfel gaf? Iedereen, behalve degene die ertoe deed. Had hij het erop aangelegd om van deze oudere mannen te winnen om het zijn vader te laten zien? Of had hij de vervulling van zijn behoefte aan goedkeuring bij hen gezocht?

Misschien had zij zo hard haar best gedaan om zich aan Brad en de anderen te bewijzen omdat ze zo graag haar vaders aandacht vast wilde houden. Hij had haar talent gerespecteerd, haar oog voor detail en niet-aflatende perfectionisme. Maar ze wist nooit zeker of er meer was dan dat. Nu vermoedde ze dat hij het haar kwalijk nam dat hij had moeten ingrijpen bij mam, dat hij haar had moeten laten opnemen, ook al wist ze daar niets van. Ze had koolmonoxide ingeademd. Lance had gelijk over kinderen; het was te makkelijk om de boel te verknallen.

Zijn hand gleed van haar schouder naar haar nek en wreef de duidelijk voelbare spanning weg. 'Komt het door iets wat ik gezegd heb?'

Ze schudde haar hoofd.

'Iets wat ik gedaan heb?'

Ze keek hem schuins aan. 'Het gaat niet altijd om jou.'

'Ik haat die woorden.'

'Omdat je wilt dat het wel zo is.'

Hij kromp ineen. 'Wanneer ben je daarachter gekomen?'

'Toen je mijn deur binnenkwam.'

'Au.'

Ze schoot in de lach en ontspande zich een beetje. 'Het is over twaalven. Zit je moeder te wachten?'

'Waarschijnlijk wel.'

Rese schudde haar hoofd. 'Zal ze vinden dat het mijn schuld is?'

'Nee. Ze heeft het op mij gemunt.' Hij hield zijn pas in toen ze een donkere straathoek naderden, waar drie mensen bij elkaar stonden, hun stemmen net hoorbaar boven de geluiden van de stad uit. Lance sloot zijn hand om haar elleboog en stapte de straat op, waarbij hij net genoeg om zich heen keek om te zien of er verkeer aankwam. De straat was vrij, dus ze staken halverwege de straat over en liepen aan de andere kant verder naar huis. Ze wilde omkijken, maar hij hield haar tegen.

'Wat is er?' Ze ging instinctief zachter praten. 'Wat zijn ze aan het doen?'

'Dat kun je beter niet weten.'

'Iets illegaals?'

Hij gaf geen antwoord, maar leidde haar alleen de volgende hoek om.

'Drugs?'

'Misschien bingo. Ik denk dat ze bingo aan het spelen waren.'

Ze snoof. 'Dus iedereen houdt zich hier van de domme?'

'Hoor eens, er zijn mensen als Tony, die de taak hebben om dat uit te zoeken. En er zijn mensen als wij, die de taak hebben de nacht te overleven.'

'Ik begrijp het niet, Lance. Als je weet dat iets niet goed is...'

'En je geeft om degene die bij je is...' Hij haalde zijn sleutels uit zijn broekzak.

'Ga je de politie bellen?'

'Ze zijn allang weg.'

Ze bleef onder de buitenlamp staan. 'Dus we doen niets?'

'We hebben wel iets gedaan. We zijn zonder kleerscheuren thuisgekomen.'

Ze slikte. 'Ik weet nooit wanneer je serieus bent.'

'Ik ben serieus. Als ze jou overvallen hadden, dan had ik op leven en dood gevochten. Als het mijn strijd niet is, dan houd ik me erbuiten.'

'Het was vanmiddag ook niet jouw strijd.'

Hij liet hen binnen en liep voor haar uit door de gang. 'Dat is anders.'

'Waarom?'

'Er had iemand gewond kunnen raken.'

Ze liep achter hem aan de trap op. 'Jij had ook gewond kunnen raken.'

Hij krabde in zijn nek. 'Het is een beroep op mijn gezonde verstand.'

Ze raakte een beetje buiten adem naarmate ze verder omhoogklommen. 'En dat uit de mond van een man die neergestoken is?'

'Je kiest je gevechten uit. Je wint ze niet altijd.' Hij liep de gang naar de voorkant van het huis in en stak zijn sleutel in de deur van zijn flat.

Ze kwam naast hem staan. 'Ga je niet even kijken bij Antonia?'

Hij keek even naar de deur aan de overkant van de gang en schudde zijn hoofd. 'Ik moet het weekend door zien te komen. Als ze maandag sterk genoeg is, proberen we de bank. Maar ik wil het niet eerder uitleggen, want anders windt ze zich veel te veel op.'

'Weet ze niet dat je niet zonder haar in de kluis kunt?'

Hij haalde zijn schouders op. 'Ik denk dat ze mij de sleutel gegeven heeft omdat ze dacht dat ik naar binnen kon. Ik denk dat ze hoopt dat ik er zonder haar voor zal zorgen. Ze heeft het niet zo op banken.'

Rese trok een rimpel in haar voorhoofd. 'Hoe bedoel je?'

Hij leunde met zijn schouder tegen de deurpost. 'Ze is er gewoon een beetje afkerig van, denk ik. Pap verzorgt haar bankzaken.'

'Waarom vraagt ze het dan niet aan hem?'

Lance keek weer naar de deur aan de andere kant van de gang en schudde zijn hoofd. 'Ik weet het niet. Sommige dingen... zijn alleen tussen ons.' Hij draaide de sleutel om en opende de deur.

Star en Rico zaten in het donker voor de tv, die hun gezichten en een schaal sesamzoutjes tussen hen in verlichtte. Star draaide zich om. 'Kom binnen en doe de deur dicht. Edward Scissorhands knipt net zijn eerste klant. Geweldig.'

Edward Scissorhands, Stars onbegrepen, kwaadwillige, achterlijke lievelingspersonage. Johnny Depp op zijn vreemdst.

Rese gaapte. Misschien zou ze kunnen slapen. Het geluid van de tv door de muur zou 'witte ruis' zijn, zoals Lance het noemde. Ze keek even naar hem. Aan zijn bezorgde uitdrukking te zien waren zijn gedachten nog steeds bij Antonia, vermoedde ze. Hij leek niet onder de indruk van de flitsende snelheid van Edwards schaarhanden, hoewel geen kapper ter wereld tegen hem op kon.

Hij ving haar blik en herstelde zich van zijn dip. 'Moe?'

Ze knikte. Weer een lange dag vol emotie, geweld en niet-gemelde misdaad. Misschien had Lance gelijk over het kiezen van gevechten. Op dit moment wilde ze alleen maar onder de dekens kruipen en... hem horen zingen?

'Voor je je bed in kruipt, moet ik even een paar dingen pakken.' Hij dook de slaapkamer in en rommelde in een la.

Rese wachtte in de deuropening. 'Ze zijn nog maar aan het begin van de film. Wat ga jij doen?'

Lance keek langs haar heen. 'Ik kruip wel in Rico's bed. Hij mag de bank hebben.'

Ze dacht aan alle leegstaande bedden in het hotel, aan de goed bevoorrade keuken die stond te wachten, de online-reserveringen die ze moest checken. Maar het leek allemaal zo ver weg. Ze zat vast tussen vrienden en familieleden die Lance als een net omsloten. Het begon al gewoon aan te voelen om de flat in en uit te gaan, aan de andere kant van de gang naar oma, naar beneden naar mam, naar boven naar zussen en nichtjes en neefjes... Oké, het was niet normaal. Het was intimiderend. Maar ze was zeer flexibel. Ze was de koningin van de aanpassing. Ze kon... zichzelf misleiden. Dat zat tenslotte in de familie.

Met een paar schone shirts en boxershorts onder zijn arm kwam Lance naast haar staan in de deuropening. Ze keek hem aan, zag een bezorgdheid en vermoeidheid die maakten dat ze hem weer in haar armen wilde nemen – niet waar dit reisje om begonnen was. Of probeerde ze dingen te scheiden op een manier die gewoon niet werkte? Bij Lance Michelli in elk geval niet.

Voor Lance was alles met elkaar verbonden en van essentieel belang. Hij had gezegd dat hij haar er middenin wilde hebben. Hij had gezegd dat hij van haar hield en dat geloofde ze. Hij hield van alles en iedereen. Hij had lief tot het pijn deed en bleef dan liefhebben.

En zij had geen idee wat ze daarmee aan moest, dus ze liep de slaapkamer in – een duidelijke wenk dat hij weg moest. En hij begreep het. Probeerde haar niet te kussen of het moment te rekken, maar zei alleen: 'Heb je nog iets nodig?'

Een vlucht naar huis? 'Nee, dank je.'

Hij raakte even haar wang aan. 'Welterusten.'

Ze slikte. 'Welterusten, Lance.' Toen hij niet uit de deuropening wegging, legde ze haar hand tegen de deurpost en trok haar wenkbrauwen op.

Hij rechtte met tegenzin zijn rug en liep naar buiten. 'Droom maar fijn.'

Ze zuchtte. 'Ik hoop dat ik helemaal niet droom.' Ze wilde alleen maar als een blok in slaap vallen.

Hoofdstuk 13

Rese had nog nooit zoiets gezien als de bonte mengelmoes van Latijns-Amerikanen, Jamaicanen, Cubanen, Aziaten, Albaniërs en andere Noord-Europeanen die de kerk in het hart van de wijk bezochten. De man die hen bij de deur begroette had haar mensen aangewezen en hun land van herkomst erbij vermeld, of, als het Italianen betrof, de streek in Italië en het dorp dat hun familie generaties daarvoor verlaten had.

Tijdens haar eerste bezoek aan de kerk had ze zich verwonderd over de prachtige architectuur. Nu werd ze geboeid door de verschillende accenten, kleurschakeringen van huid en haar en het complete leeftijdsspectrum dat vertegenwoordigd was. Ze zag niets opgeblazens of protserigs in de mensen om haar heen, hoewel er geld in het mandje ging dat doorgegeven werd, al was het alleen maar kleingeld.

Daar stak de manier waarop zij opgegroeid was op de een of andere manier bleekjes bij af. Een homogene groep. Rijke mensen, vervreemd van hun wortels. Pa, de beste in zijn vakgebied, hun goedbetaalde personeel en niet te vergeten de mensen voor wie ze de historische panden gerestaureerd hadden; mensen met weekendhuizen die onderdak hadden kunnen bieden aan Lances complete familie. Welke behoefte hadden zij aan een bovennatuurlijke aanwezigheid die hen aanspoorde om vol te houden?

Ze keek naar het kruis, naar de schilderingen die het leven van Jezus uitbeeldden en werd bevangen door een gevoel van verwondering. Hoe had God te midden van dat alles een klein meisje gevonden en haar adem gegeven om in leven te blijven? Lance pakte haar hand en kneep er even in – omdat hij haar gedachten las? Of gewoon om even contact te maken.

Op haar plekje tussen Lance met zijn glimmende oorknopje en Rico met zijn dubbele oorringetjes en gevlochten haar, voelde ze zich gewoontjes en onbetekenend, vooral vergeleken bij de versieringen in de rijen om hen heen – kettingen en oorringen en knopjes en haar in alle vormen en kleuren. Star zou hierbij gepast hebben, maar die ging niet naar de kerk. Zelfs Evvy's begrafenis had haar er niet toe kunnen overhalen over de drempel van een bedehuis te stappen.

Deze dienst was anders dan alle diensten die ze ooit had bezocht, meer gestructureerd. Lance noemde dat liturgisch: oude gebruiken, die al eeuwenlang in acht werden genomen. Terwijl ze de gezichten om haar heen bestudeerde, voelde ze de kracht van deze bijeenkomst, dit samen beleven van het geloof. Ze voelde zich erin opgenomen, maar het was ook een tentakel van Lances leven, net als het geheugensteuntje dat hij onder zijn witte overhemd droeg, in zijn huid, niet slechts aan een schuld, maar aan een verplichting.

Er ging een rilling door haar heen. Ze geloofde dat God haar leven en haar ziel gered had. Maar wilde ze zijn kruis ook dragen? Stel dat ze iets vreselijks zou moeten dragen dat haar met zijn gewicht zou verpletteren? Het was één ding om voor mam te zorgen, maar iets heel anders om net als zij te worden.

En er was niets wat ze kon doen, geen besluit dat ze kon nemen, geen talent dat ze kon ontwikkelen, geen kracht, geen wil die de realiteit kon veranderen die in één moment van zwakte zou kunnen toeslaan en de rest van haar leven zou kunnen bepalen. De angst golfde door haar heen toen de mensen uiteengingen en zij en Lance de paar straten naar huis liepen.

Rico en het grootste deel van Lances familie waren bij de kerk achtergebleven met groepjes vrienden, maar Lance ging vooruit om eten klaar te maken – in wezen om het restaurant te openen. Zo te horen zou bijna de hele buurt komen, iedereen die de Michelli's kende en liefhad. Hoe zou ze de angst kunnen verbergen, die zich met vulkanische kracht in haar opbouwde?

Veel te opmerkzaam bleef Lance bij de buitendeur staan. 'Wat is er?'

'Niks.'

Hij pakte haar bij haar elleboog. 'Geen zin om het ontbijt klaar te maken? Te veel lawaai?'

'Houd ermee op te proberen mijn gedachten te lezen.' Haar paniek nam toe. 'Wat je daar aantreft, zou je weleens niet kunnen aanstaan.'

Zijn blik boorde zich in haar gedachten en legde ze bloot. 'Als we dat moeten aanpakken, dan zullen we dat doen.'

'We? Hoe bedoel je "we"?' Hij was niet degene met de erfelijke aanleg.

'Denk je dat dat buiten anderen omgaat? Zo werkt het niet. Als één lid lijdt, lijden alle leden mee.'

Daar kon ze met haar gedachten niet bij. Al die jaren dat ze ervoor gezorgd had dat niemand haar gedachten, pijn en strijd kende, maakten het idee van gemeenschappelijke troost onmogelijk.

'Als het gebeurt...' Zijn greep werd vaster. 'Dan zal ik er zijn.'

Ze wist wel beter. Tante Georgie had gezegd dat het zijn hart gebroken had, maar pa had mam laten opnemen. Hij, en de rechtbank met al zijn getuigen. Hij had de beslissing genomen die hij had moeten nemen. En opgesloten met Walter was mams haar wit geworden.

Rese rukte zich los. Haar keel kneep zo strak dicht dat ze nauwelijks adem kon halen. Ze kon op steigers, daken en nokbalken lopen, rotgeintjes, slangen en muizen in haar brooddoosje incasseren zonder een kik te geven, maar nu werd ze geconfronteerd met het enige wat ze niet kon verdragen – machteloosheid.

Ze had zich eraan geërgerd dat Star haar een rots noemde, had zich gestoord aan haar idee dat niets Rese Barrett van haar stuk kon brengen. Maar ze wilde dat het waar was. Zweetdruppeltjes parelden op haar voorhoofd; ze voelde zich klam, alsof de zon niet langer de kracht had om haar te verwarmen. Mensen die niet voor zichzelf konden zorgen, werden opgeborgen, vergeten. Haar hart bonkte; haar ademhaling werd schokkerig.

'Rese.' Lance pakte haar arm en trok haar van de straat de smalle gang van hun gebouw binnen. Ze probeerde zich los te rukken, maar hij sloot haar in zijn armen en drukte zijn lippen op de hare. Haar verzet brokkelde langzaam af toen hij haar duidelijk maakte dat hij meende wat hij zei, tot ze zich afvroeg hoe ze aan de mogelijkheid van verbondenheid had kunnen twijfelen, omdat ze in die ogenblikken amper wist waar Lance ophield en zij begon. Met verbijsterende helderheid ervoer ze dat ze haar last met hem deelde en ze wist niet of ze die terug zou kunnen pakken als ze dat wilde.

Tegen de muur aan gedrukt, met Lances armen om haar heen, drong het opengaan van de deur en het rammelen van sleutels pas tot haar door toen Lances vader al bij hen was. Hij nam hen met een ondoorgrondelijke blik op en liep toen verder. De moed zonk Rese in de schoenen. Wat een indruk moest dit maken.

Zijn moeder kwam er meteen achteraan, met een tweede vrouw die zich heel gracieus bewoog. Ze tikte Lance op de schouder toen ze langs hem heen liep met haar zwarte ledematen die langer waren dan de zijne, en een vriendelijke uitdrukking op haar gezicht. 'Leuk om je weer eens te zien, Lance, en wie het ook is die je daar in je armen hebt.'

Hij glimlachte. 'Insgelijks, Alelia. Het is Rese Barrett, mijn zakenpartner.'

Rese kreunde geluidloos.

De twee oude mannen die achter in het huis woonden liepen in een wolk van muffe sigarenrook voorbij. 'Zakenpartner', mompelde een van de twee. 'Laat naar je kijken.'

Rese verstrakte, maar Lance leek het leuk te vinden. 'Ik denk dat we onze dekmantel om zeep hebben geholpen.'

'Jij hebt onze dekmantel om zeep geholpen.'

Hij liet haar los. 'Gaat het weer een beetje?'

De paniek leek verdwenen, maar ze balde haar vuisten. 'Ik wou gewoon dat ik wist wanneer het kwam, zodat ik het kon tegenhouden.' Als ze de gedachte eraan al niet eens aankon, hoe zou ze de realiteit dan kunnen hanteren?

'We hebben in elk geval een remedie gevonden.' Hij leek op het punt te staan die opnieuw toe te passen.

Kon het nog irritanter? 'Ik zou het liever zelf aankunnen.'

'Tja, nou ja, je bent ook maar een mens.' Hij keek haar met een plagerige uitdrukking op zijn gezicht aan.

Ze tilde haar kin op. 'Geen robot?'

Hij schoot in de lach. 'Laten we dat maar niet onderzoeken.' Toen pakte hij haar hand en trok haar mee naar de keuken.

De herrie die uit het restaurant kwam, kon maar één ding betekenen – Lance was aan het koken. Te zwak om bij het open raam te komen en naar beneden te kijken, hoorde Antonia niettemin de stemmen die door de openstaande deuren naar binnen en naar buiten gingen. Het zou vooral familie zijn, vermoedde ze, en wat buren en vrienden. Lance zou niets rekenen, omdat het restaurant niet officieel open was, maar misschien zou er een hoed doorgegeven worden, waar een kleinigheidje voor de kok in gegooid kon worden. Ze wisten hoe goed ze het hadden als hij thuis was. Ze zuchtte.

Het zou niet zo blijven. Hij hield van iedereen, wist ze. Maar hij was met een rusteloze geest geboren, alsof er te veel van hem was voor één plek. Als kind had hij zich gestoord aan zijn grenzen, zich verzet tegen Doria's regels, tot ze hem meer vrijheid gaf dan alle anderen. Hij vond zijn weg in kringen van iedere leeftijd, iedere achtergrond. Maar zelfs dat was niet genoeg. Zijn motor had hem vleugels gegeven die hij gretig gebruikt had. Geen gefladder rond het nest om de wind te testen. Hij was voorover het nest uit gedoken, zonder zich erom te bekommeren of hij zou vallen. En toen kon hij de hele wereld aan. Misschien zou hij ooit een weg vinden om nog verder te gaan.

Sofie stak haar hoofd om de hoek van de deur, onopvallend als een schaduw. 'Lance is aan het koken, nonna. Wilt u dat pap u komt halen?'

Antonia schudde haar hoofd. Niet zoals ze nu was, krom en stil, met een warboel van woorden in haar hoofd en haar mond verwrongen en kwijlend. Eén persoon tegelijk kon ze verdragen, maar geen geroezemoes en te veel gemeende wensen en meelevende blikken. *Uffa*! Sofie moest dat begrijpen; zij die de schijnwerpers meed, maar het gewicht van medeleven en veroordeling maar al te goed kende.

Met iets wat doorging voor een glimlach wuifde Antonia haar naar buiten, waarna ze zich probeerde op te richten in haar bed, waarbij ze langzaam omhoog duwde met haar goede arm. Ze hoefde er niet bij te zijn om zich voor te kunnen stellen hoe het eruit zou zien. Alle mannen behalve Lance zouden bij elkaar gaan zitten wachten tot ze bediend werden. Anna en Dina zouden een hele waslijst kwalen aanvoeren om maar niet te hoeven helpen en zich dan laten neerploffen om te kletsen. Celestina zou de tafelschikking in goede banen proberen te leiden, terwijl Doria haar nageslacht verzamelde en vertroetelde, beiden proberend het onbedwingbare te bedwingen.

Het raakte haar met volle kracht. Het geluid van pistoolschoten. Papa, die alleen stierf, terwijl nonno in haar armen ineenzakte. De angst en de woede en de machteloosheid. *'Neem nonno mee en verstop je als er moeilijkheden komen.'* Alsof ontsnappen mogelijk was als zelfs haar eigen geest zich tegen haar keerde en een doornstruik werd die haar spraak, haar gedachten, de eenvoudigste bewegingen van het leven verstrikte, maar alle dingen die ze verborgen had blootlegde...

Was er iets wat ik had kunnen doen, meer wat ik had kunnen zeggen? De nachtmerrie-achtige beelden teisteren me nu ook overdag. Zodra mijn gedachten afdwalen, word ik overvallen door de plotselinge geur van bloed, de gedachte aan papa. 'Marco, heb je hem gezien, heb je papa gezien? Weet je –'

'Ja, Antonia.' Hij vindt het niet prettig dat ik hem eraan herinner. 'Ik probeerde bij hem te komen, maar ik was te laat.' De auto rammelt over de hobbelige weg.

Mijn borst krampt samen en ik krijg geen adem. Ik herinner me de schoten en dat ik wist dat het papa was die vermoord werd en dat nonno zich aan mijn hand vastklampte, dat nonno viel. Maar stel dat... 'Stel dat nonno niet dood was? Stel dat ik hem levend begraven heb?'

Marco stuurt de auto naar de kant van de weg en stopt. Hij trekt me in zijn armen en houdt me stevig vast. 'Ze zijn dood, *cara*. En het is niet jouw schuld.'

Niet mijn schuld. Niet mijn schuld.

Ze kwam met een schok terug in de werkelijkheid, terwijl de tranen over haar wangen stroomden. Wiens schuld was het dan wel?

Toen hij de wezenloze blik in Reses ogen zag, liet Lance de afwas over aan mama en de rest. Hij moest nog minstens vierentwintig uur door zien te komen voor hij nonna zou kunnen geven wat ze nodig had van de bank en Rese naar huis kon brengen. Hopelijk zou er geen blijvend letsel zijn – bij geen van beiden. Nadat hij in de gang voor het oog van alle achterdochtige geesten zijn genegenheid getoond had, konden ze hun borst natmaken voor een aanval, maar dat kon hem niet schelen, omdat het zo goed had gevoeld om door de grenzen heen te breken die ze allebei opgeworpen hadden.

Mama was waarschijnlijk hun eerste kraamfeest al aan het voorbereiden. Alsof ze nog niet genoeg kleinkinderen had. Maar hij moest zijn aandeel nog leveren en in haar ogen was het daar al bijna te laat voor. Ze vond Rese dan misschien wel koud en ongevoelig, maar als zij zijn keuze was, dan moesten ze maar trouwen en hier komen wonen, waar zij toezicht kon houden op alles.

Ze had het op beide punten mis. Hij was niet van plan om te blijven en Rese was allesbehalve ongevoelig. Haar gevoeligheid was juist de reden dat ze zo hard haar best deed om sterk over te komen. Je moest alleen wat meer je best doen om dat te zien. En daarom hield hij juist zoveel van haar.

'Kom.' Hij leidde haar net de deur uit toen Rico langsliep met Star. Ze hadden gegeten en met iedereen gepraat, maar gingen nu ergens heen zonder drumstel of aparte outfit. Lance tikte Rico op de arm. 'Waar gaan jullie heen?'

'Naar het park.'

'Om elkaar Shakespeare voor te lezen?'

'Om naar de vogels te luisteren, *man*.'

Star giechelde.

Lance schudde zijn hoofd. 'Je bent niet goed snik.'

'Hé.' Rico legde een hand op zijn borst. 'Het zijn de kleine dingen die het doen.'

Lance schoot in de lach. 'Potje basketbal?' Iets hards en inspannends klonk beter dan vogeltjes.

'Dan moet ik een bal jatten.'

'Jatten mag niet.' Lance gebaarde dat Rese voor hem uit moest lopen langs een stel toeristen, dat de andere kant opging. 'We zoeken gewoon wat lui die mee willen doen.'

'O, *man*.' Rico gooide zijn hoofd achterover.

Het zou niet moeilijk zijn om medespelers te vinden, wist Lance. Hij speelde een aardig partijtje honkbal, prima handbal en gemeen pool, maar noch hij, noch Rico had de lengte of de sprongkracht voor basketbal. En aangezien de buurt nu voornamelijk bestond uit reuzen zoals Chaz, zouden die gasten hen met huid en haar verslinden.

Het potje dat aan de gang was, had niet genoeg deelnemers, dus ze mochten meedoen, zoals hij wel verwacht had. De boomlange Lawon Johnson keek Rese eens aan en zei: 'Doe jij ook mee?'

Ze haalde haar schouders op. 'Waarom niet?'

Met zijn handen in zijn zij keek Lance toe hoe Rese zich bij het andere team voegde. Hij had er niet aan gedacht Rese te vragen of ze zin had om mee te doen, maar hij had geen tijd om daarover te piekeren. Bij een gevecht om de bal stuiterde deze weg. Lance pakte hem op, dribbelde ermee weg en gooide hem naar Rico, maar Lawon onderschepte hem, draaide zich om en schoot.

Ignacio ving de *rebound* op en gooide hem naar Luis. Onder het rennen zag Lance Star, die weggeglipt was toen zij zich bij de teams voegden en nu in het speeltuintje een bonte stoet huppelende, wervelende schooiertjes aanvoerde, met gespreide vingers en hun hoofd in hun nek. De Rattenvanger van de illusie.

'Lance.' Rico wierp hem de bal toe.

Hij ving hem tegen zijn borst, dribbelde de ring in en schoot raak. Hij haakte zijn vingers in die van Rico, maar Rese had de bal opgevangen en gooide hem met een scherpe *bouncepass* naar Lawon, die verder dribbelde, en hem teruggooide naar haar toen Ignacio hem de weg versperde. Het punt was al gemaakt voor hij en Rico de andere kant van het veld bereikten.

Lance bracht hijgend uit: 'Ik wist niet dat jij kon basketballen.' Hij versperde haar de weg toen Rico en Ignacio er met de bal vandoor gingen en het schot misten.

'Je hebt het me nooit gevraagd.'

'We moeten een basket aan het schuurtje hangen.'

Ze zei met een half lachje: 'Probeer je me af te leiden?'

Hij pakte haar bij haar middel. 'Zou ik dat ooit doen?'

Ze snoof, dook om hem heen en rende weg voor een *pass*. Rese Barrett speelde basketbal. Er waren waarschijnlijk nog wel duizend dingen die hij niet wist. Dat voelde vreemd, omdat hij de meeste vrienden als zijn broekzak kende; Rico als een tweede huid.

Vanaf de dag dat ze elkaar ontmoet hadden, toen Rico's broodtrommeltje in de goot getrapt was en Lance zijn lunch met hem gedeeld had, was Rico niet meer van zijn zijde geweken. Lance had meteen gezien dat hij geen schijn van kans had, zelfs niet in zijn eigen familie. Zeven kinderen die moesten vechten om het kleine beetje eten, spullen en... aandacht.

Het was gewoon zielig hoe Rico geprobeerd had de aandacht van zijn vader te krijgen – het belangrijkste wat hij en Lance gemeen hadden. Maar twee jaar nadat ze elkaar ontmoet hadden, ging Juan naar de gevangenis omdat hij iemand van een rivaliserende bende had neergestoken. Hij zat zes jaar achter de tralies en toen hij terugkwam, had Rico zijn aandacht niet meer nodig, wat maar goed was ook, want zeven maanden later werd Juan weer opgesloten.

Lance ving de *pass* van Rico en liep in de draai bijna tegen Lawon op. Hij dook onder zijn arm door en stuiterde de bal naar Ignacio, maar Rese onderschepte hem, dribbelde ermee weg en scoorde met een *layup*. Rico kon haar niet tegenhouden. Hij deed zijn uiterste best, maar ondanks snelle reflexen en coördinatie zou basketbal nooit zijn sport worden.

Rese en Lawon gaven elkaar een *high five* en Lance kwam terug op zijn idee van een basket aan het schuurtje. Paste niet in het decor. Ze renden heen en weer en toen Rese te overmoedig werd, pikte Rico de bal in, gooide hem met een boogje naar Lance, die raak schoot. Ze grijnsden als verzadigde tijgers.

Een van de jongere spelers klaagde dat Rese en Lawon het spel te veel naar zich toe trokken en Lance maakte van de gelegenheid gebruik om even op adem te komen.

'Dat vrouwtje van jou is bloedmooi', zei Ignacio naast hem.

'Ja. Haal het niet in je hoofd haar in te pikken.'

De jongen grijnsde.

Vier uur in het park – gevuld met basketbal, kijken naar Stars geïmproviseerde sketch met een paar toekomstige toneelspelers, praten met Chaz en zijn vrienden, die zich bij hen gevoegd hadden – leidde zijn gedachten af van de kluis en wat daarin zou kunnen zitten. Het leidde hem ook bijna af van nonna's terugval en de spanning en verwarring die dat voor haar met zich mee moest brengen.

Hij had geen zin om uit te leggen dat ze met hem mee moest naar de bank. Als ze al niet eens naar beneden wilde komen voor het ontbijt, zou ze zeker niet in het openbaar gezien willen worden tot ze opgeknapt was, en dat zou nog wel even duren.

Elliot Dobbs had hem verzekerd dat het onmogelijk was zonder haar toegang te krijgen tot de kluis, niet zonder gerechtelijk bevel, dat alleen verkregen zou kunnen worden door haar wilsonbekwaam te laten verklaren. Maar dat zou niet gebeuren. Nonna was absoluut niet wilsonbekwaam, ze kon alleen niet alles op de juiste manier verwoorden. Ze wist wat ze bedoelde met die woorden, ook al wisten anderen dat niet. Maar hij had de reactie van andere mensen niet in de hand. Het zou vernederend en provocerend kunnen zijn – en dat kon ze nou net niet gebruiken.

Hij voelde een enorme beschermingsdrang. Waarom had ze het niet laten rusten? Hij had het allemaal losgelaten. Waarom bleef God de dingen die hij overgegeven had, bij hem terugbrengen?

Hoofdstuk 14

In de slaapkamer, omringd door Stars stenen kikkers, die allemaal leken te meesmuilen, trok Rese een rimpel in haar voorhoofd. 'Het is niet grappig. Het was vreselijk.' Star was na het park met Rico uitgegaan en Rese had gehoopt met hen mee te kunnen gaan, maar zij en Lance waren uitgenodigd om te komen eten bij Monica. Hoewel het aantal mensen minder groot was, was dat niet te merken aan het lawaai, waarbij Monica alleen al een geluidsniveau bereikte dat haar trommelvliezen bedreigde, als ze haar kinderen tot de orde riep. En dan had je nog de onderzoekende blikken, het vorsen, het doorvragen. Rese voelde zich net alsof ze een zenuwbehandeling bij de tandarts had ondergaan. 'Ik steek mijn neus toch ook niet in andermans zaken; waarom willen ze alles van mij weten?'

Star trok een haarspeld uit haar kapsel en liet haar haren om haar schouders vallen. 'Jij bent de kunst van de afleiding nog niet machtig.'

Rese schudde haar hoofd. Lance had gelijk gehad toen hij haar gewaarschuwd had dat zijn zus hen niet meer met rust zou laten zodra ze een romance vermoedde. Bobby was bijna net zo erg geweest; die had Lance de hele tijd zitten plagen, al had hij zich nog ingehouden voor de kinderen... *alle* kinderen. Die konden niet allemaal van hen zijn. Ze vermoedde dat ze er een paar van Lucy bij hadden gehaald en er misschien ook nog een paar van de straat hadden geplukt.

Rese drukte haar vingers tegen haar voorhoofd. Ze vond ze best leuk, vooral Nicky, wiens engelachtige gezichtje iets ondeugends had dat haar aan Lance deed denken. Maar allemaal bij elkaar aan de tafel met Bobby's gewichtigdoenerij, Monica's onophoudelijke vragen – waarbij haar antwoorden halverwege onderbroken werden door standjes aan de kinderen – het voortdurende geruzie van de kinderen, had haar bijna doen hunkeren naar een isoleercel in een inrichting.

'"Zoet is de kern des tegenspoeds, zoals de pad, dat leelijk, giftig dier, wel vaak een kostb'ren steen, vol heelkracht, bergt in 't hoofd."'

Rese fronste haar wenkbrauwen. Ze wilde die boodschap niet opnieuw horen, vooral niet van Star. Waarom zou ze meer tegenslag nodig hebben? Ze kreunde. 'Ik weet niet waarom ik hier ben.'

'Een kosmische samenloop van omstandigheden.' Star stak haar vingers in haar haar, krabde over haar hoofdhuid en liet ze er toen weer uit glijden, tot de krullen lossprongen. 'Het was voorbestemd, dat wij hier allemaal bij elkaar zouden zijn op dit moment in de tijd.'

'Jaja.' Rese trok het dekbed weer op het bed. 'Jij kwam om bij Rico te zijn. Ik ben gekomen om mijn zaken te regelen.'

Star giechelde. 'En Lance?'

'Wat denk je zelf? Het zijn zijn zaken.' Ze schudde het kussen op en legde het weer op zijn plek.

'Je bent zo grappig.'

'Het is waar. Al die toestanden in Sonoma, Star – het skelet... Hij probeert af te maken waar hij aan begonnen is en hij wilde mij hier hebben om onze plannen met Antonia te bespreken. Het is alleen... bij Lance gaat het nooit zoals ik verwacht.'

Star draaide zich om en schoot in de lach. 'Omdat je niet weet wat je verwacht.'

'Ik weet precies wat ik verwacht. Maar Lance...' Ze kon hem deze keer zelfs niet de schuld geven. Hoe had hij kunnen weten dat Antonia zo van streek zou raken, in zou storten en hem weer nodig zou hebben?

Star keek haar doordringend aan met haar blauwe ogen. 'Lance is je andere ik.'

Rese snoof. 'Ik zeg niet dat hij niet belangrijk voor me is. Alleen... dat is niet waarom ik hier ben.'

Star lachte weer. '"Gij zijt met het gezelschap van dien schoft behekst."'

Rese pakte Stars kleren van de grond, vouwde ze op en stopte ze in een la. 'Nu je hier op kosmisch bevel bent, blijf je dus ook?'

Star keek verbaasd. 'Zo denk ik nooit.' Ze gooide haar hoofd achterover, waarbij de beenderen van haar hals een broze boog vormden. 'Ik ben een vrije vogel, zwevend op de winden van het leven.'

'Wil je nooit een plan hebben?'

Haar hoofd kwam overeind. 'We kunnen de krachten niet veranderen. Ik ben alleen blij dat ze ons nu hier neergeworpen hebben.' En de doordringende gloed van haar porseleinblauwe ogen benam Rese de adem, toen Star naar voren schoot en haar hand pakte.

'Zou je hier ooit met mij heen gegaan zijn, Rese? Zou je überhaupt ooit uit dat oude huis weggegaan zijn?'

Rese fronste haar voorhoofd. Dat ze zich verschanst had was waarschijnlijk een goede omschrijving. 'Misschien.'

Star gooide haar hoofd achterover en lachte. 'Nooit. Ik kon mijn ogen niet geloven toen ik je in de gang zag. De planeten moeten van plaats veranderd zijn.' Ze liet haar los en draaide als een ballerina in het rond. 'Zie je het niet? Dit was allemaal voorbestemd. Rico en ik en jij en Lance.'

'Star –'

'"Wij zijn met elkaar verbonden, jij en ik."' Stars gezicht werd ernstig, haar stem onheilspellend. '"Twee kanten van dezelfde betovering."'

Toen ze de regels uit *The Last Unicorn* herkende, die Star als kind verslonden had, zei Rese grimmig: 'Dan ben ik dus de harpij.'

Star lag dubbel van het lachen. 'Tegen het lot kun je je niet verzetten. "In menschenzaken is er eb en vloed; bedien u van den vloed, gij hebt geluk; verzuim dien en de ganschen levensvaart wordt eng en hach'lijk, banden, nooden dreigen."'

'Ik ben hier alleen maar om –'

'Stop.' Star legde een hand op haar lippen. 'Je moet de onvoorspelbare goden niet verzoeken. Het is nu vloed.'

Rese zuchtte. 'Nou, dan heb ik nieuws voor je. Er is maar één onvoorspelbare God.' Die niet alleen toeliet dat ze in de voetsporen van haar moeder zou treden, maar dat misschien zelfs wilde.

Star viel stil, op een licht zenuwtrekje na, dat haar iets vluchtigs gaf. 'Dat is er één te veel.'

Rese zuchtte. 'Ik vond het ook geen prettig idee. Maar ik heb ontdekt dat het onontkoombaar is.'

'Dat meen je niet.'

'Star, herinner jij je de nacht dat ik naar het ziekenhuis ging?'

Star liep met grote stappen naar de andere kant van de kamer. 'Ik had die nacht moeten sterven. Pa was niet op tijd thuis.'

'Hij droeg je naar buiten; je bent niet gestorven. En nu ben je hier.'

Rese ging op de rand van het bed zitten. 'Weet je nog dat jij elfjes zag als het allemaal heel erg werd?'

'Ik kan niet geloven dat jij ze ook zag.' Ze sloeg haar armen om zich heen. 'Rese Barrett ziet geen elfjes.'

'Ik zag niets.' Waarom vertelde ze dat nu, terwijl Star in al die jaren nooit gevraagd had hoe ze die vreselijke nacht doorgekomen was? 'Maar er was wel iets.'

'"Een schim, die waart, een arm speler, die op 't tooneel praalt en dan verstomt, verdwijnt."'

'Ik denk dat het God was.'

De energie leek uit Star weg te sijpelen. Haar hand vloog naar haar keel. 'Was God in jouw slaapkamer?'

'Niet op een slechte manier, Star. Het was een aanwezigheid, die –'

'Zeg het niet.' Stars stem werd scherp. 'Ik heb te veel oude, almachtige mannen in mijn slaapkamer gehad.'

Lance klopte op de deur om Rese en Star welterusten te zeggen. Het was een emotionele dag geweest, maar hopelijk zou de volgende morgen een oplossing brengen. De deur vloog open en Star keek hem met een gekwelde blik aan, waarna ze hem vol op de mond kuste. '"Deez' kwelling is niet zonder remedie. Men moet alleen leren bloeden."' Toen schoot ze langs hem heen en ging naar buiten, de nacht in.

Met open mond keek hij Rese aan. 'Heb ik...'

'Je hebt niks gedaan.' Rese liep langs hem heen de woonkamer in, bleef met over elkaar geslagen armen staan en ging weer naar hem terug. 'Ik probeerde haar over die nacht te vertellen, over de aanwezigheid in mijn kamer.'

Zoiets persoonlijks zou Rese niet makkelijk hebben kunnen overbrengen aan Star. Hij kwam bij haar staan en begon de spieren in haar nek en schouders te masseren. 'Geloofde ze je niet?'

'Ze wilde het zelfs niet horen.'

'Hoezo?'

'Dan zou ze moeten toegeven dat ik ook nare dingen meegemaakt heb in mijn leven.'

'Dat weet ze toch.'

'Nee, Lance. Ze denkt dat die nacht mijn bevrijding was.' Rese boog haar hoofd voorover terwijl hij haar masseerde. 'Al mijn tegenslag is zoet en nuttig en alleen haar narigheid is belangrijk.'

Star had haar gekwetst, hoewel ze het verpakte in frustratie. Hij zette zijn duimen in de spierknopen. 'Niet erg billijk.'

Rese snoof. 'En nu is ze er weer vandoor, wie weet waarnaartoe of voor hoe lang. Maar ze komt wel weer terug en verwacht dan dat ik mijn leven weer oppak waar zij het achtergelaten heeft.'

Hij gebruikte de muizen van zijn handpalmen op haar schouders.

Ze kreunde een beetje onder de druk. 'Ik wilde haar alleen laten zien dat er orde in dingen kan zijn. Dat ze niet overgeleverd hoeft te zijn aan alle winden die haar kant op waaien.' Rese liet haar schouders hangen. 'Ik had God niet moeten noemen.'

Lance masseerde de pezen onder haar schedel. 'Je zou gewoon over je ervaring moeten kunnen praten. Ik zou denken dat Star het wel zou willen weten.' Voelde Star zich bedreigd door de onthulling, of door het idee dat Rese kwetsbaar zou kunnen zijn? Ze wilde dat Rese de rol speelde die ze haar toebedeeld had. Maar waarom bleven mensen proberen Rese in een hokje te stoppen? Hij schoof zijn vingers in haar haar, wensend dat hij haar helemaal kon bevrijden.

'Het is alsof je tegen een wolk praat. Poef. Weg is ze.'

En dan had je Rese, zo aanwezig als een reuzenpijnboom. 'Je weet nooit wat er blijft hangen.'

'Ze schrok ervan dat ik misschien in God geloofde.'

'Misschien is ze bang dat je zult veranderen.'

Ze draaide zich om. 'Iedereen verandert. Mag ik niet leren van tegenslag, groeien in karakter? God verhoede – geloven?'

'Natuurlijk mag je dat.'

'Dat probeerde ik alleen maar te zeggen. Dat er misschien iets was, iemand die Star ook zou kunnen vertrouwen.'

'Je bent al een heel eind gekomen.'

Ze schudde haar hoofd. 'Ik snap er de helft nog niet van. Dat is wel duidelijk.'

Maar zij had haar vertrouwen in de juiste persoon gesteld en de vreze des Heren is het begin van wijsheid. 'Chaz zal je wel helpen.'

Ze fronste haar wenkbrauwen. 'Waarom jij niet?'

Omdat zijn daden niet altijd in overeenstemming waren met wat hij wist. 'Ik denk niet dat ik het beste voorbeeld ben.'

'Jij bent de reden dat ik überhaupt geloof.'

Zou Evvy dat niet leuk vinden? Ze had hem uitgekafferd en net zolang gezeurd tot hij 'de waarheid sprak'. En dat had hij gedaan, maar zijn daden waren daar niet mee in overeenstemming geweest.

Rese zette geërgerd haar handen in haar zij. 'Jij zorgde ervoor dat ik het begon te begrijpen. Jij maakte het tot realiteit.'

'Ik heb tegen je gelogen.' En dat stond tussen hen in als een waakhond, die hem buiten de deur hield. Ook al zou ze erover ophouden, hoe zou hij kunnen uitleggen hoe bang hij was dat hij haar geloof zou bederven door een stomme zet van zijn kant, een gemiste aanwijzing? Hij zou haar hart kunnen opeisen, maar Chaz was de aangewezen persoon om haar gedachten en haar geest te beschermen.

'Lance.' Ze keek hem onderzoekend aan. 'Kunnen we niet gewoon... opnieuw beginnen?'

Zijn adem stokte. Een nieuwe kans? Hij had gehoopt de pijn te verzachten, te bewijzen dat hij het beter kon. Maar opnieuw beginnen zonder berouw, zonder schuld? Dat was meer dan hij verwacht had, meer dan hij verdiende. En toch...

Hij keek naar haar gezicht, hoopvol en oprecht. Rese meende wat ze zei. Hij nam haar in zijn armen, drukte haar hoofd tegen zijn schouder en ademde haar frisse geur in. Of was het de geur van genade? Een golf van opluchting maakte zich van hem meester en hij voelde een diepe dankbaarheid, die hem tot in zijn ziel raakte.

Hoofdstuk 15

De deur ging open en Rico kwam binnen. 'Waar is Star?'

Rese maakte zich los uit Lances armen, terwijl Rico twee dvd's op de tafel gooide en een fles bronwater met bubbels en biologische chips uit de papieren zak haalde die hij bij zich had. Ze hadden kennelijk weer een filmavond gepland en terwijl Rico erop uit was gegaan om hun proviand te halen, was Star er gewoon tussenuit geknepen.

Lance zei: 'Ze werd boos en ging weg.'

'Waarheen?'

Rese haalde haar schouders op. 'Dat zei ze niet.' Dat zei ze nooit. Het was een onderdeel van de straf om hen in het onzekere te laten, ongerust te laten zijn en te laten wachten.

Rico keek van haar naar Lance toen het tot hem doordrong dat ze niet gewoon even naar buiten was gegaan om stoom af te blazen.

'Dit doet ze nou eenmaal, Rico.' Lance haakte zijn duimen in zijn spijkerbroek.

'Hoe bedoel je: dit doet ze nou eenmaal? Dit heeft ze nog helemaal niet gedaan.'

Rese liep naar het raam en keek naar buiten. 'Het gaat een poosje goed en dan verdwijnt ze weer.'

'Heeft ze niet gezegd waar ze heen ging?'

'Dat zegt ze nooit.' Rese draaide zich om. Niet waarheen of waarom of met wie, maar het was zeker dat ze iemand zou vinden om haar te beklagen. De eerste keren dat Star verdwenen was, had Rese geprobeerd uit te zoeken waar ze geweest was, geprobeerd haar te zeggen dat het niet veilig was om er alleen vandoor te gaan. Star wilde er niet naar luisteren. Misschien was het het gevaar dat ze nodig had, of de bezorgdheid die het teweegbracht bij mensen die om haar gaven. Er volgden nooit verontschuldigingen of excuses. Ze gaf noch een verklaring, noch een reden, maar verwachtte alleen zonder meer weer aanvaard te worden.

Rese had het patroon leren kennen, maar Rico niet. Terwijl ze naar hem keek, betreurde ze haar aandeel erin, maar je wist nooit waardoor Star zou ontploffen. 'Misschien komt ze vanavond nog terug.' Maar dat was niet waarschijnlijk. Die kus voor Lance was een laatste woord geweest. Star had het laten inslaan als een bom.

Ze voelde zich kwaad worden. Wat had zij gedaan? Wat had Rico gedaan? En toch liep Star nu ergens in de stad New York en had ze waarschijnlijk al iemand aan de haak geslagen. Ze zei dan misschien wel dat ze genoeg had van oude, almachtige mannen, maar ze zocht die situatie steeds weer op.

Rico draaide zich om, liep naar de deur en zei in het voorbijgaan tegen Lance: 'Bel me als ze terug is.'

Lance moest weten dat het uitgesloten was dat Star gauw weer terug zou komen. Als ze geen lift gekregen had de wijk uit, zou Rico haar nog tegen het lijf kunnen lopen, maar niet als ze dat niet wilde. Star was op meerdere manieren ongrijpbaar. Maar toch gaf hij haar zijn mobieltje. 'Rico's nummer staat erin.'

Ze knikte toen hij zijn vriend achternaging. Lance zou aan de vergeefse poging deelnemen. Hij moest wel. Het ging om Rico.

Ze ging zitten en klapte zijn mobieltje open, waarna ze door honderden namen bladerde tot ze bij die van Rico was. Kende Lance iedereen? Ze klapte het telefoontje dicht en leunde met haar hoofd achterover. Hoe groot was de kans dat ze terug zouden gaan naar Sonoma als Star niet kwam opdagen? Klein. Daarna? Mogelijk. Afhankelijk van Rico's gemoedsgesteldheid.

Misschien zou hij beseffen dat ze te gecompliceerd was. Natuurlijk was ze oogverblindend, onverschrokken en grappig. En ze had precies aangesloten bij zijn muzikale aspiraties. Misschien waren ze zelfs goed samen. Maar Star was... Star. Rico had dat alleen nog niet meegemaakt.

Rese zapte langs de tv-zenders. Na een uurtje kwamen de jongens terug. Zonder Star. Ze hadden de hele buurt uitgekamd, maar er waren niet veel plekken waar je 's avonds kon kijken.

'Waar zou ze naartoe zijn gegaan?' zei Rico, bijna tegen zichzelf.

'Is er een plek waar jullie geweest zijn, waar ze naartoe kan zijn gegaan?' vroeg Lance.

Rico spreidde zijn handen. 'We zijn overal en nergens geweest, *man*.'

Rese keek op. 'De theaterbuurt?' Ze wist niet goed waarom ze daaraan dacht, maar Times Square was het soort plek waar Star zich zou kunnen verliezen. Ze had daar met Rico gezongen in de Java Cabana. En ze zou het potentieel voor gezelschap en camouflage herkennen.

Rico vroeg haar: 'Denk je dat ze naar het centrum gegaan is?'

Ze zou halverwege Canada kunnen zijn, maar Rico dacht niet zoals Star dacht. Hij dacht dat ze echt de magische nimf was die ze speelde. 'Dat zou kunnen.'

Rico vloekte. Manhattan was tenslotte groot, met heel veel mensen. De kans was klein dat hij Star zou zien als ze dat niet wilde, maar hij zou zijn zoektocht duidelijk niet opgeven.

Lance trok zijn leren jack weer aan. 'Kom.' Er lag alleen bezorgdheid voor Rico in zijn stem.

Waarom was zij niet bezorgd om Star? 'Ik ga ook mee.' Dat was beter dan hier alleen zitten en de jongens realiseerden zich kennelijk dat het onnodig was dat er iemand thuisbleef. Lance wenkte haar mee de deur uit en liep toen voor hen uit naar de flat van zijn ouders.

Ze bleef met Rico in de woonkamer staan wachten, terwijl Lance de Fiat van zijn moeder leende. Rico's ogen schoten heen en weer, alsof hij Star als een beeldje op een boekenplank zou aantreffen. Bij het zien van zijn bezorgdheid wenste ze dat er een manier was om de realiteit te veranderen, maar hij was waarschijnlijk allang niet meer in Stars gedachten. Zij wilde iets duidelijk maken en het kon haar niet schelen wie daar het slachtoffer van werd. 'Star zal niet beseffen dat ze je gekwetst heeft, Rico.'

Hij richtte zijn gitzwarte ogen op haar en zei uiterst kalm: 'Ze zal het weten, *chiquita*.' Er ging een koude rilling door haar heen. Had Star die kant van Rico aangeboord die bekend was met geweld, de kant die Lance in toom had gehouden door de klappen op te vangen? Maar toen besefte ze dat het alleen maar hoop was, wat ze zag, Rico had zijn hart blootgelegd.

Ze wendde haar blik af. Het was niet makkelijk om Stars volkomen gebrek aan geweten of mededogen of wat de leegte in haar binnenste ook mocht zijn, te bevatten. Misschien hadden de drugs van haar moeder dat vermogen al voor de geboorte verwoest; of misschien had het misbruik er zo diep ingehakt dat ze geen toegang meer had tot die gevoelens. Ze was volslagen egocentrisch. Rico hoopte tevergeefs.

Lances moeder kwam de kamer binnen en pakte Rico's gezicht in haar handen. 'Wees voorzichtig.' Ze moest de spanning zien die hem in haar greep had.

'Sí, mamacita.'

'Graag gedaan.' Doria's bezorgdheid was waarschijnlijk gebaseerd op het verleden en het zou verkeerd kunnen aflopen als Rico Star in een van de situaties aantrof die Rese zich voorstelde. Hij zou zelfs kunnen geloven dat het de schuld van die andere kerel was. Rese wist wel beter. Ze reageerden op wat hun aangeboden werd.

'Het komt wel goed, mama.' Lance gaf haar een klopje op haar arm en ze liet Rico los, waarna ze Rese aankeek alsof alleen zij een ramp zou kunnen afwenden. Rese richtte zich op. Ze was niet van plan iets stoms te doen.

Lance manoeuvreerde de Fiat door het verkeer, bijna op dezelfde manier als hij met Rico's motor of zijn Harley deed. Het was nu wel duidelijk dat hij als een New Yorker reed. Rese leunde achterover om het te doorstaan. Ze had Rico voorin laten plaatsnemen, zodat hij en Lance hun strategie konden bepalen. Ze bespraken diverse populaire en minder populaire gelegenheden waar ze naar Star zouden kunnen zoeken. Hoewel hij moest beseffen hoe zinloos het was, was Lance er voor Rico, betrokken en vastberaden.

Belmont was donker geweest en alles was dicht, maar de stad die nooit sliep was klaarwakker. Times Square was oogverblindend; overal witte en veelkleurige lampen, enorme elektronische reclameborden die pronkten met vrouwen en mode, trottoirs, restaurants, theaters, winkels vol mensen. Rese schudde haar hoofd en wou dat ze haar mond gehouden had.

Maar het was beslist het soort plek waar Star naartoe zou gaan. Ze keek uit het raampje. Star zou deze buurt wekenlang in zich op kunnen nemen, voor de verandering energie puttend uit nietsvermoedende vreemden in plaats van uit haar vrienden. Rese trok een rimpel in haar voorhoofd. Ze was bozer dan ze zich had gerealiseerd.

De kus had niets betekend voor Lance. Waar het om ging was wat het haar te zeggen had. *Jij hebt niets wat ik niet kan bederven.* Of afpakken, misschien. Of ontheiligen. Aangezien Lance de boodschapper van het geloof was. Misschien wilde Star Lance bezoedelen. Maar uiteindelijk was het allemaal bedoeld om haar te kwetsen. Zij was de enige naar wie Star uithaalde, de enige naar wie ze steeds weer terugkeerde.

Relaties zoals ze met Maury gehad had, volgden het patroon tot op zekere hoogte, maar zodra ze de band verbroken had, bleef die verbroken. Rese had al vroeg geleerd dat Star haar leven leefde zoals zij het wilde, maar om de een of andere reden hoorde haar enige vriendin daar bij, de vriendin op wie ze steeds weer kon terugvallen. Haar rots.

'Laat me er hier maar uit', zei Rico op het kruispunt, niet langer in staat stil te blijven zitten. 'Je vindt nooit een parkeerplek.'

'Ik vind wel iets.' Lance keek op zijn horloge. 'Zorg dat je hier over een halfuur weer bent. Dan spreken we af wat we verder gaan doen.'

Rico stapte uit, terwijl een taxi achter hen toeterde. Lance reed door. God leek hem geen parkeerplek te geven in deze wijk. Rese bleef scherp opletten, maar ondanks dat zag ze het plekje over het hoofd waar Lance in schoot, bijna voor het vrij was. Met een zucht stapte ze uit en bleef op de stoep staan wachten.

Lance voegde zich bij haar. 'Klaar?'

'Waarvoor?'

Hij hield zijn hoofd iets schuin en nam haar schattend op. 'Het is misschien zinloos, maar het is belangrijk voor Rico.'

En op dit moment betekende Rico niets voor Star. Niemand betekende iets voor haar. Zij was de enige die aan haar hemel scheen. Rese kookte van woede.

'Gaat het om die kus?'

Ze keek hem kwaad aan. 'Om alles.'

Hij keek de straat in, wachtend tot ze een besluit genomen had. Waarom was ze eigenlijk meegegaan? Had ze gedacht dat ze iets kon doen wat ertoe deed?

Ze balde haar handen tot vuisten en zei: 'Star zou radeloos kunnen zijn. Ze zou in gevaar kunnen zijn, in een steegje liggen sterven. Maar dat is niet zo. Ze is ergens aan het dansen, of aan het toneelspelen of ze ligt ergens in een hoekje te vrijen. En als ze wist dat we haar aan het zoeken waren? Dan zou ze zich rot lachen.' Rese kon de bitterheid niet inhouden. Waar was die vandaan gekomen? Waarom kwamen al haar emoties plotseling naar boven bij Lance Michelli? 'Ik ben het zat om degene te zijn aan wie zij behoefte heeft. Geven en vergeven, zonder er iets voor terug te krijgen.' Toen hij geen antwoord gaf, keek ze hem aan. 'Dat is verkeerd, hè?'

'Nee.' Hij schudde zijn hoofd.

'Wat dan?'

'Er is een naam voor wat jij Star geeft. Onvoorwaardelijke liefde.'

Dat wilde Rese niet horen. Haar boosheid kreeg zo zelden de kans zich te uiten, dat zij bij de gedachte aan Stars afscheidskus uit al haar poriën leek te stromen. Ze kreunde. 'Het was zo absurd en hatelijk.'

'Ik weet het.'

En egoïstisch en overdreven dramatisch. Ze wilde met een sloophamer zwaaien, het geluid van staal op staal horen, de terugslag in haar bovenarm voelen. Ze zuchtte. 'Waar denk jij dat ze is?'

'Ik gok dat ze ligt te vrijen in een hoekje.'

Het haalde de angel uit haar woede en ze liet haar hoofd met een kreun achterovervallen. 'We zullen haar niet vinden.'

'Laten we voor Rico hopen dat dat waar is. En voor mij.'

Ze keek hem aan. 'Doe niks stoms.'

Zijn mondhoekjes krulden.

'Ik meen het, Lance. Ik schrijf je niet, hoor.'

Lachend sloeg hij zijn arm om haar schouder. 'Zo hard ben je nu ook weer niet, Theresa.'

Dat was waar. Ze zou hem schrijven, ze zou hem opzoeken, ze zou een borgsom voor hem betalen. Onvoorwaardelijke liefde.

Rico wilde iets om op te slaan; Lance zag het aan zijn ogen. Hij had Stars vlucht niet verwacht, had niet geweten dat hun idylle bij de eerste provocatie zou eindigen; zonder enige verklaring, zonder rekening te houden met hem. Ze zochten in metrotunnels, waar gothics en punkjongeren rondhingen, liepen langs daklozen en snelle zakenlui. Rico struinde cafés, restaurants en theaters af, gedreven door zijn eigen verleden van verlating.

Zelf was hij uitermate trouw, hij verwachtte van anderen hetzelfde – ondanks alle mensen die het tegendeel bewezen hadden. Hij kon geen rechten doen gelden op Star, alleen dat ze rekening met hem hield. Zijn angst om haar veiligheid en emotionele toestand was hun drijfveer bij de zoektocht, maar Lance wist dat de angst om weer in de steek gelaten te worden ook meespeelde.

Mama opende haar deur in haar nachtpon toen ze iets na drieën terugkwamen. Hij was van plan geweest stilletjes langs te lopen zonder haar te storen, maar ze had een zesde zintuig dat haar wakker maakte zodra haar kinderen te laat thuiskwamen. Eerder zou ze toch geen rust hebben.

'Geen succes?' De opluchting op haar gezicht duidde niet op een gebrek aan bezorgdheid voor Star, maar op een overmaat daarvan voor hem en Rico.

Hij schudde zijn hoofd. Rico kon ieder moment ontploffen, maar ze hadden geen spoor van Star gezien. De vlam zou in de pan geslagen zijn als dat wel het geval was geweest.

Mama richtte haar blik op Rese, alsof zij de beschermengel was die hem en Rico behoed had. Aan Rese was niet meer te zien hoe kwaad en gekwetst ze was geweest, voordat ze toegegeven had en was gaan zoeken naar de vriendin die haar uitputte en meer wilde.

'Bedankt.' Lance liet de autosleutels in haar handpalm vallen. Rico liep de trap al op.

'Wil je wat melk?'

Hij boog zich voorover en gaf haar een kus. 'Ga weer slapen, mama. Het komt wel goed.'

Ze zei tegen Rese: 'Kom morgenochtend een kop koffie drinken. Dan maken we een praatje.'

'Goed.' Rese knikte. Ze liepen zonder iets te zeggen de trap op, maar bij de deur zei ze: 'Ze had het toch tegen ons allebei?'

Rico had de deur op een kiertje laten staan. Lance duwde hem open. 'Ze had het tegen jou.' In het licht van de enkele lamp binnen zag hij een blik van afschuw op haar gezicht.

'Ik maak geen praatjes.'

'Tuurlijk wel.'

'Lance, je weet... je hebt gezien...'

'Dat was met vreemden. Mama is familie.' Hij rekte zich uit. Rico moest meteen zijn bed in zijn gegaan. Chaz sliep waarschijnlijk ook al. Nadat hij zich de hele dag zorgen had gemaakt om nonna en de hele avond om Rico, had Lance genoeg energie verbruikt om een jaar lang te kunnen slapen, maar Rese niet. Hij pakte haar hand. 'Wil je vrijen in een hoekje?'

Ze stak haar kin omhoog. 'Die vergelijking stel ik niet op prijs.'

Ze was dus nog steeds geprikkeld. 'Op de bank dan, midden in de kamer?'

'Lance.'

Hij nam haar in zijn armen, voelde hoe gespannen ze was. Ze zou nog niet kunnen slapen, zoals hij al gedacht had. 'Nekmassage?'

'Nee, jij?' Ze bedoelde het als plagerijtje, om de vraag terug te kaatsen, haar onafhankelijkheid te doen gelden.

Maar hij hield zijn hoofd schuin. 'Graag.' Zijn antwoord verraste haar, maar hij liep al naar de bank. De kussens zuchtten toen hij er afwachtend met zijn rug half naar haar toegewend op ging zitten.

Chaz' sonore gesnurk sijpelde door de gesloten deur, toen Rese zich aarzelend naast hem neer liet zakken. 'Ik kan het vast niet goed.'

'Doe je ogen dicht.' Hij sloot de zijne ook. 'Pak mijn nek en voel de spieren.'

Haar hand was koud.

'Zet je duim en je vingers in wat je voelt.' Haar handen hadden prachtige dingen gemaakt van hout en hij voelde de kracht van die handen terwijl ze begon te masseren, niet alleen zijn nek, maar na een poosje ook zijn rug, waarbij ze allebei haar handen gebruikte. Dat ze verder ging dan zijn instructies was veelzeggend. Hij had geen pijnlijke spieren gehad, die een massage nodig hadden, maar hij genoot van haar aanraking.

Ze had nooit gereageerd op de vele keren dat hij de knopen in haar spieren had weggemasseerd. Maar nu waren haar handen zeer welwillend. Ze bewogen op en neer langs zijn rugspieren en haar adem verwarmde zijn nek toen ze zijn schouders masseerde. Iets nats raakte zijn schouder en hij draaide zich om.

Ze snoof, boos dat hij het gemerkt had. 'Bestaat er zoiets als emotionele anorexia?'

Hij moest bijna lachen. 'Uitgehongerde emoties?'

'Nee, meer zoiets als weigeren om iets te voelen tot het moeilijk is om te weten wat je moet voelen.'

Hij legde zijn pols op haar schouder. 'Er is niets mis met wat je voelt.'

'Maar ik voel niks, Lance. Ik geef om Star, maar ik ben niet bezorgd. Ik vind het naar voor Rico, maar het doet geen... pijn. Zelfs toen jij wegging –'

'Toen jij me eruit schopte.'

'Toen deed dat zo'n pijn dat ik... niets voelde.'

'Dat is jouw manier om het te verwerken. Je hebt al heel jong veel narigheid meegemaakt, emotionele verwachtingen waar geen enkel kind mee om kan gaan.'

'Maar als het nou gewoon kapotgegaan is?'

Hij nam haar gezicht in zijn handen. 'Je bent niet kapotgegaan. Waarom denk je dat er tranen in je ogen staan?'

'Ik weet het niet.'

'Omdat je om haar geeft.'

Ze trok zich terug en leunde achterover op de bank. 'Terwijl we naar Star aan het zoeken waren, stelde ik me steeds voor dat we haar in een vreselijke toestand zouden aantreffen. Misschien zelfs dood. En Lance, ik vroeg me af wat ik dan zou voelen. Ik vroeg het me af.'

'Het is een beschermingsmechanisme. Je sluit jezelf af.'

Ze bleef een hele tijd stil zitten en keerde zich toen naar hem toe. 'Waarom kan Star dat niet? Waarom blijft ze steeds maar weer gevaar en verloedering zoeken, terwijl dat haar juist zo in moeilijkheden gebracht heeft?'

'Ooit gehoord van mensen die zich snijden? Brandwonden toebrengen?'

Rese trok een rimpel in haar voorhoofd.

'Lichamelijke pijn gebruiken om emotionele verwondingen te verlichten.'

'Maar...'

'Sofie zou het beter kunnen uitleggen. Die heeft ervoor gestudeerd. Maar het komt er in wezen op neer dat pijn een stofje in de hersenen vrijmaakt, dat verdooft. Je zei dat Star geen drugs gebruikt, maar ze zoekt een manier om zichzelf te verdoven.'

'Dus seks is een drug voor haar?'

Hij haalde zijn schouders op. 'Ik denk het wel.'

'Net als op je teen stampen als je met een hamer op je duim geslagen hebt.'

Hij glimlachte. 'Ja. Als datgene wat jij haar vertelde herinneringen losmaakte, dan is haar reactie wel verklaarbaar.'

Rese schudde haar hoofd. 'Maar Rico...'

'Rico is veilig, net als jij. Ze had behoefte aan pijn.'

Ze leunde met haar hoofd achterover. 'Hoe kun je zoiets stoppen?'

'Dat weet ik niet.' Hij sloeg zijn arm om haar schouder en trok haar tegen zich aan. 'Pijn leidt een eigen leven en komt naar buiten op een manier die je nooit verwacht. Zelfs als je denkt dat het over is.'

'Wat voor hoop is er dan?'

Hij streelde haar bovenarm. 'Daar probeer ik nog steeds achter te komen.'

'Ik kan het niet.' Rese ijsbeerde de volgende morgen door de kamer in haar beige korte broek, een keuze waar ze veel langer over had lopen dubben dan nodig was.

Lance had geen medelijden. Hij zat op de armleuning van de bank en keek haar geamuseerd aan. 'Het is mama maar, Rese. Bovendien zal ze zelf de hele tijd aan het woord zijn.'

Chaz kwam de badkamer uit, fris gedoucht en met een brede glimlach. Ze had geen behoefte aan zijn vrolijkheid boven op Lances geruststellende opmerkingen. Als ze vannacht niet zo duf was geweest, had ze misschien nee gezegd, of er op zijn minst voor gezorgd dat Lance van de partij was. Waarom zou ze zijn moeder alleen onder ogen moeten komen?

'"Dit is de dag die de Heer heeft gemaakt."' Chaz straalde. '"Laten wij juichen en ons verheugen."' Hij had hen kennelijk afgeluisterd.

'Ze zit te wachten.' Lances toon was vriendelijk, maar vasthoudend. Hij was niet van plan haar hier onderuit te laten komen of haar te helpen, behalve door haar de deur uit te werken.

Best. Ze had hem niet nodig. Ze stampte naar de deur en ging naar buiten, haalde eens diep adem en liep naar beneden, waar ze op de deur van zijn ouders klopte.

'Hij is open. Kom binnen.' Doria was gekleed in een bordeaux-rood balletpakje en een wikkelrok. 'Ik moet over een uur lesgeven.'

Rese knikte. Moest ze zich verontschuldigen dat ze zo laat was? 'Waar geeft u les in? Ik bedoel, in wat voor soort dans?' Niet dat ze de ene dans van de andere zou kunnen onderscheiden.

'O, van alles een beetje. Behalve breakdancen. Daar hebben we een man voor.'

Rese knikte weer. 'O.'

'Ga zitten. Wil je melk... suiker?' Doria zette een kopje voor haar neer, met biscotti op het schoteltje.

'Allebei. Dank u.' Rese ging zitten. De keuken stond vol prulletjes, de koelkast hing vol foto's. Van kinderen en kleinkinderen, vermoedde Rese, terwijl ze er vele van herkende zonder ze bij naam te kunnen noemen.

Toen ze haar zag kijken, raakte Doria een foto aan. 'Dit is Lance.'

Een kleine jongen met grote bruine ogen, een ondeugende lach en een honkbalhandschoen. Rese zou hem zo in haar armen willen sluiten. Er gebeurde iets met haar, iets wat ze niet verwacht had toen Lance zei dat ze 'orde op zaken moesten stellen met zijn oma'.

'En dit was zijn diploma-uitreiking op de middelbare school.' Doria pakte een foto uit de vensterbank, naast een urn, waarvan Rese vurig hoopte dat er geen as in zat, maar die er wel zo uitzag.

'En zijn babyschoentje.' Ze pakte het verbronsde schoentje op.

Deden mensen dat? Rese knikte en glimlachte en toen gingen haar ogen weer naar het keukenplafond. 'Hebben jullie weleens naar die verzakking laten kijken?'

Doria keek van het schoentje in haar hand naar het plafond boven haar hoofd. 'Ik heb er met Roman over gepraat. Hij heeft er geen tijd voor. Lance en de jongens doen de klusjes, maar die zijn tegenwoordig overal en nergens. Niemand heeft tijd.'

'Ik zou ernaar kunnen kijken.'

Doria wuifde dat weg. 'Een gast van mijn zoon?' Ze schudde haar hoofd.

'Ik heb ervaring. Het is... was mijn werk. Renovatie. Dat ziet eruit als een lek. Het zou problemen kunnen geven.'

'Roman zal er wel naar kijken.' Doria ging zelf ook zitten met een kop koffie. 'Kun je dansen?'

'Nee.'

'Lance was mijn geboren danser.'

Uiteraard.

'Maar hij wilde het niet blijven doen. Tony zei dat hij niet groot genoeg was om zo te dansen zonder geslagen te worden.'

'Lance had een hoge dunk van Tony.'

'Dat had iedereen.' Doria keek in haar kopje. 'Maar hij had geen gelijk over Lance. In die knul zit leven dat eruit moet. Waarom zou hij niet mogen dansen?'

Rese dronk van haar koffie, maar schrok toen Doria een vinger onder haar kin legde en haar gezicht omhoogtilde.

'Je hebt een goede bouw. Je moet alleen een beetje losser worden.' Ze bewoog haar kin in het rond. 'Sta eens op.'

'Ik kan echt niet –'

'Sst, sst.' Doria trok haar overeind en gebaarde dat ze rond moest draaien.

Rese maakte een schokkerige pirouette, met haar armen stijf tegen haar lijf. *'Het is mama maar. Bovendien zal zij de hele tijd aan het woord zijn.'*

'Doe die ellebogen eens wat opzij.' Doria trok, tot Reses handen op haar heupen lagen. 'Omhoog die kin.' Weer die vinger, die haar op de juiste plaats zette. 'Perfect voor de cha-cha-cha.'

Rese snoof.

'Geef me zes weken; dan doe je de *two-sided break with man wrap.'*

Rese schudde haar hoofd. 'Geen sprake van.'

'Je hebt een goede balans.'

'Door het lopen op daken.'

'Goede musculatuur.'

'Door het zwaaien met een hamer.'

Ze schoten in de lach.

Doria draaide zich om. 'Weet jij echt hoe je een plafond moet maken?'

Rese ging onder de verzakking staan, een klein stukje van de gootsteen vandaan en keek omhoog. 'Ik ben er nog nooit een tegengekomen die ik niet kon maken. Ik zou er op zijn minst een kijkje achter kunnen nemen om te zeggen wat er moet gebeuren.'

Doria nam haar schattend op en spreidde toen haar handen. 'Ach, nou ja, de tijden zijn veranderd. Als een vrouw loodgieter wil zijn, waarom niet?' Ze ging weer zitten en doopte haar biscotti in de koffie. 'Wat doet Lance in het hotel?'

Rese ging ook weer zitten. 'We hebben het nog niet allemaal op een rijtje gezet. Koken natuurlijk. Misschien iets met zijn muziek. Hij ontvangt de gasten.' Met andere woorden: hij deed alles. Zonder Lance was er geen hotel, ook al had zij een paar weken nepontbijtjes geserveerd. Als het aan haar overgelaten werd, zou het hele zaakje instorten. Maar samen... Ze zouden allang terug moeten zijn en de zaak op orde moeten hebben voor de druivenoogst hordes toeristen zou aanvoeren.

Doria fronste haar wenkbrauwen. 'Het is zo ver weg.'

Rese zweeg even, met het kopje aan haar lippen. Voor het eerst bedacht ze hoe het voor Doria moest zijn als Lance naar de andere kant van het land verhuisde. Deze vrouw, die niet wilde dat haar kinderen zich verspreidden, die in de oude wijk bleef wonen om ze allemaal in de buurt te houden. 'U zou altijd mogen komen. Er is ruimte genoeg.'

Doria drukte met haar vingertop een kruimeltje van tafel. 'Wanneer gaan jullie weg?'

Ze waren hier nu zes dagen en het leek erop dat ze er nog wel een paar nodig zouden hebben. Maar dat was niet wat Doria vroeg, dus Rese zei: 'Als Lance zover is.'

Hoofdstuk 16

Voor Rudy Vallee is het leven een schaal kersen.
Maar hij heeft ze niet geplukt; hij heeft ze niet gekweekt.
Zijn liefde en werk hebben ze niet ondersteund en verzorgd.
O, kon ze maar leven en overal om lachen.

In de stad Toledo blokkeert een mensenmassa de straten rond het stadhuis. 'Wat is er aan de hand?' vraag ik, als Marco midden op straat stopt en op de treeplank gaat staan om te kijken.

'Een protestmars of zo.' Hij knijpt zijn ogen tot spleetjes. 'Ik denk niet dat het een staking is. Er lopen ook vrouwen en kinderen mee. Waarschijnlijk de inwoners van een kamp van rondtrekkende arbeiders, die hun stem willen laten horen.'

Ik stap uit en loop met hem door de menigte, om naar de demonstranten te kijken. Sommigen dragen borden; sommigen hebben kinderen op de arm. Als ik naar hun gezichten kijk, voel ik me niet zo alleen in mijn verdriet.

'Op welke wijze zal dit helpen?'

'Het zal niet helpen.'

'Waarom doen ze het dan?'

Hij haalt zijn schouders op. 'Ik denk dat ze geen andere oplossing zien.'

Ik schud mijn hoofd. In de industriesteden in het noorden, waar we doorheen reden, heb ik onvoorstelbare toestanden gezien. 'Wat is er gebeurd, Marco? Hoe heeft het zover kunnen komen?'

Hij legt uit, wat papa nooit wilde doen, dat ongeremde speculatie tot abnormaal gestegen aandelenprijzen heeft geleid en dat de regering denkt dat faillissementen, ondanks de menselijke prijs, de ingestorte markt zullen corrigeren en nieuwe investeringen zullen aanmoedigen. Maar als ik naar de demonstranten kijk, vraag ik me af hoe ook maar iemand de menselijke prijs kan negeren en, erger nog, de ongelukkigen hun hopeloze toestand kan verwijten. Deze mensen zijn net zomin verantwoordelijk voor hun situatie als ik, maar toch zie ik dat er op hen gespuugd wordt. Ik had daar kunnen lopen. Iedereen had daar kunnen lopen. Als ik alles in één nacht kon verliezen...

'Wat zal er met mijn huis gebeuren, Marco?'

'Dat weet ik niet.'

Terwijl ik een snik onderdruk, fluister ik: 'Ik kan niet terug.' Dat weet ik al, maar het doet pijn als Marco knikt. Ik kijk om naar de demonstranten. 'Ik weet hoe deze mensen zich voelen.'

Hij pakt mijn hand.

Met tranen in mijn ogen draai ik me om. 'Je vindt me ondankbaar.'

'Nee.'

'Je hebt zoveel gedaan.'

'Antonia...' Zijn stem is zacht, verlegen.

'Je hebt je leven op het spel gezet.' Ik snuf. 'Je baan. Was je al klaar?'

'Maak je daar maar niet druk om.'

Ik kijk hem aan. 'Dan zou je weggegaan zijn. Als papa niet...'

Hij knijpt in mijn hand. 'Niet doen.'

'Zou je afscheid zijn komen nemen?'

Hij wacht net iets te lang met zijn antwoord. 'Zover was ik nog niet. Ik wilde je niet verlaten.'

'En nu heb je me, of je het leuk vindt of niet.'

'Ik kan je beschermen.' Hij zegt het fluisterend.

Ik bal mijn handen tot vuisten. 'Maar waarom zou je?'

'Omdat ik dat wil.' Maar er ligt nog iets in zijn ogen, haastig gemaskeerd. 'Laten we kijken hoe we hier uit kunnen komen.' Hij heeft het over de protestmars, maar ik denk dat hij ook het onderwerp bedoelt. We lopen terug naar de auto en hij vindt inderdaad een andere manier om de stad uit te komen. Daar is hij goed in.

Ik blijf de gezichten van de demonstranten maar voor me zien; sommige boos, sommige bitter, maar vooral moe en verslagen. 'Waarom is er geen hulp?' We stoppen in de volgende stad voor de nacht, maar het is alsof de demonstranten met ons mee gereisd zijn.

'Het geld is op', zegt Marco. 'Er zijn er te veel.'

'Maar de kinderen...'

Hij knikt.

'Ik wist niet dat het zo erg was.'

'Jij had het behoorlijk goed.'

'Niet door toedoen van de regering en die vreselijke *Halstead Act*. Maar het heeft ons wel voorbereid. Papa en nonno verwensten de dwaasheid ervan. Daar waren ze het in elk geval over eens, maar niet over wat ze eraan moesten doen. Nonno was ervan overtuigd dat hij herroepen zou worden zodra de stem van de rede weer zou klinken en weigerde ieder gesprek over stopzetting van het bedrijf. In plaats daarvan trokken we de broekriem aan en vonden manieren om ons erdoorheen te slaan, lang voor de crash.' Ik stel me mijn geliefde huis voor en ben nonno dankbaar dat hij het niet wilde verkopen. Maar wat heeft het ons nu opgeleverd?

'Nonna Carina en ik breidden onze tuin uit tot we meer hadden dan we konden gebruiken. We hadden vee voor vlees en melk voor kaas. En papa's inkomen, dat ons in staat stelde het land te houden.' Het verbaast me dat ik het kan zeggen zonder een brok in mijn keel te krijgen, maar het zien van de demonstranten heeft me sterker gemaakt.

'Je hebt geluk gehad.'

Dat gevoel heb ik niet. Terwijl de banken als dominostenen omvielen, had die van Arthur Jackson succes – en papa met hem. Het moest wel met achterbakse methoden zijn gebeurd. Bitterheid vult mijn mond en ik wou dat papa nooit bij die bank begonnen was – ook al konden we er de belasting mee betalen.

'Antonia.' Marco pakt mijn handen. Het licht in onze kleine kamer is flauw en flikkert. Daardoor ziet zijn gezicht er verweerd uit. 'Ik heb geen spijt van ons huwelijk. Ik had nog niet op een vrouw gerekend. Ik ben te vaak weg voor mijn werk en –'

'Nu zul je me moeten verkopen aan het circus?'

Hij kijkt me even aan, gooit dan zijn hoofd achterover en lacht. Dan neemt hij me in zijn armen, uitbundiger dan ik hem ooit meegemaakt heb. 'Kun je koorddansen?'

'Ik heb het nog nooit geprobeerd.'

'Dan zal ik je moeten houden.' Hij kijkt me aan en wordt weer serieus. 'Wat ik echt graag zou willen, is je kussen.'

Mijn hart staat stil. 'Ik denk dat je zo'n beetje alles kunt doen wat je wilt.'

'Ik wil het niet erger voor je maken. Ik heb je gezegd dat het alleen in naam was.'

Ik ben me plotseling bewust van zijn geur, een mengeling van pommade, de vis die we gegeten hebben, de zeep waarmee hij zijn handen gewassen heeft. Mijn Arpège-parfum is verdwenen en ik smaak ook naar vis, maar ik heb mijn gezicht al opgeheven en terwijl ik mijn ogen sluit, vinden onze lippen elkaar.

Als de kus me aan het huilen maakt, houdt Marco me vast als een bezorgde oom, die me over mijn hoofd streelt en op mijn rug klopt. Het verlangen schuift achter een ander gezicht en ik verbaas me over deze man, die zoveel rollen speelt. Ik wil zijn wat hij wil, maar mijn hart kan zich niet tegelijkertijd openen en afschermen.

'Het spijt me.' Ik snuf.

Hij schudt zijn hoofd. 'Ik had het niet moeten vragen.'

'Nee. Ik ben... Kon ik maar...' *Vergeten.*

'Misschien hadden we dit niet moeten doen.' Hij laat me los en begint door de kamer heen en weer te lopen.

Hij mag niet onzeker zijn. Het maakt me bang te merken hoezeer ik afhankelijk geworden ben van zijn kennis, zijn leiding. Ik pak zijn arm als hij langs me heen loopt. 'Marco.' Mijn stem trilt. 'Als het niet alleen in naam is, wat gebeurt er dan?' Ik bedoel dat niet zoals het klinkt. Ik bedoel hoe onze levens er dan uit zullen zien. Ik moet weten wat me te wachten staat.

Maar zijn gezicht verandert en volgens mij zie ik nu de echte Marco, de man die hij is. Hij wil me tot zijn vrouw maken. 'Ik vergeet steeds hoe beschermd je opgegroeid bent.'

'Niet zo heel erg, hoor.'

Hij glimlacht. 'Vergeleken met bepaalde dames wel.'

Ik til mijn kin op. 'Ik vroeg niet om instructies, alleen... *als* onze overeenkomst echt was, zou je dat dan willen?' Ik doe weer een stap naar hem toe.

'*Cara*, niet doen.' Zijn stem klinkt hees, op een manier die ik herken.

Ik ken mijn kracht. Mijn vingertoppen raken zijn borst aan en hij pakt ze ruw beet.

'Antonia.' Zijn rollen vallen weg. 'Er is tijd om die plechtigheid ongedaan te maken. Er zijn genoeg regels geschonden om het huwelijk ongeldig te verklaren...'

Ik leg mijn hand in zijn nek en trek zijn gezicht omlaag.

Zijn adem klinkt scherp. '*Cara mia*..'

Ik heb mijn keuze gemaakt en hij maakt de zijne. Zijn mond is stevig, dwingend. Hij zal mijn man worden. Ik voel me veilig en bang tegelijk. Maar als hij me tot zijn vrouw gemaakt heeft, mompelt hij: *'La mia vita ed il mio amore.' Mijn leven en mijn liefde.*

'Ja', fluister ik. 'Ja.'

En dus was ze er klaar voor toen Lance haar kwam halen. Geschraagd door de herinnering aan wie Marco was, wie zij was, reed Antonia in de rolstoel als in een strijdwagen. Ze kon dan wel niet lopen of goed praten, maar ze was niet van plan als een gebroken oude vrouw naar die rotbank te gaan. Als Lance haar wensen niet bekend mocht maken, zou ze ze zelf bekendmaken.

Maar toen ze de deuren naderden, begon haar hart te bonken. *O, Marco.* Het ECG had aangetoond dat ze een sterk hart had, maar nu voelde het aan of het elk moment kon breken.

Lance draaide haar rolstoel om en duwde met zijn rug de deur open, waarna hij haar met een zwaai terugdraaide en de hal in reed. Roman had haar geldzaken zo lang geregeld, dat ze zich niet kon herinneren wanneer ze hier voor het laatst geweest was. Ze voelde zich misselijk.

Marco, Marco, Marco.

De slanke man die Lance begroette, kwam achter de balie vandaan en gaf hem een hand. Hij keek alsof hij haar ook een hand wilde geven, maar hield het bij een wuivend gebaartje. Ze pinde hem vast met een blik die hem ertoe bracht zijn das recht te trekken en meer rechtop te gaan staan. 'Wel...' Hij wees naar het kantoortje achter hem. 'Komt u verder.'

Lance had haar verzoek telefonisch overgebracht, maar deze man wilde haar met eigen ogen zien. Deze man verwachtte een oude vrouw, die haar ziekbed verliet om iets op te halen wat haar eigen man voor haar achtergelaten had in zijn eigen kluis. Deze bankier mocht weleens wat meer respect tonen.

Lance zei: 'Sinds de hersenbloeding vindt mijn oma het gemakkelijker om Italiaans te spreken.'

'Geen probleem.' De man wees naar het naamplaatje op zijn bureau. *Emmanuel S. Giordano*. 'Mijn oma ook.'

Lance trok een gezicht. 'O.'

Waarom vertelde hij de man niet gewoon wat ze wilden, zodat het achter de rug was? Ze bromde wat.

Lance keek even omlaag, maar ze had geen behoefte aan zijn kalmerende glimlachjes. 'Bah...'

Met een vriendelijk handgebaar bracht hij haar tot zwijgen. 'Even wachten, nonna.'

De bankier wierp haar een nietszeggend lachje toe. 'Ik weet dat dit een moeilijke tijd is.'

Je weet niks, dwaas. Toen schrok ze. Wat waren dat voor hatelijke gedachten? Angst. Het was angst.

Lance haalde de sleutel tevoorschijn. 'Zoals ik u al aan de telefoon gezegd heb, wil ze deze kluis openen.'

'Ja, ik heb gecontroleerd of haar handtekening geldig is. De oorspronkelijke eigenaar heeft haar gemachtigd en in zijn testament bedongen dat zij toegang tot de kluis zou houden. Maar ik kan nergens vinden dat ze bij zijn dood of erna de kluis geopend heeft.'

'Nou, nu wil ze het wel.' Lance stak hem haar identiteitsbewijs en de sleutel toe.

'Ik zal me ervan moeten vergewissen dat ze het echt wil, meneer Michelli.' Emmanuel Giordano richtte zich tot haar. 'Mevrouw Michelli, hoe gaat het vandaag met u?'

Ze zei niets. Wat dacht hij wel, dat ze een praatje over het weer met hem ging houden?

Lance schraapte zijn keel. 'U kunt beter alleen ja- of nee-vragen stellen.'

De man knikte en begon harder te praten, alsof haar gehoor plotseling achteruit was gegaan. 'Mevrouw Michelli, wilt u uw kluis openen?'

Ze antwoordde.

De man trok zijn wenkbrauwen op, wiegde een beetje achterover en draaide zich half om. Hij zei vanuit zijn mondhoek: 'Zei ze zojuist wat ik denk dat ze zei?'

Wat? Wat heb ik gezegd?

Lance antwoordde: 'Het betekent ja. De beroerte heeft haar woorden een beetje door elkaar gegooid, maar ze weet wat ze bedoelt.' Op de sceptische blik van de man zei Lance: 'Vraag haar iets voor de hand liggends.'

Meneer Giordano zei: 'Is dit de Fourth Federal Savings Bank?'

Ze had geen idee naar welke bank Lance haar gereden had, maar ze antwoordde.

Lance wreef over zijn mond.

'Het spijt me, maar daar kan ik niets uit afleiden. Ze zegt hetzelfde, maar...'

'Vraag haar iets wat niet klopt.'

Antonia keek hem kwaad aan. Wat was dit? Ze had hem verteld wat ze wilde.

'Is... deze pen groen?' Hij hield een glanzende zwart-met-gouden pen omhoog.

Wat dacht hij, dat ze gek was? 'Nee.'

Weer werden de ogen van de man groot. Hij keek Lance aan.

'Dat woord betekent nee. Het is een soort code. Ze weet wat ze zegt; het zijn alleen andere woorden.'

Waar had hij het over, andere woorden?

Meneer Giordano stak de pen weer in zijn zak en ging verder met zijn ondervraging. Was Frank Sinatra de president? Zaten er zeven dagen in een week? Hij ging maar door. Ze antwoordde steeds feller. *Laat me in die kluis, idioot!*

Lance legde een hand op haar schouder. 'Zo is het wel genoeg, denk ik.'

Meneer Giordano keek verontschuldigend, maar streng. 'Ik ben wettelijk verplicht de integriteit van die kluis en zijn inhoud te beschermen. Ik moet haar ondervragen zonder dat u erbij bent, om er zeker van te zijn dat er geen sprake is van dwang.'

Lance boog zich naar haar toe. 'Is dat goed, nonna? Dat ik even naar de gang ga en u nog een paar vragen beantwoordt?'

Ze wilde niet dat hij wegging. Hij was haar kracht, haar vreugde. Meer nog dan haar zoon, haar Roman. Lance was haar hart. Hij leek zo op Marco. *Marco!*

'Heel even maar.' Hij gaf haar een kus op haar wang. 'Een paar vraagjes nog maar.' Hij deed een stap opzij en liep de kamer uit.

Nonna richtte haar blik weer op de bankier. Waar stond die S in zijn naam voor? Samuele? Salvatore? Sebastiani?

'Mevrouw Michelli, wordt u gedwongen om uw kluis tegen uw wil te openen?'

Wat dacht hij, dat haar kleinzoon een boef was? 'Nee, nee.'

De bankier likte langs zijn lippen. 'Wilt u toegang tot de spullen in de kluis?'

'Ja, dat zei ik, ja!'

Het gezicht van de man vertrok tot een grimas.

Ze sloeg met haar goede arm op de leuning. 'Ja. Ja!'

Hij richtte zich op, forceerde een glimlachje en wenkte Lance weer naar binnen. 'Hoewel het vocabulaire... twijfelachtig is, geloof ik dat de bedoeling duidelijk is.'

O, grazie. Dat had een ezel nog wel kunnen begrijpen.

Hij praatte over haar hoofd heen, maar dat kon haar niet schelen. Ze moest weg uit die bank. Ze sloot haar ogen en zag Arthur Jackson voor zich, zelfvoldaan en glad, papa als een schaduw achter hem. Ze haatte banken, haatte bankiers. Zelfs de geur van geld riep negatieve gedachten op. Waarom was ze meegegaan?

Ze gingen een metalen kamer binnen met wanden die uit laden bestonden. De bankier gebruikte een sleutel en Lance gaf hem de andere. Wat zat er in de doos die de bankier nu uit de kluis haalde en naar het kleine kamertje bracht waar hij haar en Lance alleen liet?

Lance zette de doos op de tafel en keek haar aan. 'Weet u het zeker?'

Ze sloot haar ogen. *Per piacere, Dio.* Ze deed haar ogen weer open. 'Ja.' Ze wist dat de klanken die uit haar mond kwamen niet de juiste waren. Het kon haar niet schelen. Lance kende haar hart.

Maar hij maakte de doos niet open. Hij knielde naast haar neer en pakte haar hand. 'Doe dit niet voor mij, nonna.'

Waar had hij het over? 'O...pen.' Zo. Dat was er goed uitgekomen.

Hij stond op, tilde het metalen deksel op en haalde er het enige uit wat erin lag: een samengebonden bundel papieren. Hij keek er een poos naar en legde ze toen op haar schoot. Haar keel snoerde dicht. Op de eerste bladzijde stond alleen maar: *La mia vita ed il mio amore.*

Hoofdstuk 17

Om het einde te begrijpen, moet ik bij het begin beginnen, de dag dat het allemaal begon. Het was warm en mooi in Sonoma, met een heldere lucht zoals ik zelden gezien had. De aarde rook zwaar en herinnerde me aan de boerderijen in de Bronx, ten noorden van Manhattan, hoewel de jouwe wijnstokken bevatte, genesteld in lichte, golvende heuvels, met wallen van eikenhakhout.

Vogels zongen toen ik het huis naderde, dat er Italiaanser uitzag dan de huizen ernaast. Het was oud, maar goed onderhouden, in een tijd dat verf een luxe was en blik en karton overdekt met jutezakken al een huis genoemd werd, dat mensen zichzelf gelukkig prezen met de huurkamer die hun hele familie onderdak bood, dat warm water en een toilet een stap omhoog in de wereld betekenden.

De mensen die daar woonden behoorden niet tot het kwart van de bevolking zonder inkomen of middelen van bestaan. Maar dat wist ik al. Toen ik op je afliep, terwijl je je tijd zat te verdoen op de schommel, herinnerde ik mijzelf eraan wie ik moest zijn en sprak dienovereenkomstig. 'Ik ben op zoek naar Vittorio Shepard. Woont die hier?' Ik had een bepaald air in mijn toon gelegd en misschien verklaarde dat jouw snibbige antwoord.

'Vittorio Shepard is mijn vader. Wat wilt u van hem?'

Dat waren je eerste woorden tegen mij en algauw zou ik mezelf datzelfde afvragen. Ik maakte kennis met je nonno, Quillan Shepard, daar op de veranda, maar niet met je vader, Vittorio, die ik had leren kennen uit mijn surveillances en uit de informatie die ik over hem had. Daar vertelde ik je niets over, omdat geheimhouding mijn leven was; mijn doel: misleiding.

In het kamertje in de bank hapte Antonia naar adem. *Geheimhouding was mijn leven; mijn doel: misleiding.* Nog meer pijn, nieuwe, onontdekte wonden. Hoe kon er nog meer zijn? Welk gedeelte van haar zou met rust worden gelaten?

'Nonna?'

Ze deed haar ogen open en zag Lance. Hij had de bladzijde niet gezien, kende de woorden niet die sinds Marco's dood in de doos hadden liggen wachten. *Mijn doel: misleiding.*

Niet Marco. Haar hoofd schudde heen en weer.

'Gaat het?'

Ze kon niet antwoorden. Iets in haar schreeuwde: *'Nee!'*

'We kunnen de papieren meenemen en de doos terugzetten. Meneer Giordano staat te wachten om de kluis af te sluiten.'

Ja, ja, meneer Giordano, belangrijke bankier, bewaarder van geheimen. Ze knikte tegen haar kleinzoon, die zoals altijd zijn best voor haar deed. Heel even wilde ze de papieren ook weer wegstoppen. Maar ze bevatten Marco's woorden. *Marco!* En ze kon het niet.

Lance deed de metalen doos dicht en gaf hem weer aan meneer Giordano, waarna hij haar naar buiten reed, terwijl zij de papieren tegen zich aan klemde, die beslist haar hart zouden breken.

Pap stond hen op te wachten bij de deur. Hij moest thuisgekomen zijn om te lunchen en hen vanuit het raam gezien hebben. Lance zocht naar een reden waarom hij nonna mee naar buiten had kunnen nemen, maar pap vroeg er niet naar. Terwijl Lance het pakketje van haar schoot haalde, tilde pap haar uit de rolstoel en liep de trap op.

Sommige gebouwen uit dezelfde tijd hadden een lift, maar het hunne niet. Lance had haar naar beneden gedragen en was van plan geweest haar weer ongemerkt naar boven te brengen, aangezien zijn zussen en hun kinderen naar de dierentuin waren. Het nieuws van hun uitje was waarschijnlijk al als een lopend vuurtje door de buurt, de hele Bronx en een flink deel van Manhattan gegaan. Maar hij was van plan geweest haar weer in bed te hebben voor de familie hun op het spoor was.

Hij keek naar de bladzijden in zijn hand, maar hij las ze niet. De woorden op het voorste vel waren alleen voor nonna, hoewel een blik op haar gezicht toen ze verder las hem bang genoeg had gemaakt om haar zo snel mogelijk uit die bank te krijgen. Hij moest er gewoon op vertrouwen dat ze het juiste deden.

Hij klapte de rolstoel in en zette hem tegen de wand, waarna hij achter pap de trap opliep. Nonna zag eruit als een pop in paps armen. Ze was bijna gewichtloos geweest toen Lance haar naar beneden droeg. Hij had niet beseft hoe broos ze was. Op de een of andere manier was ze oud geworden.

Lance schoof de papieren achter de lamp op haar nachtkastje, terwijl pap haar in bed stopte, in plaats van haar in haar stoel bij het raam te zetten. Hun tochtje naar de bank had haar uitgeput. Hij had nog een dag of twee moeten wachten, maar zodra hij haar de situatie uitgelegd had, had ze het willen afhandelen. Nonna had nooit dingen voor zich uit geschoven, als ze eenmaal een besluit genomen had.

Pap kwam overeind en wreef in zijn nek. 'Wil je een biertje?'

Lance liet zijn verbazing niet blijken. 'Moet u niet terug?'

'Mama voelt zich niet goed, dus ik ben vandaag thuisgebleven.'

Ze waren er de hele tijd geweest. Al die geheimzinnigheid was dus voor niks geweest.

'Hoofdpijn?'

Pap knikte. Mama's migraineaanvallen waren een van de weinige dingen die pap van zijn werk hielden, ook al was hij allang gepensioneerd.

Lance wilde niet meer uitleggen dan nodig was. Maar misschien was het niet goed om hen helemaal in het ongewisse te laten. Als hij terugging naar Sonoma, moest de rest weten wat er aan de hand was met nonna. 'Ja, ik wil wel een biertje.'

Ze gingen naar beneden en zijn vader haalde twee blikjes Budweiser uit de koelkast. Ze gingen tegenover elkaar zitten aan de keukentafel met het kleed met de gele margrietjes dat Lucy in de handwerkles op school geborduurd had. Een halfvolle kan koffie stond op het warmhoudplaatje te verzuren, omdat iemand vergeten was het uit te doen en het mini-tv'tje in de hoek stond zonder geluid aan.

Pap maakte zijn biertje open en nam het blikje in zijn hand. 'Ga je met dat meisje trouwen?'

'Zover ben ik nog niet.' Hij had al twee slag, maar had geen behoefte daar met pap over te praten.

Zijn vader nam een grote slok, ook al was het nog wat vroeg voor bier en was pap geen grote drinker. Misschien moest hij zich moed indrinken om met zijn jongste zoon aan een tafel te zitten. Hij zette het blikje op het kleed. 'Je moet erover nadenken.'

'Goed.'

'Iemand anders kan je anders maken, weet je.'

'Anders? Op welke manier?' Lance maakte zijn blikje open en de nevel uit de aluminium opening fluisterde: *verstandig, verantwoordelijk, waardig.*

'Als je iemand hebt die in je gelooft, geloof je in jezelf.'

Lance keek op van het blikje. Pap had de laatste paar jaar rimpels in zijn voorhoofd gekregen; zijn haar was grijs geworden bij de slapen en in het gleufje van zijn ongeschoren kin. Hij had nog altijd de atletische bouw die hij doorgegeven had aan Tony, grote handen, hard en mild.

De bruine ogen waren noch hard, noch mild, maar ze waren tenminste niet uitdrukkingsloos. Pap keek hem recht aan. 'Het wordt tijd dat je volwassen wordt.'

'Dat probeer ik, pap.'

'Dat moet je niet proberen. Dat moet je doen.'

Lance nam een slok en de scherpe moutsmaak vulde zijn mond.

'Je moet ophouden met vluchten.' Pap leunde over de tafel. 'Het is tijd om te stoppen.'

Lance hield met moeite zijn blik vast.

Paps hand kneep in het blikje. 'Je kunt Tony niet terugbrengen.'

Lance schoot met een ruk opzij en sloot zijn ogen. Paps stoel kraakte toen hij achteroverleunde en wachtte. Uiteindelijk zei Lance: 'Wat wilt u, pap?'

Zijn vader zuchtte, want wat hij wilde zou hij nooit meer kunnen krijgen. 'Dit gaat om jou. Waar je zou moeten zijn; wat je zou moeten doen.'

Lance wreef met een langzame boogbeweging over zijn kin, op en neer met de muis van zijn duim. Waar hij zou moeten zijn en wat hij zou moeten doen; daar ging deze week in Belmont nu juist om. Hij had Rese meegenomen als katalysator tussen zijn verleden en zijn toekomst. Ze waren hier al langer gebleven dan hij verwacht had. Ook al hadden ze de volgende week geen reserveringen, hij had gedacht dat ze dan terug zouden zijn om plannen te maken; niet dat ze nog steeds verwikkeld zouden zijn in de Michelli-drama's waar hij weer tegen wil en dank bij betrokken raakte, alsof hij nooit weg geweest was.

Hij nam zijn besluit. 'Het zal niet hier zijn.'

'Waar dan?'

'In Sonoma, in nonna's huis.'

Pap fronste zijn wenkbrauwen. 'Welk huis?'

En dus vertelde Lance het hem. Over Conchessa, de villa, de kelder waar hij nonno Quillan gevonden had, de brief. 'Zou nonno Marco een federaal agent kunnen zijn geweest? Geheim agent?'

'Ik weet het niet.' Pap liet het blikje met een plof vallen. 'Hij was...' Hij kauwde op zijn onderlip, dronk toen de rest van zijn bier op en gooide het blikje in de richting van de vuilnisbak in de hoek. Het ketste tegen de muur en viel in de bak. 'Misschien was hij wel geheim agent.'

'Maar hij was politieagent, dat wist iedereen. Je bent geen geheim agent in een uniform van de New Yorkse politie.'

'Dat was later. Daarvoor- maar daar weet jij natuurlijk niks van.'

'Waarvan, pap? Vertel het me.'

'Voor jij geboren werd. Toen ik jong was, deed hij iets anders, iets waardoor hij soms weken van huis was. Maanden. Af en toe was hij een paar dagen thuis.' Pap trok een rimpel in zijn voorhoofd. 'En soms... soms leek het zelfs of hij zelf niet wist wie hij was.'

'Dat kan ik me niet herinneren.'

'Mama zei dat hij moest reizen voor zijn werk, maar op een keer zei ze dat hij in Chicago was en toen zag ik hem bij de school staan kijken. Hij zag eruit als een zwerver en hij keek me na tot ik in de bus zat.'

Lance keek zijn vader onderzoekend aan. 'Waarom stond hij alleen maar te kijken? Waarom praatte hij niet met u of reed hij met u mee met de bus?'

'Het was alsof hij op wacht stond, maar niet wilde dat ik wist dat hij daar was.' Pap zette zijn duim tegen zijn tanden, beet een stukje nagel af en spuugde het uit. 'Ik vroeg hem er later naar en toen maakte hij er een grapje van. 'Denk jij dat je pap een zwerver is?' Toen begon hij met me te stoeien en na dat stoeipartijtje was ik er niet meer zo zeker van of ik hem wel gezien had.'

Nonno had misschien willen weten of zijn zoon veilig bij de bus kwam, maar waarom die vermomming? Tenzij hij betrokken was bij iets wat zijn zoon in gevaar had kunnen brengen en hij zijn ware identiteit niet bekend mocht maken door hem openlijk te benaderen.

'Later vroeg ik me af of hij soms de bloemetjes buiten ging zetten of zich ging bedrinken of zo. Maar... dat leek ook niet te kloppen.'

'Zou hij zich met zulke geheime opdrachten bezig gehouden dat zelfs nonna het niet wist?'

Pap haalde zijn schouders op. 'Als je in die tijd de verkeerde persoon de voet dwarszette, dan kon je niet alleen zelf in de rivier belanden, maar ook je hele familie.'

Nu had pap het over dingen die in films voorkwamen, de Corleones en Scarface. Maar Lance dacht aan de dossiers die in Vittorio's kelder verzameld waren. 'Denk je dat nonno de maffia infiltreerde?'

'Niet de maffia, idioot.'

En toen drong het tot hem door. 'De Camorra, de Napolitaanse broederschap? Maar dat waren zijn eigen mensen.'

Pap keek hem kwaad aan. 'Dat zijn nooit zijn eigen mensen geweest. Napels is Sicilië niet. De Camorra diende alleen zichzelf.'

'Dus nonno...'

Pap sloeg met zijn hand plat op de tafel. 'Ik weet het niet, oké? Misschien is hij er door zijn connecties bij betrokken geraakt.'

Lance had geweten dat er banden waren. Mama had weleens voor de grap gezegd dat ze in de 'familie' getrouwd was. Hij kon zich niet voorstellen dat nonno betrokken was bij zaken van de Camorra, maar zou hij een dubbelleven kunnen hebben geleid?

'Zou dat niet erger zijn, als ze erachter zouden komen?'

Pap haalde zijn schouders op. 'Dood is dood. Ik denk dat ze er nooit achter gekomen zijn.'

Maar wat had dat te maken met Arthur Jackson? Het was duidelijk dat hij geen Camorra was, hoewel de bank een dekmantel zou kunnen zijn geweest. Of misschien had het er helemaal niets mee te maken.

'De vraag is...' Pap keek naar het plafond, alsof hij zijn moeder boven kon zien. 'Waarom is ze hiermee naar jou gekomen?'

'Er was er maar één die niets belangrijks te doen had.' Waarom maakte hij het zijn vader zo makkelijk om de open deur in te trappen?

Maar pap ging er niet op in. Hij keek hem een hele poos aan en zei toen: 'Ze vertrouwt je.'

Verbaasd slaakte Lance een zucht. 'Ik weet niet hoe ze het opvat dat ik u dit allemaal zit te vertellen.'

'Ze is goed in het bewaren van geheimen.'

'Ik denk dat ze het niet wist – van nonno, bedoel ik. Ze nam het nieuws niet zo goed op.'

Pap trok een rimpel in zijn voorhoofd. 'Raakte ze daardoor zo van streek?'

Lance liet zijn schouders hangen. 'Ik dacht er niet bij na. Ik vertelde haar alleen wat ik ontdekt had.'

Zachtjes mopperend stond pap op en liep naar de gootsteen. Hij leunde zwaar op zijn handpalmen, met zijn hoofd naar beneden en zei toen: 'Zulke dingen gebeuren nu eenmaal. Je kon het niet weten.'

Lance kreeg een brok in zijn keel. Vergeving? Van pap? 'Wat moeten we nu doen?'

Zijn vader schudde zijn hoofd. 'Denk je dat ik God ben of zo?' Zijn stem klonk scherp genoeg om te weten dat het gesprek wat hem betreft voorbij was. Maar het was meer dan ze in lange tijd tegen elkaar gezegd hadden.

Rese keek op van de plint langs de muur, toen Lance binnenkwam. 'En?'

'We zijn binnengekomen.'

'En?'

'Het enige wat erin lag was een soort brief, of een dagboek, gericht aan nonna. Ik weet niet waarom nonno het niet gewoon aan haar gegeven heeft.'

Omdat dat voor de hand liggend en logisch zou zijn. Het veronderstelde dat mensen deden wat anderen van hen verwachtten. 'Wat stond erin?'

'Dat weet ik niet. Op de voorkant stond het zinnetje dat ze alleen tegen elkaar zeiden en tegen niemand anders. *La mia vita ed il mio amore.*'

De woorden klonken lieflijk, zoals ze uit zijn mond kwamen, vooral omdat hij ze zo zacht en zangerig uitsprak. Maar ze wist niet wat ze betekenden.

'Mijn leven en mijn liefde', antwoordde hij voor ze het vroeg. Toen keek hij naar wat ze aan het doen was.

'Dit stuk trekt krom, daarom komt de plint van de muur af.'

'Je hoeft het niet te repareren.'

Misschien niet, maar terwijl hij weg was om nonna's problemen op te lossen en Rico weg was om Star te zoeken, moest ze iets te doen hebben. 'Ik heb beneden in de kast wat gereedschap gevonden. Schroeven houden beter dan spijkertjes en met al die lagen verf zullen ze in het hout wegvallen. Met een extra likje verf zie je er niets meer van.'

Er speelde een lachje om zijn mond. 'Verveel je je?'

Ze ging op haar hurken zitten. 'Rico zei dat hij een idee had waar Star zou kunnen zijn.'

Lance keek uit het open raam, dat het warme blok zonlicht op de grond vormde waar ze zat, en dat een beetje frisse lucht binnenliet. 'Zei hij ook waar?'

'Nee.' Misschien had ze het moeten vragen, maar Rico leek niet open te staan voor vragen. 'Hij was behoorlijk gespannen.'

Lance fronste zijn wenkbrauwen. 'Is Chaz met hem meegegaan?'

Ze schudde haar hoofd. 'Hij werd gebeld om te komen werken.'

De frons op Lances voorhoofd werd dieper. 'Blijft ze meestal in de buurt? In de stad?'

'Ze zou overal kunnen zijn. Ze kan zich heel goed verstoppen.' Ze was een kei in afleidingstactieken. 'Een echte boeienkoning.' *Maar waarom was ze er dan niet vandoor gegaan voor mensen achter haar aan kwamen? Waarom glipte ze nadien weg om op Reses schouder uit te huilen?* Ze schudde haar hoofd. 'Ook al heeft hij een idee waar ze heen gegaan is, dan nog betwijfel ik of hij haar zal vinden. Star is een vrije vogel, Lance. Er is werkelijk niets wat haar hier houdt.'

Lance stak zijn duimen in zijn broekband en drukte zijn schouderbladen tegen elkaar. 'Hoe lang is Rico al weg?'

Rese keek op haar horloge. 'Bijna een uur.'

Hij liet zijn adem langzaam ontsnappen. 'Hoe groot is de kans dat ze alleen is?'

Behalve als ze zichzelf opsloot in haar kamer om dagenlang te slapen of te huilen, vond Star het vreselijk om alleen te zijn. 'Ik denk dat ze bij iemand is. Maar dat is geen misdaad.'

'Nog niet. Rico is op straat opgegroeid. Die lost dingen op zijn eigen manier op.'

Ze legde de schroevendraaier neer en zette haar handen op haar bovenbenen. 'Hij is geen misdadiger.'

'Iedereen kan een misdadiger worden als hij maar voldoende geprovoceerd wordt.' Lance leunde met zijn heup tegen het raamkozijn. 'Ik weet niet wat voor macht Star over hem heeft, maar het is niet normaal.'

Er ging een rilling door haar heen. Als Lance zulke dingen zei, klonken ze volkomen geloofwaardig. En Star had inderdaad iets wat de mannen met wie ze omging verstrikte en deed ontvlammen. Het was niet goed geweest dat Maury haar had mishandeld, maar Rese vermoedde dat de tijd met Star hem ook littekens had bezorgd. En zoals Lance zei: mensen konden tot het uiterste gedreven worden.

Zijn hoofd schoot weer met een ruk naar het open raam bij het geluid van Rico's motor, onmiskenbaar boven het andere verkeer uit, niet al te dichtbij, maar snel en boos. Het gebrul van de slecht gedempte motor werd gevolgd door het rauwe geluid van gierende remmen en schurend metaal. Lance drukte zijn neus tegen het glas om de kruising te kunnen zien en rende toen naar de deur.

Rese krabbelde overeind en probeerde te zien wat hij gezien had, maar het kruispunt stroomde vol mensen. Ze rende achter Lance aan, de trap af en de straat op. Op de hoek hurkte Lance al naast Rico neer, die bloed en scheldwoorden uitbraakte. Een golf van opluchting stroomde door haar heen, maar toen rook ze de geur van verbrand rubber en bloed. De aanblik van Rico's arm verlamde haar met wazige beelden van een andere met bloed doordrenkte arm, het gegil van pa en haarzelf.

Terwijl hij Rico bij zijn schouders vasthield, trok Lance zijn mobieltje uit zijn zak en gooide het haar toe. 'Bel een ambulance, Rese.'

Rico vloekte. Ze bewoog niet.

'Rese.'

Terwijl haar hart in haar oren bonkte, pakte ze het mobieltje aan en dwong zichzelf na te denken. 9-1-1. Rode en blauwe lichten;

pa die haar naar buiten droeg. Rode en blauwe lichten; pa die lag te bloeden in haar armen. Doodbloedde.

'Kunt u mij vertellen wat er aan de hand is?'

'Er is een ongeluk gebeurd.' De stem klonk vast en beheerst. Het duurde even voor ze besefte dat het haar eigen stem was. Ze beschreef de situatie en Rico's toestand zo goed ze kon. Was hij bij kennis – ja. Bewoog hij – ja.

Ze zocht de kruising af en noemde de straatnamen. Toen ze het telefoontje beëindigde, kwamen de gezichten om haar heen in beeld. Oud en jong, donker en licht en daartussenin. 'Ze komen eraan', zei ze tegen Lance, waarna ze op haar hurken ging zitten, met het mobieltje op haar schoot. 'Wat is er gebeurd?'

'Een kerel reed door rood. De remmen van de motor waren niet zo goed meer.'

Ze sloot haar ogen en herinnerde zich maar al te goed hoe hard Lance op diezelfde motor gereden had – met haar. 'Is hij op zijn hoofd terechtgekomen?' Ze had het ook aan Rico kunnen vragen, maar die zat op zijn tanden te bijten van de pijn.

'Hij was slim genoeg om hem af te rijden.'

'Af te rijden?'

'Een ervaren motorrijder laat zijn motor nooit los bij een botsing. Er treedt juist vaak hoofdletsel op, als de berijder loslaat en de lucht in vliegt. Rico is met de motor onderuitgegaan.'

En zo te zien had zijn arm het eerst de grond geraakt. Er klonk een jankende sirene. Steeds dichterbij en harder. Haar maag kwam in opstand. Ze dwong haar gedachten terug naar Rico. De wrijving van het wegdek leek de wond te hebben dichtgeschroeid, of misschien was dat de manier waarop een arm bloedde als de slagader niet doorgesneden was. Hevig slikkend verdrong ze de herinnering aan haar eigen glibberige pogingen om een slagaderlijke bloeding te stelpen.

Harder. Dichterbij.

Rese dwong zichzelf naar Rico te kijken, te beseffen dat zijn leven niet op de straat wegstroomde, ook al stak zijn bot door zijn arm naar buiten en moest de pijn vreselijk zijn. Het geluid van de sirene ging haar door merg en been. De gierende remmen van de brandweerauto en de zwaailichten drongen tot haar door, hoewel ze haar gezicht afgewend hield en de uitlaatgassen proefde, die in de lucht bleven hangen.

Lance maakte plaats toen het ambulancepersoneel het overnam. Hij trok haar tegen zich aan, terwijl Rico protesteerde omdat hij op een rugplank gelegd werd. Nog meer sirenes. Rico richtte zich tot de politieagenten die op het toneel verschenen en zei iets in het Spaans.

'Wat zei hij?'

Lance zei zachtjes: 'Hij wil dat ze de schoft gaan zoeken die hem van de weg gereden heeft, zodat hij hem zijn strot af kan snijden.'

Rese keek over haar schouder. Lance verzon het niet. 'Het valt wel mee, dus.'

'Zijn arm ziet er niet best uit.'

Het was geen prettig gezicht, maar de hand zat er nog aan. Net als bij Chaz' vriend Ubaiah was het maar hoe je er tegenaan keek.

Lance had zijn arm om haar middel geslagen en hield haar tegen zich aan toen de agent verder ging met zijn vragen. Als Rico zelf ook afgeremd had bij de kruising, kon zijn snelheid nooit zo hoog zijn geweest. Maar wat ze vanuit het raam gehoord had, had niet geklonken als afremmen. Waarschijnlijk hadden ze allebei het stopbord genegeerd.

Nog meer sirenes. Er was een ambulance gebeld. Konden ze hem niet gewoon te voet naar het ziekenhuis brengen? Hem in een patrouillewagen zetten en die paar straten rijden? Maar ze wist dat ze geen risico zouden nemen met mogelijk rug- of nekletsel. Rode en blauwe lichten sneden door haar gezichtsveld. Lance pakte haar nog steviger vast en misschien kon ze daarom haast geen adem meer halen. Ze moest wel naar de brancard kijken als ze Rico niet wilde negeren. Dus dwong ze zichzelf om te kijken toen ze hem met de rugplank op de brancard tilden.

Ze kon bijna voelen hoe het zuurstofmasker tegen haar gezicht gedrukt werd toen ze het over Rico's gezicht trokken, de zoete zuurstofrijke lucht ruiken die hij inademde. Zij had het kunnen zijn die daar in die ambulance gestopt werd. Het had Lance kunnen zijn. Maar ze werd niet licht in haar hoofd. Alles werd uiterst helder, gedachten regen zich aaneen als de schakels van een ketting. Nuttige tegenslag. Als Star niet weggegaan was, zou Rico niet zijn gaan zoeken. Als Rico geen ongeluk had gehad, zouden zij en Lance er misschien met de motor op uit zijn gegaan. Slechte remmen. Slechte... remmen.

Was er een reden voor dit ongeluk dat misschien helemaal geen ongeluk was? Zat er een betekenis en een doel achter alle slechte dingen – nee, achter *alles*?

Hoofdstuk 18

Lance wachtte tot Rese zou instorten, maar dat gebeurde niet. Toen de ambulance Rico naar het Sint-Barnabasziekenhuis bracht, liet hij zijn greep verslappen. 'Gaat het een beetje?'

Ze keek hem aan. 'Ja.'

Hij nam haar onderzoekend op en liet haar toen los, terwijl zijn eigen angst wegebde. Rico was in goede handen en er was nu maar één ding dat hij moest doen. Lance vroeg de agent op de kruising toestemming de motor mee te nemen.

De schade leek mee te vallen en Rico zou graag willen dat hij gemaakt werd. Hij had de Kawasaki zelf gestript door alles wat er niet per se op hoefde te zitten eraf te halen. En hij had gedurende de afgelopen jaren alle reparaties uitgevoerd die het ding aan de praat hielden. Maar Lance deed geen poging hem te starten. Als hij het in zijn hoofd haalde om erop te gaan rijden, zou Rese hem kiel-halen.

Ze kwam naast hem staan. 'Wat ben je aan het doen?'

'Ik breng hem naar huis.'

Haar mond viel open. 'Je denkt toch niet dat Rico daar ooit nog op zal rijden, hè?'

Hij liep met de motor om de geparkeerde auto's heen. 'Misschien niet.' Maar Rico zou zijn uiterste best doen om hem te maken.

'Hij had wel dood kunnen zijn. *Wij* hadden wel dood kunnen zijn.'

Het verbaasde hem niet dat ze die conclusie getrokken had. Hij had niet over de remmen moeten beginnen. Rico had de motor waarschijnlijk laten razen en het stopbord genegeerd – in zijn ogen waren verkeersborden meer een suggestie dan een bindende regel. Als hij boos of teleurgesteld was, kreeg Rico een waas voor zijn ogen, ging hij risico's nemen. Maar die uitleg zou niet helpen. Rese zou hetzelfde van hem kunnen zeggen.

'Wij zijn niet doodgegaan en Rico ook niet.' Hij had zichzelf hoofdletsel bespaard door een schuiver te maken, maar zijn arm zag er niet best uit. Hij had beter een been kunnen breken, twee benen zelfs. Rico's armen vormden zijn levensonderhoud, zijn identiteit. Als hij niet meer zou kunnen drummen... Lance schudde zijn hoofd. *O, nee, Heer.* Niet nog meer verdriet om mensen die hij liefhad. Hij had zijn portie wel gehad. Toen ze bij het binnenplaatsje kwamen, zette hij de motor in het schuurtje.

Rese drukte een hand tussen haar wenkbrauwen. 'Hij had wel hersenletsel kunnen hebben.'

'Zijn hoofd is niet geraakt. Het was geen botsing.'

'Hij heeft een smak op straat gemaakt!'

Het begon eindelijk tot haar door te dringen. 'Hij mankeert niks, Rese.' Ze zouden voor de zekerheid een CT-scan of een MRI-scan maken, maar het zou allemaal in orde zijn. *Rico zal in orde zijn, Heer.* Omdat Rico als een broer was en Lance niet van plan was nog een broer te verliezen. *O, nee. Geen sprake van!*

Het begon ook tot hem door te dringen.

'Beloof me dat je nooit meer op dat ding stapt.'

Lance keek van haar naar de gewraakte motor. Aangezien 'dat ding' Rico's motor was, zei hij: 'Beloofd', en voegde er, voor ze de eis kon uitbreiden, aan toe: 'We moeten naar het ziekenhuis.' Bij die gedachte balde zijn maag zich samen. 'Ik ga op zoek naar een auto. Ik denk niet dat Rico zin heeft om naar huis te lopen.'

Dacht hij nu echt dat ze een pleister op zijn arm zouden plakken, hem een lolly zouden geven en hem naar huis zouden laten gaan? Het beste scenario: gips en een mitella – en een Rico die niet kon bewegen – was een angstige gedachte. Hij was een en al beweging. Hij dacht in ritme. Hij ademde op de maat.

Ze reden in Sofies Dodge naar het ziekenhuis. Het nieuws had de ronde gedaan en er had vast al iemand Rico's moeder gebeld, maar Lance zag haar niet. Rico's oudere zus Gabriella kwam langs, maar verder niemand van zijn directe familie en terwijl de uren verstreken en Rico van de eerste hulp naar de operatiekamer gebracht werd, bleef zelfs Gabriella niet. Dat maakte niet uit. De hele wijk zou daar zitten als het ziekenhuis ze binnen zou laten.

Rico kon goed tegen pijn. Aan zijn gescheld en getier te horen, was hij vooral bezorgd over het effect van de verwonding op korte en lange termijn. Als hij zijn arm niet meer zou kunnen gebruiken, zou dat Rico's dood betekenen. Lance voelde een knoop in zijn maag, zoals wanneer hij zich moest opmaken voor een gevecht. *Deze keer niet, Heer.*

Maar de eerste informatie die ze kregen was positief. Wat verrekkingen en kneuzingen, maar geen hoofd- of rugletsel. Hij had behoorlijk hard op zijn tong gebeten, maar er waren geen inwendige bloedingen. Dus nu wachtten ze op bericht over de arm. Rico moest zijn arm uitgestoken hebben om de schuiver onder controle te houden, zoals ze weleens gedaan hadden met motorcrossen. Maar dat kon je op straat niet ongestraft doen.

Lance zat voortdurend te bidden en zond de nodige smeekbeden op. Rese had alle tijdschriften doorgebladerd, van *Golf Digest* tot *Sunset*, terwijl ze niet eens van lezen hield. Dit was me het reisje wel.

Mama kwam binnen met Sofie. 'Hoe erg is hij eraan toe?'

'U kunt maar beter gaan koken.'

Ze liet zich op een stoel zakken. 'Ik dacht dat hij alleen zijn arm gebroken had.'

'Het is alleen zijn arm, maar het is heel erg.'

Ze schudde haar hoofd. 'En hij zit zonder verzekering en zonder baan.'

Mama kwam altijd meteen met het ergste op de proppen. 'Rico heeft wel een baan; het is alleen geen gewone baan. En je hebt er allebei je armen voor nodig.'

Mama drukte haar handen tegen haar wangen, alsof het nu pas tot haar doordrong dat Rico niet met één hand kon drummen.

'Maak het nou niet nog erger voor Rico. Als hij uit het ziekenhuis komt, begin dan niet over geld of over de toekomst. Het zal al moeilijk genoeg zijn voor hem om een poosje zijn arm niet te kunnen bewegen.'

'Goed, goed. Denk je dat ik dat niet weet?'

Ze wist het misschien wel, maar ze deed het toch altijd. Voor het geval iemand zich niet bewust was van de ellende waarin hij verkeerde, beschreef ze die in geuren en kleuren. Maar er ging liefde en bezorgdheid achter schuil; dat wist Rico wel.

Na een poosje stond Sofie op. 'Ik moet iets eten.' De urgentie in haar stem was ongetwijfeld een reactie op een lage bloedsuikerspiegel door een te lange periode zonder voedsel. Als ze aan het werk was geweest of had zitten studeren, had ze misschien de hele dag nog niet gegeten.

Mama sprong op. 'Ik heb gehaktballen in de oven staan.'

'Sinds wanneer?' Lance rilde.

'Sinds ik ze erin heb gezet. Komen jullie straks maar langs voor een boterham.'

Hij knikte. 'Ja, goed, mama.'

Ze draaide zich om. 'Rese, kom jij nu maar mee naar huis.'

Hij keek even opzij om te zien of ze begreep wat dat inhield. Alleen familie ging naar huis.

Rese ving zijn blik, maar leek het erger te vinden om hem alleen te laten dan om met mama mee te gaan – nog een teken dat hun koffiepraatje beter gegaan moest zijn dan Rese had laten merken. Ze was boven gekomen en had meteen gezegd dat ze niet van plan was de *two-sided break with man wrap* te leren. Maar ze was niet gekwetst.

Hij kneep even in haar hand. 'Ga maar. Ik blijf nog even bij Rico als hij wakker wordt.'

Niet lang nadat ze weggegaan waren, mocht hij de uitslaapkamer in. Hij haakte zijn vingers in die van Rico's goede hand. 'Hoe is-ie, *mano*?'

Rico knikte en keek toen naar de arm, die strak over zijn borst gebonden was. Hij zat niet in het gips, maar de arm was vanaf de elleboog tot de pols verbonden. Een verpleegster bracht een bekertje met wat ijsschaafsel en lepelde er wat van in Rico's mond, waarna ze Lance het bekertje gaf. Toen ze wegliep, zei hij: 'Wat denk je ervan: zullen we 'm smeren?'

Rico glimlachte, maar zijn gezicht vertrok in een grimas en hij sloot zijn ogen. Misschien nog maar niet.

Na een poosje kwam de chirurg, die uitlegde wat hij gedaan had. De pols was er het ergste aan toe, die had hij met een aantal pinnen vast moeten zetten, en de schroeven en moeren die de gebroken ellepijp op zijn plaats moesten houden, kon Lance uit Rico's arm zien steken. Zoveel metaal was haast bionisch. 'Jij komt niet meer door de detectiepoortjes op het vliegveld, kerel.'

Rico's mond vertrok in een grijns, maar toen viel hij weer in slaap. Misschien was hij morgen in voor een geintje – of niet. Lance ging weg toen hij naar de afdeling gebracht werd en voegde zich even later bij de rest aan mama's keukentafel, waar het hoofdgerecht bestond uit hoeveel erger het ongeluk had kunnen zijn, opgediend met verhalen over andere keren dat het op het nippertje goed was gegaan, vooral bij hem en zelfs bij Tony. Het ene ongeluk riep het andere op in mama's keuken, tot Lance er bijna in stikte.

Hoe was het mogelijk dat er zoveel nare dingen gebeurden in één familie? Natuurlijk was het refrein: 'Het had erger kunnen zijn. Hij had wel dood kunnen zijn, net als die arme Tony. Zo zonde.' En tranen zouden de herinnering kruiden.

Hij moest daar weg. 'Het komt wel weer goed met Rico', zei hij. Toen kwamen alle schouderklopjes en aaien over zijn bol ter geruststelling voor Lance, die het veel te zwaar opnam.

Chaz zou het een geestelijk tintje hebben gegeven: hij moest een beschermengel bij zich gehad hebben, die de auto tegengehouden had. Wat een wonder dat hij niet op zijn hoofd terecht was gekomen. Maar Chaz had het nog niet eens gehoord, voorzover Lance wist. Hij moest tot diep in de nacht werken in het luxe restaurant in Manhattan, dat half Jamaica onderhield door zijn lange werkdagen, en zou nietsvermoedend thuiskomen.

Chaz had niet gebeden tijdens de operatie, had God niet gevraagd om de handen van de chirurg te leiden, om Rico's botten recht te zetten, om zijn geest te sterken. Chaz was niet in het bos toen de boom viel. Wat de vraag deed rijzen: waar was God? Ver weg en onverschillig? Of had Hij ieder woord dat Lance zei gehoord en zijn daden afgewogen?

Lance schudde zichzelf door elkaar. Wat waren dat voor rare gedachten? De God die hij diende, de God die hij liefhad, was niet zo. Het was zijn eigen verstand dat tekortschoot. Maar zijn verstand schoot al een hele tijd tekort.

Bobby en Lou waren naar het sportveldje gegaan. De kinderen waren het gesprek al veel eerder beu geworden en waren voor de tv in de woonkamer gaan zitten. Van die keuzes werd Rico net zomin beter als van het eindeloos oprakelen van alle tegenslagen in het leven. Hij keek naar Rese.

Ze had bijna niets gezegd. Ze wist niet hoe ze zich boven een ander uit in het gesprek moest mengen, wist niet dat volume gelijkstond aan voorrang. Dat was bovendien sowieso niet haar manier van doen. Brad zei dat ze na de dood van haar vader wekenlang geen woord gezegd had. Dit was lang zo erg niet, Rico was niet dood en had zijn arm niet verloren. En ze kon het aan. Maar hij moest haar hier weghalen. Hij moest hier weg.

Hij stond op, kuste mama, Sofie en Monica. Lucy's wang was nat van tranen – zij was de huilebalk, door hem ook wel Kraantje Lek genoemd in zijn minder vriendelijke momenten. Pap zat zwijgend aan zijn kant van de tafel en Lance ging hem uit de weg. De rest vond troost in het uitspreken van Tony's naam, waardoor ze hem erbij hielden, levend hielden. Pap niet.

Lance vlocht zijn vingers door die van Rese toen ze de trap opliepen en het lege appartement ingingen. Geen Chaz, Rico of Star. Alleen zij tweeën, een situatie die hem had kunnen opwinden, aan had kunnen zetten tot gedachten waar hij zich beter niet door kon laten leiden. Gelukkig was zijn stemming te somber voor verleiding en Rese snakte ongetwijfeld naar rust. Hij gaf haar een kus op haar wang, net zoals hij bij zijn zussen gedaan had en sloot de deur van de slaapkamer achter haar.

Ze hadden nauwelijks gepraat in het ziekenhuis, geen woord tegen elkaar gezegd bij mama. Hij wist niet wat ze dacht, wat ze voelde. Maar hij was zich sterk bewust van alle andere pijn in de wereld. Paps verdriet greep hem aan. Mama's angsten verstrikten zijn gedachten, haar behoefte om hen in de buurt te houden, alsof ze zo kon voorkomen dat er nog iemand gewond zou raken of dood zou gaan. Wist ze niet dat ze maar pionnen waren?

Jobs hele familie was in één klap weggevaagd, zodat God kon zien wat hij zou doen. Lance pakte zijn hoofd beet. *Hou op. Ga weg.* Hij had eerder zo'n soort duisternis meegemaakt. Gods wegen waren hoger dan zijn wegen. Hij kon geen menselijke motieven toeschrijven aan de Heer. En hoe zat het dan met Rico's keuzes? Het werd een puinhoop als er mensen bij betrokken waren.

Rese kwam in haar pyjama de slaapkamer uit en ging naast hem op de bank zitten. 'Gaat het een beetje?'

Of het goed met hem ging? Daar kon hij niet zo een-twee-drie antwoord op geven. 'Ik zat gewoon na te denken.' Hij had geen troost verwacht. Hij had gedacht dat haar eigen angsten en herinneringen haar bezig zouden houden en had schuldbewust vermeden die aan te roeren. Er was genoeg verdriet opgehaald voor één avond.

Ze trok een knie op en sloeg haar armen eromheen. 'Als jij mocht kiezen wat je wilde zijn, wat zou je dan kiezen?'

Hij had veel verwacht, maar dat niet. Maar ze had haar open, lieve gezichtje al naar hem toegewend en verwachtte duidelijk een antwoord. 'Behalve jouw compagnon zijn?'

'Wat je maar wilt.'

'Korte stop bij de Yankees.'

Ze rolde met haar ogen. 'Echt iets voor jou.'

'Ik neem aan dat jij iets beters hebt?'

'Een walvis.'

'Wat?' Hij schoot in de lach.

'Waarom niet?' Ze legde haar kin op haar knie. 'Bedenk eens hoe vredig het zou zijn onder al dat water, hoe eenvoudig.'

'Een beetje gestrest?'

Ze haalde haar schouders op.

'Rese Barrett een walvis. Daar kan ik met mijn verstand niet bij.'

Ze richtte zich op. 'Mam en ik deden of we allerlei soorten dieren waren.'

'O ja, de worm.'

'Het waren vaker vliegende beesten. Of zeemeerminnen. Onderwaterdieren.' Ze slaakte een zucht. 'Dat waren goede tijden.'

Hij sloeg zijn arm om haar heen. 'Daar ben ik blij om.' Hij vond het fijn dat ze bleef zoeken naar het goede in iets wat haar zoveel pijn had gedaan. Net zoals hij zou moeten doen. Zoals hij altijd deed.

Ze leunde met haar hoofd tegen hem aan. 'Als Rico gestorven was, zou je God dan nog liefhebben?'

Zijn hart maakte een rare slinger. Gedachten aan een niet-reagerende, niet-ademende Rico hadden door zijn hoofd gespookt toen hij naar de hoek rende. In een oogwenk verdwenen. Eén verkeerde keuze – of gewoon Gods wil. 'Daar kan ik niet over nadenken.'

Ze knikte. Ze wilde het laten rusten, maar toen zei hij: 'Ik denk niet dat ik God zou kunnen haten. Sommige mensen worden boos en keren zich af, maar dan zou ik het gevoel hebben dat ik Rico de rug toekeerde, of jou. Ik heb dat gewoon niet in me.'

'Waarom wil je dan altijd weg als het moeilijk wordt?'

Hij dacht daarover na, omdat hij wilde dat ze het begreep. 'Het lijkt op vluchten en ik heb inderdaad kilometers en snelheid en afstand nodig. Maar eigenlijk is het zoeken, proberen dichterbij te komen. Ik weet dat het stom klinkt.'

'Het is niet stom, Lance. Zo ben je gewoon. Je wilt dichtbij zijn.'

'Soms móét ik gewoon weten waarom, zien hoe, begrijpen *wat* God denkt! Ik wil in zijn huid kruipen.' Hij verwachtte niet dat ze het zou begrijpen. Hij had nog nooit iemand ontmoet die het begreep. Zelfs Chaz had niet dat verlangen om God bij de enkel te grijpen en met Hem te worstelen.

Lance trok Reses hoofd tegen zich aan en vroeg zich af wat ze zou doen als hij haar zou kussen zoals hij zou willen. Ze gaapte. Over een paar tellen zou ze opstaan en de deur tussen hen dichtdoen. En daarom greep hij de kans die hij had met beide handen, en zijn lippen, aan. Zoetheid. Dodelijke zoetheid.

Lance kuste haar alsof hij nooit meer de kans zou krijgen. Hij bracht zijn zorgen om Rico en alle andere opgekropte gevoelens over op haar lippen en Rese reageerde hartstochtelijk. Ze had hem willen troosten, misschien een beetje willen afleiden. Maar nu begreep ze zijn behoefte aan nabijheid, zijn verlangen om aan te raken, contact te maken, één te zijn met een ander wezen. *Ja.*

Het was misschien niet iets waar ze van nature toe geneigd was, of misschien ook wel. Misschien had ze alleen Lance nodig gehad om haar te doen ontwaken. Het verlangen sloeg door haar heen. De tijd deed er niet meer toe. Ze had zich nog nooit zo gevoeld, zo volkomen verteerd door passie.

Lance kuste haar hartstochtelijk, maar trok zich toen kreunend terug. 'Van die bank af. Ga naar bed, Rese, anders sta ik niet voor de gevolgen in.'

Ze schrok, maar toen zag ze de spanning die zijn handen deed trillen. Hij keek op toen ze opstond. 'Het spijt me. Maar jij bent meer dan een streepje op mijn muur. Ik wil dit op de juiste manier aanpakken.'

Ze begreep het, maar zelfs nu zou ze toegeven als hij zijn armen naar haar uitstrekte.

Hij haalde zijn vingers door zijn haar. 'Ik had er niet mee moeten beginnen. Het spijt me.'

'We hebben dit eerder meegemaakt.' Vanaf het allereerste begin was er iets tussen hen geweest. Aanvankelijk had dat haar vijandigheid aangewakkerd, maar maar al te gauw was het een bindmiddel geworden, dat geen enkel oplosmiddel kon verbreken.

Hij knikte. 'Wil je me een klap op mijn kop geven met een schop?'

'Dat doe ik niet meer.'

Hij glimlachte zuur en pakte haar hand, die hij met zijn ogen en vingers bestudeerde. 'Ik ben er beroerd aan toe, Rese.'

'Ik ook.' Ze kon niet geloven dat ze het toegaf, maar hij wist het al.

Hij bracht haar knokkels naar zijn lippen. 'Ga alsjeblieft weg.' Maar hij liet haar niet los.

'Dan zul je me eerst moeten loslaten.'

'Daar zit ik moed voor te verzamelen.'

Ze haalde bevend adem. 'Dat kun je dan maar beter snel doen.'

Hij kreunde weer en liet haar los. 'En doe de deur op slot', riep hij toen ze bij haar kamer was.

Dat deed ze, maar de deur van de badkamer deed ze niet op slot en ze vroeg zich af of hij die zou proberen te openen, zoals ze hoopte.

Hoofdstuk 19

Verdriet is een jas die je aan- en uittrekt,
en die je draagt tot hij de kilte van het verlies verwarmd heeft,
maar niet lang genoeg om de scherpe kantjes
van de herinnering weg te nemen.

Dat zou ik in mijn dagboek geschreven hebben als ik het niet kwijtgeraakt was tijdens de worsteling. Ik zou het op papier gezet hebben om me aan deze periode te herinneren, aan deze pijn, die zowel misselijkheid is als leven. Iets binnen in me wil hopen, maar hoe kan ik hopen als alles wat ik ken, veranderd is?

Met mijn armen over elkaar sta ik naast de weg te wachten. Marco's auto is weer kapot. Het komt door de lange afstanden, zegt hij, en dat weet ik ook best. Marco lijkt onaangedaan, maar als hij eerlijk was, zou hij misschien willen dat hij nooit naar Sonoma gekomen was. Een man met belangrijke zaken, opgezadeld met een vrouw die met de dood bedreigd wordt. Ik neem mezelf heilig voor dat hij er geen spijt van zal krijgen, maar is dat wel mogelijk?

Hij schiet in de lach. 'Je krijgt rimpels in je voorhoofd van al dat tobben.' Hij komt onder de motorkap vandaan, met opgerolde mouwen en vuile handen. Hij veegt ze af aan een oude lap en wenkt me dan naar zich toe. Zijn armen zijn de enige zekerheid die ik ken.

'Wat moeten we doen, Marco?'

'Weer instappen en hopen dat dit werkt.'

Op de vraag die erachter ligt, gaat hij niet in. Hij gooit de lap in de kofferbak.

Hij ruikt naar olie als we instappen en ik weet dat zijn geduld bijna op is. Als de auto niet start, moeten we hier dan voor altijd blijven, een hut bouwen van takken en bladeren en bedelen bij voorbijgangers? Idioot. Maar er gaan werelden voor me open; dingen die ik nooit voor mogelijk had gehouden, heb ik nu met eigen ogen gezien. Ik had nooit kunnen vermoeden dat ik hier zou belanden, alleen met Marco Michelli en zonder iemand die ik ken.

Ik heb mijn huis, mijn familie, mijn vrede verloren. Waarom niet mijn verstand? Is dat ondenkbaarder dan dat papa... Nee. Ik kan er nog steeds niet aan denken. En mijn nonno, mijn lieve, lieve nonno. Het is niet goed. Het is niet rechtvaardig. God... is niet rechtvaardig.

En toch is Marco er. Ik draag mijn hart op een einde te maken aan het verdriet en het goede te accepteren dat gekomen is. Wat ik ook op zou schrijven is dat mijn hart niet zo goed luistert.

Rese deed open toen Lance op haar deur klopte, maar het was ochtend en hij was er weer bovenop – grotendeels. Met een scheef lachje zei hij: 'Ik heb brood en kaas en pepertjes en worstjes.'

Ze haalde haar vingers door haar haar en keek hem met slaperige ogen aan. 'Ben je me aan het omkopen?'

'Dan zou ik *sfogliatelli* en *trota al vino rosso* gemaakt hebben.'

'O.' Ze gaapte en rekte zich uit, aanbiddelijk als een klein katje en zich volkomen onbewust van het effect.

'Schep zelf maar wat op, goed? Ik moet Rico gaan halen voor het ziekenhuis nog een dag rekent.'

'Hij heeft een behoorlijke operatie gehad. Ontslaan ze hem nu al?'

'Hij ontslaat zichzelf.' Rico had bij het krieken van de dag gebeld, nog tamelijk onsamenhangend, maar vastbesloten. Lance haalde zijn schouders op. 'Geen van ons is op dit moment goed bij kas.'

'Maar –'

Hij boog zich naar haar toe en kuste haar mond, die nog zacht was van het slapen. 'Ik ben zo terug.'

Hij leende mama's Fiat en arriveerde in het ziekenhuis net toen de arts iedere aansprakelijkheid van de hand wees als Rico zich voortijdig aan haar zorg zou onttrekken.

'Ik verleen u absolutie, dame; en zorg nu maar dat ik hier weg kan.' Rico liet zich zwakjes terugzakken in de kussens, tot de verpleegster de ontslagpapieren bracht. Hij was met zijn linkerhand net zo bedreven als hij met zijn rechterhand geweest was, maar zijn handtekening zag er bibberig uit toen hij zachtjes scheldend de formulieren tekende, waarmee hij zelf de verantwoordelijkheid nam voor zijn ontslag. Het zou een gepeperde rekening worden en hij had geen regelmatige inkomsten meer gehad sinds Lance uit de band gestapt was.

Ze hadden een prima woning met zijn drietjes, maar geen van hen wilde misbruik maken van pap. En zodra de zaken in Sonoma geregeld waren, zou Lance helemaal weggaan. Rico zou iets moeten gaan doen, al was het maar het geluid regelen voor andere bands. Dat had hij eerder gedaan en mensen wisten dat hij het kon. Maar het zou hem vreselijk dwarszitten om iemand anders achter het drumstel te zien.

Lance betwijfelde of Rico zover vooruitkeek toen hij naar de stoel in de woonkamer schuifelde en er als een zinkend schip in neerzeeg. Chaz was klaar met de bestellingen van zijn tweede baan en had zich onder aan de trap bij hen gevoegd. Nu liep hij achter Rico langs, legde beide handen op diens hoofd, met zijn ogen dicht. Lance had gebeden toen ze gisteren zaten te wachten, maar Rico accepteerde het opleggen van handen beter van Chaz. Lance kon hem omhelzen, maar alles wat al te geestelijk was... dat kon hij vergeten. Rico kende zijn fouten en gebreken te goed.

Hij ging naast Rese op de bank zitten en probeerde niet terug te denken aan de erotische spanning die er gisteravond tussen hen geweest was – wat makkelijker ging in het daglicht met Chaz en Rico dan alleen met haar in het donker. Ze moesten greep krijgen op een aantal zaken, weten waar ze met elkaar en de rest van de wereld aan toe waren. Maar op dit moment drong de rest van de wereld zich zo aan hem op dat hij nauwelijks adem kon halen.

Hij wist nog niet of hij nu klaar was met nonna en Rico zou zeker nog een paar dagen hulp nodig hebben. Hij keek naar Rico's gepijnigde blik. 'Aan je motor moet wel het een en ander gebeuren.'

Rico liet zich achteroverzakken en grijnsde. 'Dat zal best.'

Rese keek van de een naar de ander en schudde haar hoofd. Ze zou het misschien wel nooit begrijpen, maar dat gaf niet.

Wat maakte het uit dat ze nog nooit van Bloomingdale's had gehoord? Rese vond dat geen halsmisdaad, maar Monica keek haar met open mond aan. Ze was met een bord brownies voor Rico naar beneden gekomen – sommige met gaatjes, waar Nicky met zijn vingertje hun stevigheid getest had – en van het een kwam het ander, tot Rese haar onwetendheid bekend had en Monica opgesprongen was.

Lance had geen woord van protest geuit toen zijn zus Lucy ophaalde, hun beider kinderen bij Doria stalde en haar min of meer ontvoerde naar de trein. Misschien wilde hij een poosje alleen zijn met Rico – die er niet best aan toe was – maar ze vermoedde dat hij dacht dat dit goed was voor haar algemene ontwikkeling.

Links en rechts van haar lopend voorzagen de zussen alles van commentaar, zelfs de computerstem die bij iedere halte de inzittenden informeerde: *Dit is een dubbele trein richting Manhattan. Ga niet tegen de buitendeuren staan.*

'Dus jij zit in de bouw, zegt Monica?'

Rese sprong op.

Lucy gooide haar paardenstaart met een zwaai over haar schouder en keek Rese recht aan. Die twee moesten het incasseringsvermogen van hun kinderen, onderwijzers en hun respectievelijke mannen, van wie ze het voortdurende geklaag overigens straal negeerden, danig op de proef stellen.

'Renovatie. Ik sloop het eerst.'

Lucy wisselde een blik met Monica. 'En je vader heeft je dat geleerd?'

Monica had het haar kennelijk allemaal al verteld, dus waarom wilde ze het nog een keer horen? 'Ik doe het niet meer. Ik heb het bedrijf verkocht.' Ze zweeg even toen er reizigers in- en uitstapten. 'Mijn collega's zijn daar niet blij mee, maar dat is niet mijn probleem.'

'Was jij de baas?' Lucy schoof een stukje opzij op de gladde, blauwe plastic bank, om plaats te maken voor een man met piercings en vlechtjes in zijn haar, die twee keer zo zwaar was als zij. Hij plofte neer en bewoog mee met de muziek op zijn koptelefoon.

'Ik had de leiding over het personeel en Brad had de leiding over de bouwplaatsen.' Het had precies andersom moeten zijn. Zij had de technische expertise en de intuïtie; Brad had de mannen op zijn hand. 'Hij luisterde naar mij, maar nam zelf beslissingen.' De bron van heel wat spanning.

'En vond je dat werk leuk?'

Rese knikte. 'Het werk vond ik leuk; mijn collega's niet altijd. Ze konden stierlijk vervelend zijn.' Waarom vertelde ze hun dit? Maar de opgetogen blik op hun gezicht spoorde haar aan om uit de weiden over de rotgeintjes die ze met haar uithaalden, hun lompheid, Brads concurrentiedrang. Ze vertelde hun zelfs meer dan Star wist, maar niet wat ze tegen Lance gezegd had, niet het voorval met Sam en Charlie.

Monica's gezicht was een en al bewondering, maar Lucy zei: 'Waarom heb je het verkocht?'

Rese keek een andere kant op. 'Het werd te moeilijk nadat mijn vader overleden was.'

'O.' Lucy kneep in haar hand. 'Wat erg voor je.'

Rese verbaasde zich over de hartelijkheid in haar toon. Had Star ooit oprecht medeleven geuit zonder er meteen een drama van te maken? Maar Lances zus, die ze nauwelijks kende, luisterde naar haar en leefde met haar mee. Ze wist niet hoe ze daarop moest reageren.

'De volgende halte is Penn Station.' Monica pakte haar tas. 'Daar heeft Bloomingdale's een ingang.' Ze stond op. 'Je zult het vast leuk vinden.'

Dat betwijfelde Rese, maar ze zou er het beste van maken. 'Als we hier nog een poosje blijven, zal ik een paar dingen nodig hebben.'

Beide vrouwen keken haar aan toen de trein met een schok tot stilstand kwam. 'O, schat', zei Monica. 'Bij Bloomingdale's koop je niks. Daar winkel je alleen maar.'

Rese keek van de een naar de ander. Wat had het voor zin om te winkelen als je niet kocht wat je nodig had? Bij het zien van de uitdrukking op haar gezicht, barstten ze in lachen uit, maar zelfs in het Engels spraken ze een vreemde taal.

Het is een vreugde als je niet weet wat er zou kunnen gebeuren,
een beproeving pas ziet als je ermee geconfronteerd wordt.
Dan kun je niet wegvluchten.

Ik zal stikken in Manhattan. Hoe hebben ze het in hun hoofd gehaald om zoveel mensen op één plek te proppen? Hoe denkt

Marco dat ik hier kan leven, ademen? Het huis van zijn mama is helemaal geen huis; het is een tunnel van kamers, weggestopt met kamers van andere mensen, te dichtbij en met te dunne wandjes. Ik kan alles horen.

'Zo is het leven', zegt Marco en hij lacht als ik fluister in onze slaapkamer, die bestaat uit vier geverfde wanden zonder raam en één foto van Marco's hond en drie circusclowns die amper tanden hebben.

Ik trek me terug uit zijn omhelzing. 'Ik wil niet dat ze het horen.'

'Ze zullen denken dat ik een goede minnaar ben.'

Hij lacht nog harder als ik mijn hand over zijn mond sla. Ik heb veel geleerd, maar ik kan me niet voorstellen dat ik zo moet leven. We zijn nu twee dagen in het huis en ik heb zijn moeder nog niet ontmoet. Marco zegt dat ze waarschijnlijk bij zijn tante is, die vrouwenkwaaltjes heeft en niet lekker was toen hij wegging.

We weten het niet zeker, want er is geen telefoon in de huurkazerne, zoals Marco het noemt, omdat het oorspronkelijke huis in aparte woningen is opgedeeld. Op elke etage is één badkamer, die door vijf of zes families gebruikt moet worden. Zijn pap is aan het metselen op een plek die ze de Bronx noemen en komt alleen 's zondags thuis. Hij is een goede vakman, zegt Marco, maar moet gaan waar het werk is. Zelfs voor mensen met een baan zijn het zware tijden.

Ik voel me net een insluiper, door zo in huis te komen terwijl niemand weet dat ik er ben, behalve de man die me meegebracht heeft. Maar hij zal het niet serieus nemen en een poosje later vraag ik me af of we een kind verwekt hebben in deze donkere kamer, terwijl zijn tweebenige hond en de clowns op ons neerkeken...

Antonia deed haar ogen open en zag Lance zitten. Zijn gezicht stond zo vriendelijk, dat ze even dacht dat ze nog droomde. Dat hij zo op Marco leek, niet alleen uiterlijk, maar ook innerlijk, had hem bijzonder gemaakt op een manier waarvan hij wist, maar wat hij nooit had laten blijken. Hij boog zich voorover en kuste haar op haar wang, met een lach in zijn ogen. 'Dag, nonna.'

Ze knipperde en probeerde te glimlachen, wetend dat haar woorden niet goed zouden zijn.

Met het washandje dat op het nachtkastje lag veegde hij het vocht bij haar mondhoek weg. 'Wat kan ik voor u doen?'

Niet 'kan ik iets voor u doen' maar '*wat* kan ik voor u doen'. Iemand die wilde dienen.

'*Macchiato* en *biscotti*? *Polenta besciamella*?'

Ze lachte. Alsof zij kon zeggen wat ze wilde.

'Ik weet het. Ik zal u verrassen.' Hij kneep in haar hand en wilde opstaan.

'L...ance.' Nou, dat was al een stuk beter. Het slapen moest geholpen hebben.

Hij ging weer zitten. 'Wat is er, nonna?'

Ze wees met haar hoofd naar de papieren.

Zijn blik werd zachter. 'U moet eerst wat in uw maag hebben.'

'L... ater.' *Mama mia*. Haar woorden waren terug!

Duidelijk aarzelend, maar voor deze ene keer gehoorzaam, pakte hij de papieren en stak ze haar toe. Toen ze haar hoofd schudde, trok hij zijn wenkbrauwen op. 'Wilt u dat ik u voorlees?'

'Ja.' Dát was het juiste woord. Als ze gewoon gewacht hadden, had ze dat tegen die bankier kunnen zeggen. Nou ja, het maakte niet uit. Ze had wat ze nodig had.

Hij keek naar wat hij in zijn handen had, onwillig, leek het, om de geheimen erin te onderzoeken. Zoveel dat niet uitgesproken, maar ook niet vergeten was. Hij trok een rimpel in zijn voorhoofd. 'Ik denk dat u eerst wat meer op krachten moet komen.'

Ze wachtte. Hij zou snel genoeg door zijn bezwaren heen zijn. De herinneringen aan wat er voor die tijd gebeurd was, hadden haar voorbereid op wat er daarna zou komen. Wat het ook was dat Marco te zeggen had, het zou niets veranderen aan wat al geweest was. Ze kende zijn hart. Ze wist het.

Lance keek haar aan en sloeg toen met een zucht de eerste bladzijde om. Hij las het eerste stuk, dat ze had gelezen in de bank en zijn gezicht weerspiegelde haar eigen eerste reactie. 'Weet u het zeker?'

Ze knikte en hij las hardop verder:

Mijn eerste indruk van Vittorio Shepard was die van een intelligente, goedgelovige man, die veel te gewetensvol was om tot de kring van vertrouwelingen te behoren, maar genoeg ambitie had om ondanks dat bruikbaar te zijn – precies het soort man waar Arthur Jackson naar op zoek was.

Toen ik hem in het geheim benaderde, twijfelde Vittorio noch aan mijn referenties, noch aan mijn informatie. Hij was de hele operatie al gaan wantrouwen en toen hij geconfronteerd werd met het bewijs, ging zijn eerste zorg uit naar jou en zijn vader. Hij wilde me helpen, zei hij, als ik garant zou staan voor jouw veiligheid. Ik was hem niets verschuldigd; zijn eigen beslissingen hadden jou in gevaar gebracht. Toch stemde ik toe, omdat ik er een mogelijkheid voor een dekmantel in zag.

Als mogelijke huwelijkskandidaat kon ik Vittorio ontmoeten zonder verdenking op te roepen. In ruil daarvoor zou het Bureau jouw bescherming zeker stellen – een regeling die we geen van beiden ideaal vonden, maar die uitvoerbaar was. Hij bedong de beperkingen die ik jou een keer duidelijk probeerde te maken, maar we hadden geen van beiden rekening gehouden met jouw pit en vastberadenheid. Wat mij betreft: ik was weg van je en kon alleen maar bidden dat het mij niet zou verhinderen mijn werk te doen.

Lance keek op. Zou hij haar zien beven? Ook al kende ze Marco's hart, toch kon ze zijn woorden nog altijd niet horen zonder pijn. De gedachte dat hij haar vanaf het begin misleid had... En ze voelde zich zo zwak. *'Bene'*, zei ze. 'Nu... eten.'

'Goed.' Lance legde de papieren opzij, duidelijk opgelucht. Hij tilde haar op en droeg haar naar de rolstoel, bracht haar naar haar restaurant en kookte voor haar. Ze had gedacht dat hij het restaurant over zou nemen en toen ze hem zo bezig zag in de grote, oude keuken, wilde ze dat nog steeds. Maar zijn hart lag in Sonoma, in de villa die zij ooit haar thuis genoemd had.

Hoofdstuk 20

Toen ze binnenkwam, rook Rese iets heerlijks. Ze hadden onderweg wat pretzels gegeten – het enige wat Monica kon binnenhouden – maar dat was nauwelijks genoeg om hun marathon van winkels en koopjeskelders vol te houden.

'Lance is aan het koken, zei Lucy.

'Hoe weet je dat het Lance is?' Rese liep achter haar aan naar de binnendeur naar het restaurant.

Lucy haalde haar schouders op. 'Het ruikt lekker.'

'Praat niet over geurtjes.' Monica sloeg haar handen voor haar mond en liep snel de trap op.

Lucy hield de deur open voor Rese en zei met enige tegenzin: 'Ik moet mama verlossen van de kinderen.'

Rese ging naar binnen, zette de tassen op een hoekje van het aanrecht en liep toen om de grote koelkast heen. Lance hielp Antonia met het eten.

Hij keek op en glimlachte. 'Leuke dag gehad?'

'Ja, eigenlijk wel.' Zodra ze doorhad dat ze niet per se iets hoefde te kopen in de enorme winkel, had ze alleen maar haar ogen uitgekeken naar de designkleding, de sieraden, de parfums en had ze zelfs Lucy en Monica hun plezier gegund door jurken voor zich te houden, sjaaltjes om haar hals te wikkelen, hoedjes op te zetten, tasjes om te hangen en schoenen te passen die zo puntig waren dat je er niet op kon lopen.

'Pak er een stoel bij.' Lance wees naar de eetzaal.

Het was niet haar bedoeling geweest hen te storen, maar ze haalde een stoel en lachte naar Antonia, die tot haar verbazing op haar manier teruglachte. Zijn oma was aan het herstellen. Wat een opluchting moest dat zijn voor Lance.

'Heb je honger?' Hij knikte naar het fornuis.

'Het ruikt heerlijk.'

Normaal gesproken zou hij opgestaan zijn en haar opgeschept hebben, maar hij had zijn handen vol en ze was blij dat hij het niet deed. De enige keer dat ze zelf opgeschept had van Lances eten was toen ze zijn lasagne had opgewarmd voor het ontbijt. Die lasagne was verrukkelijk geweest. Ze liep naar het fornuis en tilde een deksel op.

Een miniatuurkip, maar het aroma deed haar watertanden. 'Wat is het?'

'In cognac gesmoorde kwartel, met *polenta besciamella*.'

Rese pakte een bord en schepte zich wat van het gevogelte en de romige maïsschotel op. 'Ik heb nog nooit kwartel gegeten.'

'Het is nonna's lievelingsgerecht.' Hij knipoogde. 'Ik moet haar een beetje vetmesten.'

Het verfijnde gevogelte leek daarvoor een minder goede keuze dan zijn moeders zware spaghettisaus, maar ze nam een hap en was verloren. 'Lance, dit is heerlijk.'

Hij glimlachte. 'Ik hoopte dat je terug zou zijn voor iemand anders de rest zou opeisen.'

'Ik had niet verwacht dat we zo lang weg zouden blijven.'

'Je kent mijn zussen niet.'

Nu wel. Nadat ze bij Bloomingdale's gezien hadden wat ze leuk vonden, hadden ze andere winkels afgestruind voor namaakdesignkleding en koopjes en als dat niet duidelijk maakte hoe ze waren, wist Rese het niet meer. Ze had wat spulletjes gekocht die ze nodig zou hebben als ze nog langer moesten blijven, wat mogelijk was aangezien ze volgende week ook geen reserveringen hadden. Daarna was het onzeker. Ze zou op de site moeten kijken welke dagen al gereserveerd waren. Ze zou zonder Lance terug kunnen gaan, maar wat had dat voor zin? Dan zou ze zijn hond hebben, maar niet zijn kookkunst.

'Heb je nog contact gehad met Michelle?'

Hij knikte. 'Baxter is gek op haar.'

'Verrader.' In alle goudgele, harige opzichten.

'Dat zei ik ook toen hij voor jou viel, maar hij heeft tenminste een goede smaak.'

Rese hield haar hoofd iets schuin. 'Hij kroop ook voor Sybil.'

Lance kromp ineen. 'Oké, hij laat zich door iedereen inpalmen.'

Ze proefde van de polenta en vond het lekker smaken bij de kwartel. Lance deed met eten waar zij naar streefde bij renovatie: ieder onderdeel laten integreren en elkaar te laten aanvullen. 'Ik ben blij dat je Michelle hebt kunnen bereiken. Ik heb tot nu toe alleen maar boodschappen kunnen achterlaten. Ze heeft het zeker erg druk.' Het viel haar op hoe weinig ze wist van de vrouw die haar tot God geleid had op de achterveranda na Evvy's begrafenis, en die nu een oogje in het zeil hield in het hotel en Lances hond verzorgde.

Lance zei: 'Ik heb ook met pap gepraat.'

Rese hield op met kauwen. 'Echt?'

'Gisteren, toen we terug waren van de bank.'

En vlak voor Rico's ongeluk. Geen wonder dat hij er niets over gezegd had.

Hij depte de mond van zijn oma droog. 'Wat vindt u daarvan, nonna? Ik en pap, van man tot man.'

Ze knikte, met ogen vol liefde.

Rese slikte. 'Wat zei hij?'

'Hoofdzakelijk: word volwassen.' Hij zette het lege bord opzij en vestigde zijn blik op Antonia. 'Ik heb hem over Sonoma verteld.'

Antonia verstrakte.

Rese ook. 'Lance...' fluisterde ze. Zelfs zij wist dat Antonia dat allemaal alleen tussen hen tweeën had gehouden. In een familie die alles met elkaar deelde, had zij de dingen die Lance ontdekt had geheimgehouden – tot nu toe.

Hij pakte Antonia's handen. 'Als ik wegga, moeten ze weten waar u mee te maken hebt. Het is te veel om alleen te verwerken.'

Natuurlijk. Dat had hij ook tegen haar gezegd: *'Je kunt niet alles alleen het hoofd bieden.'* Het lag in zijn aard om de last te delen. Hij begreep niet dat je sommige dingen alleen het hoofd moest bieden. En zo te zien wilde Antonia er net zomin van weten als Rese destijds. Ook al was het waar.

Hun blikken haakten in elkaar en ze bleven in koppig stilzwijgen zitten, tot Lance zachtjes zei: 'Vergeeft u het me?'

Vernietigende woorden. Ze sloopten muren van boosheid, haalden verdedigingswerken omver. Onmogelijk te weerstaan, vooral als Lance ze uitsprak met zijn hele hart.

Antonia deed haar best om te praten en zei uiteindelijk iets wat verkeerd moest zijn. 'J...akob.'

Wist ze niet meer hoe hij heette?

Het drong niet tot Lance door, of misschien kon het hem niet schelen. Hij haalde zijn schouders op. 'Pap moest het weten.'

Antonia keek hem kwaad aan. Rese hield haar adem in. Had hij niets geleerd van de vorige keer dat hij haar van streek had gemaakt? Waarom bleef hij mensen over hun grenzen drijven? Maar ze zag de spanning in zijn houding. Hij was niet zo zeker van zichzelf als hij klonk toen hij vervolgde: 'Jakob was dan misschien een schurk en een bedrieger, maar God hield toch van hem.'

Waar had hij het over? Maar Antonia's mond vertrok. Ze hief haar vinger tegen hem op.

'Ik weet het.' Hij glimlachte. 'Ik verdien alles wat u wilt zeggen.'

Rese had gedacht dat Antonia's woede zou escaleren, met het gevaar van nog een beroerte. Maar haar wangen werden rood van warmte – en plezier? Lance reageerde met onmiskenbare vreugde in zijn ogen, als het eerste randje van de zon boven de horizon. Ze begrepen elkaar zo volkomen dat woorden overbodig waren.

Rese keek zwijgend toe. Haar hart bonkte. Hoe zou het zijn om hem zo lief te hebben? Om zo liefgehad te worden door iemand die zoveel om je gaf dat je diepste angst en je toekomst er misschien echt niet toe deden? Even zag ze wat God in Lance moest zien en begreep ze de keuze. Tony was misschien de wereldse versie van een held geweest, maar Lance was meer dan dat.

'Zo.' Hij stond op en draaide de rolstoel weg bij de tafel. 'Was uw linzensoep lekker?'

Antonia gaf hem een klap op zijn hand.

'Voorzichtig. Anders slaat u mijn bokjesvel eraf.'

Waar had hij het in vredesnaam over? Maar Antonia lachte. Wat het ook was, ze hadden er samen lol om.

Rese liep achter hen aan naar de trap, waar hij Antonia optilde. 'Wil je die rolstoel inklappen, Rese, zodat de kinderen er niet mee gaan spelen?'

Hij droeg zijn oma naar haar kamer en hielp haar in de stoel bij het raam. Hij bood aan om te blijven, maar ze gebaarde dat ze weg moesten gaan. 'L...ater.'

Toen ze de gang overstaken naar zijn appartement, zei Rese: 'Jakob?'

Lance zag er bijzonder met zichzelf ingenomen uit. 'Zo noemt ze me al van kinds af aan.'

'Waarom?'

'Het is een soort geintje.' Hij keek even om het hoekje van de kamer van Rico, die als een blok in slaap gevallen was door de pijnstillers, en deed de deur van de slaapkamer weer dicht. Chaz moest uren geleden al weggegaan zijn naar het restaurant.

'Volgens mij maakte ze geen geintje.' Rese ging in de stoel tegenover de bank zitten. Haar benen waren moe van het winkelen, alsof ze de hele dag op het dak had gelopen, maar ze wilde weten wat er tussen Lance en Antonia gebeurd was.

'Het komt uit het Oude Testament.' Hij pakte de gitaar van zijn standaard en ging op de bank zitten. 'Er was een tweeling, Jakob en Esau. Esau werd het eerst geboren, maar Jakob hield zijn hiel vast.'

Daar moest ze niet aan denken.

Zijn vingers beroerden de snaren zachtjes terwijl hij sprak. 'Als zijn vader Isaäk stierf, zou de eerstgeboren Esau de erfenis en het recht om de familie te leiden krijgen. Maar hij verkocht dat eerstgeboorterecht aan Jakob voor een bord linzensoep.'

'Hij moet een goede kok geweest zijn, dan.' Rese trok haar wenkbrauwen op. 'Is dat wat Antonia bedoelde?'

Lance schoot in de lach. 'Niet helemaal. Eerder dat Jakob meestal kreeg wat hij wilde.'

'O.'

'En niet altijd op de juiste manier.'

'Loog hij?'

Lance keek neer op zijn tokkelende vingers en toen voor zich uit, de kamer in. 'Esau was een echte man, het machtige jagerstype en het lievelingetje van zijn vader. Jakob was in het nadeel.'

Ze begreep plotseling hoe persoonlijk dit verhaal kon worden en misschien waarom Antonia hem zo noemde.

'God had hun moeder verteld dat de oudste de jongste zou dienen. Daarom dacht Jakob dat hij Gods wil deed toen hij deed wat hij deed.'

'Hij dacht dat God wilde dat hij bedrog pleegde?'

'Hij bedroog Esau niet. Zijn broer had willens en wetens zijn eerstgeboorterecht opgegeven. Maar de zegen van zijn vader had daar verandering in kunnen brengen. Daarom kreeg Jakob zijn vader met een list zover dat hij hem per ongeluk zegende.'

'En wat gebeurde er toen?'

'Jakob werd Israël, vader van de twaalf stammen. Jezus stamde van hem af.'

'Maakte het niet uit dat hij loog en bedroog?'

'Het veranderde niets aan Gods plan voor zijn leven.' Zijn stem haperde. 'Maar hij moest er wel voor boeten.'

'Hoe?'

'Hij werd in een huwelijk met de verkeerde vrouw gelokt, bijvoorbeeld.'

Ze trok haar wenkbrauwen op.

'Noem het vergelding', zei hij met een scheef lachje. 'Hij moest nog zeven jaar werken om de vrouw te krijgen die hij wilde.'

'Wat gebeurde er met de eerste vrouw?'

'Die kreeg de meeste kinderen.'

'Hield hij allebei zijn vrouwen?'

'En nog een aantal dienstmaagden.' Lance knipoogde.

Ze sloeg haar armen over elkaar.

'Waar het om gaat is dat God wist dat hij het goed bedoelde, ook al maakte hij er een potje van.'

'Zoals Antonia dat ook van jou weet.'

Lance stopte met tokkelen. 'Ik had het over Jakob.'

'O ja?'

Hij ging weer door en zong een zachte ballade over een man die te veel keuzes had gemaakt om de tijd nog terug te kunnen draaien.

Antonia keek toe hoe Sofie haar trui uittrok en over haar arm legde, voorzichtig en zachtjes. Ze bleef even staan met haar vingertoppen tegen haar keel, verzonken in gedachten, die ze voor zichzelf zou houden. Antonia vroeg nooit wat ze dacht. Anders dan Lance, die er niet tegen kon om zijn gedachten voor zich te houden, had Sofie geleerd de hare te verbergen.

Toen keek ze op. 'O, nonna, ik dacht dat u sliep.'

Slapen, wakker zijn; het leek allemaal hetzelfde.

Sofie kuste haar op haar wangen. Ze rook naar amandelen. Haar haar viel zachtjes tegen Antonia's gezicht. Antonia stak haar hand uit om het te strelen, maar haar hand schoot doelloos opzij. Dat was ze vergeten.

Sofie pakte haar hand en legde die op haar hoofd, waarna ze hem door haar haar liet glijden in een simpel gebaar waar ze vroeger nooit bij had hoeven nadenken. 'Zal ik u in bed helpen?'

'N...ee, l...aat maar.' Als ze bij het raam in slaap zou vallen, zou het ochtendlicht haar gezicht kussen als ze wakker werd. Wat miste ze dat puur gouden zonlicht; de nevel op de wijngaard, de geur van de zachte aarde en de zoete, prikkelende bloesems vol belofte.

'Waar denkt u aan, nonna?'

Antonia richtte haar aandacht op het gezicht van haar kleindochter. Sofie wist dat het te lang zou duren om te antwoorden, maar toch vroeg ze het. Wat was ze toch lief. 'Z...on..l...icht.'

'Mmm.' Met gesloten ogen wreef Sofie haar wang tegen de hare. 'Het gaat stormen vanavond. Maar misschien is dat morgen over.'

Stormen. Dan zou de ochtend grijs en nat zijn. Een saaie straat beneden; een zware lucht boven haar. Ze voelde het in haar botten. De storm binnen in haar had zich uitgebreid en trof nu de hele wereld.

Sofie trok een chenille sprei van de bank en legde die over haar heen. 'Weet u zeker dat u niet liever wilt liggen?'

Antonia knikte. Ze moest waakzaam zijn, waakzaam in de storm. *Als er moeilijkheden komen... moeilijkheden...*

Hoofdstuk 21

Lance werd wakker met barstende hoofdpijn. De avondmaaltijd met de tantes was gisteravond een uithoudingsproef geworden tussen hun wijze spreekwoord *'Hoe hard je een ezel ook slaat, hij zal nooit een renpaard worden'* en tante Dina's zelfgemaakte *grappa.* Ze leek te denken dat hij een ijzeren maag had. Geen wonder dat oom Benito's lever bezweken was.

Lance drukte zijn handen tegen zijn slapen en trok zichzelf overeind. Toen bleef hij net zolang zitten om bij te komen tot zijn blaas hem uit bed dreef. Het lukte hem niet om zachtjes te doen voor Rico en Chaz aan de ene en Rese aan de andere kant. Zijn straal was krachtig en onafgebroken en de verlichting woog bijna op tegen het bonzen van zijn hoofd. Tante Dina moest het op hem gemunt hebben.

Hij zette de douche aan, kleedde zich uit en stapte over de rand van de badkuip, waarna hij het douchegordijn dichttrok. Een uurtje onder water zou zijn poriën misschien zuiveren. Hij opende zijn mond naar de stralen om de aanslag van zijn tong te krijgen en liet het hete water toen tegen zijn tanden en tandvlees aanbeuken. Nadat hij zich grondig gewassen en afgespoeld had, deed hij de nu lauwe straal uit en droogde zich af.

Rese had gelukkig maar één slokje van het dodelijke brouwsel genomen en een tweede afgeslagen. Tante zou beledigd en diepbedroefd zijn geweest als hij hetzelfde zou hebben gedaan. Maar hij leek er alweer een beetje bovenop te komen en het was zoals tante altijd zei: *A tutto c'e rimedio, fuorchè alla morte.* Voor alles is een remedie, behalve voor de dood.

Hij schoor zich, kamde zijn haar en keek aandachtig naar het diamantje in zijn oor, waarna hij het verwisselde voor zijn gouden oorringetje. Het was een informele dag. Gekleed in een spijkerbroek en een schoon T-shirt glipte hij naar buiten en kocht een *machiato* die sterk genoeg was om het laatste restje van de *grappa* om zeep te helpen. Eigenlijk had hij daarmee moeten wachten tot na de communie. Nou ja, dan zou hij het opbiechten.

Toen hij uit de kerk kwam, maakte hij een praatje met een aantal winkeliers die hun zaak aan het openen waren, kocht wat verse zeeforel, die net uit de haven kwam, truffels en kappertjes en een knapperig brood. Op dit soort dagen vroeg hij zich af waarom hij ooit weggegaan was.

Chaz zat in zijn bijbel te lezen toen hij thuiskwam. Rico en Rese waren nog niet op, dus hij begon de zeeforel voor te bereiden en maakte aan truffel-kappertjessaus. Hij legde twee van de vissen opzij voor nonna en Rico en legde de andere drie in de pan. Soms vond hij het prettig om alleen maar met twee elektrische pitjes en koekenpannen te werken.

Nadat hij geschat had hoe lang het nog zou duren voor het eten klaar zou zijn, klopte Lance op Reses deur. Hij klopte nog een keer, deed de deur open en stak zijn hoofd om de hoek. Ze richtte zich op een elleboog op en zag er verfomfaaid en veel te aantrekkelijk uit.

'Hier zul je voor uit je bed willen komen', zei hij.

Ze gaapte en rolde zich weer op en ter plekke besloot hij dat als ze zijn derde aanzoek zou afwijzen, hij meteen plannen zou maken voor een vierde.

'Vijf minuutjes.' Hij deed de deur dicht voor hij in de verleiding zou komen zich bij haar te voegen. Moeizaam ademhalend ging hij terug naar het keukentje.

Chaz keek op. 'Leid ons niet in verzoeking.'

Lance keerde de forel om. 'En verlos ons van onszelf.'

Chaz grijnsde. 'Je weet tenminste wanneer de moeilijkheden beginnen.'

'Dat was mijn eerste bewuste gedachte.'

Versterkt met gebakken zeeforel in sappige saus, warm, knapperig brood dat zo uit de oven leek te komen en koele plakjes tomaat met versgehakte basilicum, slaakte Rese een zucht. Ze had eigenlijk nooit vis als ontbijt overwogen, maar zei tegen Lance: 'Hier zou ik aan kunnen wennen.'

Chaz glimlachte. 'Ach, maar voldoening is de wortel van ondankbaarheid.'

Ze schudde haar hoofd. 'Na wat ik in mijn leven gegeten heb? Weinig kans.' Ze keek naar Lance. Hij had haar moeten leren dat het goed was om lievelingsgerechten te hebben, om van een maaltijd te genieten en dat ook te zeggen. Maar het was een les die ze goed in haar oren had geknoopt.

'De ogen eten vóór de maag', had zijn tante Anna gezegd toen Dina gisteravond de lasagne op tafel had gezet. Zij en Lance hadden de hele weg naar huis gelachen om de spreekwoorden, maar deze was bijzonder treffend geweest.

'Nou.' Rese pakte haar bord en stond op. 'Ik denk dat ik maar beter eens aan het werk kan gaan.'

Lance trok zijn wenkbrauwen op. 'Aan het werk?'

'Je moeders keukenplafond.' Ze had het hem expres niet verteld, anders was hij het zelf gaan maken.

'Wat is daarmee?'

'Het heeft een verzakking boven de gootsteen.'

'Nou en?' Hij pakte haar bord aan en zette het zijne er bovenop.

'Ik denk dat er een lek zit.'

Lance keek haar aandachtig aan. 'Heb jij tegen mama gezegd dat er iets mis is met haar keuken?'

'Dat wist ze. Ik heb alleen aangeboden om het te maken.'

'En vond ze dat goed?'

Rese hief haar kin op. 'Waarom niet?'

Hij deed zijn mond open en weer dicht, keek naar Chaz en zei toen: 'Dat doet ze normaal gesproken niet.' Hij zette de borden in de kleine gootsteen.

Rese haalde haar schouders op. 'Ze leek anders heel normaal – toen ze klaar was met mij in allerlei houdingen te zetten voor de cha-cha-cha.'

Lance had een grijns van oor tot oor. 'Waar is die verborgen camera als je hem nodig hebt?'

Ze keek hem kwaad aan, maar hij pakte haar hand en trok haar naar zich toe. 'Heb je hulp nodig met dat plafond?'

'Jij bent Antonia aan het voorlezen.' En hoe eerder hij dat gedaan had, hoe eerder ze naar huis zouden gaan. Hoewel het niet meer zo noodzakelijk leek als eerst. Als ze niet terug moesten voor het hotel zou ze zich haast kunnen voorstellen...

Chaz bracht zijn bord naar de gootsteen en zei: 'Ik kan wel een handje helpen.'

'Moet je niet werken?'

'Vanmiddag pas.'

'Goed.' Rese knikte. 'Als ik het goed heb bestaat het uit bepleisterd schotwerk, dus het zou moeilijk kunnen zijn om erdoorheen te komen. Ik wil niet meer openmaken dan nodig is.'

Chaz spreidde zijn handen. 'Laten we een kijkje nemen.'

Ze keek weer naar Lance, die zich buitengesloten leek te voelen, maar het was niet haar schuld dat er andere mensen waren die hem nodig hadden. En eerlijk gezegd had ze hem hiervoor niet nodig.

De kast onder de trap had een verrassend goede sortering gereedschap, veelal wat verouderd, maar nog goed, de collectie van een familie die haar eigen problemen oplost. Ze hing de veiligheidsbril aan de elastische band om haar nek. Het zou kunnen dat het plafond van bouwplaat gemaakt was; de jaren dertig waren een overgangsperiode. Maar ze vermoedde van niet.

Doria liet hen binnen, gekleed in een turquoise shirtje en zwarte broek. Haar haar was opgestoken met een brede haarband en ze had grote, zilveren ringen in haar oren. Hoe kon een vrouw van haar leeftijd er zo goed uitzien? 'Ik heb koffiebroodjes in de oven staan. Wil je thee of cafeïnevrije koffie? De gewone koffie is op.'

Met de trapleer in haar hand liep Rese achter haar aan naar de keuken. Wat moest ze zeggen? *'Ik wil niks; ik kom om te werken'*? Ze zette de vergeelde veiligheidsbril op. 'Het wordt een rommeltje, hoor. Hebt u iets om het aanrecht en de vloer mee af te dekken?'

Doria liep weg en kwam terug met gebloemde beddenlakens. Chaz zette het wagentje met het gereedschap dat ze uitgekozen had op de keukenvloer en nam een kop cafeïnevrije koffie, terwijl ze wachtten tot de koffiebroodjes klaar waren. Rese spreidde de lakens uit, zette de trapleer onder de verzakking in het plafond en klom naar boven. Met een stanleymes sneed ze door de dikke lagen verf en vond wat ze verwacht had.

Terwijl Chaz met Doria zat te kletsen, pakte Rese de beitel en stak die in de halfverkruimelde, halfnatte pleisterlaag die het duimdikke schotwerk bedekte. Nadat ze een gat van ongeveer twintig vierkante centimeter had gemaakt, onderwierp ze het houten schotwerk aan een inspectie. Het was te zacht en te buigzaam, waardoor het was gaan doorzakken, wat de verzakking veroorzaakte. Dat gebeurde ook weleens zonder lek, maar ze vermoedde dat ze er een kapotte leiding boven zou aantreffen. Als het water er met bakken uit gekomen zou zijn of als het flink gedruppeld had, zou het plafond het niet gehouden hebben. Misschien sijpelde het alleen maar, maar ook dat was genoeg om een zwakke plek in het plafond te veroorzaken. Ze zou een paar planken van het schotwerk moeten weghalen om de kapotte buis te repareren en ze daarna moeten vervangen door houten latten, nieuw pleisterwerk en verf.

Ze maakte een sprongetje van schrik toen Doria haar heup aanraakte en een bordje met een koffiebroodje omhooghield. Ze was helemaal vergeten dat Lances moeder en Chaz daar waren. Ze wilde het plafond in om te kijken wat haar te wachten stond, maar ze wist haast wel zeker dat het weigeren van het koffiebroodje Doria zou beledigen en dat Lance ervan zou horen en Monica en Lucy en de tantes en... dat was het niet waard.

Ze schoof de veiligheidsbril boven op haar hoofd, kwam de trap af en nam het bordje met een glimlach aan. 'Bedankt.' Het was bijna een uur geleden dat ze de zeeforel had gegeten. En het koffiebroodje zag er lekker uit.

Het smaakte niet zo lekker als het eruitzag. Er zat een scherp, kalkachtig smaakje aan dat haar deed denken aan poederlijm en ze vermoedde dat er iets twee keer was toegevoegd of in de verkeerde hoeveelheid. Ze had een keer in een van Lances recepten een eetlepel verwisseld met een theelepel en nu ze eraan dacht: ze herkende de smaak als bakpoeder – dezelfde fout die zij gemaakt had.

Als Chaz het al merkte, zei hij er niets van, dus dat deed zij ook maar niet. Trouwens, ze had ergere dingen gegeten toen haar moeder nog kookte. Ze pakte een kopje cafeïnevrije koffie aan, omdat die al gezet was en werkte zo snel mogelijk zo veel mogelijk van beide naar binnen. Toen bedankte ze Doria en zette haar bordje op het aanrecht.

'Wil je er nog één? Het is een bijzonder recept. Het zet zich alleen vast op de boezem en niet op de heupen.' Doria maakte een dansbeweging met haar heupen, die krachtig en suggestief was. Geen wonder dat Roman het niet kon nalaten haar af en toe voor zichzelf op te eisen.

Rese zei: 'Nee, dank u.' Ze was amper over de behoefte heen om haar vormen te verbergen in de slobberigste truien die ze kon vinden. En ze had er geen behoefte aan dat Chaz zou kijken of het waar was. Maar hij leek Doria's grappen wel leuk te vinden en deed geen pogingen om eventuele onvolkomenheden die Rese op deze terreinen mocht hebben, te inspecteren.

Ze zette de veiligheidsbril weer op. 'Dit krijg ik vandaag niet af. Ik zal houten latten en bevestigingsmateriaal moeten zien te vinden.'

Doria zei: 'Dat hebben ze allemaal bij de bouwmarkt. De meeste van deze panden zijn in dezelfde periode en op dezelfde manier gebouwd.'

Het was mogelijk dat een plaatselijke bouwmarkt de bevestigingsmaterialen op voorraad had, maar het hout zou besteld moeten worden, wat een dag of drie zou duren – tenzij de bouwmarkt er wat van op voorraad had voor reparaties aan gebouwen in de omgeving. 'Laten we eerst maar eens kijken waar we mee te maken hebben.' Ze klom de ladder op en gebruikte de trekzaag om de blootgelegde planken door te zagen. Er brokkelden stukken pleisterwerk af en ze was blij met de veiligheidsbril, maar een masker zou fijn geweest zijn om het verstikkende stof tegen te houden.

Toen ze de tweede plank doorzaagde, die nog gedeeltelijk aan de eerste vastzat door het pleisterwerk ertussen, vielen de losse uiteinden naar beneden. Uit het gat tuimelden muizen. Ze gaf een gil, terwijl ze ze van haar gezicht en armen en schouders sloeg. Ze haalde hijgend adem. Haar armen trilden en haar enige troost was dat Doria nog steeds stond te gillen, terwijl ze met een handdoek als een Spaanse stierenvechter naar het wegrennende ongedierte sloeg.

'Ik wist dat er muizen zaten! Dat heb ik tegen hem gezegd!'

Dat had ze haar ook weleens mogen vertellen.

'Maar nee. Er zitten geen muizen in *dit* gebouw. Bah!' Ze sloeg met de handdoek naar de hoek en gilde toen het beestje zich plotseling omkeerde en tussen haar benen door naar de woonkamer ontsnapte.

Rese keek omlaag en realiseerde zich dat Chaz haar op de ladder beetgepakt had. 'Je kunt nu wel loslaten.' Ze keek hem woest aan. 'Ik zal heus niet vallen. Ik val nooit.' Ze gilde ook nooit, maar dat had ze nu wel gedaan.

Chaz liet haar los.

Ze had het niet verwacht. Als ze nagedacht had, zich geconcentreerd had in plaats van koffiebroodjes te eten... Ze slaakte een geërgerde zucht. Het maakte niet uit. Ze had niet net zo hard en lang gegild als Doria, hoewel ze hard genoeg tekeer moest zijn gegaan om Chaz te laten denken dat ze van de ladder af zou vallen.

Nog altijd hijgend keek ze in het gat, nu op haar hoede voor het geval er nog meer beestjes besloten te ontsnappen. Ze schudde het gevoel van hun pootjes op haar huid en hun slepende staarten van zich af. Niet te geloven dat ze zich zo had laten gaan. Maar ja, het was ook een poos geleden dat ze zich zo had laten verrassen. Ze was in meerdere opzichten onvoorzichtig geworden.

Doria schreeuwde in de telefoon: 'Ik bel de ongediertebestrijding.' Ze draaide zich om en leunde tegen het aanrecht, terwijl ze de vloer afzocht met haar blik. 'Omdat er muizen zitten, zoals ik je al zei! Je luistert niet meer.'

Ze moest Roman gebeld hebben. 'Nee, je gaat ze niet met een geweer afschieten! Ik roep er een vakman bij. Er wonen hier baby's!'

Rese keek naar Chaz, die Doria schouderklopjes gaf en mompelde: 'Rustig maar, mama.'

Toen zag ze tranen in Doria's ogen. Haar familie was in gevaar – ook al was het maar door ongedierte – en zij vocht voor hen. Het sterke contrast met haar eigen verleden bracht haar van de wijs. *Niet aan denken.*

Rese keek weer naar het plafond en schatte hoeveel ze zou moeten weghalen. Ze wist maar al te goed wat ze waarschijnlijk boven de verzakking zou aantreffen en dat het voor Doria niet goed zou zijn om dat te zien. Trouwens, ze zou nu liever alleen verder werken. Het vertoon van zwakte van daarnet was wel weer genoeg voor een dag. 'Chaz.'

Hij liep weg bij Doria, die nog altijd met Roman aan het ruziën was over de telefoon. 'Ja?'

'Haal haar hier weg', fluisterde ze. 'Dit wordt een smerige boel.'

Hij trok argwanend zijn wenkbrauwen op. Als ze gelijk had, zouden er vieze nesten vol roze babymuisjes, keutels en meer in zitten. Ze vond het geen prettig idee, maar ze kon het wel aan. Ze had een hekel aan onverwachte dingen, niet aan dingen waar ze zich op kon voorbereiden en die ze dan rechtstreeks onder ogen zag.

Doria legde de hoorn op de haak en keek naar Rese, die zorgvuldig bezig was de verf en het pleisterwerk van de volgende plank te schrapen. 'Wat ben je aan het doen?'

'Ik haal het plafond weg.'

Doria bleef een hele poos met open mond staan kijken. 'Ga je het maken?'

Rese keek naar het gat dat ze al gemaakt had. 'Ik kan het niet zo achterlaten.'

'Roman kan het wel doen! Roman samen met Lance.'

Misschien wel, maar Rese keek omlaag en zei: 'U wilde een vakman. Die hebt u.'

Doria trok haar schouders naar achteren, nam haar taxerend op en knikte toen. 'Goed.' Ze zette haar handen in haar zij. 'Ik zal de meisjes waarschuwen dat we muizen hebben. En ik ga de ongediertebestrijding bellen.' Ze draaide zich om en stampte de keuken uit.

Chaz leunde op de bezem en keek lachend omhoog. 'Je bent omgord met kracht en stevig zijn je armen.'

Rese keek in het gat. 'Als ik ook maar één snorhaar zie, maak ik gehakt van dat stuk ongedierte.'

Lance was de gang overgestoken en trof nonna in haar stoel bij het raam aan. Ze had gewild dat hij haar voorlas, maar hij had haar eerst overgehaald om zijn forel te eten. Toen ze het bord zag, schudde ze haar hoofd en noemde hem Jakob, maar hij had lachend gezegd: 'Daar kan ik wel mee leven', en was haar gaan voeren.

Nu pakte hij de stapel papier. Rese moest terug naar huis – en hij ook – maar deze kwestie met nonna was nog niet afgerond. En hij maakte daar op een of andere manier deel van uit. Hij keek naar het handschrift van nonno Marco op de voorpagina. *Wat wilt u haar vertellen, nonno? En waarom kon u dat niet eerder zeggen?*

Als nonno federaal agent was, zo in het geheim dat zelfs zijn familie van niets wist, moest er een goede reden voor geweest zijn. Veel mannen waren tijdens de depressie en de jaren die daarop volgden verdwenen, op zoek naar werk of de oorlog in. Het leek erop dat nonno een geheime oorlog gevoerd had, maar hij was vaak genoeg thuis geweest om vijf kinderen te verwekken, om de bijzondere liefdesrelatie met nonna te hebben die Lance zelfs als kind al herkend had. Was dat mogelijk met zoveel geheimen?

Nonna raakte zijn hand aan en Lance sloeg de bladzij om en begon te lezen.

Ook zonder Vittorio's waarschuwing dat jij ons plan misschien doorhad, had ik al rekening gehouden met jouw opmerkzaamheid en pit. Het werd een uitdaging – hoe kon ik je interesse vasthouden zonder je hart te verleiden? Als je me niet had willen ontmoeten, zou dat onze plannen ingewikkelder gemaakt hebben. Ontmoetingen met Vittorio zouden door Arthur Tremaine Jackson nauwlettend in de gaten worden gehouden, iets wat ik wilde vermijden. Maar niemand zou vraagtekens zetten bij mijn interesse voor jou en bijgevolg Vittorio's interesse voor mij.

Ik wist niet hoeveel tijd onze geheime operatie in beslag zou nemen. Daar hield ik me nooit mee bezig als ik ergens aan begon. Het was mijn gewoonte om de situatie gaandeweg te doorgronden en op grond daarvan te handelen. Dus, hoewel ik de rol van vrijer niet gepland had, nam ik die zonder scrupules op me.

Als geheim agent van het Onderzoeksbureau gebruikte ik alle geoorloofde middelen om mijn doel te bereiken. Van de ongeveer zeshonderdvijftig agenten werkte ik als een van de weinigen *undercover*. Een geboren imitator, zei mama vaak. En daar maakte ik gebruik van, door vele rollen te spelen om het vertrouwen te winnen van degenen die ik ten val wilde brengen en er zoveel tijd in te steken als nodig was om mezelf te doen inburgeren. Het was wat ik deed, waar ik voor gemaakt was.'

Antonia sloot haar ogen. *'Rollen om het vertrouwen te winnen van de mensen die ik ten val wilde brengen.'* Zoals papa? Zoals zij? Nee... Maar misschien eerst wel? Haar mond beefde. Arthur Jackson was zijn doel, niet papa. *'Alle geoorloofde middelen.' 'Zonder scrupules.'* Marco werd haar vrijer om Arthur Jackson in de val te lokken – en misschien papa met hem. En zij was zijn dekmantel geweest.

Ze kreunde zachtjes. Waarom vertelde hij haar dit nu? Waarom niet toen haar beslissingen ongedaan werden gemaakt? *'Een geboren imitator.' 'Rollen spelen.'* Ze haalde zich zijn veranderlijke gezicht voor de geest, hoe hij zelfs in die eerste dagen al van de ene man in de andere leek te veranderen, wat haar uit haar evenwicht bracht, maar nog meer intrigeerde. Ze wilde denken dat ze het doorzien had, maar pas na papa's dood had ze zijn identiteit in twijfel getrokken, had ze zich afgevraagd wie deze man was. En tegen die tijd deed het er natuurlijk niet meer toe.

Ze waren op de vlucht en Marco was haar enige hoop op veiligheid, de man die ze was gaan vertrouwen en liefhebben. Marco had een rol gespeeld die zo echt had geleken... Marco! De paniek klauwde in haar binnenste. Stel dat haar geest het zou begeven van de spanning?

Ze had tijd nodig om zijn woorden een plekje te geven zonder wrok of angst. Haar lichaam had haar al twee keer in de steek gelaten en ze was bang. Nog een schok zou haar helemaal kunnen uitschakelen. Ze was niet bang om te sterven, maar ze wilde haar dagen niet als een kasplantje slijten, niet in staat om zelf iets te doen.

Misschien was dat trots. Dat zou ze belijden.

Maar ze kende haar grenzen. Ze zou niet alleen verder lezen en zich ook niet meer laten voorlezen dan ze kon verdragen. Ze zou Lance naast zich houden, niet alleen als lichamelijke wachter, maar ook als geestelijke. Ze wist wat anderen niet wisten, dat hij een geestelijk onderscheidingsvermogen had dat verder ging dan haar zogenaamde engelenblik, alsof God rechtstreeks in zijn oor fluisterde.

Conchessa had het gezien. De brief die ze geschreven had nadat Lance haar gevonden had in Ligurië was een en al verwondering. Niet alleen dat zij, Antonia, nog leefde, maar ook dat ze zo'n kleinzoon voortgebracht had. En het was waar. De jongen had zijn portie ellende gehad, maar dat kwam voort uit zijn behoefte om te helpen, om de beker leeg te drinken die iemand anders ingeschonken had. Wat het ook was, ze wilde hem naast zich hebben als ze deze beker van tranen leegdronk, die Marco haar vanuit het graf had ingeschonken.

Hoofdstuk 22

Rese spaarde zo veel mogelijk van het oorspronkelijke bepleisterde schotwerk. Ze was nog steeds misselijk van het verrotte materiaal en de vuiligheid die ze verwijderd had, maar zodra ze het gedeelte bereikt had dat nog goed was, stopte ze met breken. Het stuitte haar tegen de borst om meer van het oorspronkelijke bouwwerk weg te halen dan nodig was. Overal waar een huis zichzelf kon handhaven, gaf ze het de kans.

Doria kwam binnenwaaien met haar dochters en hun kinderen en de twee oude mannen uit het achterhuis en nog een paar mensen die ze niet herkende. Ze wilden allemaal zien waar de muizen uit gesprongen waren, boven op Rese. Ze vond het niet nodig om het hele voorval nog eens op te dissen, maar dat deed Doria wel voor haar, met veel meer bijzonderheden dan nodig was. Rese negeerde hen allemaal zo lang ze kon en stuurde hen toen weg. En waarom stond Chaz van oor tot oor te grijnzen?

Met de grootst mogelijke zorg was ze door het plafond heen gekomen en ze had gelijk: er zat een verroeste leiding boven de verzakking, van een goedkope kwaliteit staal, maar het was tenminste geen lood. Chaz sloot het water af en ze was net bezig met de leiding toen Lance boven kwam met de lunch – een knapperige pizza met een dunne bodem en een soort donkere ham, gegrilde pepertjes en gesmolten kaas. Ze had geen pauze gepland, maar het aroma deed het water in haar mond lopen, wat bij Doria's koffiebroodje niet het geval was geweest.

Ze kwam de ladder af. 'Van Giovanni?'

'Nee, van Michelli.'

'Omkopen is niet eerlijk.'

'Een arbeidster is haar loon waard.' Hij tilde een punt op en schoof het flinterdunne uiteinde in haar mond.

Misschien was ze een beetje vooringenomen, maar het was de lekkerste pizza die ze ooit geproefd had.

Hij schoot in de lach voor ze iets kon zeggen. 'Gelukt!'

'Nu weet ik waarom Baxter je aardig vindt. Liefde gaat door de maag.'

'De maag zou het slechter kunnen treffen dan dit.' Chaz pakte een tweede punt.

'Eet maar op; ik heb er nog een in de oven staan voor Rico.' Lance keek op zijn horloge.

'Hoe gaat het met hem?' Ze had geen tijd gehad om zich zorgen te maken, maar hij had er niet best uitgezien gisteravond.

'Redelijk zolang hij onder de medicijnen zit. Zodra die beginnen uit te werken, begint-ie te snauwen.' Lance keek naar het plafond. 'Hoe staat het hiermee?'

'Ondanks eindeloze onderbrekingen ben ik nu zover dat ik het kapotte gedeelte van de leiding eruit kan halen en een nieuw stuk kan gaan kopen.'

'Kopen.' Lance spreidde zijn handen. 'Wat valt er te kopen?' Hij keek in het gat, keek haar met een raadselachtige glimlach aan en liep de keuken uit.

'We hebben al eerder wat buizen vervangen', zei Chaz.

Lance kwam terug met koperen buizen en koppelstukken, precies wat zij had willen aanschaffen. De Michelli's waren het kennelijk met haar eens dat reparaties niet alleen het probleem moesten verhelpen, maar ook de conditie van het gebouw moesten verbeteren – een gedachte die haar nieuwe energie gaf. Ze kauwde het laatste hapje pizza weg en stuurde hen allebei de keuken uit. Chaz moest gaan werken en Lance had een pizza in de oven staan. Maar bovenal: zij had een klus te klaren.

Ze had het beschadigde gedeelte van het plafond verwijderd, de kapotte buis eruit gehaald en was net bezig de koperen buis op zijn plek te passen, toen Roman thuiskwam.

'Wat heeft dit te betekenen?'

Rese trok haar hoofd uit het gat en keek omlaag. Doria had het hem toch verteld?

'Wat doe jij in mijn keukenplafond?'

'Ik ben het aan het maken.' Haar keel kneep dicht. Ze had geen confrontatie verwacht.

Zijn mond hing open van verbazing. 'Wie heeft gezegd dat dat nodig was?'

Toen kwam Doria binnenvliegen, met haar handen in de lucht. 'Ik zei toch dat we muizen hadden!'

Roman draaide zich om. 'Wat doet een meisje in mijn plafond?'

'Meisje? Een vakman!' Doria zette haar handen in haar zij. 'Heb jij die verzakking gerepareerd? Heb jij de muizen gehoord? Heb je naar ook maar één woord van wat ik zei geluisterd?'

Hij wuifde haar woorden weg. 'Je laat Lances vriendinnetje aan mijn leidingen komen.'

'Jouw leidingen! Wiens gootsteen is dat, denk je?'

Terwijl zij door ruzieden over het eigendomsrecht, klom Rese het gat weer in, bracht het laatste koppelstuk aan en schroefde het vast. Even later voelde ze een hand op haar enkel. Ze keek omlaag in Romans gezicht en begreep wat Lance bedoeld had toen hij hem intimiderend had genoemd. Haar nekharen gingen overeind staan. 'Wilt u even kijken?'

'Van die ladder af, jongedame.'

Ze voelde zich nog kwader worden. De laatste die haar *jongedame* genoemd had, had een week lang de rommel op mogen ruimen. Maar het was zijn ladder, zijn plafond, zijn keuken. Ze kwam naar beneden en hij klom omhoog. Doria stond nog altijd met haar handen in haar zij, maar Rese keek haar niet aan. Als Roman haar werk niet goed vond...

Hij kwam weer naar beneden en keek haar aan. 'Weet je hoe moeilijk het is om zo'n soort plafond te repareren?'

Niets over haar loodgieterswerk? 'Ik repareer al sinds mijn zestiende pleisterwerk op schotwerk.'

'En hoe oud ben je nu, achttien?'

'Vierentwintig', zei ze, voordat ze besefte dat dat zijn zaken niet waren. 'En voor ik de reparaties uitvoerde, keek ik toe en leerde ik het van de beste in zijn vakgebied. En toen ik achttien was, had ik al een uitmuntende reputatie op het gebied van timmerwerk. Uw plafond zal er straks beter uitzien dan wanneer u of Lance of Chaz het gedaan zouden hebben.'

Ze had hem knorrig gezien, ze had hem vrolijk gezien, maar tot op dat moment had ze hem nog niet kwaad gezien.

Hij balde zijn grote handen tot vuisten, alsof hij haar een lesje wilde leren. 'O ja, denk je dat?'

'Dat weet ik zeker.' Ze rechtte haar rug. Ze had hem niet willen beledigen, maar haar soort vakkennis was niet goedkoop. 'Wees blij dat ik geen rekening stuur.'

Hij liet zijn adem ontsnappen. En keek haar toen aan of ze een zeldzaam beest in een dierentuin was.

Doria kwam naar hem toe en schoof haar arm door de zijne. 'Voor ze het dichtmaakt, laten we de ongediertebestrijding komen.'

'Ja hoor. En die stuurt ook geen rekening.' Hij keek woest. 'Waarom laat je dat meisje de muizen niet wegjagen?'

'Ik houd niet van muizen. Ik haat muizen.' Rese stak haar kin in de lucht. 'En na deze ochtend zal ik nachtmerries hebben van muizen.'

Er flikkerde iets in Romans ogen. Toen breidde het zich uit naar zijn mond, een intrekken van zijn mondhoekjes. Hij zette zijn handen in zijn zij. 'Ga je met mijn zoon trouwen?'

Ze keek naar het plafond. 'Mag ik dan het plafond dichtmaken?'

Roman barstte in lachen uit. 'Ja. Maak dit plafond, trouw met Lance en maak een paar taaie baby's voor ons. Er lopen hier te veel huilebalken rond.' Hij keek naar zijn vrouw, die hem een klap op zijn borst gaf.

Rese slaakte een zucht. 'Ik moet hout bestellen. Denkt u dat u dat wel kunt missen?'

Geduld, vriendelijkheid, een vriendelijk woord.
Worden die verdreven uit mensen die te dicht op elkaar wonen?

Die eerste dagen waren een zegen, die ik niet voldoende op prijs stelde. Toen kwam mama Benigna thuis.

Nu is het Marco voor en Marco na. Hoe kwam het dat ik niet wist dat mijn man op water liep? Hij had stoffelijk genoeg geleken tot we bij mama introkken. *Wij* trokken bij haar in, maar Marco woont hier niet.

Marco doet belangrijke dingen voor belangrijke mensen, mensen met geld die hem het hele land door sturen. En terwijl hij weg is, zit ik met mama opgescheept. Er is niets vriendelijks aan mama

Benigna. Wat ik allemaal niet weet! Hoe ik een huishouden moet runnen, hoe ik moet naaien – ik wil het te secuur doen, terwijl de kleren die we repareren per stuk betaald worden. Hoe ik moet koken, vooral hoe ik moet koken. *'Waar is de saus?'* Alles moet zwemmen in saus om eetbaar te zijn. Wat verlang ik naar de dankbare blikken die ik ooit kreeg.

Als ik naar buiten ga, word ik nagefloten. Mama denkt dat ik het erom doe. Kan ik het helpen dat ik alleenstaand lijk? Als Marco op lucht kon lopen, zou hij misschien zo nu en dan in de buurt blijven. Maar hij had me gewaarschuwd dat hij vaak weg zou zijn voor zijn werk. En dat verwijt ik hem niet. Voor hem doe ik mijn uiterste best. Voor hem en voor het wezentje dat in me groeit...

Antonia sleepte zichzelf terug. Lance was binnengekomen om voor te lezen, maar ze kon het nog niet aan, dus ze had hem verteld over haar komst naar New York. Haar woorden kwamen langzaam en martelend, maar ze beschreef de huurkazerne in Manhattan, Mulberry Bend, waar Marco's familie vijftien jaar lang als ratten op elkaar gewoond had, omdat ze niet beter wisten. Ze spraken de taal niet, konden de formulieren niet lezen. En toen ze die na een tijdje wel konden lezen, bleven ze er, omdat het hun wereld geworden was.

'I...ik had een m...ooier l...leven gehad. Dat heb je gez...zien.' Ze sloot haar ogen en zag de met wijngaarden bedekte, golvende heuvels in de gouden nevel van een zonsondergang.

'Ik heb het gezien, nonna.'

'Z...zo mooi.' De tranen liepen over haar wangen. Ze wist niet om wie ze huilde en dat maakte ook niet uit. Verdriet had geen uitleg nodig.

Na een poosje kneep Lance in haar hand. 'Wilt u dat ik ga lezen?'

'N...nog niet.' Ze voelde een tegenzin, die aan angst grensde. Haar vroegere engelenblik? Of gewoon het verlangen van een oude vrouw om vast te houden aan wat ze ooit geloofd had?

Nadat ze het hout besteld had bij een firma die ze kende en vertrouwde – aangezien haar reputatie op het spel stond – vroeg Rese de website van het hotel op. Terwijl ze wachtte tot Lances oude computer zover was, vroeg ze zich af aan welke materiële zaken hij eigenlijk waarde hechtte. Gitaren. En zijn Harley. Ze veegde een laagje stof van de monitor, terwijl ze op het oeroude modem wachtte en draaide de stoel toen piepend rond om het appartement wat beter te bekijken. Elk van de drie mannen was er vertegenwoordigd.

Rico's drumstel nam een belangrijke plek in in de hoek, met gesigneerde posters van bands op de muren erachter, waaronder een van hen drietjes in de club die Lance haar had laten zien. In het keukentje hing een zilveren kruis uit Jamaica naast een grof geweven wandkleed, gemaakt door een blinde profetes voor wie Chaz als kind bang geweest was, maar die hij nu liefhad. Boven de deur bungelde een vaantje van de Yankees voor zowel Lance als Rico; respectievelijk de onstuitbare en de eeuwige fan.

De ingelijste schilderijen aan de muren hadden ze gekocht van straatartiesten. Dus Stars schilderij was niet zo nieuw voor Lance geweest als ze gedacht had. Hij begreep de toevallige ontdekking van schoonheid – en waardeerde die.

De duurste spullen waren de stereocomponenten, Rico's drumstel, de vier gitaren van Lance en Chaz' saxofoon, keyboard, xylofoon en verzameling houten fluiten. Ze besefte opnieuw de rol die muziek in hun leven had gespeeld en dat dat voor een groot deel het bindmiddel van hun vriendschap vormde.

Ze keerde weer naar het scherm en klikte de reserveringen aan. Ze had de week die ze weg zou zijn geblokkeerd en de volgende ook leeg gehouden – wat maar goed was ook, want ze waren nu al negen dagen weg. Als Lance weer op de website zou staan en ze er weer waren om de telefoon op te nemen, zou het hotel waarschijnlijk snel vol zitten. Maar ze hoopte op wat speling.

Het werk aan het keukenplafond zou nog wel een paar dagen duren, want als ze het hout aangebracht had, moest het pleisterwerk eerst drogen voor ze het kon verven. Daar zou het grootste deel van de tweede week mee gemoeid zijn. En dat was nog niet alles.

Rico was chagrijnig en snel geïrriteerd. Ze had even bij hem gekeken toen ze boven kwam en was het met Lance eens – hij snauwde inderdaad. Rico's arm lamleggen was als het muilkorven van een leeuw. En hij was al prikkelbaar geweest vanwege Star. En waar was Star?

Rese pakte de envelop die met de post gekomen was. Aan de afzender te zien, was het een postwissel van Stars trustfonds. Ze moest hun dit adres gegeven hebben, moest haar uitbetaling ook hebben laten omzetten van driemaandelijks naar maandelijks. Die optie had ze, maar maakte ze daar zelden gebruik van, omdat ze het geld niet zinvol wilde besteden. Misschien hadden zij en Rico plannen gemaakt. Je wist maar nooit hoe dat nu zou gaan. Rese trok een rimpel in haar voorhoofd. Hoe kon ze teruggaan naar Sonoma als Star in New York rondzwierf? Ze wist dat het haar verantwoordelijkheid niet was, maar wiens verantwoordelijkheid was het dan wel?

Rese wreef over haar slapen. En bovenal was daar Antonia. Als ze de hechte band tussen Lance en haar niet met eigen ogen gezien had, zou ze de vrouw kunnen verdenken van manipulatie. Antonia moest nog één ding onder ogen zien en ze wilde dat hij daarbij was, om haar te helpen. Dat begreep Rese maar al te goed.

Wat Lance betrof: die maakte zozeer deel uit van zijn familie, dat hij vergeten leek te zijn dat het hun doel was geweest om dingen te regelen en terug te gaan naar het hotel. Als ze hem daaraan zou herinneren, zou hij haar waarschijnlijk terugsturen, maar ze wilde niet alleen terug. Niet dat ze er niet op vertrouwde dat hij terug zou komen, maar dat... ze er niet op vertrouwde dat hij terug zou komen. Te veel mensen hadden hem nodig en er gebeurden te veel dingen. Het was bijna een samenzwering.

Ze bekeek de situatie. De meeste reserveringen waren voor later in het seizoen. De mensen kwamen in drommen als de druivenoogst in de wijngaarden naderde. Maar voor de komende weken had ze af en toe een reservering – vier in de volgende, als ze terug hadden moeten zijn, maar dat nu misschien niet zouden zijn.

Met een zucht stelde ze een berichtje op voor de mensen die voor volgende week kamers gereserveerd hadden, waarin stond dat alle reserveringen tijdelijk opgeschort werden vanwege een noodsituatie in de familie. De familie was Lances familie, maar de noodsituatie was de hare. Ze kon het niet zonder hem. Ze verontschuldigde zich voor de overlast en stortte hun aanbetaling terug. Het was nog vroeg genoeg in het seizoen om elders in Sonoma onderdak te vinden. Dat zou hun wel lukken.

Het stuitte haar tegen de borst om haar zaken door privé-aangelegenheden te laten belemmeren, maar het feit dat iedere volgende afzegging beter aanvoelde dan de vorige, baarde haar nog meer zorgen. Ze zou teleurgesteld moeten zijn, bezorgd voor haar toekomst, haar plannen. Was ze haar visie kwijt? Had ze die ooit gehad?

Rese sloot de website af. Het was niet zo dat ze al jaren in het hotelwezen zat. Als haar concurrenten haar failliet zouden laten gaan, wat dan nog? Ze had zich er meer om bekommerd wat Roman van haar werk zou vinden. Er klopte iets niet aan dat plaatje.

Ze sloot de computer af, stond op en rekte zich uit. Lance was bij Antonia, dus ze liep naar de andere kant van de gang en klopte op de deur. De wetenschap dat hij ontslagen was van de verantwoordelijkheden van het hotel zou hem de kans geven zich te concentreren op wat hij aan het doen was en dat tot een goed einde te brengen. Daarna zouden ze beslissen wat ze zouden gaan doen, als ze al iets zouden gaan doen.

Lance wachtte tot nonna uitgehuild was. Ze moesten er gewoon mee ophouden. Twee, drie alinea's tegelijk putten haar emotioneel volkomen uit en nu wilde ze nonno's brief helemaal niet meer lezen. Maar ze praatte en vertelde hem dingen die hij nog nooit gehoord had, de delen van haar leven die ze voor zichzelf had gehouden maar nu bekend moest maken, alsof ze bang was dat wat Marco te zeggen kon hebben de werkelijkheid die ze in moeizame bewoordingen beschreef, overhoop zou kunnen halen.

Hij wilde niet dat dit haar pijn zou doen. Zelfs nu nog zou hij het willen vergeten, nonno's bladzijden bij de andere dingen willen stoppen, de dossiers en Sybils brief uit Sonoma, dingen die hij buiten nonna's blikveld gelegd had. Hij zou het allemaal wegleggen en met rust laten. Hij zou haast willen dat hij het kon. Er klopte iets niet en hij wist zeker dat ze het allebei voelden. Voor één keer was hij de problemen voor, maar nonna zou hem niet laten weglopen.

Hij stond op bij de klop op de deur, verbaasd Rese daar te zien.

Ze vroeg zachtjes: 'Hoe is het met haar?'

Hij keek over zijn schouder. 'Het is zwaar.' Hij haalde een hand door zijn haar. 'Het spijt me dat het zo lang duurt.'

'Daar wilde ik met je over praten.'

Hij leunde met zijn schouder tegen de deurpost. 'Ik weet dat we terug moeten.'

'Ik heb de reserveringen voor volgende week afgezegd.'

'Wat?' Hij liet zijn schouders hangen toen dat in volle omvang tot hem doordrong. 'Ik wou dat je het me gevraagd had.'

'Het was mijn beslissing.'

De zijne ook, als ze compagnons waren, maar eerlijk gezegd was hij totaal niet bezig met het hotel. Hij stapte de gang op, trok de deur achter zich dicht en wreef over zijn gezicht. 'Ik denk steeds dat we een stapje dichterbij komen en dan...'

'Zulke dingen gebeuren nu eenmaal.' Ze klonk niet precies hetzelfde als pap, maar die had ongeveer hetzelfde gezegd.

Hij zuchtte. 'Ja.'

'Misschien met een reden.'

'Denk je?' Dat was nieuw voor Rese.

Ze tikte met haar duim op haar bovenbeen, een ongebruikelijk teken van onbehaaglijkheid. 'Lance... toen Rico onderuitging, had ik het idee dat het misschien geen ongeluk was.'

'Denk je dat iemand hem met opzet aangereden heeft?'

'Nee, dat bedoel ik niet. Maar meer, zoals jij zei, dat er achter alles een reden zit, ook achter dingen die slecht lijken.'

Het had geleken of ze niet geaccepteerd had dat de reddende aanwezigheid die ze in haar kamer ontmoet had hetzelfde goddelijke wezen kon zijn dat hij op Ground Zero beschreven had, dat God kon besluiten te redden – of niet, ook als het zijn eigen dienaren betrof, zijn zoons en dochters, mensen die buitengewoon gezegend hadden geleken. Nu had Rico's ongeluk haar ogen geopend, maar ze stoorde zich niet aan die realiteit; ze putte er hoop uit.

Ze slaakte een zucht. 'Ik weet dat het vreemd klinkt. Maar ik dacht dat de aanblik van de ambulance me zou verlammen, net als eerst. Maar toen ik hem zag, toen ze Rico erin legden, drong het tot me door dat het allemaal deel uitmaakte van iets groters.'

Hij wist dat dat zo was. Alles maakte deel uit van iets groters. Maar soms wilde hij dat dingen klein waren, onbetekenend. Toevallig. Hij was zo tegenstrijdig; hij wilde God begrijpen, maar verzette zich ertegen dat Gods Geest in alle aspecten van zijn leven doordrong. Door het nieuwe inzicht van Rese zag hij zijn eigen onwil.

'Misschien was die nacht met mam zelfs de bedoeling.'

Bij die gedachte kwam zijn beschermende geest in opstand, maar hij kon er niets tegen inbrengen. Als Rico's ongeluk een bedoeling had, hoeveel te meer dan Reses redding?

Ze fronste haar wenkbrauwen. 'Als dat niet zo was, had het een volgende keer misschien anders uitgepakt.'

Zijn gedachten sprongen naar alle manieren waarop Rese had kunnen sterven, een klein meisje alleen met een moeder van wie ze hield, maar die niet te vertrouwen was. Maar waarom had ze daar eigenlijk moeten zijn? Zodat de Heer zichzelf kon openbaren? Zijn eerste cynische reactie werd gepareerd door enthousiasme. Ze sprak uit een nieuw gevonden geloof. Dat was nog niet gehavend, en hij wist nog hoe dat voelde.

'Of mam had kunnen sterven. En dan zou ik niet de kans hebben gehad om iets voor haar te doen.'

De zuiverheid van die gedachte raakte hem diep. Hoe kwam het dat hij zo uitgeblust was? 'Je bent geweldig.' Hij vlocht zijn vingers door de hare.

'En dat zeg jij? Terwijl jij er voor iedereen bent, zoveel gedaan hebt?'

Was dat zo? 'Daar gaat het denk ik om.' Ze waren dan misschien pionnen, maar ze waren pionnen met een onweerstaanbare drang om die volgende stap te zetten, op te marcheren naar wat er ook maar voor hen lag, om iets te kunnen betekenen. 'Dus je denkt dat het nog steeds een bedoeling heeft dat we hier zijn?'

'Heb jij het gevoel dat je hier al klaar bent?'

Hij schudde zijn hoofd. Maar hij had niet verwacht dat zij het zou voelen. 'Ik dacht dat je ongedurig werd, dingen zocht om te voorkomen dat je tegen de muren op zou vliegen.'

Ze haalde een schouder op. 'Sommige dingen kan ik niet weerstaan.'

Hij trok zijn wenkbrauwen op. 'O ja?'

'Oude huizen. Harige honden.'

'Een man met een oorbel.' Hij bracht hun vingers naar zijn lippen.

'Je zult weer met Michelle moeten praten. Baxter zou een probleem kunnen worden.'

Kalme, praktische Rese. Hij wist wel beter. 'Het enige probleem met Baxter is dat hij nooit meer voor mij zal vallen na al die vrouwelijke aandacht.'

'Dat zou best eens kunnen.' Ze knikte naar Antonia's deur. 'Duurt het nog lang?' Er klonk iets van verlangen door in die vraag, zo licht dat het hem had kunnen ontgaan.

Hij duwde de deur achter hem open. 'Ik zal nonna alleen nog even welterusten zeggen.' Hij ging weer naar binnen en trof haar slapend aan. Hij hoopte dat ze goed zou uitrusten en dat ze morgen misschien verder konden lezen. Of niet. Het verhaal dat ze verteld had was boeiend en hij wilde meer. Hij had haar gekend als zijn nonna, maar nu, door haar moeizame woorden, leerde hij de jonge vrouw kennen die ze ooit was geweest en dat beschouwde hij als een voorrecht. Hij boog zich over haar heen en beroerde met zijn lippen haar voorhoofd. *'T'amo,* nonna.'

'Dat weet ze wel.' Sofie was achter hem naar binnen geglipt en samen legden ze nonna in bed.

Hoofdstuk 23

Lance liep met stijgende verwachting naar de overkant van de gang. Rese was naar hem toe gekomen, had hem onderbroken, iets wat ze nog nooit gedaan had. Ze had bijna om hem gevraagd. Dit was goed. Dit was echt goed. Hun verantwoordelijkheden hadden hen de hele dag bij elkaar vandaan gehouden en het werd tijd om daar verandering in te brengen. Hij liep weer met iets van zijn oude veerkracht door de gang, uitziend naar een avondje met een glas wijn en een mooie vrouw...

Hij deed de deur open. Rese en Rico zaten aan tafel te kaarten. Daar ging de romantiek. Hij ging zitten en keek naar Rico, die zijn kaarten vasthield met de arm die tegen zijn borst gebonden was. Zijn overhemd hing open over zijn schouders.

'Je laat je niet in de kaart kijken, hè?'

Rico wierp hem een woeste blik toe.

Had hij dit moment uitgekozen om de gezelligheid weer op te zoeken? Of had Rese beseft dat ze met vuur speelde en herinnerde ze zich opeens dat lucifers geen speelgoed waren? Of had hij het zich allemaal verbeeld? 'Wat spelen jullie?'

'*Five card draw*. Ze heeft het ergste pokerface dat ik ooit gezien heb.'

Lance schoot in een bulderende lach. 'Dat kun je wel zeggen, ja.'

Ze legde een paar kaarten neer. 'Ik neem er twee.'

'Van de bovenkant van de stapel', zei Rico.

Ze trok haar wenkbrauwen op. 'Denk je dat ik vals speel?'

'Alleen voor de zekerheid.'

'Ik heb nog nooit van mijn leven vals gespeeld.'

Lance liet zijn stoel op de achterpoten balanceren. 'Hoe vaak heb jij gepokerd?'

'Tamelijk vaak. Brad en de jongens kwamen soms langs. Pa speelde liever *five card stud*, maar ik geef de voorkeur aan *draw*.'

Hij schudde zijn hoofd. 'Basketbal en poker. Is er nog meer wat ik niet weet?'

'Je zou Michelle bellen.' Rese schoof de nieuwe kaarten tussen de kaarten in haar hand.

'Het is daar drie uur eerder. Geef mij ook maar kaarten.'

'Bel Michelle. Daarna mag je meedoen.'

De bazigheid die hem eerst mateloos geïrriteerd had, amuseerde hem nu. Hij stond op en pakte zijn telefoon van de oplader. Hij had Michelles nummer ingeprogrammeerd toen hij Baxter bij haar achterliet. Gek eigenlijk, dacht hij, dat hij zijn hond aan haar toevertrouwd had, terwijl hij niet eens wist wat haar achternaam was. Sommige mensen waren gewoon oké; dat voelde je. En hoewel Baxter niet erg kritisch was, had hij ook niet geklaagd.

Lance leunde tegen de gootsteen in het keukentje en wachtte tot de telefoon een aantal keer was overgegaan, zodat hij een boodschap zou kunnen achterlaten. 'Hallo, met Lance. Onze plannen staan nog steeds niet vast, maar als Baxter een probleem is –'

'Hallo.' Michelle verraste hem. 'Nee, hij is geen probleem. Hij gaat zelfs met me mee als ik op bezoek ga bij mensen die aan huis gebonden zijn. Hij is een groot succes.'

'Heeft hij het nog naar zijn zin? Wordt hij niet chagrijnig?'

Michelle schoot in de lach. 'Helaas voor jou; hij is tamelijk tevreden.'

Verrader. 'Nou, daar ben ik blij mee. Ik weet alleen niet hoe lang we nog weg zullen blijven.'

'Doe wat je moet doen en maak je geen zorgen om je hond.'

Hij hing op en ging zitten. In reactie op Reses vragende blik zei hij: 'Hij heeft zijn naam veranderd in Benedictus.'

Ze rolde met haar ogen. 'Grappig hoe honden op hun baasjes lijken.'

'Au.'

'Vriendelijk, buigzaam...' Rese zette twee stapels fiches voor hem. 'Zet maar in.'

Hij gooide een fiche neer en leunde achterover terwijl zij schudde en deelde voor Rico. Hij pakte zijn kaarten. 'Weet je zeker dat je het niet erg vindt, van het hotel? Je zou terug kunnen gaan.'

'Het heeft geen zin om alleen terug te gaan. Ik kan geen gasten ontvangen zonder jou.'

'Dat heb je al eerder gedaan.'

'Toen had ik Chaz, Rico en Star.'

Rico verstrakte. 'Kunnen we beginnen?'

Rese gooide er twee fiches bij. 'Ik verhoog jouw inzet met één.'

Lance en Rico keken elkaar even aan. Rico zette een fiche in en Lance gooide er nog een fiche bij en zei: 'De pot is goed; ik neem er drie.'

Rico schoof de kaarten van de stapel met zijn wijsvinger. 'Rese?'

'Ik niet.'

Rico trok zijn wenkbrauwen op. 'Geen kaarten?'

'Nee.'

Lance leunde achterover. Ze had de inzet verhoogd en geen kaarten gewisseld. Hmm. Hij keek even naar zijn twee boeren, gooide twee fiches op tafel. Rese zag het en gooide er twee bij. Rico aarzelde zo lang voor hij er ook twee bij gooide, dat hij iets kleins zou kunnen hebben en verwachtte dat ze blufte en in dat geval waren de boeren beter dan ze eruitzagen.

Lance hield twee fiches in zijn hand om te bieden. Hij wreef ze tussen zijn vingers en keek naar Rese of ze iets prijsgaf. Aan haar gezicht was niets te zien. Geen leedvermaak, geen overmoed. Geen twijfel. Hij legde de twee fiches weer terug op de stapel en pakte er toen vijf. 'Ik verhoog je inzet met drie.' Alleen om te kijken of hij haar uit balans kon brengen.

Ze had al fiches in haar hand voor de zijne de tafel raakten. 'Ik verhoog je inzet met vijf.' De fiches rinkelden in de pot.

Rico gooide zijn kaarten neer.

Lance klemde zijn lippen op elkaar. Nog vijf fiches op een paar boeren. Hij had al te veel geïnvesteerd. Als hij het bijltje er nu bij neergooide, zou hij haar kaarten niet zien, maar vijf fiches was wel een hoge prijs voor nieuwsgierigheid. Zat ze te bluffen? Zo niet, viel er dan wat voor te zeggen dat hij inzette? En zo ja... wat zei *dat* hem dan? Hij speelde wat met het halve stapeltje fiches dat hij nog overhad. Moest hij haar haar kaarten laten zien? Of het bijltje erbij neergooien? Hij keek naar zijn boeren, maar daar ging het niet om. Hij legde zijn kaarten neer en ontmoette Reses blik. 'Ik geloof je.'

Nog steeds niets meer dan een flikkering in haar ogen, terwijl ze haar kaarten samenschoof en ze op de stapel legde, zodat hij kon delen. Toen leegde ze de pot en begon de fiches netjes op te stapelen. Nog altijd niets toen hij de stapel pakte om te schudden. Hij had niet betaald om haar kaarten te mogen zien. Hij moest ze ertussen stoppen en schudden. Geen sprake van. Hij schoof de bovenste kaarten uit elkaar en gooide ze neer, leunde achterover en keek er met open mond naar.

Zelfs nu hij vals speelde hield ze zich rustig.

Rico wreef met zijn hand over zijn kin. 'Jij zit goed in de nesten, *mano.*'

Lance schoot in de lach. 'Ik heb nooit gezegd dat je poker met Rese Barrett moest spelen. Mens-erger-je-niet was al erg genoeg.' En als hij de rest van zijn leven en de eeuwigheid met haar door zou brengen, zou dat voldoende zijn.

Ze tilde haar kin op. 'Jij moet delen.'

De deur ging open en Chaz kwam binnen, gooide wat kleingeld in de geldschaal, ging zitten en strekte kreunend zijn benen uit.

Lance haakte zijn arm over de rugleuning van de stoel. 'Lange dag?'

'Goede dag. Productief, de moeite waard.' Hij keek de tafel rond. 'Maar waarom ben ik de enige die werkt?'

Lance haalde zijn schouders op. 'Wij leven van onze schoonheid.'

'Ik werk', zei Rese.

Rico stond op en pakte een biertje uit de koelkast. Hij zou zich kunnen gaan bedrinken als hij het gesprek te serieus nam.

Maar toen klopte er iemand op de deur. Chaz wilde opstaan, maar Lance beduidde hem dat hij moest blijven zitten. 'Sta mij toe, harde werker.' Hij deed de deur open en zette zich schrap.

Gewikkeld in iets wat eruitzag als een veelkleurige tovenaarsmantel zweefde Star met een plagerig lachje langs hem en begroette Rese met een pirouette en luchtkusjes. Voor ze kon reageren, liep Star langs Chaz, terwijl ze haar vingers over zijn schedel liet gaan, naar Rico die als een duistere piraat in de hoek stond.

Met een speels lachje fladderde ze op hem af en zag toen zijn arm, die tegen zijn borst gebonden was onder zijn gedrapeerde shirt en bracht hijgend uit: '"Bekomm'ring klemt verliefd zich aan u vast, ellende is u een levensgezellin." Wat is er met je arm gebeurd?'

'Ik was op zoek naar jou, *chiquita*', zei hij. 'Maar in plaats daarvan trof ik een auto.'

Ze stak haar vingers uit. '"Gij nacht, die troost verstikt –"'

Rico trok zich terug. 'Hou op met dat geleuter.'

Daar waren de ezelsoren.

Rese stond op. 'We hebben overal naar je gezocht, Star.'

Star draaide zich op haar hakken om. 'Waarom zou je de maan volgen, als je weet dat die morgen weer zal opkomen, helderder en voller omdat hij onder is gegaan.'

Uit Rico's gezicht sprak moordlust. Star had hem dieper geraakt dan ze doorhad.

'Star...' Rese probeerde het nogmaals.

Maar Star hief haar hand op. Trillend en bleek richtte ze zich tot Rico. 'Spreek je oordeel over me uit. Moet ik blijven of weggaan?'

Lance sloot zijn ogen.

'Er is hier geen plek voor je.'

'Rico.' Lance en Chaz zeiden het allebei tegelijk, maar Star draaide zich met betraande ogen om en liep naar de deur.

Rese sprong op. 'Wacht! Star!'

Maar Star trok de deur open en ging naar buiten.

Terwijl Rese achter haar aan de gang inliep, zei Lance tegen Rico: 'Ik zei toch dat ze problemen had.'

'Iedereen heeft problemen, *mano*.' Rico zette zijn biertje met een klap op het aanrecht en begon heen en weer te lopen. 'Maury wurgde haar. Maury sloeg haar. En ze zou naar hem teruggegaan zijn. Ik heb haar met geen vinger aangeraakt. Als ze het verschil niet ziet, dan is het er niet.' Hij keek kwaad. 'Totaal geen verschil.'

Lance nam dat in zich op. Hij had geprobeerd Rico te vertellen dat hij voorzichtig moest zijn, zijn ogen open moest houden. Maar hoe gewiekst hij ook was, hij was beentje gelicht en had dat niet zien aankomen. Star realiseerde het zich niet. Of misschien ook wel. Misschien was het haar manier om terug te slaan.

Rico liep heen en weer en draaide zich plotseling naar hem toe, met zijn vrije hand gespreid. 'Vind je dat het mijn schuld is?'

Lance schudde zijn hoofd. De situatie sprak voor zichzelf. Als ze berouwvol teruggekomen was, of met enig besef van de pijn die ze veroorzaakt had, zou het anders zijn geweest. Maar zoals Rese zei: of Star wist het niet, of het kon haar niet schelen. En het was Rico's bloedende handpalm geweest waar hij zijn eigen bloedende hand tegenaan gedrukt had, toen ze oud genoeg waren om hun belofte te menen. Hij liet hem niet in de steek.

'Star, kom binnen en praat erover.' Rese liep achter haar aan door de gang.

'Het gezag heeft mij de mond gesnoerd.' Stars voeten roffelden over de trap.

Rese moest hollen om haar bij te houden. 'Rico is kwaad. Dat had je moeten verwachten. Maar we kunnen –'

Star liep de overloop over. 'Je hebt hem gehoord. Er is geen plek voor mij.'

'Hij is niet de enige. We zijn hier allemaal bij betrokken.' Als Star weer wegging, hoe kon ze dan teruggaan naar Sonoma? Hoe kon iemand van hen dan teruggaan? 'Star, wacht.'

Star was onder aan de trap. 'De schikgodinnen hebben gesproken.'

'Die bestaan niet.' Rese rende achter haar aan. 'En Rico is God niet. Geef hem gewoon een kans om –'

'Ik heb hem een kans gegeven.' Haar borst ging op en neer. 'En ik doe niet aan God.' Ze stampte door de gang, trok de deur met een ruk open en liep de donkere avond in.

Rese keek haar na. Ze had beter moeten weten. Je kon Star niet tegenhouden. Star liet zich niet tegenhouden. Hoeveel rust ze ook leek te hebben gevonden in mams woorden bij hun bezoekje aan de psychiatrische inrichting, hoeveel plezier ze ook had met Rico, het was kennelijk niet genoeg. Of het was haar ontstolen, zoals Lance zei, door een sluipend kwaad.

Wat het ook was, Star was weer weg. Rese ging naar boven, verbaasd dat het haar nog steeds iets deed.

Lance wenkte Rese naar de bank naast hem toen ze alleen terugkwam. Hij was niet verbaasd en betwijfelde of zij het was. Maar het zou lastig kunnen worden als Rico bleef praten – en dat deed hij.

'Ze zorgt ervoor dat je haar wilt helpen en gaat er dan vandoor als je niet kijkt.'

Rese keek op naar Rico. 'Je weet niet wat ze meegemaakt heeft.'

'Ik weet wat ik meegemaakt heb. Wat we allemaal meegemaakt hebben. Het gaat erom wat je ermee doet, *chiquita*.' Hij liet zijn goede arm in de mouw van zijn shirt glijden, liet de rest bungelen. 'Het gaat erom hoe je je vrienden behandelt, hoe je je vijanden behandelt. Zij maakte de keus, ik niet.' Hij liep met grote stappen naar de deur en ging weg.

Lance slaakte een zucht. Rese kon er eigenlijk niets tegen inbrengen. Zij had dezelfde dingen gezegd als Star ervandoor ging. En zij had meer ervaring met Stars gedrag dan Rico.

Ze drukte haar handpalmen tegen haar voorhoofd. 'Waarom doet ze dit? Het lijkt wel of ze bezeten is.'

Aan de andere kant van de kamer deed Chaz zijn ogen open. Hij had in stilte zitten bidden, wist Lance, sinds het moment dat Star binnenkwam. Nu stond er een gespannen trek op zijn gezicht.

'Er zijn allerlei redenen waarom mensen dingen doen, Rese.' Het beviel Lance niet dat Chaz zich op die losse opmerking concentreerde. Rese had het zomaar gezegd, maar Chaz kwam uit een land van voodoo en geweld. Ze hadden eerder te maken gehad met machten der duisternis, alleen niet in deze woonkamer.

Op het eiland waren de omstandigheden duidelijk, maar dit... Hoeveel was te wijten aan Stars roekeloosheid, aan haar keuze? Menselijke zwakheid. Maar Chaz begon te bidden, op zachte, maar felle toon. Rese liet haar handen zakken en staarde hem aan. Lance sloeg een arm om haar heen om te laten zien dat er niets aan de hand was. Maar onverwacht voelde ook hij de sterke drang om te bidden.

Hij dacht niet meer aan Rese in zijn arm, of aan Chaz aan de andere kant van de kamer. Hij dacht zelfs nauwelijks aan Star, zo diep was zijn besef van God.

Na een poosje drong het tot hem door dat Chaz was gestopt met praten. Zijn gedachten keerden langzaam terug en zijn ogen gingen open. Rese nam weer vaste vorm aan in zijn omarming. Hij rechtte zijn rug.

'Alles goed?' Ze keek hem onderzoekend aan.

Chaz grijnsde. 'We waren je even kwijt, *man*.'

'Alles is goed.' Lance liet zijn vingers over zijn achterhoofd glijden. 'Maar ik denk dat dit een echte strijd is.'

Chaz hield zijn blik vast. 'Een kwade macht?' Het was niet echt een vraag; hij had het ook gevoeld.

Rese keek van de een naar de ander. 'Jullie bedoelen toch niet dat ze echt... ik zei gewoon maar wat.' Ze schoof naar achteren op de bank.

Ze verzette zich er natuurlijk tegen, maar hij had even geen zin om de strijd met haar aan te gaan. Hij wilde alleen een rustig plekje om bij te komen. Herstellen van een ontmoeting met de levende God deed je niet zo makkelijk – iets wat zelfs hem bizar in de oren klonk.

Chaz zei: 'Door dezelfde Geest die Jezus uit de doden opwekte, zijn alle dingen aan ons onderworpen.'

Lance slikte. Hoewel hij het bestaan van het kwaad genoemd had, ging dit verder dan alles waar hij het met Rese over gehad had.

Ze zei: 'Je zei dat de doden geen bedreiging vormen voor de levenden.'

'We hebben het niet over spoken.'

'Demonische machten kunnen ons kwellen', zei Chaz. 'En soms worden ze binnen genodigd.'

Rese stond op en begon heen en weer te lopen. 'Dus... dat *ding* dat ik in de tunnel voelde, was echt?'

Hoe was ze daarop gekomen? Lance sloeg zijn benen over elkaar. 'Dat was angst, Rese. Je kunt niet alles een demonische aard toeschrijven.'

Chaz zei: 'Maar het zou echt geweest kunnen zijn.'

Ze draaide zich op haar hakken om. 'Was Walter echt?'

Chaz wist niet waar ze het over had.

Lance schudde zijn hoofd. 'Walter was een onderdeel van je moeders ziekte. Iemand die echt voor je werd, als kind alleen met haar.'

Ze draaide zich weer om. 'Ik voelde hem daar beneden.'

Lance stak zijn hand naar haar uit. 'Iets, misschien. Maar geef er niet te snel een naam aan.' Hij trok haar weer terug op de bank.

Ze schudde haar hoofd. 'Ik geloof hier niks van.'

'De machten der duisternis bestaan echt', zei Chaz. 'Maar je moet niet achter elke boom een boze geest zien.'

'Of achter ieder wijnrek', voegde Lance eraan toe.

Ze keek hem kwaad aan. 'Er was daar iets, beneden, en het was niet het skelet van jouw overgrootvader.'

'Betovergrootvader.'

Ze keek nog kwader en richtte zich toen tot Chaz. 'Is Star bezeten?'

'Bezetenheid komt zelden voor.' Hij spreidde zijn handen. 'Maar haar overtuigingen en daden zijn gevaarlijk.'

Rese sloot haar ogen. 'Ik geloof het niet.'

Lance kneep haar in haar hand. 'We weten het niet', zei hij, hoewel het visioen nog op zijn netvlies stond. Zoiets had hij niet verwacht, maar er was iets veranderd. Hij wist niet wat of waarom, maar hij wist dat het waar was wat Rese zei. Dingen gebeurden met een reden. En nu kon hij er niet meer omheen dat hij er deel van uitmaakte.

Hoofdstuk 24

Twee dagen later weergalmden de muren en rinkelden de ramen. Met fladderende haren en druipend van het zweet sloeg Rico op zijn drumstel. Bij iedere beweging kromp hij ineen, zijn linkerarm moest het werk van beide armen doen. Niet mooi, maar ontembaar verwerkte hij zijn pijn en woede en misschien een beetje spijt. Lance had hem eerder zo meegemaakt en er was maar één manier waarop hij hem nu kon bereiken. Hij plugde zijn elektrische gitaar in en speelde mee op Rico's ritme en zette toen een van hun oudere nummers in, dat hij geschreven had in hun duistere fase.

Schreeuw, smeek, gooi je verdriet eruit.
Wat maakt het uit? Wat heb je eraan?
Het zal de pijn niet doen ophouden.
Als de hoop verdwijnt, waar moet je dan beginnen?
Wat kun je betekenen? Wat kun je bereiken?
Niets wat je doet laat de pijn ophouden...

Overal op aarde smachten mensen,
sterven mensen.
Overal waar hebzucht heerst,
betaalt een ander met zijn bloed.
Maar niemand laat de pijn ophouden...

Rico's stem voegde zich bij de zijne en voor het eerst in lange tijd hervonden ze hun harmonie, in toonhoogte, en klank en dynamiek. Ze zongen het tweede couplet, het refrein, het derde en het vierde couplet. Hun ogen vonden elkaar en Lance zoog de woede en frustratie en pijn in zich op, terwijl hij coupletten toevoegde die hij nog niet geschreven had, woorden die vanzelf in hem opkwamen, terwijl de muziek aanzwol.

Heb je weleens in de hongerige ogen van een kind gekeken?
Neem nog een frietje, eet nog een broodje.
Wat maakt het uit? Wat heb je eraan?
Heb je weleens tussen de geesten door gewandeld,
met hun armen uitgestrekt,
hopend op een stuiver?
Uit de weg, uit de weg,
zie je niet dat ik geen tijd heb?
Schreeuw, smeek, gooi je verdriet eruit.
Wat maakt het uit? Wat heb je eraan?
Je kunt de pijn niet laten ophouden.

En toen de woorden op waren, spraken de instrumenten verder. Het geluid verdoofde zijn oren. Zijn onderarm schreeuwde het uit van pijn. Acht minuten. Tien. Veertien. Ze speelden tot Rico op de kruk hijgend in elkaar zakte.

Lance wachtte, zelf ook buiten adem. Meestal herstelde Rico zich snel, maar zijn hand viel naar beneden, liet de drumstick bungelen en toen vallen. Hij zei één woord in het Spaans, dat het eigenlijk allemaal wel samenvatte.

Lance zette de gitaar neer. 'Je kunt wel een douche gebruiken, *mano*.'

Rico tilde zijn arm op en rook zichzelf. Lance hoefde niet zo dichtbij te komen om te weten dat Rico zijn lichaam van gif ontdaan had. Er walmde een golf zweetlucht in zijn richting toen hij opstond en zijn shirt uittrok, zijn hoofd ermee afveegde en stijfjes naar de badkamer liep.

Terwijl Rico een douche nam, verhitte Lance olie in een koekenpan op het elektrische plaatje, frituurde de bakbananen die hij die ochtend gekocht had, verwarmde wat rijst en kruidde die met *sofrito* – een mengsel van koriander, knoflook, oregano en fijngesneden pepertjes.

Rico kwam uitgehongerd uit de badkamer, wat Lance geweten had, na de confrontatie met de geuren uit zijn jeugd en zijn zware inspanning. Hij verslond het eten, leunde toen achterover en slaakte een zucht. 'Je had gelijk.'

Lance legde zijn onderarmen op de tafel. 'Waarover?'

'Het ging niet echt om haar. Ze deed alleen mee.'

'Toch klonk het goed, Rico. Wat zei Saul over jullie sound?'

Rico hief zijn ogen ten hemel zonder zijn gezicht op te heffen. 'Wat maakt het uit?'

Lance liet zijn adem langzaam ontsnappen. Hij had eerder meegemaakt dat Rico zichzelf ontleedde – daarom had zijn vader Juan ook geen plek meer in zijn hart. Het was twee dagen geleden dat hij Star eruit gegooid had en nu had hij zich van meer dan alleen gifstoffen ontdaan op het drumstel. 'Wat ga je doen?'

Rico haalde zijn schouders op, terwijl hij naar zijn arm keek, die dicht tegen zijn borst gebonden was. 'We zullen wel zien.' Toen rechtte hij zijn rug. 'Maar jij niet. Jij zult er niet meer zijn.'

Hij had gelijk. 'Rico...'

'Zo is het leven, *man*. Het komt op je af en als je niet maakt dat je wegkomt, walst het over je heen.'

Tja, zo zou je het kunnen bekijken.

'Waar is Rese?' Rico keek de kamer rond alsof het net pas tot hem doordrong dat ze alleen waren.

'Ze heeft pap opgestookt alle klusjes aan te pakken die hij heeft laten versloffen. Ik weet niet zeker of het een wedstrijd is of een samenwerkingsproject. Maar ze maken voor Dom een plank voor zijn prulletjes, terwijl ze wachten tot het pleisterwerk in de keuken droog is.' Hij schudde lachend zijn hoofd. 'Pap moest toegeven dat haar reparatie aan het plafond beter was dan hij ooit gezien had.'

Rico grijnsde. 'Dus nu is ze geen meisje meer.'

Lance schoot in de lach. 'Ik weet niet of hij zover gaat. Maar gisteravond zei hij tegen me dat ik verstandig moest zijn en met haar moest trouwen.'

'Weet hij dat dat tegen je levensmotto ingaat?'

Lance wipte zijn stoel achterover. 'Ik zit erover te denken om daar verandering in te brengen.'

Rico schudde zijn hoofd. 'Jaja.'

Geen wonder dat Rico hem niet geloofde. Hij had alle andere relaties op de klippen zien lopen, wist wanneer het moment kwam dat Lance de benen zou nemen. 'Deze keer is het anders.'

'Het is niet anders, *man*.' Rico's gezicht kreeg een vreemde uitdrukking. 'Liefde is voor stervelingen.'

Lance snoof. 'Nou, en?'

'Jij bent... anders.'

'Volgens mij heb je toch een hersenschudding opgelopen.'

Rico spreidde zijn handen. 'Kijk in de spiegel.'

'Onzin!' Lance zette de poten van zijn stoel weer op de grond. 'Ik ga naar nonna. Zin om even gedag te zeggen?'

'Ik heb gisteren een poosje bij haar gezeten. Maar ze sliep. Ik denk niet dat ze wist dat ik er was.'

'Jawel.' Als er iemand was die in haar slaap kon zien, was het Antonia Seraphina Michelli wel. En Rico zou ze in geen geval missen.

Hoewel ze wist dat hij het duiveltje op de schouder van haar kleinzoon was, had ze vanaf de eerste dag dat Lance hem mee naar huis nam een zwak gehad voor het sprieterige joch. Hij was net een straatkat, schichtig en hunkerend naar aandacht. Ze hadden troost en toevlucht gezocht in haar keuken, haar cadeautjes gegeven en laten lachen. Ze had Rico de sieraden van zijn moeder laten terugbrengen, maar hun vogelnestjes, knikkers en tekeningen had ze gehouden en ze had die van Rico naast de zijne opgehangen.

Pas toen hij wat ouder werd, begon Lance te beseffen dat hun situatie ongewoon was. Hij had Rico geadopteerd en had aangenomen dat de rest dat ook zou doen. En dat hadden ze ook gedaan, door Rico's familie te worden. Mama stopte hem vol en pap kreeg net zoveel werk van hem als van zijn zoons in ruil voor een lage huur. Chaz hielp ook, vanaf het moment dat hij erbij kwam en nu droeg Rese haar steentje bij.

Maar niet echt. Als pap geïncasseerd had wat hij had kunnen incasseren, had hij allang met pensioen kunnen gaan. Maar op zijn drieënzestigste gaf hij nog altijd het goede voorbeeld. Werk hard en geef gul. Praat er niet over.

Ik ben hoogzwanger als Marco me vertelt dat mijn straf voorbij is. Zijn pap heeft metselwerk verricht voor een appartementencomplex in de Bronx. De koper zit bijna aan de grond en Gustavo Michelli is niet dom. Hij heeft het gebouw van de man overgenomen in ruil voor zijn werk. Het enige wat ik te horen krijg is dat we de huurkazerne verlaten, die de afgelopen acht maanden mijn privéhel is geweest.

Met een gil sla ik mijn armen om Marco's nek. Het kan me zelfs niet schelen dat zijn moeder afkeurend kijkt. Die afkeurende blik is er altijd. Haar Marco, haar trots, is zonder haar medeweten met een snob uit het noorden getrouwd. Mijn dikke buik zit in de weg en de baby schopt. Marco schiet in de lach en duwt me dan een stukje van zich af, uit respect voor zijn mama.

'We gaan verhuizen, mama.'

Plotseling kan ik geen lucht meer krijgen. Gaat zij ook mee? Maar natuurlijk gaat ze mee. Het gebouw is van haar man. Ik heb pap Michelli vaak genoeg gezien om te weten dat ze getrouwd zijn, maar ik kan hem geen ongelijk geven dat hij voor zijn werk zo ver mogelijk weggaat. Wie zou de hele dag met zo'n feeks opgescheept willen zitten?

Net als zijn pap is Marco nog steeds te vaak weg en zonder hem voel ik me ellendig, maar als hij terugkomt, doe ik mijn uiterste best voor hem. Welke man wil terugkomen bij een zuurpruim? Hij doet geheimzinnig over zijn baan, maar ik dring niet verder aan. Ik ben al blij dat hij werk heeft.

Ik zou het vreselijk vinden als hij in de rij zou moeten staan voor de gaarkeuken of als ik me zorgen zou moeten maken dat hij aan een communistische staking deelneemt. Ik heb met die mensen te doen, maar heb geen behoefte me bij ze aan te sluiten. 'Wanneer gaan we?'

'Het gebouw is nog niet af. Dat duurt nog een paar maanden.'

Ik kan mijn ontzetting niet verbergen. Ik wil niet dat dit kind hier geboren wordt. 'O.' Mijn stem verraadt me.

Mama Benigna komt er plotseling tussen. 'Nu loopt ze weer te klagen. Gustavo werkt zich bijna dood om ons dit te geven en zij loopt te klagen.'

Als iets zijn dood zou veroorzaken, dan ben ik het niet. Wat zou ik dat graag hardop willen zeggen! Maar ik heb mezelf beloofd dat ik Marco niet tussen ons in zal plaatsen, zoals zij altijd doet. Ze doet me betreuren dat ik ooit naar een mama verlangd heb. Maar ik ben niet van plan dit moment te bederven. Marco moet weten hoe blij ik ben met zijn nieuws – hij heeft me hoop gegeven.

Antonia besefte dat ze het weer gedaan had, afdwalen terwijl Lance geduldig naast haar zat te wachten. *'Io lo fatto.'* Haar verontschuldiging kwam er voor de verandering eens moeiteloos uit.

'Geeft niet.'

Zijn ogen stonden vriendelijk. Ze had ze zien opvlammen en zien huilen, had ze hongerig en opstandig gezien. Ze had ze vol gerechtvaardigde woede gezien, maar het vaakst had ze ze gezien met de blik die hij nu had. Hij had de brief in zijn handen, maar wachtte op haar, terwijl hij zich afvroeg of ze het zou kunnen verdragen. Ze had hem al te lang afgescheept.

'L...lees.'

Hij tilde de bladzijden op. 'Weet u het zeker?'

Nee, maar zich vastklampend aan de hoop in haar herinnering knikte ze.

Lance begon te lezen.

Met Vittorio op een vertrouwenspositie was ik meer opzichter dan veldwerker. Ik had ervaring met beide en gaf eerlijk gezegd de voorkeur aan het laatste, maar Vittorio was discreet, ongetwijfeld was dat deels de reden dat Jackson hem binnengehaald had. Dat werkte nu naar twee kanten.

Hoewel hij van mij wist dat de bank niet deugde en Jackson nog minder, behield Vittorio zijn achting voor zijn baas. Hij deed het beter dan ik verwacht had en ik dacht erover hem aan te bevelen bij het Bureau, als we er ongeschonden uit zouden komen. Meerdere agenten waren uit dergelijke schimmige zaakjes voortgekomen. Ze verschaften ons nuttige inzichten. En eerlijk gezegd mocht ik de man wel, hoewel ik moet toegeven dat ik welwillender stond tegenover jou en Quillan. Het werd een prioriteit om jullie welzijn veilig te stellen. Daar ben ik niet in geslaagd, hoewel ik niet begreep waarom.

Ik had de operatie simpel gehouden, omdat ik al vroeg geleerd had dat eenvoud het beste werkt – een van de redenen waarom ik undercoverwerk verkoos boven heimelijke ontmoetingen. Vittorio was het daarmee eens. Hij moest noteren waar hij getuige van was zonder het nut ervan te beoordelen. Data, tijden, transacties, ontmoetingen. Hij zou als mijn ogen fungeren en ik zou alles wat hij mij gaf duiden. Een eenvoudig plan dat gewerkt zou hebben – als ik de informatie ontvangen zou hebben.

Lance keek op. 'Dat moeten de enveloppen zijn geweest die ik in de kelder gevonden heb.'

Antonia trok zichzelf naar het heden. 'En...ve...loppen?'

Hij kromp ineen. 'Laat maar.'

'L...ance.'

Hij schudde zijn hoofd. 'Als u het zich niet herinnert, vergeet het dan maar.'

Ze keek hem kwaad aan. 'Vertel het m...e'

Hij zuchtte. 'Bij het geld uit de kelder. Ik heb het u laten zien. Toen maakte u er een drama van.'

Onbeschaamde vlegel! Ze gaf hem een klap op zijn hand. 'L...aat zien.'

'Nonna.'

Ze keek hem aan met een blik die geen tegenspraak duldde. Misschien was het de eerste keer een schok voor haar geweest, maar nu ging het om Marco, om een kant van hem die hij nooit met haar gedeeld had. En om papa. Al die jaren had ze hem veroordeeld, hem weggestopt in haar hart, beschaamd om de liefde die ze nog altijd voor hem voelde. Al die jaren...

'Goed dan.' Lance stond op. 'Maar als u me weer laat schrikken, dan is het afgelopen. Dan verbrand ik het hele zootje.'

Lance liep zijn appartement binnen. Rico was zeker weggegaan, want het was er leeg en volkomen stil, op de plafondventilator na, die hing te schommelen terwijl de bladen de lucht in beweging brachten. Hij pakte de doos die hij na nonna's TIA weggestopt had. De eerste keer had hij haar ermee overvallen – stom genoeg – maar nu vroeg ze er zelf om. Misschien herkende ze de bedoeling die erachter leek te zitten, een bedoeling die zelfs Rese had gezien.

Hij pakte de doos en hield die even vast voor hij terugging naar nonna. Rico's opmerking dat hij meer was dan louter menselijk was belachelijk, maar terwijl hij daar stond met die doos had hij bijna het gevoel of hij zich buiten zichzelf bevond, alsof hij niet helemaal stoffelijk was. Vanbinnen trok er iets aan hem... iets wat sterker was dan hij. Hij wilde zich ertegen verzetten, maar kon het niet. Was dat hoe Tony zich gevoeld had, toen hij de toren in rende terwijl alles in hem geschreeuwd moest hebben dat hij om moest keren?

Hij sloot zijn ogen en fluisterde: 'Hier ben ik. Zoals ik ben.'

De ventilator klikklakte terwijl hij daar doodstil stond. Wat het ook was, het duurde maar heel even; toen deed hij zijn ogen open en vroeg hij zich af of hij het zich allemaal verbeeld had.

Hij bracht de doos terug naar nonna. Hij voelde vreemd zwaar aan toen hij hem op haar schoot zette, maar misschien was dat het gewicht van zijn eigen angst. Hij wilde niet dat ze weer een terugval kreeg.

De enveloppen lagen helemaal onderop, dus nadat hij haar geholpen had het deksel open te doen, tilde hij de spullen eruit die hij haar eerder had laten zien, terwijl hij ingespannen lette op tekenen van spanning. Deze keer leek ze ze aan te pakken als oude vrienden, niet bang voor wat ze haar te vertellen konden hebben. Hij had op Gods tijd moeten wachten. Zou hij ooit leren niet zijn eigen zin door te drukken?

Ze leek haar dagboek met tegenzin los te laten, maar legde het ten slotte opzij om naar de enveloppen te kijken. Ze bestudeerde de namen die erop geschreven waren. 'D...it is papa's h...handschrift.' Er verscheen een gespannen trek op haar gezicht toen ze bij het dossier van Arthur Jackson kwam.

Lance knielde naast haar neer. 'Bent u van streek, nonna?'

Ze keek hem aan. 'Je m...erkt het wel als ik v…an s…treek ben.'

Hij gaf haar een kneepje in haar hand. 'Misschien was uw vader betrokken bij iets waar hij niet bij betrokken had moeten zijn, maar zodra hij dat wist, deed hij wat hij moest doen. Hij werkte samen met nonno.'

Ze knikte. 'Arthur J...ackson heeft papa verm...oord.'

Lance haalde zijn schouders op. 'Misschien. Maar het was niet zijn idee.'

Ze trok een rimpel in haar voorhoofd. In haar ogen stond verwarring te lezen.

Hij haalde de brief die hij van Sybil gekregen had uit de doos, de brief die ze gekopieerd had uit haar vaders kluis, een soort familieoverlevering. Over de tijd dat haar overgrootvader een huurmoordenaar in de arm had genomen – die had Arthur Jackson zelf benaderd, hem informatie gegeven en zijn diensten aangeboden.

Nonna las de brief. Onder het lezen ging haar hoofd van de ene kant naar de andere, in zwijgende ontkenning. Ze maakte haar blik met moeite los van het vel papier. 'W...ie?'

Lance haalde zijn schouders op. 'Die vent wist dat nonno federaal agent was. Misschien had hij uitgevogeld dat uw vader de mol was, maar het lijkt erop dat het begon met nonno.'

Nu stond er beslist spanning op haar gezicht te lezen. De brief trilde. Lance nam haar verschrompelde hand in de zijne. 'Blijf luisteren, nonna.'

Maar nu kwamen de tranen. Hij maakte de brief voorzichtig los uit haar hand en legde hem bij de enveloppen in de doos. Hij haalde de doos van haar schoot, maar liet haar persoonlijke eigendommen naast haar liggen, hoewel ze die helemaal vergeten leek te zijn.

Met trillende lippen fluisterde ze: 'Marco.' In dat ene woordje klonk zoveel verwarring en wanhoop door dat het hem verscheurde.

Waarom deden ze dit? Wat had het voor zin? Had God er behagen in zijn schepselen ongelukkig te maken? Met een boze ruk hief Lance zijn kin op. *Geen beroertes meer, geen schokken meer, geen pijn meer, Heer. Uw last is niet licht.* Zag Hij niet dat Hij haar kapotmaakte? *Ik neem dit juk op me. Leg het op mij en geef nonna vrede.* Opnieuw voelde hij zich leeg, maar deze keer worstelde hij in zijn geest als Jakob met de engel. *Het is nu tussen U en mij, Heer.* En hij was niet van plan Hem te laten gaan.

Hoofdstuk 25

In de drie daaropvolgende dagen keek Rese toe hoe Lances familie voor Antonia zorgde, haar in haar waarde liet door haar zelf de dingen te laten doen die ze kon doen en te zorgen voor de dingen die ze niet kon doen. Zou zij dat ook niet voor mam kunnen doen? Ze wist dan misschien wel niet wat de artsen en verpleegsters wisten, maar als de nieuwe medicijnen voor enige rust en helderheid in mams benevelde brein zorgden, zou ze haar weer een thuis kunnen geven, een familie, ook al bestond die alleen maar uit de dochter die ze niet had willen houden.

Hoewel Antonia de afgelopen paar dagen vrijwel voortdurend geslapen had, ging er tussen de dutjes door steeds iemand bij haar kijken of kwamen de kinderen bij haar met tekeningen en knuffelbeesten of zere vingers, waar een kusje op moest. Rese wist dat allemaal, omdat Lance hun deur en die van Antonia nu openliet. Hij wilde onmiddellijk beschikbaar zijn om haar voor te lezen, bij haar te zitten of naar haar te luisteren, hoewel ze hem weer leek te hebben afgescheept. Misschien waren ze klaar en had Lance zich dat gewoon niet gerealiseerd. Of tuigde ze zichzelf op, zoals hij zei, om haar emotionele uithoudingsvermogen terug te krijgen.

Rese slaakte een zucht. Zijn geduld was bewonderenswaardig, maar de tweede week was nu om en hoewel ze de reserveringen voor de volgende week had afgezegd, zou ze de drie mensen die voor de laatste week van juni gereserveerd hadden, op tijd moeten laten weten of dat doorging of niet, zodat ze genoeg tijd zouden hebben om een andere verblijfplaats te regelen. Het hotel had vol kunnen zitten als ze de reserveringen niet opgeschort had, maar daar kon ze zich nu niet druk om maken. Lance moest zijn zaakjes hier afhandelen, zodat hij zich op hun bedrijf zou kunnen richten. Ze moest ervoor zorgen dat hij dat niet uit het oog verloor.

Een stel kinderen kwam Antonia's deur aan de overkant van de gang uit, al giechelend en elkaar tot stilte manend. Rese wist nu zo'n beetje wie bij welke ouders hoorde en kende zelfs hun namen. Maar toen Nicky zich uit de groep losmaakte, naar binnen rende en op haar schoot klom, kon ze haar opgetogenheid niet verbergen.

Lance schudde zijn hoofd. 'Ik ben aan de kant gezet.'

Rese glimlachte. 'Sommige dingen zijn niet met kwartjes te koop.' Maar ze was net zo verbaasd als Lance.

Nicky kroop tegen haar aan en ze voelde zich helemaal warm worden.

'Lekker, hè, Nick?' Hij woelde door het haar van de peuter. 'Ik vind dat ook een fijn plekje.'

Nog een golf van warmte. 'Heb jij niks te doen?'

Hij leunde achterover en omhulde haar met zijn blik, terwijl er langzaam een glimlach op zijn gezicht verscheen.

Vinnie kwam binnen en gaf een roffel op de deurpost, terwijl de geur van sigarenrook met hem mee naar binnen dreef.

Lance hief zijn kin een stukje op. 'Wat is er, Vinnie?'

'Niks. Ik kwam voor je meisje.'

Lance trok zijn wenkbrauwen op.

Zijn meisje. Rese vroeg aan Vinnie: 'Wat is er?'

De oude man schuifelde naar binnen. 'Die plank die je voor Dom gemaakt hebt. Zou je er ook zo een voor mij kunnen maken?'

Ze glimlachte. 'Hij is mooi geworden, hè?'

Lance sloeg zijn armen over elkaar en keek van haar naar Vinnie.

Ze kon wel raden wat hij dacht. 'Ik zal het aan Roman vragen.'

'Laat je niet afschepen. Ik heb meer spullen dan Dom en betere spullen ook. Zijn oude trofeeën?' Vinnie blies door zijn lippen. 'Ik heb een gesigneerde Sinatrapop.'

Rese knikte. 'Ik zal kijken wat ik kan doen.'

'En drie grammofoonplaten, stuk voor stuk gesigneerd. Die horen niet in een doos te zitten.'

'Goed.'

'Goed.' Hij knikte. 'Ik moet ervandoor.' Hij richtte zich tot Lance. 'Je moet dat meidje trouwen.'

Lance haalde zijn schouders op. 'Ik ben ermee bezig.'

'Ermee bezig.' Vinnie maakte een wegwerpgebaar naar hem. 'Wat valt daarmee bezig te zijn?'

'Ik heb nog maar één kans.' Lance wierp haar een blik toe, die precies de reactie teweegbracht die hij bedoeld had. 'Die mag ik niet verprutsen.'

Vinnie maakte weer een wegwerpgebaar en liep weg.

'Lance...' Hij kon net zo goed meteen vragen hoe het met zijn kansen gesteld was, maar Monica kwam Nicky halen en toen kwam Jake, de oudste zoon van Tony en Gina, binnen met een gedeukte gitaarkoffer. Terwijl hij alles klaarzette om samen met Lance te gaan spelen, vermoedde ze dat het evenzeer ging om de tijd die hij met zijn oom doorbracht als om zijn aanwijzingen. Terwijl ze naar hen keek, voelde ze hoe goed Lances invloed was.

Zou hij ooit weg willen gaan? Zouden ze hem ooit laten gaan? Als zij zich al verscheurd voelde, hoe moest het dan niet zijn voor hem? Maar zij moest haar hotelletje runnen en beslissingen nemen over de zorg voor haar moeder. Zij had ook verantwoordelijkheden.

En ze miste Baxter. Ze miste de manier waarop hij zijn kop op haar schoot legde als ze naast hem ging zitten, met een blik die zei: 'Waar ben je geweest?' Ze miste de superzachte vacht tussen zijn oren en de manier waarop hij zijn poten om haar arm sloeg als ze over zijn buik wreef. En hoewel Michelle dacht dat de hond tevreden was zonder Lance, wist Rese dat zijn baas iets in hem tot leven riep, wat niemand kon vervangen.

Het was hetzelfde als wat in haar tot leven kwam. Ze keek een poosje toe hoe hij met Jake bezig was en stond toen op. 'Ik ga een eindje lopen.' Misschien zou ze Star vinden en zou Lance ingepakt en wel klaarstaan om te vertrekken als ze terugkwamen. Antonia zou hun gedag zwaaien en alle anderen ook, met ogen vol tranen en omhelzingen en kussen. Rese voelde een steek. Zou ze hen echt missen?

Buiten stonden de bomen vol in het blad en was de grond een lappendeken van schaduw en zon, wervelde de lucht langs restaurantjes, die roken naar sauzen, kaas en andere etensluchtjes. Mensen groetten haar en ze moest lachen dat ze zich ooit afgevraagd had of ze traangas nodig zou hebben. Hoewel de buurt grensde aan een van de gevaarlijkste delen van de stad en er na het invallen van de duisternis dingen gebeurden het daglicht niet kunnen verdragen, was hij op deze prachtige middag een enclave van veiligheid, vriendschap en liefde.

Daar had je Carmine. Zijn neus was weer heel en hij zat op een plastic stoeltje voor de snoepwinkel met een andere man te kletsen en naar de straat te kijken. Joe Palese en Vinnie Avenzzana waren oesters uit de schelp aan het eten, met een schijfje citroen. De eigenaars van de pastawinkels stonden hun etalageruiten te zemen en met de bijna honderdjarige pater van de kerk aan de overkant van de straat te praten.

Vlak bij de hoek stond een gedrongen man met een schort voor een sigaret te roken en naar haar te kijken. Een nog gedrongener vrouw stapte de winkeldeur uit en gaf hem een klap op zijn arm. 'Waar sta je naar te kijken, ouwe?'

'Een vrouw is zo oud als ze eruitziet. Een man is pas oud als hij ophoudt met kijken.' Hij gaf haar een knipoog toen ze langs hem liep.

In een vorig leven zou Rese zich misschien beledigd hebben gevoeld, maar deze mensen waren puur. En gek genoeg voelde zij zich ook puur.

Stel dat Lance zou willen blijven? Zou zij zich hier dan thuis kunnen voelen? Ze liep langs de winkeltjes met curiosa, de christelijke boekwinkel en een stuk of zes levensmiddelenzaken. Als Lance bij haar was geweest, zou iedere eigenaar hem een groet toegeroepen hebben.

Ja, ze zou hier kunnen wonen, maar hoe moest het dan met mam? Het hotel? Star?

Aan de overkant van de straat bleef ze voor de kerk staan en keek omhoog. Het architectonische ontwerp trok haar blik en haar hart naar boven. Maar toen ze dat aangegeven had, had Lance zijn schouders opgehaald. 'Dat is waar, maar Christus is ook hier op straat, met opgerolde mouwen aan het werk in het Koninkrijk.'

'Waarom heeft het dan voor mij niet gewerkt?'

'Renovatie', had Lance gezegd. 'Een nieuwe manier binnen de oude.'

En Chaz had het 'een toestand van onkruid en tarwe' genoemd, noodzakelijk tot de juiste tijd, als de oogst van hun werk binnengehaald en het kaf verbrand zou worden. Ze begon in te zien dat geloven gewoon leven was.

Terwijl ze daar stond, afgeleid van het koninkrijk op straat door de schoonheid van de glas-in-loodramen, kwam Sofie de kerk uit, bleef even staan en kwam toen naar haar toe. 'Hoi.'

Rese beantwoordde haar groet. 'Ik ben een eindje aan het wandelen.'

'Vind je het goed als ik meeloop?'

Ze haalde haar schouders op. 'Mij best.'

'Al iets gehoord van Star?'

Rese schudde haar hoofd. Dat had ze ook niet verwacht. 'Soms blijft ze weken weg, of zelfs maanden.'

'Dus het is een patroon.'

Rese keek naar een bruin gestreepte vink, die langs de stoeprand hupte en toen wegvloog. 'Lance denkt dat ze zichzelf pijn wil doen. Dat ze zich daar op de een of andere manier beter door voelt.'

Sofie knikte. 'Dat is een ziektebeeld, dat meestal wijst op diepgewortelde problemen.'

'Ze heeft inderdaad problemen.' Wie niet? Rico had gelijk dat het erom ging wat je ermee deed. Maar... stel dat Lance en Chaz gelijk hadden? Stel dat het een soort kwaad was, dat haar dreef? Zoals Walter, die in mams hoofd fluisterde? Rese huiverde. 'Ik had haar tegen moeten houden.'

Sofie legde een hand op haar arm. 'Dat kon je niet.'

Rese keek haar aan en zag tot haar verbazing dat Sofie haar onderzoekend en open aankeek.

'Mensen bepalen zelf hun koers en die kan niemand veranderen. Het moet van binnenuit komen.' Ze legde een hand op haar hart en twee tellen later zei ze: 'Zes jaar geleden heb ik geprobeerd zelfmoord te plegen.'

Rese bleef staan. Nadat ze een moordpoging overleefd had, kon ze zich nauwelijks voorstellen dat iemand zichzelf van het leven zou beroven. Maar toen Sofie bleef doorlopen, zette ze haar voeten weer in beweging.

Sofie sloeg haar armen over elkaar. 'Iedereen kende de reden, maar niemand zag de pijn waar ik aan ten onder ging. Ik hield me groot, en nam met een glimlach alle zoenen en omhelzingen en geruststellende woorden in ontvangst. *"De tijd heelt alle wonden." "Je bent beter af."* En sommige minder vriendelijk. *"Als je in de lucht spuugt, komt het in je gezicht terug."* Ze schoot in de lach en zuchtte. 'Je kunt Stars pijn pas begrijpen als ze je die laat zien.'

Die had ze haar laten zien, telkens opnieuw, gedurende alle jaren dat ze samen opgroeiden. En Rese had haar vastgehouden en getroost en haar verteld dat het allemaal goed zou komen. Maar het kwam niet goed, anders zou ze er niet voor wegrennen, of er naartoe rennen, zoals Lance geloofde.

'Ik wou dat ze teruggekomen was. We kunnen niet veel langer blijven.'

'Dus Lance gaat echt weg?'

Sofie wist van het hotel; waarom vroeg ze het dan? Rese knikte. 'Zodra hij hier klaar is.'

'Hij is de beste van ons allemaal', zei Sofie.

'Hij vindt zichzelf een mislukkeling.'

Ze schoot in de lach. 'Dat weet ik. Maar hij is bijzonder.' Ze keek Rese aan. 'Hou je van hem?'

Rese slikte de pijn in haar keel weg. Ze had geprobeerd het te ontkennen, maar hoe kon ze dat? Iedereen die hem kende, hield van hem. Hoe had ze kunnen denken dat zij niet van hem hield?

Het is alsof ik de hemel aanraak als ik Celestina vasthoud. Dit wezentje, dit wonder dat Marco en ik gemaakt hebben! Hij heeft de nachttrein genomen om op tijd hier te zijn en nu is ze er, en hij ook.

Marco drukt zijn lippen op mijn wang. 'Alles goed, *cara mia*?'

'Hoe kun je dat nu vragen? Kijk nou toch eens.' Maar ik ben ontroerd dat hij aan mij denkt, terwijl zijn dochter net op de wereld is. Wat zou nonno hier blij mee zijn geweest. En papa. De tranen branden in mijn keel en Marco bedekt mijn mond met de zijne, neemt het verdriet weg met zijn liefde en laat alleen ruimte voor vreugde.

Hij is mijn kracht. Mijn liefde en mijn leven. Ik zou het bijna kunnen vergeten. Bijna...

Antonia keek op toen Rese en Sofie samen binnenkwamen. Ze nam hun kussen in ontvangst, die van Sofie zo natuurlijk als haar adem en die van Rese, die eerder zo stijf was geweest.

'Monseigneur heeft de mis voor u opgedragen', zei Sofie.

'Buono.' Antonia knikte. Wie weet, misschien hielp het.

'Anna en Mary Elizabeth bidden voor u.' Sofie ging in Lances stoel zitten. Zo was Antonia die gaan noemen gedurende hun reizen door haar leven. Het was egoïstisch om hem zo lang hier te houden. Ze moest Marco's brief uitlezen en er een punt achter zetten.

Sofie vertelde haar de laatste nieuwtjes over de mensen die hun leven lang samen met haar naar de kerk gegaan waren. Ze baden allemaal voor haar. Ze luisterde en glimlachte. Maar zodra Sofie klaar was, richtte ze zich tot Rese, die zich onopvallend op de achtergrond hield. 'Ga L...ance halen.'

Rese knikte en toen ze weg was, zei Antonia tegen Sofie: 'Ze h... eeft L...ances hart.'

'Misschien', zei Sofie.

Lance stopte even met zijn aanwijzingen toen Rese binnenkwam en zei: 'Antonia wil dat je komt.'

Ze leek het niet prettig te vinden dat ze hen stoorde, maar hij en Jake hadden al heel wat gedaan.

'Goed.' Jake schudde zijn hand uit als een doek.

'Je hebt geen eelt meer op je vingers.' Dat hoefde hij niet te zeggen. Jakes vingers spraken voor zich. Zijn eigen vingers hadden een dikke laag eelt, maar die van Jake waren nog zo zacht dat hij hem eraan moest herinneren.

Jake trok een rimpel in zijn voorhoofd. 'Wat heeft het voor zin?'

Lance gaf hem een duw tegen zijn arm. 'Hoe bedoel je: wat heeft het voor zin?'

Jake gaf hem een duw terug. 'Je gaat toch weer weg.'

'En er zijn geen andere gitaarleraren in Manhattan?'

Jake haalde zijn schouders op.

'Wat is dat nou voor houding? Je wilde toch zo graag leren spelen?' Hij wilde meer dan bewieroking. Hij wilde dat Jake zelf een kans greep.

'Waarom zou ik het van de een of andere malloot leren, terwijl jij –' Jake schudde zijn hoofd. 'Laat maar. Ga maar naar nonna.'

'Terwijl ik wat?'

'Laat maar.'

Lance zette zijn gitaar op de standaard. 'Terwijl ik wat, Jake?'

'Mij met je mee zou kunnen nemen.'

Lance legde zijn onderarmen op zijn knieën en keek opmerkzaam naar zijn neefje, Tony's zoon, die al net zulke brede schouders en grote handen kreeg. Ogen die veel te oud waren voor zijn leeftijd, net als bij alle kinderen van de slachtoffers, die het gezicht van het kwaad kenden voor ze het begrip konden vatten.

'Je moeder heeft je nodig, Jake.'

Hij rolde met zijn ogen.

'Kom nou toch. Je weet dat ze je nodig heeft.'

'Kan mij wat schelen.' Hij keek kwaad. 'Ze heeft die kerel nou toch.'

Lance trok zijn wenkbrauwen op. 'Welke kerel?'

'Ze heeft hem nu twee keer ontmoet. De een of andere dokter met wie ze samenwerkt.'

Lance keek even naar Rese. Ze had hem gevraagd hoe hij het zou vinden als Gina verder zou gaan met haar leven, of hij haar dat kwalijk zou nemen. 'Twee keer zegt nog niks', zei hij zowel tegen zichzelf als tegen Jake. 'Tenzij je een Michelli bent.' Hij grijnsde. 'Dan is het bezegeld.'

Jake keek hem kwaad aan. 'Ze stonden mekaar af te lebberen.'

'Heb je ze bespioneerd?'

Jake schoot met een ruk achteruit op de bank, waarbij hij de gitaar plat op zijn schoot liet glijden. 'Ze stonden voor de deur.'

'En jouw hoofd hing uit het raam?'

Jake sloeg zijn armen over elkaar. 'Wat maakt het nou uit dat ik gekeken heb? Ze is mijn moeder.'

'En dus heeft ze recht op een beetje respect. Dat betekent dat je haar niet bespioneert.'

'Ze hoort zich niet te laten zoenen op de veranda.'

'Nou, misschien wilde ze zich wel niet laten zoenen voor jouw neus.'

'Hij is een sukkel.'

'Hoe weet je dat?'

'Een dokter?' Zijn toon droop van sarcasme.

Tja, vergeleken bij een politieagent... Vergeleken bij Tony... 'Ten eerste weet je niet of het serieus is. Ook al lebberen ze elkaar af', voegde hij eraan toe, toen Jake ertegenin wilde gaan. 'En als het wel serieus is, dan nog kun je niet weglopen.'

'Dat heb jij ook gedaan.'

Lance trok een rimpel in zijn voorhoofd. 'Zou Tony Michelli weggelopen zijn?'

'Pa zou die kerel verrot geslagen hebben.'

Dat was waar.

'Maar pa is er niet meer.' Jakes stem brak.

'Bedenk dan wat hij zou doen.'

'Hem verrot slaan? Zijn bril kapotmaken?'

Een dokter met een bril. Die Gina kuste. 'Je mag hem niet verrot slaan. Tony was sportief. Dat moet jij ook zijn.'

Jakes borst ging op en neer achter zijn over elkaar geslagen armen. 'Ik wil geen nieuwe vader.'

'Vertel je moeder dan hoe je erover denkt.'

Jake keek een andere kant op.

'Wat is er?'

De jongen slikte. 'Ze is al zo verdrietig. Ik wil het niet nog erger maken.'

Dat was de Jake die hij kende. 'Ze zal willen weten dat jij het er moeilijk mee hebt, Jake. Misschien kun je een plan bedenken. Leer die kerel kennen.'

Jake duwde de gitaar met een boze blik opzij.

'Trouwens, als jij het er moeilijk mee hebt, dan zullen je broertjes het er ook wel moeilijk mee hebben. Daar moet je aan denken. Tony lette altijd op mij.'

Jake luisterde. Hij vond het misschien niet leuk wat hij hoorde, maar hij luisterde. Lance stond op. 'Ga nu eens kijken wat je neefjes uitspoken.'

Jake kwam met tegenzin in beweging, maar hij gehoorzaamde. Toen hij de deur achter zich dichtgedaan had, liep Lance naar Rese toe, strengelde hun vingers in elkaar en zei: 'Zin om elkaar af te lebberen?'

Ze snoof, maar hij zag een adertje trillen in haar hals en kuste het. Toen nam hij bezit van haar mond. Gina ging verder met haar leven en Rese had hem gezegd dat hij ook verder moest gaan met het zijne. Het leek een goed moment om daarmee te beginnen.

'Antonia wil...'

'Dat weet ik.' Maar hij had ook behoeften. Hij liet zijn vingers in de zachte laagjes van haar haar glijden en verdiepte zijn kus. Wist ze niet dat het leven te kort was? Dat je er de ene dag kon zijn en de volgende dag niet meer?

Toen hij zei dat hij van haar hield, meende hij het, maar wilde ze het niet horen, dus hij zou het nogmaals zeggen. Hij zou gewoon – Het verlangen sloeg met zo'n kracht door hem heen, dat hij op zijn benen wankelde. Nu. Waarom niet? Maar hij trok zich terug, moeizaam ademhalend en met haast iets van kwaadheid in zijn stem. 'Je maakt het me niet makkelijk, Rese.'

'Lance, ik...'

Hij legde zijn vingers op haar lippen, niet bereid haar verontschuldiging aan te horen. 'Ik moet gaan.' Omdat iedere vezel in zijn lijf erom schreeuwde haar mee te nemen naar zijn kamer en haar te dwingen hem lief te hebben voor het te laat was. Hij liep de kamer uit, met het laatste restje kracht dat hij had.

Met bonkend hart keek Rese hem na. Ze had hem net willen zeggen dat ze van hem hield, toen hij haar het zwijgen oplegde. Nu bleven de woorden in haar keel steken. Ze kon zich niet herinneren wanneer ze ze voor het laatst gebruikt had. Ze wist niet eens meer of ze mam die avond geantwoord had; zo bang was ze geweest.

Pa had die woorden nooit gevraagd of verlangd. Hun kameraadschap lag in het werk, in de perfectie die ze samen bereikten, de unieke uitdaging van iedere klus, de diepe voldoening als iets af was. Daarnaast... was er eigenlijk niets geweest. Twee mensen in hun eigen wereld, die in hetzelfde huis woonden. Hij kon niet tegelijkertijd het bestaan van mam geheimhouden en echt een relatie met haar hebben. Of misschien wilde hij gewoon met rust gelaten worden.

Lance was altijd aanwezig. Zelfs met zijn hoofd gebogen, met zijn gitaar op schoot, een potlood in zijn mond, terwijl hij een melodie of tekst uitwerkte; zelfs als hij geconcentreerd bezig was, betrok hij haar erbij met een blik of een glimlach. Als zij aan het houtsnijden was en in haar eigen wereldje zat, merkte ze hem nauwelijks op, realiseerde ze zich amper dat hij er was. Het was haar manier geworden om de wereld buiten te sluiten, om de jongens en hun rancune te vergeten, of wat het ook was waar ze niet aan wilde denken.

Lance sloot nooit buiten; hij haalde altijd binnen, gaf zichzelf altijd bloot. Ze waren tegenpolen, maar toch hadden ze zich een weg in elkaars leven gebaand. Lance stoorde zich niet aan haar wereldje, hoewel hij er soms inbreuk op maakte. Zij waardeerde zijn talent om met iedereen contact te maken, ook al was het maar in kleine dingen, maar het was een gave die zij absoluut niet bezat.

Ze moest nu lachen om het idee dat zij een hotel zou kunnen runnen. De villa renoveren? Een makkie. De gasten bedienen? Vergeet het maar. Ze was een kei in het negeren van mensen. Lance was een verbindingsman pur sang. Maar samen zouden ze er iets van kunnen maken – als ze maar terug konden gaan.

Hoofdstuk 26

Ik verzeker je, *carissima*, dat het niet mijn bedoeling was Vittorio op te offeren. Zijn dood was mijn grootste mislukking en ik heb de last ervan met me meegedragen. Er was altijd gevaar; voor mezelf accepteerde ik dat. Niets deed me meer genoegen dan infiltreren in de activiteiten van de meedogenloze mannen die ik wilde ontmaskeren. Eén misstap, één woord en ze zouden me doden. Dat waren de mensen die ik tegenhield, lieve Antonia, mannen als degenen die je papa vermoordden. Dat was de reden waarom ik de baan aannam, en waarom ik hem geheimhield, zelfs voor jou.

Lance slikte. Een nalatenschap van geheimhouding. Geen wonder dat hij zo makkelijk in die gewoonte vervallen was.

Het Bureau wilde jouw ooggetuigenverklaring. Maar de snelste manier om een onderzoek te beëindigen was door de getuige uit de weg te ruimen, in dit geval een meisje dat te veel gezien en vermoed had. Ik moest je daar weghalen, je beschermen tot we onze zaak rond hadden.

Arthur Jackson ging zo efficiënt te werk, dat ik besefte dat hij op meer plekken een vinger in de pap had dan we dachten. Noch de pers, noch de politie maakte melding van de moord. Zelfs het rapport van de lijkschouwer werd veranderd. Er kwam geen onderzoek, hoewel het huis doorzocht werd door Jacksons agenten en Vittorio's bewijs in beslag genomen werd.

Dat had hij mis, dacht Lance. Dat had in de kelder verstopt gelegen. Als nonno Marco teruggegaan was om daar een kijkje te nemen, had hij misschien toch een zaak gehad.

Zonder het verslag van de transacties was onze operatie een fiasco, maar ik wist dat Jackson toch zou proberen jou het zwijgen op te leggen. Je vader en grootvader waren dood, maar jij was een lastige bijkomstigheid en Jackson hield niet van lastige dingen. Je zou tegen hem hebben kunnen getuigen, maar een glimp in de duisternis zonder ondersteunend bewijs was niet genoeg voor mij om mijn woord te breken. Ik had beloofd je te beschermen en ik kon maar één manier bedenken om dat te doen. Door de rol waar ik mee begonnen was, verder te spelen.

Lance keek even naar nonna. Nonno Marco had haar een nieuwe naam gegeven, een nieuw thuis, een nieuw leven – uit schuld en plichtsgevoel. Hij trok een rimpel in zijn voorhoofd. Had nonno een diepbedroefde, in shock verkerende jonge vrouw, die hij had beloofd te beschermen, de waarheid moeten vertellen? In een wetteloze, meedogenloze wereld die hij maar al te goed kende?

'Stel dat hij het u verteld had, nonna, dat hij ervoor verantwoordelijk was? Stel dat u geweten had dat het zijn schuld was dat uw pap vermoord werd?'

Ze trok wit weg. 'Ik z...ou hem geh...aat hebben.'

'Dan was het beter dat u het niet wist.'

Ze balde haar handen tot vuisten, de spieren in haar kaak bewogen en in haar mondhoek verscheen speeksel. Haar blik werd scherp. 'Ik gaf papa de schuld.'

Lance legde zijn papieren opzij. 'Als u het geweten had, zou u niet met nonno meegegaan zijn.' Dan zouden ze niet getrouwd zijn en geen leven samen gehad hebben. Dan zou hij niet bestaan. Ze zou het misschien niet eens overleefd hebben. Lance keek in haar verwrongen gezicht en zag haar worstelen. Zou ze het anders gedaan hebben als ze de kans had gehad?

Haar stem klonk als het geritsel van dorre blaadjes. 'Ga w...eg.'

Hij boog zich bezorgd voorover. Voor geen goud liet hij haar nu alleen. 'Laat me blijven.'

De tranen stroomden over haar gezicht. Vanwege nonno's stilzwijgen had ze geloofd dat Vittorio schuldig was en daar de schande van gedragen. Hij had haar kunnen vertellen dat het niet zo was, maar in al hun jaren samen had hij dat nooit gedaan. Nonno's hele leven bestond uit misleiding, waarbij hij iedere rol speelde waarmee hij zijn doel bereikte – zelfs zijn huwelijk met nonna?

Lance liet zich op zijn knieën zakken en hield haar vast, terwijl ze zachtjes huilde. Mama kwam boven met soep, zette die neer en verdween. Hij zou straks wel op zijn kop krijgen, maar voorlopig legde hij zijn hoofd tegen dat van nonna en huilde met haar mee.

Waarom had nonno dit na zijn dood allemaal opgebiecht? Wat had het voor zin om dat nu allemaal te onthullen? Dit was niet de man die hij gekend had, de liefdevolle, lachende nonno uit zijn jeugd. Of was zelfs dat een rol die hij gespeeld had? Had het bedrog aan hem geknaagd, hadden de rollen zich zo vermengd dat hij nauwelijks meer wist wie hij was? Zelfs pap had dat gezegd. Onthulde deze brief Marco Michelli's ware identiteit? Een roep om gekend te worden? Werkelijk gekend? Lance slikte zijn verontwaardiging weg. Nonno had een leven van schijn verkozen. Maar nonna had de illusie niet herkend.

Rese liep met Monica door de overdekte markthal en ademde de geuren in van tabak, die in het sigarenkraampje voorin gerold werd, kaas, olijven en een droge, gezouten vis die eruitzag als iets wat zij tegen de muur zou spijkeren. In het slagerskraampje op de hoek zwaaide een jonge man met zijn hakmes. 'O ja? Jij bent zo wanhopig dat je de telefoniste belt, zodat niemand de hoorn op de haak zal gooien.'

De man drie kraampjes verderop riep terug: 'Jij bent zo wanhopig dat je tegen het bandje van het antwoordapparaat gaat praten.' De mannen om hen heen schoten in de lach. Rese schudde haar hoofd. Mannen bleven toch altijd grote kinderen, maar om de een of andere reden stoorde haar dat niet, maar amuseerde het haar.

'Wat kan ik voor je doen, schatje?' vroeg een robuuste man met grijze slapen achter de slagerstoonbank.

Rese zette Nicky op haar andere heup en keek naar Monica. 'Ik hoor bij haar.'

Monica deed een stap naar voren en bekeek het kalfsvlees met een kritische blik. 'Hebt u het niet verser dan dit?'

Rese kuierde wat rond, terwijl de twee ruziemaakten over de versheid van het vlees, dat er in haar ogen prima uit had gezien – niet dat ze wist hoe kalfsvlees eruitzag, vers of niet. Het ontstellende vooruitzicht om bij Monica te eten was afgezwakt door andere maaltijden die geen ondervragingen waren geworden, omdat Bobby en Monica liever over zichzelf praatten. Waren de verhalen over Monica's kwaaltjes niet echt onderhoudend, Bobby's vertolkingen van alle manieren waarop mensen hem afscheepten aan de telefoon waren echt grappig. Bobby hield ervan om in het middelpunt van de belangstelling te staan en als hij eenmaal bezig was, leek het wel een conference.

Hun kinderen hadden ook verhalen; elk van hen leek vastbesloten nog meer indruk op haar te maken dan de ander, een trekje van hun vader, vermoedde ze. Terwijl ze verder winkelden, zette ze Nicky weer op haar andere heup om hem ervan te weerhouden te graaien naar alles wat er lekker uitzag, en naar alles wat er niet zo lekker uitzag.

'Brood kopen we wel bij *Terranova*.' Monica sloeg haar canvastas over haar schouder. '*Addeo* is goed, maar te voorspelbaar. Het brood van *Terranova* is soms een beetje verbrand en dat vindt Bobby lekkerder.' Ondanks al hun gekibbel kende Monica al Bobby's voorkeuren en hield ze daar rekening mee. Of hij was de kieskeurigste man ter wereld, of Monica wilde het iedereen naar de zin maken.

Lou, Lucy's man, gaf vrijwel nooit zijn mening. Overdag was hij schade-expert, 's avonds wedstrijdbowler, en hij was blij met alles wat Lucy hem voorzette. Misschien zei dat ook wel iets over Lucy's kookkunst. Ze miste Lances flair, maar kon goed koken. Zij en Lou zouden voor wat tegenwicht zorgen bij het etentje vanavond, maar met hun gezinnetje erbij waren er bijna twee keer zoveel kinderen.

Zij en Lance hadden tenminste – Ze stopte. Ze had bijna gedacht dat zij tenminste geen kinderen aan het feest toevoegden, maar was dat wel zo goed? Nicky had zijn hoofdje in haar hals gestopt en zijn kleine handje lag op haar andere schouder in een slaperige omhelzing. Voor ze Lances familie ontmoet had, had ze nooit aan kinderen gedacht. Haar wereldje was zo klein geweest, haar identiteit scherp afgebakend, haar vrouwelijke eigenschappen zo sterk beheerst, dat ze nu nauwelijks wist wat ze aan moest met het smelten van haar hart.

Monica vroeg zich af of ze niet beter het restaurant kon gebruiken dan haar eigen keuken. 'Beneden passen we beter met z'n allen om een tafel. Of we gebruiken er twee. We kunnen de kinderen hun eigen tafel geven en voor de verandering eens als volwassenen onder elkaar praten.'

Rese knikte. 'Het is handig dat jullie dat restaurant hebben.'

Lance had een groot deel van de voorraden opgemaakt en de planken ontdaan van blikken tomaten en olijven, flessen olie en azijn, gedroogde paddestoelen en pasta. Hij was van plan geweest samen met Antonia een plan te maken voor de toekomst van het restaurant, maar ze wist niet hoe ver hij daarmee gekomen was. Zonder Lance of nonna zou het restaurant niet hetzelfde zijn, had Lucy gezegd. Rese had geen spier vertrokken. Als Lance van plan was geweest Antonia's restaurant over te nemen, had hij dat wel gezegd.

Maar hij was nu alleen maar bezig met Antonia en las haar de brief voor, zodat ze konden vertrekken. Hoe was het mogelijk dat het zo lang duurde en zo uitputtend was om door die paar bladzijden heen te komen? Antonia was zwak en Lance doodsbang haar van streek te maken, maar als het zo erg was, waarom lazen ze dan verder?

Lance vertelde haar niet wat erin stond, en dat was prima. Ze hoefde de geheimen van andere mensen niet te kennen. Sofies onthulling had haar geschokt, zelfs zonder nadere bijzonderheden. Als iemand die zo briljant, mooi en geliefd was zó kon wanhopen, welke hoop was er dan nog? Ze zou haast willen dat ze het niet wist, dat ze niet hoefde te beseffen dat iedereen problemen had, dat het niet anders kon. Een beetje geheimhouding was misschien wel goed. Ze wilde alleen niet dat dingen die ertoe deden voor haar achtergehouden werden. Grote dingen. Levensveranderende dingen.

'Nu lunchen met een hapje ravioli.' Monica ging op weg naar *Borgatti*. 'Dat is het enige wat de kinderen willen.' Ze haalde haar schouders op. 'Dus ach, dan geef je ze hun zin.'

Het was vreemd om te bedenken dat kinderen zoveel macht konden hebben. Met de bizarre combinaties die mam op tafel zette en de blikjes en pakjes waar pa voor zorgde, had Rese nooit de kans gehad zich af te vragen wat ze eigenlijk wilde eten – een bron van moeilijkheden voor Lance, toen hij bij haar kwam. Hoe was het mogelijk dat ze daar geen mening over had?

Nu was het bijna net zo moeilijk, omdat alles wat hij maakte zo lekker was. Als het ging om de beste houtsoort voor een trapleuning, of welke stenen bewaard konden blijven, zou ze op haar strepen staan, maar als het op eten aankwam, had hij meer ervaring dan zij ideeën had. Maar ze had geleerd haar waardering te uiten. Dat had Lances irritatie haar wel duidelijk gemaakt.

Zij en Monica liepen terug, gezellig kletsend op een manier die Rese zich nooit had kunnen voorstellen toen ze hier kwam. Monica was een sterke vrouw, maar vanbinnen heel zorgzaam. Een moederkloek, net als Doria. Nou ja, dacht Rese, er waren ergere dingen.

Ze droeg het slaperige kind helemaal naar boven voor Monica en legde hem in zijn bedje, waar ze met een warm gevoel vanbinnen toekeek hoe hij zich oprolde en in slaap viel. Zo te zien was Monica ook wel toe aan een dutje, dus Rese ging weer naar beneden, waar ze tot haar verbazing de deur van het appartement dicht aantrof, hoewel Antonia's deur openstond. Hij was echter niet op slot. 'Lance?' Ze deed een stap naar binnen en bleef stokstijf staan.

Hij stond bij de tafel over Star heen gebogen, die in elkaar gedoken in een stoel zat te trillen, haar haar afgeknipt tot op de blonde wortels. Haar hoofd zag er zo bleek en kwetsbaar uit dat Rese het gevoel had of iemand haar een stomp in haar maag had gegeven. Ze deed de deur dicht en keek om zich heen waar de anderen waren.

'Rico is aan het werk. Chaz ook.'

Ze stond er niet bij stil wat voor werk Rico aan het doen was, of waarom hij er niet was om te zien wat zijn afwijzing teweeggebracht had. Lance legde zijn hand op Stars schouder toen ze huiverde. Haar oogkassen waren grijs als de regen, haar lippen kapot en bebloed.

Rese keek van haar naar Lance, en probeerde uit zijn gezicht op te maken wat er aan de hand was.

'De drugs beginnen uit te werken', zei hij zachtjes.

'Dat kan niet. Dat zou ze nooit... Ze gebruikt geen...' Rese hurkte bij haar neer en pakte de ijskoude hand, waarvan de vingernagels tot op het vlees waren afgebeten, tussen de hare. 'Hallo, Star.'

Star wiegde heen en weer. '''Genâ voor moord... moord...''' Ze begon te rillen, terwijl ze zichzelf beetgreep. '''Moord'naars...'''

Lance pakte de opgevouwen deken van de bank en sloeg die om haar schouders, ook al was het al vreselijk warm in de kamer. Rese trok de deken aan de voorkant dicht en pakte Stars hand toen weer. 'Moet er een dokter komen?' Misschien had ze een dodelijk virus opgelopen, een voedselvergiftiging.

‘“Genâ voor moord’naars...”’

‘Star, kijk me aan.’ Een vluchtige blik was het enige wat ze kreeg.

Star probeerde op te staan, maar viel weer neer op de stoel, terwijl ze aan haar huid krabde. Rese trok haar hand weg van de rauwe plekken op haar armen. Ze had haar nog nooit zo meegemaakt. Radeloos wel, ontroostbaar, maar nooit zo onsamenhangend.

‘Ze zijn bijna uitgewerkt’, zei Lance.

Hij kon geen gelijk hebben. ‘Ze zou nooit drugs gebruiken.’ Ze wilde niet eens de pil slikken! Maar wat kon het anders zijn? Ze was vijf dagen weg geweest, niet lang genoeg om er zo uit te zien.

‘Het beste wat je kunt doen is haar hier weghalen.’

‘Weghalen?’ Rese staarde hem aan. Zou hij haar dwingen weg te gaan?

‘Haar mee naar huis nemen.’

Rese verstrakte. ‘Naar Sonoma?’

‘Ze is duidelijk toegetakeld. De kans is groot dat iemand denkt dat ze bij hem in het krijt staat.’

Star trok de verkeerde mannen aan, maar het was haar altijd gelukt uit de problemen te blijven – tot nu toe? ‘Hoe bedoel je: in het krijt?’

‘Heeft ze haar postwissel meegenomen?’

Rese schudde haar hoofd. ‘Die ligt op de ladekast.’

‘Nou ja, drugs zijn niet gratis. Er zit altijd een addertje onder het gras.’

‘Ze zou nooit drugs gebruiken.’ Maar haar argumenten leken steeds zwakker te worden. ‘Kunnen we haar niet hier houden?’

‘Hoe groot denk je dat de kans daarop is?’

‘Ik zal met Rico praten. Hij zal –’

‘Het gaat niet om Rico.’ Lance trok haar omhoog en leidde haar een paar stappen weg. ‘Je weet hoe ze is. Zodra het pijn gaat doen, is ze verdwenen. En zelfs als Rico niet lelijk doet, zal het pijn doen. Ze zijn allebei murw.’

‘Ik kan niet geloven dat ze –’

‘Neem haar mee terug naar Sonoma. Houd haar in het hotel.’

‘Lance, ik kan niet –’

‘Je hebt je retourticket. Gebruik de postwissel voor een ticket voor Star.’

'En als ze die nu niet wil tekenen?'

'Betaal dan met een creditcard. Ik geef je de mijne wel.'

Ze schudde haar hoofd. 'Nee, ik wil...' *Ik wil niet zonder jou weg.* 'Zou Rico haar niet willen helpen als hij dit ziet?'

'Waarschijnlijk wel. Maar dat sta ik niet toe.'

Ze geloofde niet dat hij dat gezegd had en dat moest op haar gezicht te lezen zijn.

'Je weet niet waar we mee te maken hebben.' Hij trok haar nog verder opzij. 'Stel dat je gelijk hebt en dat Star dit niet zelf gedaan heeft?'

Rese slikte. 'Dat heeft ze ook niet. Clean blijven is haar levensmotto.'

'Lees dan tussen de regels door.'

Ze schudde haar hoofd.

'Kom nou toch, Rese.'

Maar ze wist het echt niet.

'Iemand heeft iets in haar drankje gestopt en haar daarna nog iets sterkers toegediend. Ik vermoed heroïne, maar het kan ook speed of crack geweest zijn. En niet in kinderachtige doses.'

Rese liet haar adem ontsnappen. 'Waarom? Star stribbelt nou niet bepaald tegen. Je zei zelf dat seks een drug voor haar is.'

'Het gaat er niet om wat zij wil. Er zijn pooiers en netwerken die vrouwen als Star levend verslinden. Verslaving betekent macht.'

'Denk je dat ze verslaafd is?'

'Nog niet, anders zou ze hier niet zijn. Maar wat gebeurt er de volgende keer? En als Rico zich ermee bemoeit, kan hij vermoord worden.'

Ze sloot haar ogen, omdat ze het niet wilde geloven. Drugs waren taboe voor Star, praktisch vanaf haar geboorte. Als ze dat doorbroken had, of als iemand haar daartoe gedwongen had, zou de reactie afschuwelijk kunnen zijn.

Lance pakte haar bij haar schouder. 'Neem haar mee naar huis.'

Ze had geen keus, maar het bleef pijn doen. 'En jij dan?'

'Ik ben er bijna, dat voel ik. Zodra ik gedaan heb wat ik moet doen –'

'En als er nou weer iets tussenkomt?' Ze raakte in paniek.

'Niet doen.' Hij tilde haar gezicht op en kuste haar. 'Ik hou van je. Ik wil bij je zijn. Niets zal daar verandering in brengen.'

Ze klampte zich aan zijn shirt vast, alsof dat iets zou uitmaken. 'Ik hou ook van jou.' De woorden waren eruit voor ze het wist. Hij begon van oor tot oor te stralen.

Hij drukte haar stijf tegen zich aan, kuste haar hals, haar kaak, haar oor en fluisterde in haar haar: 'Nu wil ik je niet meer laten gaan.'

'Het is het een of het ander, jochie.' Maar ze klampte zich zonder enige terughoudendheid aan hem vast. Ze wilde dat hij alles zou nemen wat er in haar hart was. Hij wás haar hart. Maar ze keek naar Star, die de deken met haar vingers kneedde en heen en weer wiegde. De realiteit drong weer tot haar door. Star, haar moeder, andere zorgen, andere situaties. Ze had het leven niet in de hand. Ze kon alleen het goede doen en vertrouwen hebben.

Met grote tegenzin bracht Lance hen naar het vliegveld. Hij had bijna gehoopt dat er geen vlucht beschikbaar zou zijn, maar door Reses ticket voor een schandalig bedrag op te waarderen hadden ze twee eersteklastickets bemachtigd op de enige vlucht die beschikbaar was van LaGuardia naar San Francisco – dankzij Stars trustfonds.

Ze was nog steeds onrustig en hij vroeg zich af of dat geen moeilijkheden zou geven bij de beveiliging, maar mogelijk door dat eersteklasticket, of gewoon door de wispelturigheid van het leven, kwam ze zonder problemen door de eerste controle. Rese had haar zelfbeheersing natuurlijk weer terug. Maar hij koesterde haar bekentenis en de bijbehorende gezichtsuitdrukking in zijn hart.

Hij had het voor elkaar. Hij had gewonnen. Rese hield van hem – en had dat gezegd. Hij wilde het van de daken schreeuwen als Bobby, paraderen als Tony, dansen en zingen en de hele wereld vertellen dat Rese Barrett van hem hield. Maar op dit toppunt van vreugde moest hij haar laten gaan. Hoe moest hij Star anders uit de problemen halen en voorkomen dat Rico er nog dieper in verzeild raakte?

Hetzelfde gold voor hemzelf, aangezien Rico's gevechten de zijne waren. Hij had al genoeg aan zijn hoofd. Hoe lang zou het nog kunnen duren voor hij klaar was met nonna, voor hij haar de vrede kon bezorgen die in dit alles te vinden moest zijn en zich bij Rese in Sonoma kon voegen? Hij wist precies welk plekje hij wilde gebruiken, dat noodlottige picknickplekje, de plek van hun eerste rampzalig verlopen afspraakje, de plek waar hij bijna ontslagen was en waardoor hij wekenlang door het stof had moeten kruipen. Hij zou haar daarheen rijden op zijn Harley – hij verlangde opeens hevig naar zijn eigen motor, de Petaluma Road onder zijn wielen en Rese achterop.

Er moest een zonsondergang zijn. Hij stelde zich de met koeien en wijngaarden bezaaide heuvels voor, de door de wind gebogen boom waaronder ze hun leren jacks zouden uitspreiden om op te zitten. Zou ze kwaad worden door de ironie van het geheel of zou ze er de humor van kunnen inzien? Hoe dan ook, ze zou zich er niet tegen verzetten. Dat zou ze niet kunnen.

Rese draaide zich plotseling om. 'Lance! Monica verwachtte ons voor het eten.'

'Dat regel ik wel.' Haar bezorgdheid raakte hem. Zijn familie was geen bedreiging of last meer voor haar.

'En zeg het tegen Rico.'

'Dat zal ik doen.' Maar toen Rese naar het punt toe liep vanwaar hij hen niet langer kon volgen, pakte hij haar arm. 'Wacht.'

Passagiers achter haar liepen om hen heen toen hij haar handen in de zijne nam. 'Nog één keer.'

'Wat?'

'Ik wil het horen.'

Ze rolde met haar ogen, maar er speelde een lachje om haar mond. 'Ik hou van je, Lance.'

Kracht bruiste in hem op. Hij boog zich naar haar toe voor een kus. 'Vergeet dat niet.'

'Dat geldt ook voor jou.'

'Jij weet het.' Dat had hij zo duidelijk gemaakt als wat.

Hun vingers gleden uit elkaar. Ze moest gaan. Het was de juiste beslissing. Hij had de mogelijke bijzonderheden van Stars beproeving achterwege gelaten voor Rese, dingen die hij vermoedde, gezien haar geringe omvang en broosheid. Als Rese zich niet kon voorstellen dat iemand haar drugs toegediend had, hoefde ze niet na te denken over nog ergere dingen.

Gelukkig had Star niet moeilijk gedaan over hun vertrek. Ze moest bang genoeg zijn om de controle uit handen te geven. Hij en

Chaz hadden laatst ergens mee geworsteld, iets lelijks. Hij wist niet zeker of ze er al mee klaar waren, maar hij bad dat het voor vanavond genoeg zou zijn.

Hoofdstuk 27

Star had in de twee dagen dat ze nu terug waren, nog geen woord gezegd. Ze had beurtelings geslapen en getierd, maar ze wilde niets zeggen als Rese erover probeerde te praten. Nu zat ze rillend en stil in de regenwoudkamer en dronk thee door een rietje. Ze had in twee dagen drie keer gegeten, schrokkend als een wolf, waarna ze het weer allemaal uitgespuugd had.

Dat kon zelfs niet alleen aan haar abominabele kookkunst liggen, hield Rese zichzelf voor, terwijl ze een schaaltje rijst neerzette, dat nu eens geen plakkerige massa geworden was. 'Probeer dit eens.'

Er hing een metaalachtige geur om Star heen. Ze keek met een kwetsbare blik in haar ogen op. 'Bedankt.'

Verbaasd ging Rese tegenover haar op het bed zitten. Ze had geen reactie verwacht, maar aan haar rode kleur zag ze dat Star misschien zou gaan praten en daarvan zou opknappen. Ze wachtte zonder aan te dringen.

'Hij zei dat ik "het" had – dat bijzondere, dat je tot een ster maakt.'

'Wie zei dat?'

'Faust.'

Juist ja. 'En wie is Faust?'

Stars gezicht kreeg een schampere uitdrukking. 'Iemand die ik geloofde.'

Rese zuchtte.

'Hij zag me zingen en dansen. Hij zei dat ik een ster zou kunnen worden en dat is alles wat ik ooit gewild heb – om ... Star te zijn. Snap je? Om echt Star te zijn.' Haar stem brak.

Rese wist niet wat ze moest zeggen. Geen van de dingen die ze in het verleden gezegd had, hadden een blijvende uitwerking gehad. En het enige wat wel een blijvende uitwerking zou kunnen hebben, had haar doen ontploffen. Dus ze zei: 'Het spijt me.'

Star wreef over de naaldafdrukken op haar arm en fronste haar wenkbrauwen.

'Volgens Lance heeft hij je verdovende middelen toegediend.'

'Wat voor middelen?'

'Hij vermoedde heroïne.'

Star hief een jammerklacht aan en trok aan haar resterende plukken haar, die eruitzagen alsof ze met een handzaag afgezaagd waren.

'Het is nu uit je lijf. Het is er allemaal uit.' Het beven en de hysterie, de maagkrampen en de moeheid leken in elk geval minder te zijn geworden.

Rese stond op en haalde Stars handen weg, waarna ze de plukjes zachtjes gladstreek. Geen rossige krullen meer. 'Wat is er met je haar gebeurd?'

Star sprong op. 'Ik dacht dat er iets inzat. Ik voelde dingen kruipen.' Ze huiverde.

Het was moeilijk te zeggen of ze zich dat verbeeld had of dat ze iets opgelopen had. Rese wilde er niet aan denken waar Star die vijf dagen dat ze weg was, geslapen had.

'Ze bleven maar krioelen en er was geen mes, dus ik heb ze eruit geknipt.'

Gelukkig had ze alleen in haar haar geknipt.

'Faust was woedend.' Star greep naar haar keel. 'Hij zei dat mijn haar van hem was. Dat ik hem bedrogen had.'

Bedrogen had? *'Iemand vindt dat ze bij hem in het krijt staat.'* Star had vreemde snuiters uitgekozen, maar Faust – of hoe hij ook mocht heten – leek de kroon te spannen.

'Hij stormde op me af, maar ik had het mes. Ik kon de deur bereiken.' Ze begon te beven.

Lance had gelijk. Zo iemand zou achter haar aan hebben kunnen komen. Rese pakte haar handen en drukte haar weer neer op het bed.

Star rolde zich op en kreunde. '"Ach, afschrikwekkend leven. Waarom kan het niet einden?"'

'Sst.' Rese suste haar als een kind.

'Het ergste is' – Star onderdrukte een snik – 'dat ze weg zijn.'

'Wie?'

'De elfjes. De kleuren.'

Haar hand viel stil op Stars hoofd.

'Ik heb ze gezocht, Rese. Ik heb zo hard gezocht. Misschien kwam het door de drugs, ik weet het niet.' De tranen stroomden over haar wangen en haar woorden kwamen hortend en stotend naar buiten. 'Maar ik moest het allemaal ondergaan zonder hen.'

Rese voelde zich koud worden. 'Wat ondergaan?'

'Alles wat ze met me deden, Faust en de anderen.' Star begon te beven. 'Ik zocht en zocht, maar ze kwamen niet, Rese. Ze waren er niet.'

Rese kon nauwelijks ademhalen toen een gedachte postvatte. 'Doe je het daarom, Star? Om de elfjes te zien?'

'Ik moet weten dat ze er zijn. Om de kleuren te zien.'

Dus Lance had ongelijk. Het ging niet om de pijn of om de seks, maar om het effect dat het teweegbracht, om haar verbeelding te prikkelen of... Haar keel kneep dicht. Ze had gedacht dat het misschien engelen waren geweest, of een manifestatie van de Heer, die een vorm aannam die Star herkende. Maar God zou haar niet verlokken om zich te laten misbruiken om dat te kunnen ervaren.

Haar ledematen werden zwaar, toen ze in gedachten Chaz weer hoorde bidden, en ook Lance op zo'n intense manier zag bidden dat ze bang voor hem was geweest. Waren zo Stars 'elfjes' weggewerkt? Wezens die haar 'troostten', terwijl haar lichaam werd misbruikt, maar ervoor zorgden dat ze het misbruik opzocht om hen te zien?

Ze kneep in Stars hand. 'Misschien is het beter zo.'

De tranen bleven stromen. 'Hoe kan dat nou?'

Rese streelde de pluizige plukjes die weer zouden gaan krullen als ze aangroeiden, maar nu als stoppels uit een geoogst veld staken. 'Omdat je zonder hen Star bent. Straalt.'

Star sloot haar ogen. Haar schouders gingen op en neer van het ingehouden snikken. Toen daalde de slaap op haar neer. Rese nam de rijst mee naar de koelkast, ging naar haar eigen woongedeelte en belde Lance.

Hij had de eerste avond gebeld om haar te vertellen dat Rico opgelucht, woest en neerslachtig was. Maar ze hoorde de opluchting in zijn stem en vermoedde dat Rico het allemaal achter zich zou laten. Chaz liet haar weten dat hij voor hen bad en zei dat ze op haar hoede moest blijven, wat dat ook mocht betekenen.

De tweede avond had Lance gebeld om te zeggen dat mama in alle staten was. Hoe had hij haar alleen naar huis kunnen sturen? Wat was er zo belangrijk met nonna, zo geheimzinnig dat hij zijn toekomst en haar kleinkinderen op het spel zette? Hij had haar gescheld zo goed nagedaan, dat Rese hardop in de lach geschoten was, waarna ze hem zo miste dat het pijn deed.

Michelle had Baxter ook thuisgebracht. En wat een troost was het om Lances hond te hebben, deels als onderpand voor Lance, maar vooral om Baxter zelf. Terwijl ze het nummer intoetste, keek ze glimlachend naar Baxter, die op een kleedje voor haar bed lag. De gasten moesten er maar aan wennen.

Lance nam op en ze zei: 'Hoi.'

'Niet eerlijk. Ik wilde jou net bellen.'

'We leven in een wereld met gelijke kansen.'

Hij schoot in de lach. 'Ik durf te wedden dat Lancelot het gemakkelijker had om Guinevere het hof te maken.'

'En kijk eens wat het hem opgeleverd heeft.'

'Ik hoopte dat je het verhaal niet gelezen had.'

'Ik heb de film gezien.'

'Welke versie?'

'Ze lijken allemaal op elkaar.'

'Oké, slecht voorbeeld.'

Ze schoot in de lach.

'Het bestaat niet dat je zo vroeg al naar bed gaat.'

'Ik wilde het je besparen om tot middernacht te wachten.'

'Ik vind het fijn om je in slaap te praten, om je in mijn macht te hebben.'

'Vertel me eens iets wat ik nog niet weet.'

'Goed dan. Pap heeft me een baan aangeboden.'

Haar adem stokte en weigerde weer regelmatig te worden.

'Er gaat iemand met pensioen en pap heeft me aanbevolen voor die positie. Rese?'

'Hij moet geloven dat je het kan. Dat is mooi, Lance.' Hij had ringen en een mantel gewild.

'Ik heb hem gezegd dat ik al een baan heb, zodra ik klaar ben met nonna.'

Ze slaakte een diepe zucht.

'Je dacht toch niet dat ik die baan zou aannemen, hè?' Er klonk een lach in zijn stem.

'Lance Michelli...'

'Ik wou dat ik je gezicht kon zien.'

'Ik zou je mijn rug toekeren.'

'Dan zou ik je rug masseren.'

Het heerlijke gevoel dat haar helemaal zwak maakte, was niet eerlijk. 'Lance, ik belde je op met een reden.'

'Je hebt me vervangen door een Mexicaans dienstmeisje?'

'Hou daarmee op.'

'Wat is er?' Hij werd weer ernstig.

Ze vertelde hem wat er met Star gebeurd was. 'Dat kwam door het gebed van jou en Chaz, hè?'

'Het is Gods kracht, Rese. Wij hebben die alleen gebruikt.'

'Maar wat moet ik doen als – Lance, ze is er niet blij mee dat ze weg zijn.'

'Luister. Satan wil dat je gaat twijfelen, maar je kunt op de bres gaan staan voor Star.'

'Ik weet niet wat je bedoelt.'

'Bid voor haar.'

'Dan wordt ze nijdig.'

'Bid dan in stilte. Leg je handen op haar als ze slaapt. Ze schreeuwt om hulp, Rese, anders zou ze niet teruggekomen zijn naar jou, terwijl ze weet dat je gelooft.'

Rese liet zich terugzakken in de kussens. 'Ik denk niet dat ik dat kan. Ik heb jou gezien.'

'Dat moet je vergeten.'

Juist ja. Alsof ze zou kunnen vergeten hoe Lance daar naast haar zat, gegrepen door iets wat zo diep ging, dat hij ervan moest bijkomen.

'Blijf gewoon bidden om haar bescherming.'

'Wat zal dat uitwerken?'

'Dat zal de elfjes weghouden.'

'Stel dat ze ze gaat zoeken?' Rese streelde Baxter, die zijn kop op het bed had gelegd.

'Bid dan nog harder, zodat ze geen voldoening meer zal vinden in de pijn.'

'Zal dat niet nog meer pijn doen?' Baxter legde zijn voorpoten op het bed en plantte zijn kop ertussen. Ze wreef zijn nek en schouders.

'Het moet pijn doen, want anders zal ze daar troost in blijven vinden in plaats van in mensen zoals jij en Rico.'

'Rico!'

Baxter hief zijn kop op en likte haar hand.

'Rico heeft haar niet aangeraakt en geloof me, dat kostte hem moeite. Hij liet haar toe in zijn muziek, zijn ziel. Hij las haar sonnetten voor in het park!'

Daar had ze niet aan gedacht. Misschien had Lance gelijk. Ze herinnerde zich Rico's gezicht op de avond dat ze haar gingen zoeken, de grimmige hoop in zijn ogen. Star had hem bedrogen. Maar was dat helemaal haar schuld?

Ze drukte een hand tegen haar gezicht en schrok toen Baxter op het bed sprong, zich tegen haar aan nestelde en zijn harige kop op haar buik legde.

'Wat? Wat gebeurde er?'

Ze schoot in de lach. 'Je had me niet verteld dat Baxter zo'n vrijkous is.'

'Wat?'

'Hij is zojuist bij me op bed gekropen.'

'Dat meen je niet.'

'Dus ik beeld me dat grote, harige geval in, dat hier dwars over me heen ligt?' Baxter likte haar hand zo echt als maar mogelijk was.

'Heb je hem in je kamer?'

'Ja.'

'En hij is op je bed geklommen.'

'Gesprongen.'

'Hij weet best dat dat niet mag. Geef hem maar even aan de telefoon.'

Ze hield de hoorn bij Baxters oor en hoorde Lance zeggen: 'Baxter, af.'

Baxter jankte en keek haar met een gevoelige hondenblik aan. Ze streelde zijn kop. 'Het mag wel.'

'Rese!'

Ze bracht de hoorn weer naar haar oor. 'Het kwaad is al geschied. Hij vindt het fijn.'

'Zeg dat hij van het bed af moet.'

'Je bent gewoon jaloers.' Ze hoorde hem zuchten en beet op haar lip.

'Je verpest mijn opvoeding.'

'Je zult hierheen moeten komen voor hij helemaal verwend is.'

'Rese.'

'Ga slapen, Lance. Ik heb hier een hond die aandacht nodig heeft.'

Hij bromde. Lance, niet Baxter. Ze verbrak de verbinding en nestelde zich naast het dier. Ze was nooit van plan geweest hem in haar bed te nemen, maar schiep er nu een vals genoegen in. 'Ja.' Ze kroelde Baxters oren. 'Laat Lance maar gauw hier komen, hè jochie?' Baxter slaakte een diepe zucht en ze schoot in de lach.

Alleen op de verjaardag van mijn huwelijk met Marco, met onze eerstgeborene in mijn armen en een flinke dosis zelfmedelijden, denk ik aan nonna Carina, aan het geweld dat zij doorstaan heeft, aan de baby die ze verloren heeft. Carina Maria DiGratia trouwde met Quillan Shepard in een mijnbouwkamp in de Rocky Mountains. Ze trouwde om bescherming te vinden met een man die ze deels vreesde en die haar, uit angst, in de steek liet.

En ik denk aan nonno Quillan, die tot zijn laatste ademtocht van haar gehouden heeft. Dat hij haar toen verlaten heeft, is hem altijd blijven kwellen, ook al heeft hij alle jaren daarna zielsveel van haar gehouden.

Er valt een traan op Celestina's vingertjes, die om de mijne gekruld zijn. Ik til ze op en droog ze tegen mijn wang. Ze maakt zuiggeluidjes in haar slaap, waarbij haar lipjes naar binnen en naar buiten gaan, het kleine kinnetje op en neer, tevreden terwijl ik haar heen en weer wieg, heen en weer, haar nekje zweterig in de bocht van mijn arm. 'Wij zijn niet verlaten', zeg ik tegen haar. Zeg ik tegen mezelf.

Voetstappen. Ik knipper mijn tranen weg. Mama Michelli overhandigt me een telegram, terwijl haar gezicht zelf ook een boodschap uitzendt en mijn zwakheid veroordeelt dat ik zoiets buitensporigs nodig heb en verwacht van haar zoon. Ze blijft verwachtingsvol staan wachten, maar ik wacht nog langer en ze gaat weg. Onhandig verbreek ik het zegel om de baby heen en vouw het open.

WEET DAT DEZE DAG GEMENGDE GEVOELENS OPROEPT. WOU DAT IK BIJ JE WAS OM JE VAST TE HOUDEN. *LA MIA VITA ED IL MIO AMORE*. MARCO.

Met gesloten ogen druk ik zijn boodschap tegen mijn hart. Daar zit het verdriet om papa's gewelddadige dood, om nonno's dood en om alles wat ik verloren heb. De herinnering aan een gehaaste, verwarde bruiloft. Daar zit ook Marco en iets wat reëler is dan woorden. Als mijn stem door de tranen in mijn keel heen kan breken, zeg ik tegen Celestina: 'Zie je wel, *cara*? Papa is hier...'

Bemoedigd door de herinnering zei Antonia: 'Ik ben zo...ver.'

'Mooi zo.' Lance sloeg de bladzijden om, verlangend, wist ze, om het achter de rug te hebben, nu Rese terug was in Sonoma. Ze kende de pijn van afwezigheid. Ze zou hem niet ophouden. Het was goed dat hij zijn eigen weg zocht, dat hij zijn hart volgde. Hij had te veel voor andere mensen geleefd en niet genoeg voor zichzelf.

Het Bureau maakte onze haastige bruiloft zonder papieren mogelijk, door mijn identiteit en de noodzaak van onze echtvereniging voor de rechter te bevestigen. Ze dachten misschien dat jij zou getuigen, of realiseerden zich op zijn minst dat we jou bescherming verschuldigd waren. Wat mij betreft werd de rol werkelijkheid. Dat had ik niet voorzien, meisje van me. Jij had er een handje van om de rollen om te draaien, en hoe.

Dat was echt Marco. Er speelde een lachje om haar lippen.

Hoewel ik je te vaak en te lang alleen liet, was je nooit uit mijn hart. Het zorgde ervoor dat alles wat ik deed gevaarlijker werd, want nu had ik iets te verliezen. Met elk kind werd die last zwaarder, maar toch wist ik dat ik deed wat ik moest doen, waarvoor ik geboren was. God had me ervoor geschapen. Om het geweld, de decadentie de kop in te drukken. Om mijn kinderen een beter leven te geven en jou een veiliger thuis. Daarom nam ik elke opdracht aan die ik kreeg. Ik zal je niet vertellen bij welke onderzoeken ik allemaal betrokken was, maar de zaak waar het allemaal mee begon, speelde voordat ik naar Sonoma ging. Hij volgde me daarnaartoe en was de oorzaak van alles, hoewel ik dat niet wist.

Lance zweeg even, las de zin nog een keer om zeker te weten dat het er echt stond. Het sloot aan bij de brief van Sybil, dat datgene wat er fout gegaan was in Sonoma, was begonnen met nonno Marco, niet met Vittorio of Arthur Jackson. Iemand was naar Jackson gegaan, iemand die zijn diensten als huurmoordenaar aanbood.

En nu kom ik eraan toe om je te vertellen wat ik ons hele leven voor je verzwegen heb.

Lance keek naar nonna, die angstwekkend stil was geworden. Hij zou barsten als ze nu moesten stoppen, maar hij zou stoppen als dat voor haar nodig was. Ze gaf hem een instemmend knikje.

Ik had mijzelf de schuld gegeven van Vittorio's dood, maar alleen in tactisch opzicht, omdat ik niet op tijd was geweest zodra ik besefte dat de val was opgezet. Het verbaasde me dat Jackson ons kennelijk doorzien had en het enige wat ik kon bedenken, was dat Vittorio een vergissing had gemaakt. Maar het kwam niet door Vittorio.

Ze sloot haar ogen en trok een gekwelde rimpel in haar voorhoofd. Hij ging door.

Een van mijn eerste opdrachten was infiltreren in de opkomende New Yorkse Camorra.

Hij slaakte een zucht. Hij en pap hadden het dus goed geraden.

Omdat ik een *paesano* was en in feite verwant aan de familie, was ik de aangewezen persoon om in de organisatie binnen te dringen. Ik had geen noemenswaardige staat van dienst die Don Agosto zou kunnen ontdekken. Ik was jong genoeg om gretig te lijken, brutaal genoeg om bruikbaar te lijken. Hij nam me aan en zette me aan het werk bij het innen van steekpenningen. Je zult je het voorval met mijn tweebenige hond nog wel herinneren.

Hij had verhalen gehoord over de tweebenige hond, maar niet in verband met geheime operaties.

> Niet iedereen waardeerde de bescherming die dat omkoopgeld hun opleverde en ik kreeg de volle laag van die boosheid. Maar ik hield mezelf staande. Twee jaar lang werkte ik in de organisatie en ik kreeg steeds meer vertrouwen en verantwoordelijkheid, terwijl ik mijn tijd afwachtte. Ik gaf door wat ik moest doorgeven, maar hield het meeste van wat ik zag en te weten kwam voor mezelf. Ik vertrouwde niemand anders, in de wetenschap dat we met iemand als Agosto Borsellino maar één kans zouden krijgen.

Lance las hoe zijn opa de machtige leider van de Camorra neerhaalde en naar de gevangenis stuurde, maar dat de man in de gevangenis was vermoord door de rivaliserende Sicilianen. Zij hadden hun kans afgewacht bij de Camorra-baas die hun territorium was binnengedrongen. Het leek rechtstreeks uit de geschiedenisboeken of de film te komen.

> Verbitterd door de moord op zijn vader, volgde Don Agosto's zoon Carlo me naar Sonoma. Hij... vermoordde jouw papa, maar had eigenlijk mij op het oog.

Hij keek op, ervan overtuigd dat nonna hem zou doen ophouden. Haar ogen waren gesloten; haar wenkbrauwen gefronst. Maar ze zei niets, dus hij ging door.

> Jij was nog steeds het doelwit van Jackson; daar twijfelde ik niet aan. Maar pas toen ik in die greppel Carlo doodschoot, wist ik dat het mijn daden waren en niet die van Vittorio, die ons de das om hadden gedaan. Meer dan ooit was het mijn plicht om jou te beschermen. Je was zo dapper, zo vastbesloten en, God is mijn getuige, ik was verliefd op je geworden. Maar, lieve Antonia, ik vergat de kracht van een vendetta.

Vendetta. Lance had er grapjes over gemaakt, Rese geplaagd met het idee. Nu besefte hij dat het geen grap was.

Nonna zei: 'Lees verder.'

Don Agosto's tweede zoon, Paolo, was na een moord die veel publiciteit had gekregen, verdwenen. Dat verschafte me tijd om mijn strategie te plannen voor hij tevoorschijn zou komen na de dood van zijn broer. Hoewel ik wist dat hij meedogenloos was, bad ik dat andere factoren in mijn voordeel zouden werken.
En God was trouw. Paolo Borsellino moest strijden om de macht toen hij terugkwam. Hij had geen tijd om verder te gaan met een mislukte vendetta, nu zijn eigen macht op het spel stond. Paolo was nooit Don Agosto's lievelingszoon geweest en daarom brandde het vuur van de wraak niet zo fel in Paolo als in Carlo. Toen ik een wapenstilstand voorstelde, realiseerde hij zich het voordeel daarvan. Ik zou het Bureau niet vertellen wat ik over hem of zijn zaakjes wist en hij zou mij en mijn familie niet te na komen. Het was in ons beider belang om ons aan onze overeenkomst te houden en ik was ervan overtuigd dat hij dat zou doen. Het zat me niet lekker hem zijn macht te zien vestigen, te weten welke middelen van bestaan hij had, maar ik deed mijn werk elders, zo goed mogelijk.
Hij bracht zijn kinderen groot en ik de mijne, kinderen en kleinkinderen. De vendetta had misschien voor altijd begraven kunnen blijven – ware het niet dat Don Paolo gearresteerd en naar de gevangenis gestuurd werd. Drie maanden geleden werd hij veroordeeld en gevangengezet. Ik had er niets mee te maken, hoewel hij moet hebben gedacht van wel. Of misschien had het gewoon te lang tussen ons in gestaan. Een vendetta kent zo haar eigen regels. Vroeg of laat moet daaraan voldaan worden.

Lance kreeg een droge keel. Nee... Hij wierp een blik op nonna, die strak voor zich uit keek.

'Lees...' fluisterde ze.

Ik ben al zo lang weg bij het Bureau, ben zelfs al jaren geen politieagent meer. Ik was bijna vergeten hoe het was om te slapen met mijn geest half wakker, gespitst op elk geluid, elke beweging. Ik ben een oude man. Ik zou morgen kunnen sterven. Mijn gedachten gaan alleen uit naar jou.
Ik hield mijn werk geheim, want als ik ook maar het kleinste beetje zou onthullen, zou jij vragen gaan stellen over wat er wer-

> kelijk gebeurd was in Sonoma. Ik kon jouw pijn niet onder ogen zien. Maar toen vanochtend het telefoontje kwam, wist ik dat het verkeerd was geweest om het voor je achter te houden.

Telefoontje? Welk telefoontje?

> Hoe zou je kunnen begrijpen wat ik nu moet doen?

Zijn keel kneep dicht. Nonno kon niet bedoelen wat hier leek te staan. 'L...ance.' Nonna raakte zijn arm aan.

> Antonia, al mijn geliefden wonen onder dit dak en degene die me belde had gelijk: het zou een enorme ramp zijn als dat gebouw verwoest werd, met jullie allemaal erin. Niets is mij meer waard dan de familie die ik nooit gedacht had te zullen hebben, tot een belofte mij de ogen opende. Een familie die verder zal gaan als ik er niet meer ben. Dus je snapt wel, *cara*, dat ik nog een laatste rol moet spelen.

Haar hand greep hem vast. Hij wilde stoppen, maar haar greep dwong hem verder te gaan.

> Mijn hele leven heb ik het kwaad herkend dat onschuldigen doodt. Ik heb het geïmiteerd en me ertegen verzet. Vandaag ga ik het ontmoeten. Want alleen persoonlijke opoffering roept het kwaad een halt toe. Weet, liefste, dat mijn tijd met jou mooier geweest is dan ik ooit verwacht had. *La mia vita ed il mio amore.*

Nonna schreeuwde het uit, terwijl ze hem aankeek met een blik van ontzetting toen het tot haar doordrong wat er stond. Ze had het niet zien aankomen. Geen van hen had het zien aankomen. Nonno Marco's dood was geen ongeluk. Een ijzeren band klemde zich om zijn borst. *Een kwaad dat onschuldigen doodt.* Vanuit het graf had nonno het een naam gegeven: *vendetta.*

Hoofdstuk 28

Wat een wrede pijn in milt en botten.
Wat een gebroken hart, dat alleen huilt.

Nonno Quillan wijkt niet van nonna Carina's zijde tot ze haar lichaam in de grond laten zakken. Zijn smartelijke wake is een bewijs van zijn liefde. In mijn kinderlijke verdriet kan ik de aanblik ervan nauwelijks verdragen. Als dat liefde is, wie kan dat dan verdragen?

Nonno pakt mijn hand. 'Niets wat kostbaar is, wordt makkelijk verkregen, Antonia. Je moet de risico's overwegen en een keuze maken...' *De risico's overwegen en een keuze maken...*

Maar hoe kon ze de risico's overwegen van iets wat ze niet kende? Hoe kon ze een keuze maken als God niet rechtvaardig was? Hij was niet... rechtvaardig. Was niet... Ze kwam in een neerwaartse spiraal. *Marco.* Ze had het niet geweten; hoe had ze het kunnen weten? *O, Marco...* Vermoord, net als papa. Vermoord. Het gewicht van dat besef perste de lucht uit haar longen, het leven uit haar geest.

Ze had geen kracht voor woede. Geen kracht voor wat dan ook. Ze staarde naar de muur, wensend dat ze terug kon kruipen in de baarmoeder... of het graf.

Marco...

Omdat ze God niet meer vertrouwde, had ze haar vertrouwen op een mens van vlees en bloed gesteld en hij had zijn leven geofferd op zijn altaar van plicht. Voor haar, ja, en voor hun kindskinderen. O, de pijn, de schuld. *Overweeg de risico's.* Had Marco dat gedaan? Nog dieper, waar het geen pijn deed. Nee, zelfs daar vond de pijn haar. Waar kon ze zich verbergen? De prijs was te hoog. Te hoog.

'Nonna?' Na haar schreeuw had ze zich in zichzelf teruggetrokken en kon hij niet meer tot haar doordringen. Het zag er anders uit dan een beroerte, maar wat wist hij daarvan? 'Nonna, zeg iets!' Geen reactie. 'Nonna.' De paniek kneep zijn keel dicht. Ze had gewild dat dit tussen hem en haar bleef, maar daar was het nu veel te laat voor. Hij pakte de brief en ging naar beneden.

Toen ze de deur opendeed, raakte mama in paniek bij het zien van de blik op zijn gezicht. 'Wat is er? Wat is er gebeurd?'

'Ga bij nonna kijken. Misschien heeft ze een dokter nodig.'

Mama sloeg haar handen voor haar gezicht.

'Ik moet pap spreken.'

Ze duwde hem bijna de kamer in, waar zijn vader tv zat te kijken. 'Doe uit dat ding. Lance heeft iets te zeggen.' Toen rende ze weg.

Pap drukte op de knop van de afstandsbediening en wachtte.

Tot zijn vader opkeek had hij er niet aan gedacht hoe het zou zijn om hem te vertellen dat nonno vermoord was. Het ene gesprekje dat ze gevoerd hadden woog niet op tegen de weken dat Lance stukje bij beetje in het verleden gegraven had, tot hij het hele plaatje zag. En hij had niet vermoed, niet geweten hoe hard dat zou aankomen. Hoe zou pap het onvoorbereid opnemen?

'Ga je nog wat zeggen of niet?'

'Pap...'

Maar toen stormden Bobby en Monica en Lucy en Lou met zijn neef Martin uit Jersey naar binnen, stuk voor stuk jammerend: 'Wat is er gebeurd? Wat is er aan de hand?' Mama moest paniek gezaaid hebben.

Lance stopte de brief achter zijn rug, niet bereid het nieuws dat erin stond er zomaar uit te flappen. 'Het gaat niet zo goed met nonna.' Hij had ook niet moeten verwachten dat hij het alleen met pap zou kunnen bespreken.

'Wat is er dan met haar?'

'Heeft ze weer een beroerte gehad?'

'Heeft er al iemand een ambulance gebeld?'

Pap hief zijn handen op. 'Mama is bij haar. En nu wegwezen allemaal.' Hij maakte Lance met een blik duidelijk dat hij moest blijven en toen de kamer leeg was, leek de stilte om hen heen te galmen.

Lance wou dat hij bij nonna gebleven was. Maar mama zou voor haar zorgen en pap had er recht op het te weten. Hoewel nonna daar anders over gedacht had, zou hij als Marco's enige zoon toch moeten beslissen wat er gebeuren moest?

Hij zei met een hoofdgebaar: 'Wat heb je daar?'

Lance gaf hem de brief. 'Van nonno. Hij liet die voor nonna achter in een kluis, maar u weet hoe ze is met banken; ze heeft hem nu pas opgehaald.'

Pap leek niet te weten wat hij ermee aan moest. Lance zei tegen hem: 'U moet weten wat erin staat.' Hij had hem het deel van het verhaal dat zich in Sonoma had afgespeeld, al verteld, maar terwijl pap de eerste alinea's las, zei Lance: 'Nonno is vermoord.'

Zijn vaders mond viel open, terwijl hij opkeek. 'Waar heb je het over?'

'Het staat allemaal in de brief. Hij neemt afscheid van nonna.' Hij had het gevaar doelbewust opgezocht, wetend hoe het zou aflopen.

Pap las met een frons op zijn gezicht verder.

Lance woelde door zijn haar. 'Het hele verhaal staat erin, wat ik u verteld heb en meer. Marco was federaal agent, en pap, het was geen ongeluk.'

Krampachtig slikkend las zijn vader de eerste bladzijde door, en toen de volgende en de volgende. Lance liet zich op een voetenbankje zakken. Toen pas begon het tot hem door te dringen. Nonno was vermoord. Een oude man. Een opa. Waarom? Er ging een rilling over zijn rug toen de pijn en de verwarring omsloegen in boosheid.

Nonno, Vittorio, Quillan – Tony. Het was te veel. Hoe kon een mens dat lijdzaam ondergaan? Hij balde zijn vuisten, pap dwingend verder te lezen, ook al bracht iedere alinea hem dichter bij het einde, het punt waarna er geen weg terug meer was.

Zijn keel kneep dicht toen pap met zijn knokkel langs zijn oog veegde. Sinds Tony's dood had Lance hem niet meer zien huilen. Hij had hem op de een of andere manier moeten voorbereiden, hem er niet zo mee moeten overvallen. Hij kauwde op zijn lip. Misschien had hij het anders kunnen aanpakken, maar hoe hij het ook bracht, de boodschap bleef dezelfde. Nonno had zichzelf opgeofferd voor hen.

'Wat moeten we doen?' Lance zei het bijna fluisterend.

Pap was aan het einde gekomen, maar bleef naar de bladzijden staren, terwijl zijn kaak krampachtige bewegingen maakte. 'Doen?'

'Hiermee.' Lance sloeg met de achterkant van zijn vingers op de velletjes papier.

'Niets.' Paps stem klonk schor.

'Pap, het is... waar; het moet waar zijn. Nonno zou het niet verzinnen, zou die brief niet voor nonna achtergelaten hebben als het niet waar was. Hij legde hem in een kluis. Het is geen bedrog.'

Paps hoofd draaide van de ene kant naar de andere. Lance kon zich slechts bij benadering indenken welke emoties hem moesten bestormen. Hij had zijn zoon verloren aan geweld. En nu nonno ook.

'Pap.'

'Laat het rusten.' Hij sprak met een grafstem, vol verloren gegane hoop.

Dat was niet wat hij verwacht had. Boosheid. Verdriet. Niet deze defaitistische... 'U weet best dat ik dat niet kan.' Het enige wat hij niet kon was het laten rusten. Er moest iets gebeuren.

'Wat denk je te kunnen doen? Dit ongedaan maken?' Pap klemde de velletjes papier vast. 'Denk je dat jij ongedaan kunt maken wat er tweeëntwintig jaar geleden gebeurd is?'

Lance schudde zijn hoofd. Waarom was het nu weer bij hem teruggekomen? Zou pap niet...? Moest hij niet...? 'Pap, ik...'

Pap keek op, met scherpe pijn in zijn ogen. 'Ga niet de held uithangen. Je bent Tony niet.'

Het was alsof hij een stomp in zijn maag kreeg. Hij was niet op zijn hoede geweest en het kwam keihard aan. *'Je bent Tony niet.'*

Rese liep de tuin in die Lance zo mooi aangelegd had, met groene en bloeiende planten langs de flagstonepaadjes, die nu niet meer overwoekerd waren, zoals eerst. De plantenbakken geurden naar kruiden die hij ongetwijfeld kende, terwijl zij zonder er iets van te weten het effect ervan gewoon waardeerde. De mensen die vanavond kwamen, zouden dat ook doen.

Michelle had de gezamenlijke maaltijd hier al gepland voordat zij en Star onverwacht terugkeerden. Ondanks Stars situatie kon ze daar geen nee tegen zeggen, terwijl Michelle voor Baxter gezorgd had en de hele tijd dat ze weg waren geweest op het hotel gepast had. Maar zelfs nadat ze twee weken bij Lances familie was geweest, zag ze nog op tegen zoveel nieuwe mensen.

Ze zou zich boven kunnen verstoppen, bij Star, maar... dat was zwak. Lance zou teleurgesteld zijn. Als hij hier was, zou hij haar net zolang uitgedaagd hebben tot ze van de partij zou zijn. Ze boog haar hoofd en glimlachte.

Ze was een eenzelvig meisje geweest, eerst door mam, die de buren tegen zich in het harnas joeg, toen omdat ze alleen met pa woonde en elke dag met dezelfde mannen werkte. Ze had met huiseigenaren en onderaannemers te maken gehad, maar nooit met veel mensen tegelijk. Op school had ze nooit met meidenclubjes door de gangen gedwaald, was ze nooit op slaapfeestjes geweest. Ze was een onafhankelijke menselijke machine geworden – altijd paraat als Star haar nodig had, zonder zelf iemand nodig te hebben.

'Eigenlijk' ze keek naar Baxter – 'waren die weken bij Lances familie het meest intensieve contact dat ik ooit gehad heb.'

Baxter kwispelde met zijn staart.

'Ik mis ze.' Ze miste hem. Ze hurkte neer en sloeg haar armen om Baxters nek, terwijl ze de geuren van kamperfoelie, rozen, bougainvillea en hond opsnoof. Wat ze werkelijk wilde was de geur van pasgezaagd hout, maar Michelle en een paar anderen konden elk moment komen om alles klaar te zetten. Het zou onbeleefd zijn om zich met een zaag op te sluiten in haar werkplaats.

Vóór Lance zou dat haar niks hebben kunnen schelen. Zou ze het niet eens beseft hebben. Maar nu hij haar gebreken aan het licht gebracht had, voelde het niet goed om er weer in te vervallen. Ze keek naar het koetshuis, dat Lance opgeknapt had door de oorspronkelijke stenen muren te verstevigen, een dak met dakramen en een voorgevel met ramen en deuren toe te voegen en er met tussenwandjes een slaapkamer en een badkamertje in aan te brengen. Ze glimlachte, terwijl ze terugdacht aan hun ruzie over het sanitair, haar weerzin om meer kosten te maken dan ze gepland had en zijn stomverbaasde reacties. Ze was onmogelijk geweest. Maar Lance had iets wat het slechtste in haar naar boven bracht – en het beste.

Hij maakte haar gewoon – completer.

Ze liep naar het koetshuis, keek door het glas naast de deur en zag de gitaar in de hoek staan. Hoe lang zou het nog duren voor de tonen daarvan weer zouden opklinken en zijn aftershave de lucht weer zou doortrekken? Hoe lang zou het nog duren voor ze weer in bedrijf waren en haar keuken de zijne zou worden? Ze verlangde ernaar. Hoe kon hoop net zoveel pijn doen als verdriet?

Baxter drukte zijn neus tegen haar aan en jankte. 'Stil maar.' Ze hurkte weer naast hem neer en begroef haar gezicht in zijn vacht.

Zo trof Michelle haar aan. Ze schoot in de lach. 'Die hond krijgt meer knuffels dan enig menselijk wezen.'

Rese keek op. Michelle had een breed gezicht met een mopsneusje, rechte wenkbrauwen boven te diepliggende en te dicht op elkaar staande ogen, een gulle mond die een bijkomstigheid leek door een prominente kin met een spleetje, maar het geheel was onweerstaanbaar hartelijk en uitnodigend. Het gezicht van een vriendin die naast je stond.

'Vind je het goed als we het eten uitstallen in de keuken, zodat de mensen hier kunnen opscheppen en dan de tuin in kunnen lopen?'

'Prima. Je doet het maar zoals je wilt.' Ze twijfelde er niet aan dat Michelle alles in de hand had. Dat was nog iets wat haar gezicht je vertelde – dat ze op haar taak berekend was, met mensen meeleefde en een goede kameraad was.

De gasten kwamen in groepjes van twee of drie personen aan en tot haar eigen verbazing kon ze beter met de aanzwellende mensenmassa omgaan dan ze verwacht had. Ze brachten de huiselijke gerechten mee, die ze zich herinnerde van Evvy's begrafenis. Het haalde het niet bij Lances eten. Maar ze had sinds ze terug waren geen fatsoenlijke maaltijd meer gehad, dus ze schepte zichzelf ongegeneerd op.

Er stelden zich zoveel mensen aan haar voor, dat ze verloren zou zijn geweest als ze niet geoefend had met Lances familie. De kinderen die in de tuin speelden, deden haar denken aan de roerige bende van Lucy en Monica, de neefjes en nichtjes. De rust van de afgelopen paar dagen was heerlijk geweest, maar dat waren de stemmetjes ook, die lachten en naar elkaar – en naar haar – riepen. Ze kregen haar zover dat ze meedeed met tikkertje, waarbij eigenlijk iedereen alleen maar rondrende en iedereen tikte.

Na een tijdje liet ze zich op een bankje zakken dat Lance uit de omringende wijngaard had gered en ze zag tot haar verbazing dat Star naar beneden gekomen was. Ze zag eruit als een geestverschijning naast Michelle, die een bord voor haar volschepte. Hoe lang zou het duren voor Michelle over God begon en Star de benen nam? Maar een tweede vrouw voegde zich bij hen en terwijl ze aan het praten waren, at Star zonder problemen haar bord leeg.

Rese mengde zich niet echt in het gezelschap, maar ze praatte met iedereen die een gesprek met haar begon. Niet al te vlot, maar het lukte haar.

'Het is hier zo mooi', zei Michelle, nadat de meeste mensen weer vertrokken waren. 'Je voelt je hier echt welkom.'

Rese keek om zich heen en probeerde de villa te bekijken met de ogen van een buitenstaander, in plaats van met haar eigen ogen, die alle ins en outs kenden. Uitnodigend en mooi. Eigenlijk wel, ja.

'Ik blijf me er maar over verbazen dat je het allemaal zelf gedaan hebt.'

'Lance heeft het koetshuis gedaan.'

'En waar is hij?' Ze keek om zich heen alsof hij ergens verstopt zou kunnen zitten.

Rese zuchtte. 'Nog altijd dingen aan het regelen met Antonia.' Ze had het doel van hun reis uitgelegd voor ze weggingen, maar er was inmiddels zoveel meer gebeurd.

'Nou..., Michelle sloeg met haar handen op haar bovenbenen. 'Volgens mij zijn we hier wel zo'n beetje klaar.'

Zou ze nu niet opgelucht moeten zijn? Terwijl Michelle een stapel borden naar de keuken bracht om te gaan afwassen en enkele anderen het overgebleven voedsel in zakjes en bakjes stopten, vond ze het geen prettig idee dat ze weg zouden gaan.

'Jullie maken dit wel op, hè?' vroeg Jackie, terwijl ze het eten in de koelkast zette.

'Ja, bedankt.' Rese knikte. Het leek erop dat Star hun eten veel lekkerder vond dan het hare. Het enige wat ze betrekkelijk goed kon maken, waren Lances recepten, de vijf ontbijtjes die ze onder de knie had leren krijgen toen ze dacht het zonder hem te moeten doen. 'Willen jullie allemaal koffie?' En toen ze naar Lances luxe-apparaat wees, wist ze helemaal zeker dat er een ander in haar huid was gekropen. 'Het is het enige apparaat dat ik kan bedienen.'

Jackie zei dat ze weg moest. Maar de slanke, roodharige Karen, die samen met Star en Michelle gegeten had, zei: 'Graag. Cafeïnevrij, als je het niet erg vindt.'

'Ik ook.' Deb ging bij Karen zitten.

Michelle kreeg tranen in haar ogen. 'Lief dat je dat aanbiedt.'

Rese haalde haar schouders op. Het was niks bijzonders, maar aan de andere kant ook weer wel. Het was waarschijnlijk voor het eerst dat ze toenadering zocht tot andere vrouwen, het eerste vriendschappelijke gebaar dat ze in lange tijd, misschien wel ooit, gemaakt had. Lances zussen moesten haar aangestoken hebben.

Er waren die avond al zoveel verrassingen geweest, dat het haar niet eens verbaasde dat Star binnenkwam en ogenschijnlijk kalm en helder bij hen kwam zitten. Uit wat ze op internet gevonden had over heroïneontwenning had ze begrepen dat Stars symptomen nog niet over konden zijn, maar nadat ze de hele dag geslapen had, voerde ze nu een heel gesprek over Shakespeare en Monet, sonnetten en impressionisme en haar eigen schilderijen, die ze Michelle verbazingwekkend genoeg had laten zien in het koetshuis.

Of het was geen heroïne geweest, zoals iedereen had gedacht, of Star beleefde een wonderbaarlijk herstel. Rese voorzag iedereen nog eens van koffie en liet het gesprek aan de anderen over. Het was half twaalf toen ze naar huis vertrokken en Star naar boven ging en middernacht voor het tot haar doordrong dat Lance niet gebeld had.

Zijn gedachten tolden als een gyroscoop op een draad, in evenwicht gehouden door de centrifugale kracht van zijn woede. Het leek op de uren en dagen dat ze gewacht hadden tot Tony uit de puinhopen tevoorschijn zou komen. Op de een of andere manier zou het niet waar zijn, zou er een andere uitkomst zijn. Ondanks de verwaarloosbare kans, zouden ze de mensen levend terugvinden, alle mensen die verdwenen waren. Maar met het verstrijken van de uren was de hoop gestorven, de woede geboren. Woede die een uitlaatklep eiste.

Hij rook de misselijkmakende, zoete adem van de oorlogsdemonstranten met hun protestborden, terwijl hij zich tussen hen in drong. Hij had Tony's foto met zich meegedragen en was uiteindelijk in een politieauto beland. De woede was terecht geweest, maar hij had de verkeerde vijand bestreden.

Hij had zijn woede op de werktuigen gericht, niet op het kwaad dat hen dreef. Waarom was Tony daar geweest, had hij de plek van een ander ingenomen, een dienst geruild? Het had het ultieme toeval geleken, maar dat was het niet. Het had zo moeten zijn; God had het toegestaan. Voor zijn doel.

'Probeer niet de held uit te hangen. Je bent Tony niet.'

Tony niet. Tony. Niet.

Pap had gelijk. Hij was niet de breedgeschouderde, aandacht opeisende, respect afdwingende held die de wereld opmerkte. Hij was slechts een instrument. Maar God had Saul afgewezen en David verkozen, die alleen een slinger – en zijn geloof – had om het kwaad te bestrijden. Lance had geen slinger, maar wat hij had...

Hij slikte. Hij had de brief uit paps handen gegrist, was naar boven gegaan en was buiten op de brandtrap gaan zitten. De sterren waren opgekomen en weggegaan en met het aanbreken van de dageraad had zijn geest de feiten ontrafeld en draad voor draad voor hem uitgestald.

Nonno was vermoord omdat hij zijn plicht deed. Vóór en vanwege hem Vittorio en Quillan eigenlijk ook. Tony werd politieagent door nonno's voorbeeld. En de plicht benam ook hem het leven. Lance voelde zich net als Job, die zijn hele gezin verloren had. Waarom? Omdat hij in opstand durfde te komen tegen het kwaad. Omdat hij anders durfde te zijn.

Hij klemde zijn kaken op elkaar. Tweeëntwintig jaar lang hadden ze gedacht dat het een ongeluk was. Hij was zes jaar geweest toen nonno dat auto-ongeluk kreeg, maar het grootste deel van die zes jaar had hij op de knie van zijn grootvader doorgebracht; de jongste en de oudste.

Toen kwamen de verhalen. Over nonno's gulheid en de slimme manieren waarop hij mensen hielp, zodat het geen liefdadigheid leek. Over zijn grote hart. Zijn gulle lach. Zijn zangstem die een steen nog aan het huilen had kunnen brengen, maar ook over zijn intolerantie voor wreedheid in welke vorm dan ook.

Hij verafschuwde pestkoppen en verzette zich tegen iedereen die aasde op de zwakkeren. Hij had respect voor de wet, had die met hart en ziel gediend. Maar hij was ook een product van de tirannie die zijn familie ontvlucht was in Napels. Hij wist dat er momenten waren waarop het wettelijk gezag niet zou en niet kon helpen, waarop een man opstond en het recht in eigen hand nam. Zulke momenten werden een vendetta genoemd.

Nonno – politieman, federaal agent, infiltrant – had op de enig mogelijke manier gehandeld. *Alleen een persoonlijk offer roept het kwaad een halt toe.* Maar iemand had het ongeluk op zo'n overtuigende manier geënsceneerd, dat zijn eigen familie nooit iets vermoed had. Er was helemaal geen onderzoek geweest. Nu, tweeëntwintig jaar later... hoe groot was de kans?

De zon zette de ramen in een gouden gloed. Stijf van de stenen tegen zijn rug, met de afdruk van de ijzeren leuning in zijn schouder, hief Lance zijn gezicht op. Hij had het aangedurfd om God bij de enkel te grijpen, had gezworen dat hij Hem niet zou loslaten en geëist dat het juk op hem gelegd zou worden. Zijn hoofd bonkte zo hard, dat hij het gevoel had dat het zou barsten.

De gangbare definitie van een vendetta was bloedwraak. Maar het had nog een betekenis – een vloek die op het hoofd van de dader terugkeerde.

Hoofdstuk 29

Lance bewoog toen Rico het raam naast hem opendeed.

'Wat ben je aan het doen, *mano*?'

Lance keek over zijn schouder. 'Jij bent vroeg op.'

Rico leunde op de vensterbank. 'Chaz was bestellingen aan het rondbrengen. Hij belde om te zeggen dat je op de brandtrap zat en dat ik uit moest zoeken waarom.' Hij gaapte.

Lance maakte zich los van de muur en strekte zijn rug. Het zou moeilijk zijn om vanaf deze plek uit te leggen waarom hij iets deed. Hij kwam stijfjes overeind en klom terug door het raam.

Rico nam hem van top tot teen op. 'Heb je daar geslapen?'

'Ik heb niet geslapen.'

Rico keek met een gefronst voorhoofd naar de verkreukelde brief. 'Van Rese?'

Lance keek naar de velletjes papier in zijn hand. 'Hij is niet aan mij gericht.' Hoewel, in zekere zin ook weer wel. Marco had hem dan wel aan nonna geschreven, maar de last rustte niet op haar.

Een vendetta, een vloek op zijn familie. Carlo Borsellino was ermee begonnen. Te zwak of te slap om de maffiosi die Agosto vermoord hadden, te bedreigen, had hij zijn toorn gericht op de man die zijn vader achter de tralies gebracht had. Carlo stierf, maar de vloek was in gang gezet. Door nonna's huwelijk waren Vittorio en Quillan familie. Slechts een van hen had de kogels gevoeld, maar de vloek had Quillan ook van het leven beroofd, kwaad dat niet verloochend zou worden.

Misschien had nonno er verkeerd aan gedaan om vrede te sluiten met Paolo. Er waren mensen gestorven. Kon hij gewoon het hoofd afwenden? Lance trok een rimpel in zijn voorhoofd. De Borsellino's hadden een vernietiging ontketend, waar zijn familie onkundig van was gebleven. Ze hadden de klappen opgevangen en niet geweten waarom. Vittorio, Quillan, Marco, Tony. Wat zou er gebeuren als hij niets deed? Zou het de Michelli's blijven achtervolgen?

Wie was de volgende – Jake, die al bezoedeld was door Tony's dood? Of hijzelf? Of Rese? Stel dat hij die vloek op haar overbracht, zoals Marco hem op Antonia overgebracht had? Pijn maakte zich van hem meester. Hoe kon hij teruggaan naar Sonoma, nu hij wist wat hij wist?

Onder Rico's vorsende blik richtte Lance zich op. 'Ik ben al laat voor de kerk.'

Rico drong niet verder aan, maar hij zou het er niet bij laten zitten, wist hij. Lance wist alleen niet wie hij in vertrouwen kon nemen over deze last, totdat hij zag waar het toe zou leiden. Hij had het tegen pap verteld, maar pap koos een weg van passiviteit, een lusteloos, platgetreden pad dat hij maar al te goed kende. Lance voelde aan dat dat niet de juiste weg was, maar...

Vendetta. Wat wist hij van vetes en vloeken? Hij wist wat vechten was, maar dat was man tegen man, op straat. Een eenvoudig probleem; een eenvoudige oplossing. Dit was niet eenvoudig en hij wist niet of er wel een oplossing was. Maar zoals Rese gezegd had: niets gebeurde zomaar.

Hij liet zich op de knielbank zakken en bad de gebeden mee, maar zijn hoofd bleef tollen. Iedere stap die hij gedaan had, had hem naar dit punt geleid. Dat had hij gevoeld vanaf het moment dat nonna's vinger op de envelop hem naar Ligurië gestuurd had, toen Conchessa hem naar Sonoma gestuurd had, toen hij Reses personeelsadvertentie op het raam zag en toen hij nonna's doos op zolder gevonden had. Hij had alles aan de Heer toegeschreven.

Tony was gestorven door terroristen, die gedreven werden door het kwaad, maar het kwaad zou geen macht hebben als God het geen macht gegeven had. Tony: zelfverzekerd, capabel, driest. Tony: zwart-wit, zich houdend aan de regels – alleen waren de regels misschien niet meer van toepassing en dat zou Tony niet dulden. Nu was het de beurt van de verloren zoon.

Hij staarde naar het kruisbeeld. Hoe kon hij weigeren het tot een goed einde te brengen? Hij had nonna's last opgeëist voor hij wist wat die inhield. Maar het was niet alleen haar last. Het was hun aller last. Nonno's dood had betrekking op hen allemaal, op degenen die hij door zijn dood wilde beschermen en op degenen die uit hen voort zouden komen – zolang de vloek niet vergolden was.

Misschien verwarde hij de geestelijke strijd waar hij laatst getuige van was geweest met louter menselijke wrok. Maar waarom had de Heer het hem dan laten zien? Het moest een voorbereiding zijn voor het volgende niveau. Hij had het einde van het spel bereikt en was een ridder geworden, waardoor zijn verantwoordelijkheden veranderd en uitgebreid waren.

Hij verliet de kerk en wilde naar huis lopen, maar bleef op de stoep staan. Stella zat in haar plastic stoel in een hemelsblauwe bloemetjesjurk, steunkousen en schoenen met rubberzolen. Bij haar voet lag een bolletje wol en de naalden klikten vervaarlijk in haar knobbelige handen. *'Buon giorno'*, zei ze, met een tandeloze glimlach op haar met levervlekken bedekte gezicht.

'Morgen, Stella. Mag ik je iets vragen?'

Ze liet haar breinaalden rusten. 'Wat wil je vragen?'

'Bestaan vloeken echt?'

Ze keek hem door haar wimpers heen aan. 'Net zo echt als jij.'

Hij keek naar een zwart hondje, dat zich ervan verzekerde dat alle andere honden wisten dat hij er eerst geweest was en toen weer naar Stella. 'Kunnen ze mensen kwaad doen, veel mensen over een langere periode?'

'Je bedoelt *mal occhio*? Afgunst?'

'Erger.'

'La maldizione?'

'Vendetta.'

Haar ogen werden net zo groot als haar mond. 'Bloedwraak.'

Hij knikte.

Ze maakte een diep keelgeluid en zei toen: '"Mij komt de wraak toe, zegt de Here, Ik zal het vergelden." Maar soms komt die wraak mij toe, en jou.' Ze wees met de breinaalden naar hem.

Lance bukte zich om het hondje te aaien dat aan zijn schoen snuffelde en toen tegen zijn been opsprong en een geelbruine buik toonde. Zijn vacht was ruw, niet zacht zoals die van Baxter. 'Vraagt vendetta om wraak?'

'Bloed schreeuwt uit de aarde naar God.'

Geschrokken sprong de hond op en liep verder over de stoep.

'Bloed schreeuwt het uit.' Hij had het geschreeuw gehoord toen hij op de plek stond waar Tony stierf. Anders dan alle anderen die aan tafel gezeten hadden en gerouwd hadden om de arme Tony – zelfs pap nu – kon hij het niet loslaten en verder gaan, zoals Rese zei. Het bloed van nonno Marco schreeuwde het ook uit en dat van Vittorio en Quillan ook. 'Hoe komt er een einde aan?'

'Om een einde te maken aan zo'n grote vloek is een heel groot offer nodig.'

Alleen een persoonlijk offer roept het kwaad een halt toe. Maar nonno's dood had er geen einde aan gemaakt. De Borsellino's hadden misschien gedacht dat het voorbij was, maar het kwaad bleef – omdat ze er nooit voor geboet hadden. Een golf van woede sloeg door hem heen. 'Wat voor offer?'

Ze haalde haar schouders op. 'Dat kan alleen jij weten.'

Met een beklemmend gevoel op zijn borst stak hij zijn vingers in de band van zijn spijkerbroek, zei *'Grazie'* en liep verder.

'Prego.' Klik, klik, gingen haar breinaalden weer.

Toen hij de volgende avond ook niets van zich liet horen, pakte Rese de telefoon om hem te bellen. Misschien gaf hij haar de kans om het initiatief te nemen. Dat recht had ze opgeëist en het was echt iets voor Lance om haar daaraan te houden. Ze toetste de eerste nummers in en stopte toen.

Stel nu dat er iets gebeurd was? Ze liet haar gedachten over alle mogelijkheden gaan. Zijn leven verliep bepaald niet kalm en ze waren geen van beiden immuun voor calamiteiten. Er zou iets gebeurd kunnen zijn, iets wat hij haar niet wilde vertellen.

Had Roman hem ertoe overgehaald die baan toch aan te nemen? Ze schudde haar hoofd. Nee. Dan zou hij gebeld hebben. Had Antonia nog een hersenbloeding gekregen? Rese liet de telefoon zakken. Zat hij in het ziekenhuis bij haar te waken? Stel dat Antonia stervende was? Rese legde de hoorn op de haak.

Pa's dood was het ergste wat ze ooit had meegemaakt, erger dan haar moeders aanslag op haar leven. Nadat hij doodgebloed was in haar armen, was ze helemaal dichtgeklapt. Ze kon niet goed omgaan met de dood, zelfs niet met het vredige overlijden van Evvy en Ralph. Als Antonia...

Rese schudde haar hoofd. Als hij haar bij zich wilde hebben, zou hij bellen. Maar nu tolde haar hoofd. Ze kroop onder de dekens, erin berustend dat ze zou moeten vechten voor haar slaap – een gevecht waar ze natuurlijk het grootste deel van de nacht aan zou besteden.

Star was de volgende morgen eerder op dan zij en stond flensjes te bakken aan de hand van Lances recept, nog altijd kalm en onmiskenbaar gretig om weer te gaan eten. Rese sleepte zichzelf naar een stoel. De geur van het romige beslag en de friszure bessensaus vervulde haar met nostalgische gedachten aan Lance bij het fornuis. De tegels waren koel onder haar blote voeten, maar op de een of andere manier leek de keuken altijd warm, zelfs op nevelige, bewolkte ochtenden als deze. Waarschijnlijk een illusie, maar ach, daar was niets mis mee.

Rese zette het espressoapparaat aan. 'Ook een kopje?' Ze was niet verslaafd aan cafeïne, zoals Star altijd zei, maar na een nacht als deze...

Star schudde haar hoofd. 'Ik heb geen pad in de vloer uitgesleten vannacht.'

Rese keek over haar schouder. 'Heb ik je uit je slaap gehouden?'

Star haalde haar schouders op. 'Het was tenminste niet de polijstmachine.'

Rese draaide zich verbaasd om. 'Ik dacht dat je daardoorheen geslapen had.' Hoewel ze gehoopt had dat Lance het niet kon. Het was de eerste keer dat hij haar gekust had, waarna ze naar boven gestampt was om te eisen dat hij zakelijke afstand zou bewaren. Jaja. Daarna was ze de hele nacht bezig geweest met het polijsten van de houten vloeren, tot ze erbij neerviel. 'Ik dacht dat jij overal doorheen sliep.'

'"Er is veel wat je niet van me weet"', zei Star met een volmaakte *Music Man*-stembuiging – nog een van haar favorieten. Star was dol op alle verhalen waarin onmogelijke dingen gebeurden. Rese was in lachen uitgebarsten toen een paar armzalige kinderen met instrumenten die ze niet konden bespelen, veranderden in een geweldige fanfare, maar Star had gezegd: *'Je snapt het niet, Rese. Je snapt het gewoon niet.'*

Ze goot melk in het melkstoomkannetje. 'Vertel me dan eens iets wat ik niet weet.' Want Stars leven was praktisch een open boek.

'Ik heb expres een onvoldoende gehaald voor mijn biologietentamen, omdat jij de hele week tot 's avonds laat had gewerkt met je vader.'

Rese draaide zich om. Dat was het laagste cijfer geweest dat ze ooit voor een tentamen gehaald had, maar dat van Star was nog lager. Het was in hun eindexamenjaar en ze wist toch al dat ze niet verder zou gaan studeren, dus het behalen van haar diploma was slechts een formaliteit. 'Star, jouw cijfers konden me niks schelen.'

'Je zou het erg gevonden hebben als ik een hoger cijfer had gehad.'

Rese keek haar aan. 'Dat geloof je toch zelf niet?'

Star beantwoordde haar blik.

Rese zei: 'Ik heb me nooit met jou gemeten.'

'Je hebt nooit gedacht dat het nodig was.'

Rese slaakte een zucht. 'Waar heb je het over?'

Star draaide zich weer om naar het fornuis. 'Laat maar.'

Rese liet de melk staan en liep naar haar toe. 'Wat zeg je me nou? Dat je niet je best deed omdat je vond dat ik beter moest zijn?' *Je meet je dwangmatig graag met anderen.* Had ze Star het gevoel gegeven dat ze minderwaardig was – had ze Star als minderwaardig beschouwd?

'"Want aan wie winnen dunkt geen weder slecht."'

'Ik heb nooit geprobeerd van jou te winnen. Nooit geprobeerd jou het gevoel te geven dat je... minder bent.'

Star giechelde. 'Alsof je daar je best voor moest doen. Dat was nou juist de grap, snap je dat niet?' Ze draaide zich op haar hakken om. 'Ik liet je winnen.'

Een vlaag van woede overspoelde haar. 'Waarmee liet je me winnen?'

'Met alles.'

Rese liet zich tegen het aanrecht zakken. 'Geef mij niet de schuld van je problemen, Star. Ik was er altijd voor je.'

Star slikte. 'Dat weet ik.' Ze draaide het flensje om. 'Sterke, standvastige Rese.'

Het was onmogelijk te zeggen of dat nu sarcastisch bedoeld was of niet.

Rese wreef over haar gezicht. Als ze geslapen had, was ze misschien in staat geweest dit gesprek met enige tact te voeren. Maar aangezien ze niet geslapen had, zou ze het ongetwijfeld volkomen verknallen. 'Waarmee heb ik je gekrenkt?'

'Heb ik dat gezegd?' Star liet het flensje op een bord glijden, lepelde wat vulling in het midden en vouwde de randjes eromheen.

Het ontging Rese niet hoe goudbruin en zacht het flensje was. 'Volgens mij is dat de fundamentele boodschap van je verhaal. Dat je vanwege mij niet kon uitblinken.'

'Ik kon het wel, Rese.' Star liet de dieprode saus op het flensje druppelen. 'Ik deed het niet.'

'Ik heb je nooit tegengehouden. Ik heb je altijd gesteund.'

Star gooide haar hoofd naar achteren en zong: '"Ik zit niet aan twee touwtjes vast. Ik had ze ooit maar ben nu vrij."'

'Dus ik ben de Stromboli van jouw Pinokkio?'

Star zette het bord voor haar neer, een aanbod dat Rese negeerde. Ze had Lance in New York achtergelaten om voor Star te zorgen. Was dit haar dank?

Star liep terug naar het fornuis. 'Michelle vertelde me dat je je leven aan de Heer gegeven hebt.'

'Dat heb ik je ook proberen te vertellen. Toen liep je weg.' En had ze Lance gekust, op weg naar buiten.

Star goot beslag in de pan voor een volgend flensje. 'Misschien ga je nu merken hoe het is, om onder controle gehouden te worden.'

Rese liet zich op de stoel vallen, griste haar vork van tafel en stak hem in het flensje. 'Ik heb jou nooit onder controle gehouden en heb dat ook nooit gewild.'

'Rese toch. Waarom zou je anders mijn vriendin willen zijn?'

Rese keek haar stomverbaasd aan. Hoewel Star ook ging zitten om haar eigen flensje op te eten, was haar eetlust op slag verdwenen. 'Als jij denkt dat ik jou alleen maar onder controle wil houden, waarom ben je dan *míjn* vriendin? Of ben je dat niet?' Want nu snapte ze er helemaal niets meer van.

'Omdat het zo voor ons werkt, denk ik.' Star schrokte het flensje naar binnen. 'Jij de superster en "ik heb geen woorden, wijsheid, geen gewicht".'

Dat was wel erg theatraal. Rese schoof haar stoel naar achteren. 'Wat wil je van me, Star?' Na zeventien jaar gegeven te hebben wat ze had, vroeg ze zich dat af.

Star trok het bord naar zich toe en sneed een stukje van Reses flensje. 'Ik vraag me juist af wat jij van mij wilt.'

Rese dwong zich om haar stem neutraal te laten klinken. 'Ik wil helemaal niks.'

'En je verwacht of eist ook niks. Net wat ik dacht.'

'Dat bedoelde ik niet.' Rese zette haar ellebogen op tafel. 'Je bent mijn vriendin. Dat ben je al jaren. Wat verwacht je dan dat ik zal zeggen?'

Star doopte haar vinger in de saus en bracht hem naar haar lippen. 'Ik verwacht niks en ik verlang niks.'

Met gesloten ogen slaakte Rese een zucht. 'Sinds wanneer ben ik je vijand?'

Toen Star geen antwoord gaf, deed Rese haar ogen open.

Tranen stroomden over Stars wangen en ze sloeg haar armen om zichzelf heen en wiegde heen en weer. 'Ik weet het niet. Ik voel het alleen.'

Rese stak haar hand uit en pakte haar hand. 'Het is niet waar.'

Star snufte. 'Mag ik blijven?'

Rese schreeuwde het bijna uit van frustratie. 'Natuurlijk. Er is niets veranderd.'

'Mooi zo.' Star stond met een stralende glimlach op. 'Ik ga schilderen.' En ze liep naar buiten. Rese sloeg haar handen voor haar gezicht. Misschien waren de drugs nog niet uit haar lijf verdwenen. Dat ze verslaafd ter wereld was gekomen had haar misschien overgevoelig gemaakt, of...

Was de heroïne aan het woord geweest, of was Star voor het eerst echt eerlijk geweest? Stoorde ze zich aan de troost waaraan ze altijd behoefte leek te hebben? Rese probeerde het van haar kant te bekijken, liet haar hoofd achteroverzakken en forceerde een glimlach. Zou ze het dan nooit goed doen?

De telefoon rinkelde en ze griste de hoorn van de haak, hopend op Lances stem. Maar het was de psychiatrische inrichting en de eigenaardige stem van dokter Jonas. 'Ik ben blij dat ik je aan de lijn heb, Rese. Ik zou graag een afspraak willen maken om te praten over je verzoek om het gerechtelijk bevel nietig te verklaren en de zorg voor Elaine op je te nemen.'

Natuurlijk. Ze was beslist geschikt om nog een afhankelijke relatie op zich te nemen. Die kon ze zo goed aan. Rese schoof die gedachte terzijde. 'Zo snel mogelijk. Bedankt.'

Ze had het proces in gang gezet voor ze wegging uit Sonoma, had een verzoek ingediend om mams toestand opnieuw te onderzoeken, om niet alleen beslissingsbevoegd te zijn, maar volledige voogdij over haar te krijgen. Pa had gedaan wat hij moest doen, met een kind dat hij moest beschermen, een baan die het grootste deel van zijn tijd opslokte en mams toestand die volledig uit de hand liep. Maar dokter Jonas was hoopvol gestemd over haar reactie op de nieuwe medicijnen. Alles was mogelijk.

Rese sloot haar ogen en dacht aan haar moeder, teleurgesteld dat de gedachte alleen al nog altijd negatieve emoties opriep. Dit was de moeder van wie ze hield, de moeder die had geprobeerd haar te vermoorden, die Walter in hun leven had binnengelaten. Lance had gezegd dat hij haar wilde ontmoeten, maar hij was er niet. Ze zuchtte, terwijl ze aan de psychiatrische kliniek en aan haar eigen mogelijke toekomst dacht. Ze had dingen in gang gezet om haar moeder thuis te krijgen, maar als zij ongeschikt zou blijken te zijn, zou zij dan bij mam intrekken?

Toen Lance naast nonna's bed zat, bleven Stella's woorden door zijn hoofd spoken. *'Bloed schreeuwt uit de aarde naar God.'* Zoals nonna het uitgeschreeuwd had toen de waarheid tot haar doordrong? Hij had gehoopt dat de dokter iets zou vinden, zodat ze haar naar het ziekenhuis konden brengen om te herstellen. Maar aangezien ze een emotionele schok had gehad zonder lichamelijke terugval, konden ze in medisch opzicht niets voor haar doen. Het beste wat ze konden doen was haar laten waar ze was, in haar eigen huis, bij haar eigen familie.

Mama had hem gevraagd bij nonna te gaan zitten, terwijl zij lesgaf. Mama zei dat Monica, Lucy en Sofie allemaal dingen te doen hadden, maar Lance had haar wel door. Pap had haar gezegd dat ze hem bezig moest houden, ervoor moest zorgen dat hij geen domme dingen zou doen. Dat had een probleem kunnen zijn, als hij enig idee had gehad van wat hij zou moeten doen.

Hij las en herlas de brief. Ze hadden hem bij stukjes en beetjes gelezen, maar nu las hij iedere bladzijde zoals nonno hem geschreven had, tot de stroom van angst en verdriet hem aangreep. Hoewel hij al oud was, was nonno robuust geweest, vol levenslust, een en al goedheid. Welk kwaad kon zo'n man vellen?

Het viel niet te begrijpen. Maar de vraag die hem werkelijk kwelde was hoe het kon dat nonno's offer niet genoeg was. Lance balde zijn vuisten. *'Om een einde te maken aan zo'n grote vloek, is een heel groot offer nodig.'* Groter dan het geven van zijn leven, wat nonno gedaan had? Wat kon groter zijn dan opofferend sterven voor degenen die je liefhad? Lance schudde zijn hoofd. Als hij iets moest doen, had hij antwoorden nodig.

Hij pakte nonna's bijbel van het nachtkastje. Vanuit de omslag vielen foto's van kinderen en kleinkinderen als een waterval op zijn schoot. Hij keek naar de veelal jonge gezichten op de foto's. Alle glimlachjes, het gekamde haar, kinderen die netjes poseerden – nou ja, de uitdrukking op zijn gezicht was een beetje opstandig – maar ze keken allemaal vol verwachting naar hem op. Niet alleen voor het ogenblik waarop ze ongetwijfeld dachten: *neem die foto nou!* maar voor alle jaren daarna, die nog voor hen lagen.

Hij sloot zijn ogen toen de diepte van nonno's liefde hem overspoelde, en daarmee het verlies. Hij pakte nonna's hand en voelde mee met haar pijn. Waar dacht ze aan; waar was ze in verzonken? In haar herinneringen, zoals eerder? Of waren haar herinneringen nu zelfs te pijnlijk?

Hoe dacht God dat ze dat kon dragen? En waarom zou ze moeten lijden voor iets wat ze niet eens geweten had? Een jonge vrouw, vol beloftes en dromen, tot Marco haar pad kruiste. Hij had het niet geweten, maar hij had haar dood en verdriet gebracht. En nu tastte het hen allemaal aan. *Heer...*

Om de een of andere reden moest hij aan Gina denken, aan het doffe verdriet dat haar gezicht de laatste tijd tekende. Het was Tony die geveld was, maar Gina moest ervoor boeten. Er groeide een verbeten besluit in zijn binnenste. Marco had misschien geen keus gehad. Tony had het niet geweten voor hij met Gina trouwde, maar...

Lance sloeg zijn handen voor zijn gezicht en smoorde een kreun. Als hij niet in het verleden had zitten graven, de vloek niet aan het licht gebracht had – maar dat had hij wel gedaan, en daarmee kwam de verantwoordelijkheid. Hij wist niet hoe hij een einde moest maken aan de vendetta, maar de opdracht was hem in de schoot geworpen.

Hij keek tussen zijn vingers door naar beneden. Toen hij bewogen had om de wegglijdende foto's op te vangen, was de bijbel opengevallen op zijn schoot en nu viel zijn blik op een vers, alsof het verlicht was: *Dat is uw roeping; ook Christus heeft geleden, om uwentwil, en u daarmee een voorbeeld gegeven. Treed dus in zijn voetsporen.*

Hij had het gevoel of er een stalen band om zijn borst werd gelegd. Korte, harde ademstoten vulden zijn longen. Lance beefde toen God de last op hem legde, de last waar hij om gevraagd had. Hij moest het kruis opnemen – hij had altijd geweten dat hij dat ooit zou moeten doen. Hij tastte met zijn hand naar de tatoeage op zijn schouder. *Dat is uw roeping... treed dus in zijn voetsporen.*

Pijn en extase waren moeilijk te scheiden. Hij had gehunkerd naar een doel, zelfs een doel waardoor hij zou moeten lijden, als het maar zin aan zijn leven zou geven. En nu, dwars door nonno's duistere, wanhopige bekentenis heen, hoorde hij de roep en zijn lippen bewogen. 'Hier ben ik.' Hij verzonk in Gods aanwezigheid, buiten tijd en plaats. *Hier ben ik.*

Lance tilde de bijbel op. Als hij geroepen was om een einde te maken aan deze vendetta, moest hij weten wat er van hem verwacht werd. Welk offer er gevraagd zou kunnen worden nu hij de roeping aanvaard had. Terwijl hij zocht, drong het tot hem door hoe onzeker zijn leven geworden was.

Hoofdstuk 30

Ogenblikken in de tijd
glinsteren als dauwdruppels
en zijn verdwenen.

Marco schiet in de lach als ik tegen hem zeg dat hij er knap uitziet in zijn uniform.

'Ik heb het gevoel of ik een uithangbord draag. "Kijk naar mij, ik ben een politieagent."'

'Ja, natuurlijk', zeg ik. 'Wat is daar mis mee?'

Hij werpt me een eigenaardige blik toe en geeft me dan een klopje op mijn schouder. 'Niets. Helemaal niets.'

Ik trek zijn mouw recht, zie de aderen die zichtbaar zijn onder de huid van zijn hand, een teken van het ouder worden. Hij is een beetje oud om nog bij de politie te gaan, en zijn plotselinge carrièreswitch amuseert me. 'Ben je het beu om de poen van rijke mensen te beheren?' Ik plaag hem met dat vertrouwde zinnetje, hoewel ik na al die jaren nog steeds niet weet wat hij deed als hij weg was om zaken te doen voor zijn klanten.

Hij neemt me in zijn armen. 'Ik ben het beu om bij jou weg te zijn, liefje.' Hij geeft me een kus op mijn neus. Een oude dwaas, maar ik houd van hem. Ik zou niet weten wat ik met hem aan moet, als hij zoveel avonden thuis is. Nu de kinderen groot zijn, vergt het restaurant zoveel van mijn tijd. Maar ik geniet ervan, ondanks mama Benigna's schimpscheuten – hoewel ze er iedere dag eet.

Zij is het kruis dat ik draag voor het geschenk van haar zoon en in mijn betere momenten ben ik dankbaar dat ze hem gebaard heeft. Waar ik vooral dankbaar voor ben is dat ze hem niets van zichzelf gegeven heeft. Ik draai Marco in het rond en trek zijn kraag aan de achterkant recht, onder zijn grijze haar. Hij is nog steeds aantrekkelijk, en bij die gedachte maakt mijn hart een sprongetje.

'Marco.'

Hij kijkt over zijn schouder, en ik zeg: 'Waarom gaan we niet eens ergens heen?'

Hij draait zich helemaal om. 'Waar zou je heen willen?'

'Ik weet het niet. Jij bent overal geweest. Kies een plekje en neem mij er mee naartoe.'

Hij schiet in de lach. 'En je restaurant dan?'

'Dan hang ik een bordje in het raam, zoals iedereen doet: *Op vakantie*. Een tweede huwelijksreis.' Ik trek zijn das wat strakker aan. 'Aangezien de eerste... niet zo makkelijk was.' Ik wou dat ik die dagen vol verdriet ongedaan kon maken en de gelukkige bruid kon zijn die Marco verdiende.

Hij tilt mijn kin op en kust me. 'Elke keer als ik thuiskom is het een huwelijksreis.'

Antonia bewoog, zich bewust van Lance naast haar bed, en kwam bijna tevoorschijn uit de plek waar haar herinneringen woonden. Maar ze was vastbesloten daar te blijven en zakte weer terug.

De eerste keer dat ik Lance vasthoud, weet ik het. Deze baby ligt mij na aan het hart. Hoe kan dat, terwijl ik mijn eigen vijf kinderen en zeventien andere kleinkinderen tegen mijn borst gehouden heb? Toch grijpt deze zoon van Roman, Doria's kind, mijn ziel. *Nu begrijp ik het, nonno.* Hij had me gewaarschuwd, maar toch kan ik geen weerstand bieden aan de aantrekkingskracht van dit kleintje in mijn armen. Ja, sommige liefdes hechten zich aan je ziel.

Ze had hem zijn eerste stapjes zien doen, niet één, maar drie tegelijk. Zo was Lance, altijd verder reikend. Terwijl Doria andere jonge voeten jazzdance en ballet leerde, had Lance zijn eigen waggel- en tuimeltechniek ontwikkeld. En Antonia had hem iedere keer opgeraapt en weer op zijn voetjes gezet.

Ik druk de dollar in zijn hand voor zijn eerste heilige communie, maar ik weet dat er geen geschenk is dat de plaats kan innemen van wat er in hem leeft. De anderen handelen het zonder omhaal af, maar zo is Lance niet. Er ligt een gloed op zijn gezicht, die ik nauwelijks kan verdragen. Dit kind, dat mij zo na aan het hart ligt, houdt nog meer van God...

En vanwege hem had ze vrede gesloten met de God die haar zo vreselijk beproefd had. Ze kon niet langer weerstand bieden aan degene die dat kind in haar leven gebracht had. Ze kon niet vertrouwen, maar ze was niet tussen Lance en zijn Redder gekomen. Ze had zijn geloof beschermd en gekoesterd, voor zijn bestwil... en het hare.

En wat voor baat had ze erbij gehad? Ze had haar vuist moeten opheffen naar de hemel. Lance vroeg: 'Nonna?' Maar het heden was pijnlijker dan het verleden. Ze wilde hem niet horen; ze kon het niet.

Lance leed. Dit was echt. Hij kon er niet omheen. Hij moest een taak vervullen, en net als nonna moest hij dat alleen doen. Hij had de gekwelde blik op Gina's gezicht gezien, nonna's verdriet in zich opgenomen. Als hij besloot dit te doen, kon hij er Rese niet mee belasten. Zijn hoofd voelde aan als pap, zijn ledematen als planken. Vanbinnen voelde hij zich uitgeteld, door het bedenken hoe het op haar over moest komen, hoe het moest voelen.

Maar als hij het instrument was, moest hij alle andere verlangens en dromen daaraan ondergeschikt maken. *Wie Mij volgt, maar niet breekt met zijn vader en moeder en vrouw en kinderen en broers en zusters, ja zelfs met zijn eigen leven, kan niet mijn leerling zijn.*

Hij was er altijd van overtuigd geweest dat Jezus niet echt 'breken' bedoelde. Het was een overdrachtelijk onderscheid tussen liefde voor Hem en al het andere dat in de weg zou kunnen staan. Nu besefte hij dat de breuk net zo radicaal was als hij leek. Een diepgeworteld verlangen greep hem aan, maar de gedachte aan Rese leidde hem af en maakte hem zwak.

Hij drukte zijn vingers tegen zijn voorhoofd. Zijn motieven moesten zuiver zijn, zijn geweten rein. De handschoen was hem toegeworpen, maar hij wist niet wat dat betekende, vertrouwde er alleen op dat de Heer het hem duidelijk zou maken. In de tussentijd zou hij de vijand leren kennen. Zelfs als Gods instrument kon hij alleen handelen binnen de grenzen van de fysieke wereld.

Het was verontrustend om zelfs maar in die termen te denken. Wie dacht hij wel dat hij was? Hij wist wat pap zou zeggen. Maar nadat hij een glimp opgevangen had van die andere wereld, toen Chaz om bevrijding bad voor Star, nadat hij gegrepen was door de

Geest, tot ieder verzet wegsmolt, moest hij wel geloven dat alles mogelijk was.

Hij wreef over zijn gezicht en keek naar nonna, die lag te slapen, waarbij haar borst op en neer ging door haar oppervlakkige ademhaling. Zij had dit op zijn pad gebracht, omdat het haar kracht te boven ging. En nu wachtte ze, zwevend tussen het verleden en het heden, een verleden dat hij aan het licht had gebracht en een heden dat ze niet aankon. Hij moest iets doen. Maar zodra hij de handschoen zou opnemen, zou er geen weg terug meer zijn.

Rese liep achter de maatschappelijk werkster aan naar beneden. De inspectie van het huis was duidelijk een routinekwestie, de vrouw was nauwelijks onder de indruk van al het werk en de aandacht voor details die nodig waren geweest om zo'n aantrekkelijke en authentieke ambiance te creëren. Maar de leefomstandigheden van een vrouw met psychiatrische problemen, die bij haar stabiele dochter met een eigen bedrijf introk, stond misschien niet hoog op het prioriteitenlijstje van het district – wat niet betekende dat ze ook maar een deel van het proces zouden overslaan om de zaken te bespoedigen.

Rese ging haar voor naar de tuin voor een korte bezichtiging van het terrein en het koetshuis. Geen geheime wapenvoorraad, geen ecstasy-laboratorium. Zelfs geen geraamte meer in de kelder. Daar had Lance voor gezorgd. Maar Rese besloot de tunnel niet eens te vermelden. Ze wilde hem niet openmaken en laten zien.

Toen de vrouw weg was, liep Rese terug naar binnen en probeerde ze te beslissen wat ze moest doen. Drie dagen zonder een woord van Lance? Er was iets gebeurd – alweer. Ze wilde hem niet lastigvallen, maar er moest iets gebeuren met vier openstaande reserveringen. Moest ze die afzeggen en de gasten tijd geven om iets anders te zoeken, of bevestigen en aannemen dat hij terug zou zijn als ze hem nodig zou hebben?

Ze drukte haar handpalmen tegen haar hoofd. Stel dat hij niet kwam en zij het alleen met Star zou moeten doen? Ze had de hele nacht lopen ijsberen en zich allerlei dingen in haar hoofd gehaald die gebeurd zouden kunnen zijn, maar ze kon niet één reden bedenken waarom hij niet zou bellen. Zij had natuurlijk ook niet gebeld, maar alleen omdat ze bang was dat ze niet zou weten wat ze moest zeggen. Lance had nog nooit in zijn leven niet geweten wat hij moest zeggen. Ze slaakte een zucht. Het was zoveel gemakkelijker als hij er gewoon was en zonder enige moeite de woorden uit haar trok.

Alleen in de keuken sloeg ze haar armen over elkaar en dacht na. Omdat het al de hele ochtend motregende, had Star haar ezel opgezet in de werkplaats en was ze daar gebleven, ook toen de zon doorbrak en westwaarts gleed. Rese had kunnen gaan houtsnijden terwijl Star schilderde, maar hoewel ze een broze wapenstilstand hadden gesloten, wilde ze haar niet op de huid zitten. Baxter lag languit voor het fornuis en op de dichterbij komende reserveringen na, vroeg niets haar tijd of aandacht.

Ze zuchtte. Stel dat hij wachtte tot zij zou bellen? Hij had zijn gevoelens duidelijk gemaakt en zij was degene geweest die het tegenhield. Nu ze op afstand van elkaar waren, hoopte hij misschien – O, wat wist ze daar ook van? Ze liep naar de telefoon en net toen ze hem bereikte, rinkelde hij. Ha!

Ze nam op en voelde een golf van opluchting bij het horen van Lances stem. 'Alles goed met je?' Ze sloeg een arm om zichzelf heen. 'Ik begon me zorgen te maken.' Ik was ongerust, in paniek, kon nergens anders meer aan denken.

'Rese...' Zijn stem stokte. 'Schat, ga zitten, zodat we kunnen praten.'

Schat? Haar benen begaven het. Ze liet zich langs de wand naar beneden glijden en wachtte, maar hij bleef zo lang zwijgen dat haar hart als een razende begon te bonken. 'Wat is er aan de hand?'

Hij zuchtte. 'Ik weet niet waar ik moet beginnen.'

Haar ledematen werden gevoelloos; haar hoofd vulde zich met mist. Van een afstand hoorde ze zijn onregelmatige ademhaling en de hare voelde precies zo. 'Je komt niet.' Ze greep de koele hoorn vast. 'Vertel je me dat?'

'Er is iets wat ik moet doen. Als het anders kon, zou ik het doen. Maar alles heeft hiernaartoe geleid, Rese, en het is groter dan ik.'

'Lance, waar héb je het over?'

'Het is beter als je dat niet weet.'

Beter...? Hoe kon hij dat zeggen, terwijl hij wist wat er allemaal voor haar achtergehouden was in haar leven, belangrijke dingen, grote dingen? 'Dus je komt als het voorbij is?'

'Als het voorbij is... zijn er misschien dingen veranderd.'

Voor iemand die zo goed duidelijk kon maken wat hij bedoelde, was dat ongelooflijk vaag. 'Welke dingen?'

Hij slaakte een zucht. 'Alles.'

Ze drukte een hand tegen haar maag, zich afvragend wanneer ze daar gestompt was. En hij had gelijk. Soms was het beter om iets niet te weten. Dit had ze zich niet voorgesteld, dat hij haar zat was, dat hij haar zou laten vallen als... 'Heb je me erbij gezet op je muur?'

Hij kreunde. 'Dat is het niet.'

'Juist ja.' Zo duidelijk als beton.

'Rese, God –'

'Kom daar alsjeblieft niet mee aan.' De woede was als een slang naar binnen gegleden en had haar angst en medeleven met huid en haar opgeslokt. 'Als je van gedachten veranderd bent, best, maar neem er dan tenminste zelf de verantwoordelijkheid voor.'

Zijn stem klonk rauw en moe. 'Je hebt gelijk. Het spijt me.'

Ze kookte van woede. 'Het maakt niet uit. Ik wilde toch al geen hotel runnen.' Als ze nu gasten had gehad, zou ze hen naar buiten schoppen. Deze laatste maanden waren één grote vergissing geweest.

Daar zei Lance niets op. De man van vele woorden had er geen.

Ze verbrak de verbinding en keek op haar horloge en toen naar buiten, waar het avondlicht schuin door de tuin viel. Zelfs als hij nog altijd lang doorwerkte, zou hij thuis zijn tegen de tijd dat ze in Sausolito aankwam. Ze ging naar buiten, startte de truck en ging ervandoor. Gelukkig bekoelde haar woede door de rit af tot een zacht vuurtje, dat ze makkelijk onder controle kon houden en tegen de tijd dat ze er was, had ze haar zelfbeheersing weer terug.

Brad deed de deur open met een verbaasde blik op zijn gezicht en in een wolk van sigarettenrook.

Ze wuifde de rook weg. 'Ik dacht dat je ermee opgehouden was.'

Hij keek naar de peuk tussen zijn duim en wijsvinger, gooide hem op de oprit en haalde zijn schouders op. 'Telt een maand?'

'Voor dertig dagen.'

Zijn lach trok rimpels in zijn door de zon verbrande huid. 'Wat doe je hier, Rese?'

'Ik wilde ingaan op iets wat je gezegd hebt.'

'O, o.' Met een lach wenkte hij haar binnen. 'Wil je wat drinken? Een biertje, fris, tequila met limoen?'

Ze schudde haar hoofd en keek toen rond, terwijl ze van de woonkamer naar de keuken liep, die doorliep naar een hobbykamer. 'Je hebt het mooi opgeknapt.' Het was geen groot huis, maar hij had het aantrekkelijk gemaakt, zodat je je er thuisvoelde, moderner dan zij gedaan zou hebben, maar pa had haar bedorven met historische huizen voor ze haar eigen smaak had kunnen vormen.

Brad liep achter haar aan door de kamers. 'Het is prima voor mij. Ik zou niet willen rondzwerven in iets groters.'

Nee, in grote, oude villa's moest je niet alleen wonen. Ze draaide zich om. 'Brad...' De woorden bleven in haar keel steken. Ze hadden samen veel meegemaakt en niet alles daarvan was even prettig – evengoed haar schuld als de zijne. *Je wilt je dwangmatig graag met anderen meten.* Ze drukte haar handpalmen op het aanrecht, spreidde haar vingers over het gladde oppervlak en vroeg zich af hoe groot haar aandeel eigenlijk was geweest in alles wat ze hem en de anderen verweten had.

Hij leunde op zijn ellebogen en keek haar aan. 'Wat is er?'

Ze kon het niet. Waarom had ze gedacht dat ze hier kon komen en... Ze rechtte haar rug. 'Toen we elkaar laatst spraken, zei je iets interessants.'

'Ik probeer mensen niet de hele tijd te vervelen.'

Ze keek hem aan, in zijn groene ogen, die mooi symmetrisch naast zijn ietwat gebogen neus stonden.

De lijnen naast zijn mond waren dieper geworden en trokken nu geamuseerd omhoog. 'Ik heb je nog nooit zenuwachtig gezien. Ik wist niet dat je het in je had.' Zijn blik werd zachter.

Ze tilde haar kin op. 'Ik ben niet zenuwachtig.'

'Met de mond vol tanden dan.'

Ze gooide haar handen in de lucht. 'Waarom denken mannen altijd dat ze weten wat er in mij omgaat?'

Het keukenlicht viel op de grijze plekken bij zijn slapen. 'Ik zou niet durven proberen te weten te komen wat er in je omgaat. Het zou me niet lukken. Ik heb je nooit begrepen. Maar dat geeft niet. Want als je gekomen bent om op mijn aanbod in te gaan, dan vind ik dat geweldig.'

'Welk aanbod, Brad?'

Er verscheen een rimpel in zijn voorhoofd. 'Welk...?'

Ze boog zich naar hem toe en kuste hem op de mond. Hij trok zich slechts een paar centimeter terug, zijn mond viel open van verbazing, terwijl zijn blik van haar haar naar haar kin en weer terug ging. Hij pakte haar elleboog en trok haar om het aanrecht heen naar zijn kant. 'Dat had ik niet verwacht.'

'Vond je het fijn?'

'Wat denk je?'

Ze voelde zich weer kwaad worden. 'Ik vertrouw mijn eigen oordeel niet zo.'

Hij bukte zich en nam bezit van haar mond. Hij was groter dan Lance, gespierder ook en toen hij zijn armen om haar heen sloeg, boog haar nek verder achterover en hij smaakte naar rook en ze herinnerde zich iedere ruzie en ieder conflict.

Hij trok zich terug. 'Wat heeft dit te betekenen, Rese?'

Pa had deze man alle dingen toevertrouwd die hij haar niet wilde vertellen. Hij had meer tijd met Brad doorgebracht dan met enig ander. Ze hadden met elkaar gepraat. Aangezien hij qua leeftijd precies tussen haar en pa inzat, had Brad al sinds haar twaalfde deel uitgemaakt van hun leven. 'Weet je nog wat je zei toen ik vroeg of er nog meer geheimen waren, waar ik niet van wist?'

'Eh...'

'Je zei dat je verliefd op me was geweest.'

'Ja, dat is waar.' Hij slikte. 'Je bent spijkerhard, maar dat maakt je nog niet onaantrekkelijk.' Hij hield zijn hoofd iets schuin. 'Integendeel.'

Pijn en woede gaven haar kracht toen ze hem nogmaals kuste.

'Je houdt ervan om de leiding te nemen, hè?'

Ze onderdrukte de neiging om weg te rennen. 'Geïnteresseerd?'

Hij trok haar naar zich toe en kuste haar hard. 'Jij bent hier niet de baas.'

'Best.' Hij zijn zin. Wat kon het haar schelen? Zijn armen en mond boden een meedogenloos genoegen. Ze was niet onaantrekkelijk, niet ongewenst. Maar daar ging het niet om.

Brad pakte haar bij haar schouders. 'Wat verwacht je van me?'

'Dat jij de baas bent.'

Zijn borstkas ging op en neer. 'Nou, je hebt me wel verrast. Ik weet niet...'

Ze kwam hem niet te hulp. Hij had altijd willen winnen en ze moest het zeker weten.

Hij haalde diep adem. 'Je maakt me gekker dan elke andere vrouw die ik ken. Zelfs mijn ex.'

Haar ogen werden groot. 'Ex? Ex... vrouw?'

'Een kort huwelijk, van langgeleden. Voor ik bij je vader kwam werken.'

Vormden ze geen mooi paar met hun geheimen?

'Maar daar gaat het niet om.' Zijn greep verslapte. 'Rese, ik weet niet waar je mee bezig bent.' Hij keek haar met een vorsende blik aan. 'Ik zou dit willen opvatten zoals je het lijkt te bedoelen... maar dat kan ik niet.' Hij liet zijn handen vallen en haakte zijn duimen in de band van zijn spijkerbroek.

Ze wachtte.

'Ik zal niet zeggen dat ik er nooit aan gedacht heb. Maar...' Hij wendde zijn blik af en keek haar toen weer aan. 'Je bent de dochter van Vernon Barrett.'

Een golf van opluchting.

'Hij is dood en jij bent nu een vrouw, maar...' Hij schudde zijn hoofd. 'Zo is het nu eenmaal.'

Ze glimlachte. 'Dan ben ik er klaar voor om ons partnerschap te bespreken.'

Hij trok een wenkbrauw op. 'Zakelijk?'

'Strikt zakelijk.' Bij de ongelovige blik op zijn gezicht haalde ze haar schouders op. 'Jij hebt die opmerking gemaakt en...' Ze zou nooit meer een partnerschap op andere voorwaarden overwegen.

Zijn schouders zakten naar beneden. 'Was dit een test?'

'Nou...'

'Kon je het niet gewoon vragen?' Hij zette zijn handen in zijn zij.

'Zou je het zeker geweten hebben?' En zou ze ook maar iets van wat hij zei geloofd hebben, zonder het met eigen ogen te zien?

Hij perste zijn lippen samen. 'Goed, ik zou het me afgevraagd kunnen hebben.'

'Nu we dat geregeld hebben, kunnen we de voorwaarden bespreken.'

'Vind je het goed dat ik eerst even mijn hartslag tot bedaren laat komen?' Hij liep naar de koelkast, pakte er een biertje uit en stak er haar een toe.

'Doe maar', zei ze. Ze zouden net zo praten als Brad en pa gedaan hadden, van man tot man.

Toen hij weer bij haar kwam staan, bracht ze het heerlijke gevoel dat het gaf om weer de leiding over haar eigen leven te nemen tot bedaren. 'Ten eerste: ik verkoop de villa niet.' Ze moest ergens wonen en ze had hem piekfijn opgeknapt. 'Maar ik heb wel wat andere middelen die ik kan aanwenden.'

Lance sloeg met de telefoon op zijn knie. De afgelopen paar uur had hij weerstand geboden aan de drang om terug te bellen en haar alles te vertellen, om te proberen het haar te laten begrijpen. *Het was niet mijn bedoeling om je te kwetsen. Ik heb dit niet zien aankomen.* Of wel? Had hij niet vanaf het begin gevoeld dat het allemaal een doel had? Ja, maar hij had niet kunnen weten dat het hierop uit zou lopen.

Hij had haar naar huis gestuurd met het plan haar binnen enkele dagen te volgen. Hij had gedacht dat hij de brief zou uitlezen, zodat nonna het kon afsluiten en vrede kon hebben; het einde had hij niet kunnen raden. Had hij Rese moeten waarschuwen, moeten voorbereiden? Misschien wel, door haar zijn fouten te laten zien, zijn treurige reputatie. Ze had gedacht dat dat de reden was. Het zoveelste streepje op zijn muur.

Hij kreeg een beklemmend gevoel in zijn borst. Hij had Rese niet om de tuin geleid. Hij had een leven met haar gewild, wilde dat nog steeds. Hij had haar zijn leven binnengehaald en haar er weer uittrekken voelde aan alsof er een mes tussen zijn ribben door gehaald werd. Maar hij wist niet wat er op hem af zou komen, welke risico's hij zou nemen of wat er van hem verlangd zou worden.

De hele nacht had hij zitten peinzen over nonno's leven, over de man die zijn leven had toegewijd aan gerechtigheid en orde, een man die vriendelijk van aard was, met een voorliefde voor humor. De zinloosheid van die moord had hem overweldigd.

Net als bij de mensen die hun werk deden toen maniakaal kwaad de torens binnenvloog – welke verklaring kon daarvoor zijn? Nonno was integer geweest, zijn enige fout was het bestand dat hij gesloten had met de duivel. Een bestand – Lance omklemde de telefoon in zijn hand – dat geschonden werd door een man, die net zo achterbaks en laakbaar was als terroristen die onschuldige mensen tot as verbrandden.

Ja, hij zou deze strijd aangaan, hoewel zijn veldslag misschien niet in een overwinning zou eindigen. Hij wist heel goed dat er soms stukken werden opgeofferd en als het daarop zou aankomen, zou hij dat onder ogen zien. Maar hij zou Rese niet in gevaar brengen. Zij had geen culturele basis voor een vendetta, terwijl hij zelfs als kind al dingen met zijn eigen vuisten had opgelost. Hoe kon hij van haar verwachten dat ze het begreep? Dat kon hij niet.

Daarom vertelde hij het haar niet, en vanwege de angst dat ze hem op andere gedachten zou brengen. Kreunend keek hij naar de telefoon in zijn hand. Hij wilde haar zo graag zeggen dat hij van haar hield. Waarom had hij dat niet gedaan? Hij schudde zijn hoofd. Ze zou het niet geloven. Het was beter om in één keer met haar te breken, maar hoewel hij dagenlang amper gegeten had, kwam de pijn in zijn maag niet door de honger. Langzaam legde hij de telefoon neer, terwijl hij de woorden opkropte, die niet uitgesproken konden worden.

Ze had het simpel gesteld: *Als je van gedachten veranderd bent, prima, maar neem er dan tenminste zelf de verantwoordelijkheid voor.* Wat maakte het uit of het Gods plan was of het zijne? Voor Rese zag het er hetzelfde uit. Hoeveel pijn het ook deed, daar kon hij niets aan veranderen. Hij wou dat hij Rico's vermogen had om zijn gevoelens chirurgisch te ontleden, maar hij kon alleen maar dapper blijven volhouden.

Hij liep nonna's kamer in en ging naast haar zitten. Ze was wakker, maar beantwoordde zijn groet niet. Ze was weg aan het kwijnen; de moord op nonno leek de genadeklap te zijn geweest. Zou ze lang genoeg blijven leven om te zien hoe het afliep? Hij werd overmand door woede en verdriet. 'Nonna.' Hij pakte haar hand. 'Ik zal een eind maken aan deze vendetta voor de Michelli's, ik zal de vloek opheffen. Wat het me ook kost.'

Haar hand beefde in de zijne, maar ze zei niets, keek hem niet aan. Ze was in haar gedachten ergens heen gegaan waar hij haar niet kon bereiken. Maar het ging niet langer om haar. God had haar gebruikt om zijn aandacht te trekken, maar dit was nu iets tussen God en hem. *'Wie achter Mij aan wil komen, moet zichzelf verloochenen, zijn kruis op zich nemen en Mij volgen.'* Hij stond sterk onder druk om een pijnlijker manier te bedenken om zichzelf te verloochenen dan zoals hij zojuist gedaan had. Maar het was slechts het begin.

Hoofdstuk 31

'Heb ik je de laatste tijd nog verteld wat ik van mijn vader vind?' Rico leunde met een chagrijnige blik tegen de met kettingen afgezette omheining van het handbalveld. Het was voor hem niet makkelijk om terug te keren naar waar hij vandaan kwam, en Lance waardeerde de opoffering die hij zich had getroost. Het was een gok of Juan een Borsellino kende, maar aangezien hij in de gevangenis had gezeten en betrokken was bij drugshandel en heling, had Lance gedacht dat het een mogelijkheid was.

Hij haakte zijn vingers in de omheining tussen hen, terwijl het zweet opdroogde op zijn borst, waar het mouwloze shirt aan vastplakte. 'Wist hij iets?'

'*Nada*. Niks.'

Lance klemde de bal tegen zich aan. 'Zelfs geen contact?'

Rico haalde zijn schouders op. 'Hij zegt van niet, *man*.'

Tweeëntwintig jaar was een lange tijd. Hoewel hij er verschillende in het telefoonboek gevonden had, waren de Borsellino's misschien niet meer actief in de stad, en was degene die rechtstreeks verantwoordelijk was voor nonno's dood misschien zelfs niet meer in leven. Hij wist niet wat hij zou doen als hij erachter kwam wie dat was, maar in dit tempo... Hij schudde zijn hoofd.

'Het spijt me, *mano*.' Rico had niet gevraagd waarom, was gewoon met de vraag naar Juan gegaan.

'Ja.' Lance zuchtte. Nonno's brief had hem te weinig informatie gegeven. Als hij verwachtte dat iemand de vendetta zou vergelden, zou terugvechten, waarom had hij dan niet iets achtergelaten om op voort te borduren? Verder was hij zo gedetailleerd geweest.

'Gaan we nog verder of niet?' riep Bobby.

Lance keek achterom naar zijn zwager. Hij wist het niet zeker, maar hij vermoedde dat Bobby gemobiliseerd was om hem naar buiten te krijgen, om zijn gepieker te stoppen. Al piekerde hij niet. Hij dacht na en bad, dat laatste vooral als de pijn en het verlangen vat op hem kregen, als de angst en frustratie hem verstikten.

Sporten was geen goed idee geweest. Hij voelde dat hij ging instorten, van het vasten misschien, of van hartzeer. Hij had vaak genoeg een relatie verbroken om te weten hoe dat in zijn werk ging. Maar deze wond ging niet dicht.

'Hé.' Bobby spreidde zijn handen.

'Ik moet ervandoor.' Lance wuifde hem weg en liep door het hek naar Rico. Het had Juan een week gekost om te zeggen dat hij niets wist. Een week van zorgen om nonna, om Rese, om wat hij moest doen. Er moest iets zijn waar hij verder mee kon. *Heer...*

En toen had hij een gedachte, een herinnering: Tony die een doos droeg, toen hij en Gina verhuisden. Een doos. Lances adem stokte. Misschien... Hij slikte.

'Vanwaar die haast?' Rico rende met hem mee.

'Ik heb iets nodig.'

Rico hield zijn hoofd schuin. 'Je hebt die blik weer in je ogen, *man*.'

'Ik moet naar Gina.'

Rico keek hem schuins aan.

'Niet daarom.' Rico had Stars vertrek gecompenseerd met een reeks afspraakjes, maar Lance was niet bezig met het bevredigen van een lichamelijke behoefte. En als dat wel zo zou zijn, zou de vrouw van zijn overleden broer niet het middel zijn. Wat dacht Rico wel?

Toen hij bij de trap van het station kwam, liep Rico nog steeds naast hem. Lance bleef staan.

Rico draaide zich half om. 'Wat is er?'

'Moet jij niet ergens heen?'

'Ja, *man*. We gaan bij Gina op bezoek.'

Lance overwoog de situatie, slaakte toen een zucht en liep de trap op. Hoewel hij bad dat het iets zou opleveren, zou dit Rico niet in gevaar brengen en hij vond het niet erg om wat gezelschap te hebben.

Voorzover hij wist werkte Gina niet op zondag, dus de kans was groot dat ze thuis was. Toen ze bij haar rijtjeshuis aankwamen, deed ze de deur open, fris en knap in een marineblauwe broek en een geelblauw gestreepte blouse. Haar haar zat in een paardenstaart en ook al zaten er wat grijze plukjes tussen, ze zag er meisjesachtig uit.

'Dag, Gina.' Hij boog zich naar haar toe en zoende haar op haar wangen.

Achter haar kwam iemand aanlopen en Lance keek in het smalle, bebrilde gezicht van haar vriend, de dokter. 'Hallo.' Lance stak zijn hand uit. 'Lance Michelli.' Hij snapte waarom Jake hem een opdoffer zou willen verkopen, hoewel er niets opdringerigs aan hem was. Hij hoorde er gewoon niet.

'Dit is Darryl Boyle', zei Gina, waarbij ze het doktersgedeelte achterwege liet. 'Mijn zwager en zijn vriend Rico.' Ze keerde zich weer om. 'Wat doen jullie hier?'

'Behalve kijken hoe het met Tony's vrouw en kinderen gaat?' De onbehaaglijkheid en het verdriet die over haar gezicht flitsten, deden hem inbinden. 'Ik vroeg me af of je die doos met spullen van nonno Marco nog hebt.'

Ze trok een rimpel in haar voorhoofd. 'Zijn oude politiespullen?'

Lance knikte.

Ze haalde haar schouders op en wenkte hen naar binnen. 'Ik heb niks weggegooid, dus als... Tony dat ook niet gedaan heeft, moet hij er nog staan.'

'Tony zou niks weggooien.' Hij had het heerlijk gevonden om door nonno's medailles en foto's te rommelen en de pet net zolang te passen, tot hij er groot genoeg voor was. Hij kende waarschijnlijk ieder artikel in het plakboek uit zijn hoofd, maar Lance kon zich niet herinneren of er iets in de doos zat dat met de vendetta te maken had.

Gina greep met haar vingers in haar haar en maakte daarmee het strak achterovergekamde kapsel in de war. 'In het berghok, denk ik.'

'Dat betwijfel ik.'

Ze keek over haar schouder.

'Laten we zijn kantoor proberen.'

'Lance...'

Hij was al bij de deur toen het tot hem doordrong dat ze Tony's kantoor veranderd had in een speelkamer voor de kinderen. Dat zou geen pijn moeten doen. Het was al vier jaar geleden. De kinderen hadden meer behoefte aan die kamer dan... Tony.

Hij liep achter haar aan naar het berghok.

Ze deed het licht aan. 'Ik hoop dat je hem herkent.'

Maar hij had hem al zien staan op een plank tegen de achterwand. Hij wurmde zich langs slaapzakken en sportartikelen en andere dozen en had hem toen in zijn handen.

'Ik bewaarde hem eigenlijk voor Jake.' Haar toon was mild, maar ze meende het. Tony was paps oudste zoon en Jake de zijne. Alle persoonlijke familie-eigendommen hoorden in de lijn van erfopvolging te worden doorgegeven.

'Ik ben op zoek naar iets specifieks.' Hoewel hij niet wist wat. 'Misschien heb ik het een poosje nodig, maar ik zal het terugbrengen.' Hij hoorde Rico met Darryl praten.

Ze glimlachte. 'Dat is goed. Wil je de hele doos meenemen?'

Hij schudde zijn hoofd, ging op een opgerolde slaapzak zitten met de doos op zijn schoot. 'Ik zet hem wel terug op de plank als ik klaar ben.'

'Wil je wat ijsthee? Darryl heeft me geleerd hoe ik dat op de Georgia-manier moet maken.'

'Nee, dank je.' Hij tilde het deksel van de doos, blij dat hij zijn commentaar voor zich had gehouden. Gina had geen behoefte aan zijn sarcasme.

Hoe graag hij ook uitgebreid herinneringen had willen ophalen, hij gooide roet in het eten bij Gina's afspraakje, dus hij sloeg de foto's, onderscheidingen en medailles over en richtte zich meteen op het plakboek. Het bevatte artikelen over nonno en anderen in het korps, maar niets over de FBI of de Borsellino's.

Hij legde de dikke ringband op de grond en baande zich een weg naar de bodem van de doos. Met bonkend hart haalde hij er een envelop uit, die hij zich niet herinnerde. Tony was kennelijk van mening geweest dat hij niet voldoende nieuwswaarde bevatte voor een jonger broertje toen ze de doos samen bekeken hadden, maar Lance haalde hem er met stijgende verwachting uit. Misschien was het onbelangrijk. Maar hij geloofde niet dat nonno niets voor hen zou achterlaten. Als hij de moeite had genomen om nonna de brief te schrijven, moest hij verwacht hebben dat er actie ondernomen zou worden. Waarom had hij zijn geheim anders niet meegenomen in het graf?

Lance haalde het splitpennetje eruit en maakte de envelop open. Hij zag alleen de eerste paar regels op het eerste velletje naast de foto, waarna zijn vingers zo begonnen te trillen dat hij de envelop amper meer dicht kreeg. Hij legde de envelop op de vloer, deed alle spullen terug in de doos en zette hem terug op de plank.

Rico keek als een pup die heel nodig moet plassen toen Lance uit het berghok tevoorschijn kwam met de envelop in zijn hand. Hij sprong meteen op en liep naar de deur.

Gina keek op van haar thee. 'Heb je het gevonden?' Ze wilde dolgraag weten wat, wist hij, maar wilde nog liever een einde maken aan de ongemakkelijke situatie.

Lance gaf haar een kus op haar wang. 'Bedankt. Ik zal zorgen dat je het terugkrijgt.'

Ze gaf hem een klopje op zijn wang. 'Alles goed?' In haar ogen stond bezorgdheid te lezen.

'Ja.'

Haar blik bleef net iets te lang op hem rusten. 'Goed. Kom gerust nog eens langs. Jake zal het jammer vinden dat hij je misgelopen is.'

Maar hij was ongetwijfeld blij dat hij Darryl ontweken had. Had Gina het zo geregeld? Maakte niet uit. Dat waren hun zaken.

Ze liepen weg over de stoep en voor hij wist wat er gebeurde, had Rico de envelop uit zijn handen gegrist.

'Wat is dit?'

'Niet openmaken.'

'Waarom niet?'

Lance stak zijn hand uit. 'Het is mijn probleem.'

Rico fronste zijn wenkbrauwen. '"Mijn" bestaat niet bij ons.'

'Deze keer wel.' Lance stak zijn hand uit naar de envelop, maar Rico deed een stap naar achteren.

Zelfs met zijn arm tegen zijn borst gegespt zag hij er woest uit. 'Jij gaat dit niet alleen doen, *mano*.'

'Wat doen?'

'Denk je dat ik blind ben? Dat ik niet gezien heb hoe moeilijk je het hebt, dat je jezelf uithongert?'

'Ik honger mezelf niet uit.'

Rico klemde de envelop tegen zich aan.

Lance zuchtte. 'Het is jouw strijd niet, Rico. Het zou weleens verkeerd kunnen aflopen.' Dat was meestal het geval als je een criminele familie lastigviel.

'Het maakt niet uit hoe het afloopt.'

Hij kreeg een knoop in zijn maag. 'Rico...'

Maar hij maakte de envelop open en haalde de velletjes papier eruit.

Rese was alleen in de werkplaats toen de pijn haar overrompelde. Ze had het eerder verwacht, maar dat was niet gebeurd. In de negen dagen sinds Lance gebeld had, had ze onafgebroken gewerkt, de plannen uitgewerkt waar zij en Brad het over eens geworden waren, de plannen die zij en Lance gemaakt hadden ongedaan gemaakt.

Alle reserveringen waren afgezegd, het geld teruggestort, de website uit de lucht gehaald. Ze wist nog niet genoeg om een oplossing te zoeken voor de wijn, maar de zilvercertificaten hadden vijf keer hun nominale waarde opgebracht, meer dan genoeg om een rivaliserende firma op te zetten – Plocken en Barrett, Renovatiespecialisten. Ze had met Barrett Renovaties misschien wel haar beste plek op de markt verkocht, maar ze twijfelde er niet aan dat ze die terug konden winnen. Brad had er niet op aangedrongen, maar ze hadden haar naam als tweede genoteerd om de voorspelbare reactie van hun concurrentie te beperken. De naam Barrett zou deuren openen, maar ze had geen zin om een proces aan haar broek te krijgen.

Nadat ze het contract in elkaar getimmerd hadden, hadden ze gepraat over Vernon Barrett, haar vader en held. En ook Brads held, in vele opzichten. Ze waren allebei het product van zijn onbuigzame maatstaven, zijn streven naar perfectie, zijn spaarzame, maar eerlijke lof. Aan het eind van de avond hadden ze elkaar een hand gegeven en was ze naar huis gegaan, ervan overtuigd dat ze de hele wereld aankon.

Maar in de stilte van de werkplaats, terwijl ze bezig was met wat ze het liefste deed, was de pijn gekomen. Waarom had ze het niet zien aankomen? Dan had ze zich erop kunnen voorbereiden, het onder ogen kunnen zien. Maar nee. Golven van pijn sloegen over haar heen.

Pijn en woede en verwarring. Wat had ze over het hoofd gezien? Was het hem alleen maar om de verovering te doen geweest?

Misschien was het al genoeg dat ze verliefd geworden was. Dat moest een van zijn zwaardere gevechten zijn geweest, als Sybil een indicatie was. Die had vanaf het eerste moment niet met haar handen van hem kunnen afblijven en was duidelijk niet de eerste die hem aantrekkelijk vond.

Ze kon niet doen of ze het niet geweten had. Hoeveel mensen hadden het haar niet zonder omhaal gezegd? Zelfs Lance. Misschien had hij geprobeerd te veranderen, maar toen het erop aankwam, was hij ertussenuit geknepen voor hij kon falen. Die gedachte maakte haar woedend en helemaal van streek. En het oneerlijkste van alles was dat ze, in en om en door haar pijn heen, het vreselijke gevoel had dat er iets niet klopte.

Belachelijk, maar... dat gevoel hield aan, zo'n enorme bezorgdheid dat ze zich die niet kon inbeelden, alsof Walter en Lance samen in het donker opgesloten zaten en giftige lucht inademden.

'Rese?'

De beitel beefde in haar hand. Ze keek op naar Michelle, die in de deuropening stond.

'Star zei dat je hier was.' Michelle hield hoopvol een riem omhoog. 'Mag ik Baxter lenen?'

Rese keek naar de hond die aan haar voeten lag, kwispelend bij het vooruitzicht, hoewel hij bleef waar hij was. Lance had met geen woord gesproken over de voogdij over de hond, maar dat hij bij haar woonde, zou zwaar wegen voor de wet. 'Ja, natuurlijk. Hij wil vast graag mee uit.'

Ze was bezig geweest met het ontwerp voor een krulwerk op een kast en had niet gemerkt dat de uren verstreken. Baxter moest het beu zijn om aan haar voeten te liggen, hoewel hij niet geprotesteerd had. Michelle zou hem meenemen als ze toiletpapier en tandpasta, of luiers of soep naar de armen ging brengen, die net buiten de stadsgrenzen van het rijke Sonoma woonden. Hij leek het leuk te vinden om met haar mee te gaan en iedereen hield van hem – wie zou er niet van hem houden?

Rese gaf hem een paar klopjes op zijn kop. 'Ga maar.'

Hij krabbelde overeind. Het had haar eigenlijk verbaasd dat hij niet meteen opgesprongen was om Michelle te begroeten, maar hij leek het verdriet dat op haar neergedaald was aan te voelen als een vriend. Misschien voelde hij het verraad van zijn baasje wel net zo scherp aan als zij, maar miste hij het vermogen om dat om te zetten in woede of daden.

'Gaat het wel met je?' Michelle fronste haar wenkbrauwen.

Rese ontweek haar vraag. 'Michelle, hoe komt het dat jij zo makkelijk kunt omgaan met mensen?' Misschien had zij hem weggejaagd door iets wat ze verkeerd gedaan had en zich niet eens gerealiseerd had.

Michelle haakte de riem aan Baxters halsband, richtte zich op en haalde haar schouders op. 'Ik zie Jezus in hen.' Haar gezicht verzachtte zich. '"Alles wat jullie gedaan hebben voor een van de onaanzienlijksten van mijn broeders of zusters, dat hebben jullie voor Mij gedaan." Zo simpel is het.'

Simpel. 'Je kijkt naar het beste in mensen?'

Michelle schoot in de lach. 'Nou, dat is moeilijker. Vooral bij de knorrige types. Nee, ik zie gewoon wat ze me willen laten zien en houd van ze zoals ze zijn.'

'En als ze geen liefde teruggeven?' Haar stem brak bijna, maar ze wist te voorkomen dat de pijn achter haar woorden zichtbaar werd.

Michelle haalde haar schouders op. 'Sommige mensen zitten zo in zichzelf opgesloten dat ze geen contact kunnen maken.'

Rese keek haar onderzoekend aan, maar als ze dat persoonlijk bedoeld had, was dat niet te merken.

'Anderen zijn zo op zoek dat ze niet kunnen zien wat er voor hun neus staat. Maar we doen allemaal ons uiterste best.'

Rese knikte. 'Ja.' Ze had al haar energie eraan besteed om haar uiterste best te doen, om de beste te zijn. Maar het was kennelijk niet genoeg en nu vroeg ze zich af of het ooit genoeg was geweest.

'De Heer behoede je, Rese. Ik ben zo terug met Baxter.' Michelle zwaaide met de riem.

En de Heer behoede ook jou, Michelle, omdat op een dag, als je even niet kijkt, iemand jou misschien zo ongelooflijk teleurstelt dat je niet meer in staat zult zijn om van hem te houden, hoe hard je het ook probeert.

Het dossier bevatte een nauwgezet verslag van Paolo Borsellino, zijn zoons Leon en Matteo, verschillende neven en twee handlangers. De misdaden en vuile zaakjes waren tot in detail beschreven en gedateerd, hoewel waarschijnlijk verjaard, omdat de informatie meer dan tweeëntwintig jaar oud was en geen moord bevatte.

De enige moord waar hij van wist, had nonno niet vermeld. Dat was ook moeilijk, als je zelf het slachtoffer was.

Lance zat samen met Rico op de brandtrap en beschermde de velletjes papier met zijn lichaam tegen de wind. Het geluid van een Harley, enkele blokken verder, deed Rico zijn hoofd opheffen, maar zelfs dat haalde Lance niet uit zijn concentratie. Met de informatie in de envelop had nonno hen allemaal achter de tralies kunnen krijgen, maar hij had zich aan het bestand gehouden. Waarom? Vanwege zijn familieband? Of uit een soort eergevoel, van schuld omdat hij Don Agosto verraden en de dood ingejaagd had? Mogelijk, gezien het schuldgevoel dat hij over Vittorio's dood gehad had. Daarin leken hij en nonno op elkaar, dat ze de last van andermans keuzes droegen.

Als nonno deze informatie bekend had gemaakt en melding had gemaakt van de bedreigingen tegen zijn familie, dan had er vast wel iets aan gedaan kunnen worden. Of had hij het gevaar te groot gevonden? Hoe had hij hen allemaal kunnen beschermen, en voor hoe lang? Daar hij zijn vijand te goed kende, had nonno het risico ingeschat en zichzelf opgeofferd om degenen die hij liefhad, te beschermen.

Maar hij had dit achtergelaten, zodat er recht kon worden gedaan zodra de misdaad begaan was. Hij moest verwacht hebben dat iemand ermee naar de politie zou gaan. Nonna's brief zou de aanzet geweest zijn tot een speurtocht en misschien was het dossier makkelijk vindbaar geweest, tot iemand het met nonno's andere spullen in een doos had gestopt.

Tony – had Tony het dossier gelezen? Hij zat bij de politie. Zonder de brief zou hij het niet in verband hebben gebracht met nonno's ongeluk, maar zelfs een beginnend politieagentje zou het als bewijsmateriaal voor een misdaad herkend hebben. Lance wist niet hoe lang het al in de doos lag, maar Tony had het hem nooit laten zien. Had nonno hem verteld dat de Borsellino's verboden terrein waren? Zou Tony het geweten kunnen hebben?

Rico's maag knorde. 'Wil je wat eten?'

Lance schudde zijn hoofd. Misschien had nonno verwacht dat Tony zijn conclusies zou trekken. Hoe had hij kunnen weten dat zijn kleinzoon dood zou zijn voor de brief gevonden werd? Tweeentwintig jaar geleden zouden ze misschien een onderzoek ingesteld en er een rechtszaak van gemaakt hebben. Maar hoe groot was de kans dat hij nu nog iets zou kunnen bewijzen? Hij zuchtte. Hoe hopeloos het ook leek, hij moest ergens beginnen. Hij stopte de papieren weer in de envelop en stond op. 'Ik ga hiermee naar de politie. Je kunt niet mee, Rico, ik wil niet dat ze weten dat je erbij betrokken bent.'

Rico ging er niet tegenin. Ergens mee naar de politie gaan was niks voor hem. Naar Tony wel, wie had Tony nu niet gemogen? Rico wist dat Juan zijn uitstapjes naar de gevangenis verdiende, maar verder had hij een fundamenteel wantrouwen tegen het systeem.

'Ik geloof nooit dat ze je serieus zullen nemen. Wat kunnen ze daarmee?' Rico knikte naar de envelop.

'Misschien niks. Waarschijnlijk niks. Maar ik moet het proberen.' Lance klom door het raam naar binnen en liet Rico hoofdschuddend achter.

Hij had naar een van de politiebureaus in de Bronx kunnen gaan, maar hij nam de trein naar het centrum, naar Tony's oude bureau. Hij vroeg bij de agent achter de balie naar Tony's voormalige compagnon Seabass.

De agent trok zijn wenkbrauwen op toen hij de bijnaam gebruikte en verwees hem naar het kantoortje van Sebastian Gamet. Lance gaf een roffel op de deurpost en liep naar binnen.

'Michelli!'

'Je bent rechercheur geworden.'

'Vorig jaar.' De man stond op vanachter zijn bureau en greep zijn hand. De lucht in het vertrek was gevuld met de geur van een half stokbroodje gezond met heel veel uien. 'Hoe gaat het met je? Blijf je een beetje uit de nesten?'

Juist ja. 'Ik doe mijn best.'

Gamet fronste zijn rossige wenkbrauwen; zijn haar werd dunner. 'Ik mis het echt om Tony te plagen met zijn criminele broertje.'

'Niet crimineel. Ik ben nooit in staat van beschuldiging gesteld.'

Gamet hield zijn hoofd iets schuin. 'Gaat het goed met je? Je ziet er een beetje... somber uit.'

Hoe moest hij beginnen? 'Ik voel me prima. Maar ik wil je iets laten zien.' Hij stak hem het Borsellinodossier en het laatste velletje van nonno's brief toe.

Gamet las het zorgvuldig door. 'Is Marco Michelli familie van je?'

'Mijn opa.'

'O ja. Dat heeft Tony me verteld. Hij zat bij de politie.'

'Later. Eerst bij de FBI. Hij heeft in een moeilijke tijd als geheim agent gewerkt.'

Gamet knikte. 'Als geheim agent is elke tijd een moeilijke tijd.'

'Hij infiltreerde in de Camorrafamilie Borsellino. Stuurde de don naar de bajes, waar de maffia hem om zeep bracht.'

'Zulke dingen gebeuren.'

Lance ging op de rand van het bureau zitten. 'De Borsellino's maakten er een vendetta tegen Marco van. Een van de zoons, Carlo, volgde hem naar Sonoma, doodde zijn contactpersoon en probeerde hem te vermoorden. Marco schoot Carlo uit zelfverdediging dood.'

Gamet goot zijn cola-light naar binnen en luisterde, maar het was niet duidelijk of hij het geloofde.

'De volgende zoon, Paolo, sloot een bestand met Marco. Ze zouden elkaar en hun familie met rust laten. Paolo moest zijn reputatie vestigen en Marco had gezien dat ze niet terugdeinsden voor een moord.'

Gamet nam een hap en kauwde nadenkend.

'Jaren later werd Paolo verlinkt en veroordeeld. In de brief staat dat hij gedacht moet hebben dat Marco daarmee te maken had en dat hij vanuit zijn cel in Ryker het bevel moet hebben gegeven voor de moord.'

Gamet fronste zijn voorhoofd. 'Hebben we een dossier over die moord?'

Lance schudde zijn hoofd. 'Wij dachten dat het een auto-ongeluk was. Het zag eruit als een ongeluk.'

Gamet keek hem opmerkzaam aan. 'Maar nu denk je dat je opa koud gemaakt is in deze vendetta.'

Lance knikte. 'De brief is geschreven op de dag dat Marco stierf. Lees maar. Hij werd bedreigd via de telefoon en ging zijn dood tegemoet.'

Gamet perste zijn lippen op elkaar, terwijl hij Marco's brief las. 'Dat is een mogelijk scenario. Het is ook mogelijk dat hij een ongeluk kreeg voor hij daar aankwam, of dat hij zijn ontmoeting had, zaken regelde en onderweg naar huis verongelukte. Geloof me, dat soort ironische dingen gebeuren.'

Lance had daar niet over nagedacht en geloofde het ook niet, maar moest toegeven dat de rechercheur gelijk zou kunnen hebben.

Gamet legde de velletjes papier neer, liep om het bureau heen en pakte hem bij de schouder. 'Als het waar is, heb je ten onrechte twee mensen verloren, die veel voor je betekenden. Je weet dat Tony veel voor me betekende. Hij had die ochtend zelfs geen dienst, maar had met een van de jongens geruild.'

De gedachte aan de man die op dat moment op die plek had moeten zijn, had hem gekweld. Maar nu geloofde hij dat ook niet meer. God wist wat er moest gebeuren. 'Kun je hier iets mee?'

'Ik zal het niet meteen terzijde schuiven. Maar het is tamelijk mager.'

'Maar je zult ernaar kijken? Marco's dossier opzoeken, kijken of hij iets achtergelaten heeft in het archief of... wat dan ook?'

'Ik zal ernaar kijken, Lance. Is er geen onderzoek gedaan naar het ongeluk?'

Hij zuchtte. 'Ik denk het niet.'

'En het was hoe lang geleden?'

'Tweeëntwintig jaar.'

'En geen melding van een misdaad. Zelfs geen *cold case*.'

Lance schudde zijn hoofd.

'Dan moet ik een konijn uit een hoge hoed toveren. Wat moet ik gebruiken als bewijs?'

Lance liet zijn schouders hangen. 'Ik weet het. Het is gewoon...' *Een vendetta.* Zijn hoofd tolde en hij drukte zijn vingers tegen zijn ogen.

'Gaat het wel?'

Hij slikte. 'Ik denk dat ik wat moet eten.'

'Hier.' Gamet pakte het halve stokbroodje.

Lance wuifde het weg, toen zijn maag in opstand kwam. 'Nee, dank je.'

Gamet legde het broodje weer neer. 'Lance, we hebben een paar goede mannen verloren, maar je moet ermee ophouden iemand de schuld te willen geven.'

'Ik heb hier niet naar gezocht.' Het was hem gegeven. Hij draaide zich om naar de deur. 'Laat me weten wat je ontdekt hebt.'

Gamet ging weer in zijn stoel zitten en pakte het stokbroodje op. 'Zal ik doen.'

Maar Lance hoorde aan zijn toon dat het niets zou opleveren. 'Trek de Borsellino's na, wil je?'

Hij leunde achterover in zijn stoel. 'En dan?'

'Kijk of ze nog actief zijn.'

'Politiedossiers zijn niet openbaar.'

'En doe Sara de groeten.'

Gamet knikte en slaakte een zucht. 'Maak dat je wegkomt.'

Hoofdstuk 32

'Ik ben erg enthousiast', zei dokter Jonas. 'Doordat ze niet reageerde op de thorazine en andere behandelingen, waren de psychoses van Elaine bijna niet onder controle te houden. Maar op de clozapine reageert ze opvallend goed. Het is gewoon geweldig.'

Rese keek in de ronde kraaloogjes van dokter Jonas, nog altijd geïntrigeerd door de borstelige wenkbrauwen erboven. 'Dus het gaat beter met haar?'

'Het gaat opmerkelijk goed met haar.'

'Wil ze me zien?'

Zijn snor stond alle kanten op toen hij glimlachte. 'Dat wil ze zeker. Soms maakten haar negatieve symptomen – haar misplaatste reacties, bedoel ik – het moeilijk om te bepalen wat ze nu eigenlijk wilde. We moeten naar het hele plaatje kijken: onrust, slaappatronen, hoe goed ze eet en communiceert. Als Vernon op bezoek kwam, was ze veel rustiger. Na zijn dood keerden haar wanen terug, tot we haar medicijnen aanpasten. Het is geen exacte wetenschap, maar je leert waar je op moet letten.'

'Maar communiceert ze nu?'

'Op sommige dagen is ze behoorlijk spraakzaam en redelijk helder.' Hij vouwde zijn handen over zijn borst. 'En het belangrijkste is dat ze, als de wanen wegblijven, volgens mij geen gevaar meer vormt voor zichzelf of voor jou – zolang ze haar medicijnen inneemt.'

Rese nam die informatie in zich op. Het was waar ze op gehoopt had, of niet soms?

Hij boog zich voorover. 'Haar kwaal is niet genezen, maar onder controle. Begrijp je het verschil?'

Ze knikte. Walter werd door de medicijnen tegengehouden, net zoals Stars elfjes tegengehouden werden door gebed. 'Dus als ik ervoor zorg dat ze haar medicijnen blijft slikken, zou ik haar mee naar huis kunnen nemen?'

'Dat kan. Jij moet beslissen of het haalbaar is. Het zal je leven behoorlijk op zijn kop zetten.'

Ze schoot bijna in de lach. Alsof ook maar iets in haar leven ging zoals ze gewild had. 'Het enige punt is, dat ik nu werk. Toen ik dit proces in gang zette, dacht ik dat ik er zou zijn, in het hotel. Maar ik werk nu weer in de renovatie. Dat doe ik gedeeltelijk thuis, maar meestal op locatie.'

Hij tilde zijn handen van zijn borst. 'Er moet iemand bij haar zijn. Niet om voortdurend toezicht te houden, maar wel in de buurt. De zorgverzekering zou voor thuishulp kunnen zorgen, of –'

'Er woont een vriendin bij me. Die is meestal aan het schilderen in de tuin. Mam zou bij haar kunnen zitten.'

Hij knikte. 'Dat zou ze fijn vinden.'

'Ik zal er met Star over praten.'

'Mooi zo. Heb je al iets gehoord van het district?'

'Ze hebben mijn woonsituatie en financiële situatie doorgelicht en vastgesteld dat ik geen strafblad heb. Nu controleren ze of ik geen afhankelijke personen optrommel om de staat op te lichten of de verzekeringsmaatschappij te bestelen.'

Hij schoot in de lach. 'Ze stellen vast of je op je taak als voogd berekend bent.'

Ze kreeg een brok in haar keel. 'Ben ik op die taak berekend?'

Hij kreeg zo'n zachte blik in zijn ogen, dat ze, als ze vijftien jaar jonger was geweest, op zijn schoot geklommen zou zijn. 'Volgens mij ben je uitstekend op die taak berekend.'

Die woorden maakten haar bijna aan het huilen, maar ze was erin getraind haar tranen tegen te houden.

Hij zei: 'Dat heb ik in mijn verslag vermeld, hoewel we moeten afwachten wat zich de komende jaren zal openbaren.'

Daar hoefde hij haar niet aan te herinneren. 'Dat merk ik dan vanzelf wel.'

'Je lijkt erg op je vader.'

Ze glimlachte somber. 'Heb ik het beste van allebei?'

Hij stak zijn handen uit en pakte haar handen beet. 'Daar ben ik van overtuigd.'

Haar keel zat dicht, maar ze dwong zichzelf te praten. 'Dan wacht ik dus op de toestemming en dan...' Plotseling schoot er een gedachte door haar heen. 'Moet ik mam vragen of ze wel bij me wil wonen? Ze is hier al zolang, dat het misschien moeilijk is om...'

'Laten we maar eens gaan kijken, goed?'

Ze liepen samen naar de bezoekruimte en Rese keek op toen de verpleegster mam via een andere deur binnenbracht. Ze probeerde niet te veel te verwachten. De verpleegster zette haar moeder op een stoel, terwijl dokter Jonas erbij bleef staan. Rese haalde adem en ging zitten. 'Dag, mam.'

Ze keek op. 'Omdat het een akelig gevoel is, een heel akelig gevoel.'

De dokter knikte haar bemoedigend toe, dus Rese stak haar hand uit en raakte haar moeders hand aan. 'Mam? Misschien is het mogelijk dat je bij me komt wonen in Sonoma. Zou je dat fijn vinden?'

Ze draaide zich om, tot haar ogen die van dokter Jonas vonden. 'Ken ik haar?'

Ze had het gevoel of er iemand boven op haar was gaan zitten.

'Wat denk je, Elaine? Herken je die dochter van je?'

Rese kon de blik die haar onderzoekend aankeek en toen weggleed, nauwelijks verdragen. 'Ik heb de waarheid verteld. Dat heb ik. Maar hij is weg, weg, weg.'

De tranen prikten in haar ogen. Ja, ze was ook maar een mens. Mam kende haar niet, maar daar moest ze zich overheen zetten. Misschien op den duur...

'Wat heb je gedaan met mijn kleine meid? Ze hebben haar ergens heen gebracht waar ik haar niet kan vinden, en het gevoel is nu heel sterk; het is heel sterk, en als je wacht, zul je het zien, dan nemen ze jou ook mee.'

'Ik ben hier, mam. Ik ben Rese.' Ze wist in elk geval dat ze een dochter had.

'Theresa?'

Het was alsof de zon ging schijnen in haar ziel – kon ze zich een mooier cadeau wensen voor haar vijfentwintigste verjaardag? 'Ja.' Ze kon ook niet van haar verwachten dat ze haar herkende na die paar bezoekjes. Maar daar zouden ze verandering in brengen. 'Wil je bij me komen wonen?'

'Ja.'

Het woord was duidelijk en vrij van wartaal. Ook al was het misschien niets meer dan een uit de lucht gegrepen woord, ze kon wel op de vloer neerzakken en haar hoofd in de schoot van haar moeder leggen.

'Nou, als het zo goed met je blijft gaan en ik alle kritische onderzoeken zal doorstaan, gaan we dat doen, goed?'

Vanaf het moment dat ze was gaan zitten, had mam onophoudelijk met haar vingers zitten knippen. Ze gaf geen antwoord. De vraag nog een keer stellen zou te veel zijn. Rese keek op naar de dokter en toen weer naar haar moeder. 'Tot gauw, mam.'

Ze bedankte de dokter en reed naar huis, nauwelijks in staat haar emoties te bedwingen. Het zou niet makkelijk worden, maar het zou gebeuren. Ze slikte de tranen weg. Vijftien jaar verlies zou elke dag een beetje goedgemaakt worden.

Star zat op zolder op de grond een legpuzzel te maken van een berg veelkleurige slangen, die allemaal bijna even groot waren, maar alleen in nuance van elkaar verschilden.

Een doeltreffende marteling, dacht Rese, terwijl ze naast haar bleef staan. 'Star, het ziet ernaar uit dat ik mam mee naar huis kan nemen.'

In het verleden zou dat genoeg zijn geweest om Star dagenlang te laten verdwijnen, maar Rese hoopte dat de band, die ze in de inrichting tussen hen had zien ontstaan, iets zou uitmaken. Star had veel van haar eigen problemen op mam geprojecteerd, maar toen ze haar weerzag na al die jaren, was er een moment van begrip en herkenning tussen hen geweest.

Star keek op. 'Hier bedoel je?'

Rese knikte. 'Haar medicatie is drastisch verbeterd. Dokter Jonas denkt dat ze niet langer een gevaar vormt.' *Voor een klein meisje dat geen ander verweer had dan de geheimzinnige aanwezigheid die haar niet wilde laten sterven.* 'Ze zei dat ze bij ons wil komen wonen en... ik had gehoopt dat we het zouden kunnen proberen.'

Star knipperde met haar ogen. '"Dan waar' het goed, zoo 't ras gedaan werd."'

Ze leek het te menen, maar dat was niet het belangrijkste. Rese liet zich op haar knieën zakken. 'Nu ik weer werk, kan ik niet voortdurend hier zijn. Zou jij er iets voor voelen om op haar te passen, gewoon bij haar te zijn als ik er niet ben?'

Star knipperde weer met haar ogen. 'Vraag je mij om verantwoordelijkheid te nemen voor Elaine?'

Rese slikte. 'Ik weet dat het veel gevraagd is. Maar ik dacht –'

'Ja. Ik zal op je moeder passen als jij aan het werk bent.'

Rese ging op haar hurken zitten. 'Echt? Vind je het niet erg?'

Star schudde haar hoofd. 'Ik ben hier toch.' Ze had nog geen stap buiten het terrein gezet sinds ze terug waren.

Rese legde haar handen op haar bovenbenen. 'Dat is geweldig. Ik bedoel, je kunt nog nee zeggen...'

'Ik zei ja.' Star pakte een stukje op. 'Welke kleur is dit volgens jou?'

Rese keek naar het puzzelstukje. 'Voornamelijk blauw.'

Star staarde naar de andere kant van de zolder. 'Elaine zag de kleuren.'

Rese knikte. 'Ja.'

'Ik vraag me af wat ze nu zal zien.'

'Ze zal jou zien, Star.'

Star legde het stukje bij een tiental andere van dezelfde tint.

Rese keek uit naar tekenen van wrok. Haar keel snoerde dicht. 'En dan nog iets. Als ik psychoses ga krijgen, zul je ons allebei in de gaten moeten houden.'

Star keek op. Rese zette zich schrap voor een spottende of sarcastische opmerking, maar Star zei: 'Waarom ben je weer aan het werk gegaan?'

Dat had ze niet verwacht, maar het was zeker haar dag om alles te incasseren. Het was drie weken geleden dat ze gepraat hadden, maar het had net zo goed die ochtend kunnen zijn. 'Omdat Lance niet komt.'

'Dus we gaan geen hotel runnen?'

Ze schudde haar hoofd. 'Eerder een opvanghuis voor buitenbeentjes.'

Stars gezicht lichtte op. Toen gooide ze haar hoofd naar achteren en begon te lachen. Rese schoot ook in de lach en uiteindelijk rolden ze allebei over de grond van het lachen, met hun handen op hun buik. Toen ze bijna uitgelachen waren, rolde Star haar hoofd opzij en keken ze elkaar aan. 'Heb je een hekel aan hem?'

'Dat weet ik niet. Op dit moment doet het alleen maar pijn.'

'Ik wist het niet.'

'Nu wel.'

In de anderhalve maand die verstreken was sinds ze de brief hadden uitgelezen, was nonna's kamer veranderd in een heiligdom vol bloemen en kaarten, gebeden en novenen. Mensen kwamen langs en lieten kleine blijken van liefde en respect achter en hoewel nonna er geen aandacht aan schonk, vond Lance hun gezichten liever, zuiverder dan voorheen. Als ze bij haar kwamen zitten of een paar woordjes zeiden, haar kwamen wassen of voeden of haar kleren of bed kwamen verschonen, merkte hij iets wezenlijks in elk van hen op dat nooit eerder zo duidelijk was geweest.

Zelfs pap deed zich niet stoer voor als hij nonna's hand vasthield en haar vingers kuste, maar zei alleen: 'Hoe is het nou, mama?' Hij bad niet hardop, maar Lance voelde zijn gebeden. Ze spraken niet, maar hij voelde dat pap hem opnieuw taxeerde. Hij had verwacht dat hij het al zou hebben opgegeven, maar dat was niet mogelijk.

Hij was één keer over de baan begonnen, maar Lance had zijn deel van de huur verdiend door op twee feestjes op te treden, samen met Chaz op een bruiloft te spelen en hier en daar in de buurt een klusje te doen. Zijn vrije tijd bracht hij grotendeels door bij nonna, hoewel het leek of hij steeds minder voor haar kon doen.

Lichamelijk was er geen reden dat ze achteruitging. Ze at en dronk als haar iets gegeven werd, bewoog met hulp, maar sprak geen woord en toonde geen interesse. Een wijkverpleegster had haar onderzocht en niets gevonden wat deze achteruitgang rechtvaardigde. De schok en het verdriet hadden haar levenskracht doen verdwijnen. Ze was altijd iemand geweest die doorzette, maar nu gaf ze het op.

In de stoel naast haar bed klemde Lance zijn kaken op elkaar. Hij had gevast en gebeden dat ze haar kracht terug zou krijgen en dat rechercheur Gamet antwoorden zou vinden. Geen van beide was gebeurd. Gamet had het dossier teruggegeven met een verontschuldiging. 'Ik kan de bronnen niet beschikbaar stellen. We hebben al te veel oude onopgeloste zaken.'

'En de Borsellino's?'

Gamet was niet blij geweest met de vraag. 'Maak dat je wegkomt, Lance. Doe iets met je leven.' Maar toen hij was blijven staan, had Gamet zijn vuist op het bureau gezet. 'Ik zal je dit vertellen. Paolo Borsellino? Die zit in Ryker en heeft levenslang voor afpersing, samenzwering en moord.'

Niet voor de samenzwering om nonno te vermoorden en degene die de moord begaan had, liep misschien nog vrij rond. De vloek was niet vergolden tot de vendetta beëindigd was, maar niemand leek te beseffen wat er op het spel stond. Lance was er somber en boos weggegaan. Telkens als hij zich tot een andere overheidsinstantie richtte, keerde hij onverrichter zake terug.

Hij was niet naar nonna's kamer gegaan toen hij terugkwam. Hij was aan het werk gegaan, door op grond van openbare gegevens en oppervlakkige aanwijzingen uit te zoeken waar hij de mannen, die in het dossier geïdentificeerd waren, kon vinden. Twee van hen waren dood, Paolo en een ander zaten in de gevangenis, maar de rest woonde op één na nog in de buurt. En dus begon hij van elk van hen een eigen dossier aan te leggen.

In de week daarop had hij huizen en werkplekken en plaatsen waar ze hun vrije tijd doorbrachten gelokaliseerd; auto's, boten, scholen en kerken – belangrijke plekken in het leven van de familie Borsellino. Meestal alleen, maar soms met Rico, had hij door de betere gedeelten van Manhattan, het chique Chelsea en Long Island gestruind. Hoewel hij er niet voor opgeleid was, ging het schaduwen hem gemakkelijk af – stel je voor.

In zekere zin werkte hij nu als geheim agent voor nonno, gebruikte hij zijn ogen voor hem, zoals Vittorio had gedaan. Na de eerste week van observeren begon hij zijn vijand te leren kennen. De auto van Sofie was voor dat werk ongeschikt. Hij was bij Saul Samuels gaan bedelen. In ruil voor het spelen op de bar mitswa van zijn nichtje – waarbij Rico over de trommels en bekkens aaide – mocht hij Sauls zilvergrijze Mercedes gebruiken. Saul reed er toch bijna nooit in.

Nu stond hij met Rico voor een herenhuis in Chelsea. Eerst had hij slooppanden en bendeleiders verwacht. Maar hoewel de familie op die manier begonnen was en ongetwijfeld nog altijd profiteerde van clandestiene praktijken, waren de Borsellino's opgeklommen tot decadente rijkdom en hadden ze aanzien voor zichzelf gekocht.

Hij moest lachen om zijn eigen familie, nog altijd weggestopt in hun gebouw van drie verdiepingen, en om zijn ooms en tantes die gedacht hadden dat ze het goed gedaan hadden, door naar de noordelijke voorsteden te verhuizen. Maar achter zijn lach kookte hij van woede, niet omdat deze mensen meer hadden, maar omdat ze het verkregen hadden ten koste van het bloed van zijn familie. 'Het is weerzinwekkend, Rico.'

'Ja. Het loon van de zonde.' Hij zei met een scheef lachje: 'Als Juan niet zo stom was, zou ik hier ook opgegroeid zijn.'

'Als jij hier opgegroeid was, zou je een van hen zijn.'

Rico werd weer serieus. 'Ik meende het niet, *mano*.'

Lance richtte zijn blik weer op het herenhuis, waar een vrouw, de tweede vrouw van Ricky Borsellino jr., naar buiten stapte om een taxi aan te houden. Hij had de taxi kunnen volgen, maar hij wist dat ze hun dochter van karate ging halen.

Het lastige van schaduwen was dat het mensen van vlees en bloed werden. Hij had nu gezichten bij de namen, gezichten van de vrouwen en ex-vrouwen, kinderen en stiefkinderen en kleinkinderen. Net als nonno was hij hun wereld binnengetreden, met hen naar de kerk gegaan, had hij hen de hand geschud als teken van vrede. Ze hadden er geen benul van wie hij was.

Hoofdstuk 33

Stars haar vormde een zacht mutsje van krullen rond haar hoofd, waar het op Reses bovenbenen rustte. Het was eind augustus en de tuin was prachtig in het avondlicht, met groepjes asters en margrieten, chrysanten en fuchsia's – namen die ze van Star geleerd had. Rond het schuurtje strekten guldenroede en schildpadbloemen zich trots uit naar de schuine zonnestralen. Ze had gelachen toen Star de deken had uitgespreid en haar had opgedragen te gaan zitten, maar nu was ze blij dat ze uit de werkplaats gesleept was, waar ze heel hard aan het werk was geweest.

Star hield het boek open tegen haar knieën. '"Sommigen worden groot geboren, anderen worden groot door inspanning, aan enkelen wordt de grootheid in den schoot geworpen."'

En sommigen zagen nog niet hoe geweldig ze waren als het met koeienletters op hun voorhoofd stond, dacht Rese. Ze schoof de gedachte met de grootste moeite van zich af en dwong haar gedachten in een andere richting. Hoe kon het zo lang duren om een hoorzitting te krijgen om een stom gerechtelijk bevel nietig te laten verklaren, dat niet meer relevant was, zodat ze mam mee naar huis kon nemen? Ze had haar aandeel al weken geleden afgerond.

'Je luistert niet.' Star tilde haar hoofd op.

'Ik zat te denken aan mam en of we ooit door die bureaucratische rompslomp heen zouden komen.' Hoewel mam zich er meestal niet eens van bewust was dat de situatie zou kunnen veranderen. Rese zuchtte. 'Sorry.'

Star legde het boek op haar borst en sloot haar ogen. 'Hoor je dat?'

Ze luisterde. Kwetterende vogels. Het getik van Baxters nagels en het gedempte geluid van zijn poten toen hij naar hen toe kwam lopen, haar nek en kin likte en zich met een *plof* op haar been liet zakken. Rese begon hem automatisch te strelen. 'Wat moet ik horen?'

'Het leven dat voorbijgaat.'

'Hmmm.'

Star deed haar ogen open. 'Ik heb iets afgemaakt. Dat wil ik je laten zien.'

Dat mocht wel in de krant. In hun jeugd durfde Star nooit iets af te noemen, en liet ze haar meeste schilderijen ook onafgemaakt. Aangezien ze nooit wilde dat iemand iets zag voordat het klaar was, had Rese slechts af en toe een glimp van haar werk opgevangen. Maar sinds het schilderij dat ze voor Lance gemaakt had, had Star zes doeken afgemaakt en haar allemaal laten zien.

Maar iets in haar toon leek deze keer anders. 'Staat het op zolder?' Star had daar haar huisatelier van gemaakt, ook al moest het herinneringen oproepen aan middagen vol muziek met Lance, Chaz en Rico, aan de keer dat ze de microfoon gepakt had en haar stem ontdekt had. Misschien wel juist daarom.

Star stond op. 'Ja, maar blijf zitten waar je zit.'

Dat was maar beter ook, want Baxter lag nu helemaal boven op haar. 'Je bent onverzadigbaar', zei ze tegen de hond, terwijl ze op Star wachtten; hij aanvaardde haar mening zonder medelijden.

Even later droeg Star een middelgroot doek naar buiten en hield het haar voor. Rese keek aandachtig naar de collage van muziekinstrumenten, omlijst door iets wat leek op de tunnelwand van de metro. Terwijl ze keek, haalde haar oog er Rico's haar en gezicht uit, gevormd door de schaduwen en lijnen van de verschillende drumstelonderdelen aan de rechterbovenkant. Het gezicht werd alleen zichtbaar als je lang genoeg keek, maar Star moest weten dat ze Rico zou herkennen. 'Het is prachtig, Star.'

'Ik stuur het naar hem.'

Rese keek van het schilderij naar Stars gezicht. 'Echt?'

'Hij hoeft het niet te houden.' Een lichte trilling verried haar.

Rese zei: 'Hij zou wel gek zijn als hij dat niet deed.' Hoewel hij een beetje gek was geweest; alles was een beetje gek geweest, maar met haar en Star ging het nu goed. Waarom zou ze de boel opstoken?

Nadat hij de Borsellino's had bestudeerd totdat hij kon vertellen waar ze woensdagmiddag om twaalf uur zouden zijn, met wie ze daar zouden zijn, wat ze zouden bestellen voor de lunch, was het duidelijk dat hun aanzien gedeeltelijk een illusie was. Lance had ontrafeld welke leden het familie-'bedrijf' runden, wie gebruikt werden als sterke arm en wie er niet bij betrokken leken.

Maar hij wist niet wie nonno vermoord had. En daar zou hij ook niet achter komen als hij er niet net als nonno zelf bij betrokken raakte. Hij was niet zo stom om te denken dat hij dat voor elkaar zou krijgen.

Als de aanslag machtsvertoon was geweest, dan zou hij Paolo's zoon Leon of zijn neef Gerard ervan verdenken. Zij hadden de grootste huizen, de duurste speeltjes, waren het heetst gebakerd. Maar het waren slechts vermoedens en het wilde niet zeggen dat een van hen nonno's auto gesaboteerd had.

Hij had ze geobserveerd en was steeds kwader geworden, maar wat had het hem opgeleverd? Hij had geen antwoorden, geen aanwijzing. Als God hem hiertoe geroepen had, waarom maakte Hij hem dan niet duidelijk wat hij moest doen? Lance balde zijn vuisten. Hij had nonno's voorbeeld gevolgd, door te observeren en te wachten. Hij had actuele informatie verzameld, maar er was niets wat noodzakelijkerwijs tegen hen pleitte of door Seabass of wie dan ook als bewijs geaccepteerd zou worden.

Maar hij keek naar een operatie die had geprofiteerd van nonno's zwijgen en hem toen een dolkstoot in de rug had gegeven. Lance beefde toen een nieuwe gedachte zich van hem meester maakte. Bij een vendetta was geen onmiddellijke vergelding nodig. Zoals zij allemaal geleden hadden onder de vendetta tegen hen, zo zouden de Borsellino's allemaal lijden onder de slag die hij hun toe zou brengen. Hij had Rese verteld dat als één lid van het lichaam leed, het hele lichaam leed. Maar zo had hij het niet bedoeld. Zo had hij het nooit bedoeld.

Zijn handen werden klam van het zweet. Hoe kon hij er zelfs maar over nadenken? *"Mij komt de wraak toe, zegt de Heer – maar soms komt mij de wraak ook toe, en jou.'* Was het zover met hem gekomen? Gerechtigheid buiten de wet om? Een persoonlijke wraakoefening? Hij sloeg zijn handen voor zijn gezicht.

Hij had gevochten uit zelfverdediging, gevochten om de zwakken te verdedigen. Als hij de terroristen die onderweg waren naar de torens uit de lucht had kunnen schieten, zou hij het gedaan hebben – zonder enige wroeging. Maar dat was niet hetzelfde, of wel soms? Het duizelde hem.

Zou hij een van hen kunnen vermoorden? Hij wist welke mannen zich nog altijd met duistere praktijken bezighielden, wie waarschijnlijk gedood hadden, nonno of anderen. Hij wist wie van hen zijn vrouw bedroog, wie zijn kinderen sloeg. Hij zou de slechtste van het stel kunnen uitkiezen en de wereld een dienst bewijzen. Niet alleen zijn familie, maar alle mensen die nog altijd te lijden hadden onder de drugs en de pornografie en ergere dingen.

Anderen waren vóór hem geroepen om een einde te maken aan het kwaad en Gods wil uit te voeren. Mozes had met zijn staf op de grond geslagen, waardoor de zee zich boven farao's leger had gesloten, zodat mensen en dieren verdronken. Mensen van vlees en bloed. Mensen in wiens ogen hij gekeken had.

Jozua richtte verwoesting aan in Jericho. Petrus sprak het vonnis van de Heer uit over Ananias en Safira. Zelfs Jezus had de onvruchtbare vijgenboom vervloekt, daarbij overdrachtelijk degenen veroordelend die niet reageerden op het verlangen van de Heer. Ontrouwe dienstknechten, bang voor een hardvochtige meester, die zich onttrokken aan Gods wil, werden gedood.

Hij was niet bang om te sterven. Hij zou zijn leven geven, net als Tony, nonno en zelfs Quillan en Vittorio hadden gedaan, maar dat offer was niet genoeg om deze bloedvete te beëindigen. Ontzetting zoog hem omlaag toen hij besefte wat daarvoor nodig zou kunnen zijn.

Zou God hem zo diep kunnen doen zinken? Een moordenaar van hem maken? Zijn jaren bij het vredeskorps, bij Habitat en op de missie naar Jamaica – zonder enige betekenis. Zijn dagelijkse offeranden, miljoenen dank- en lofgebeden – waardeloos.

Hij zou zijn vijand worden. Worden zoals degenen die Tony vermoord hadden, die nonno vermoord hadden. Zijn geest kromp ineen. *Nee, Heer.* Noem het trots, noem het arrogantie. Hij was niet zo slecht als het kwaad dat hij haatte. Dat was hij niet! Met gebalde vuisten schudde hij heftig ontkennend zijn hoofd en verwierp zelfs de mogelijkheid.

Toen werd hij stil, leeg. Hij kon nauwelijks ademhalen, durfde amper zijn gezicht op te heffen... omdat hij wist dat hij het in zich had. Niets had ooit zoveel pijn gedaan als dat naakte beeld van zichzelf.

Chaz had Lances passie gezien. Het was een van de dingen die hen bij elkaar gebracht hadden, die een vriendschap tot stand hadden gebracht, ondanks hun verschillen. Lance kon niets half doen. Hij had zich helemaal gegeven in de straten van delen van Kingston die veel op de hel leken, had hulp verleend aan de vermoeiden en belasten – soms met gevaar voor eigen leven.

Chaz had hem op een avond naar huis gedragen, bont en blauw geslagen omdat hij tussenbeide was gekomen bij een groepsverkrachting. Lance had de vrouw die hij verdedigde niet gekend, had niet gekeken naar de kleur van haar huid of geteld hoeveel mannen er tegenover haar stonden. Maar hij had de klappen die voor haar bestemd waren geweest zelf opgevangen, terwijl zij vluchtte. Dat hij niet gestorven was beschouwde Chaz als een wonder. Lance had machtige beschermengelen.

Chaz had hem zien branden van verontwaardiging, zien huilen van mededogen. Hij had zich verbaasd over de vreugde die over hem kwam als de laatste spijker was geslagen en er weer een gezin niet langer op straat hoefde te slapen. Als hij een kop soep in de handen van een kind drukte, was dat bijna een sacrale handeling.

Dus hij was niet heel erg verbaasd toen mama op de deur klopte, buiten zichzelf. 'Hij wil niet eten; hij wil niet praten.' Mama wapperde met haar handen. 'Ik vroeg hem om bij zijn oma te gaan zitten en tref hem daar in trance aan. Zelfs Jozua's trompet dringt niet tot hem door. Ik zou de priester moeten bellen.'

'Ik zal wel even kijken.' Chaz liep achter haar aan door de gang, naar de plek waar Lance zat, met nonna's bijbel op zijn schoot. Het was geen trance, maar intense concentratie. Hij wilde niet lastiggevallen worden bij datgene waar hij op gericht was. 'Maak u geen zorgen, mama. Er is niets aan de hand.'

'Niets aan de hand?' Ze gooide haar handen in de lucht. 'Is het goed als je je moeder geen antwoord geeft als ze iets tegen je zegt?' Ze haalde haar schouders op. 'Best. Ik ga wel weg.' Geen wonder dat ze zich zorgen maakte. Ze kende hem zoals hij thuis was. Ze had hem niet gezien zoals hij in de wereld was, waar hij vol overgave de ellendigen diende, had nooit gezien hoe hij was als iets hem in vuur en vlam zette.

Chaz wist niet wat er nu in Lance brandde, maar toen mama weg was, hurkte hij naast hem neer. 'Kijk me aan, *man*.'

Lance sloeg zijn ogen op van de bijbel op zijn schoot.

'Wil je het me vertellen?'

'Weet je wat Abraham zei toen God hem vroeg zijn zoon Isaäk te doden? Ik ben bereid.' Lance slikte. 'Hij zei: ik ben bereid.'

Chaz knikte en keek verder dan de woorden. Wat dacht Lance dat God van hem vroeg?

Lance leunde achterover. 'God zei tegen hem: neem dit kind, van wie je zoveel houdt, waar je zo lang voor gebeden en op gewacht hebt, de zoon op wie mijn belofte rust. Neem hem als een dier en slacht hem. Maak een holocaust van je hart.'

Chaz zei: 'God moest weten dat er niets tussen hen in stond, niet de geliefde zoon, zelfs niet de belofte die Hij zelf gedaan had. God moest weten dat Abraham alles wilde doen om Hem te dienen.'

'Zelfs iets wat zo verkeerd lijkt?'

'Wat is er aan de hand, *man*?'

Hij keek hem doordringend aan. 'Van kleins af aan heb ik gezocht naar Gods wil, naar mogelijkheden, gelegenheden, alle kleine dingen. Maar vanbinnen wilde ik iets groots, iets radicaals.'

Chaz knikte. Dat wist hij. Die honger was te zien op zijn gezicht.

'Maar nu...' Lance keek een andere kant op. 'Stel dat ik het niet kan?'

'Wat moet je doen?'

Lance gaf geen antwoord.

Chaz fronste zijn voorhoofd. 'Wat is er, *man*?'

Lance schudde zijn hoofd. 'Het lag allemaal al vast, alles wat er gebeurd is, zelfs met Tony...'

'Hij doet alle dingen medewerken ten goede.' Hij was blij dat Lance dat eindelijk inzag.

Maar Lance sloot zijn ogen en er verscheen een blik vol pijn op zijn gezicht. 'Ik denk dat ik weet wat God van plan is. Maar ik weet niet hoe ik het moet doen.'

Chaz greep hem bij zijn schouder. 'Zijn genade is genoeg, zijn kracht openbaart zich in zwakte.'

De adem ontsnapte langzaam uit Lances mond en hij knikte. 'Dank je.'

Chaz stond op. Lance hield niets achter. Zijn ijver voor God was niet geveinsd. Maar hartstocht kon gevaarlijk zijn.

Rese parkeerde de truck met hooggespannen verwachtingen achter de villa. Mam had niets gezegd tijdens de rit; uit angst of wanhoop of zelfs vreugde, wie zou het zeggen. Als kind had ze geleerd iedere nuance van mams gezichtsuitdrukking te herkennen, om te peilen wat er zou gebeuren. Maar nu hadden de medicijnen, of de progressie van haar kwaal, dat bijna onmogelijk gemaakt. Of ze moest het gewoon opnieuw leren.

'Mam? We zijn thuis.'

Haar moeder keek uit het raam, terwijl Rese onder de takken van de scharlakenrood gekleurde esdoorn door liep. De eigenaars van de wijngaarden hadden gewacht tot de laatste gouden dagen voorbij waren en hadden zich toen overhaast op het hoogtepunt van het jaar gestort, het binnenhalen van de druivenoogst. Als er niets veranderd was, had dat een vol hotel betekend, op zijn minst volgeboekt van Labor Day tot half oktober. Met dichtgeknepen keel liep ze om de auto heen en hielp mam met uitstappen. Hoe had ze ooit kunnen denken dat ze haar in een gastenkamer kon stoppen, bij alle andere gasten? Gelukkig was ze tot bezinning gekomen.

Toen ze naar het huis liepen, deed Star de voordeur open. Ze stond daar in een blauwe jurk, oorbellen met pauwenveren in haar oren en een felle groene sjaal in een band om haar hoofd. Mam liep een beetje onvast, merkte Rese, toen ze haar het trapje ophielp.

Met een stralende lach hield Star de deur voor haar open. 'Welkom thuis, mam.'

Rese schrok. Star noemde haar eigen moeder niet eens mam.

Toen ze naar binnen gingen, voelde Rese mams verwarring. 'U zult zich dit niet herinneren', zei ze. 'Het is een nieuw huis, dat ik opgeknapt heb, zoals pa het me geleerd heeft.' Ook al begreep mam niet dat pa dood was, het had geen zin het onderwerp te vermijden. Er was in al die jaren al te veel verzwegen.

Ze liep met mam door de voorkamer en naar de eetzaal, maar binnen enkele minuten flitsten haar ogen alle kanten op en verscheen er een rimpel in haar voorhoofd en begon ze driftig met haar vingers te knippen.

'Een, twee, drie, vier. Nu zijn ze er niet meer. Een, twee. Een...'

Het moest overweldigend zijn. Rese had gedacht dat ze zich minder opgesloten zou voelen als ze alles gezien had, maar misschien was één kamer genoeg om mee te beginnen. 'Kom maar mee naar boven. Ik zal u uw kamer laten zien.'

'De rozenkamer', bracht Star haar in herinnering toen ze de trap opliepen. Volgens haar werkten het crème en roze van die kamer genezend en Rese betwijfelde of mam daar bezwaar tegen zou maken. Als ze op een gegeven moment liever een andere kamer zou willen hebben, dan waren die beslist beschikbaar.

Mam telde alle traptreden en keek toen alsof ze zich wilde omdraaien en weer naar beneden wilde gaan. Wilde ze nu al weg?

'Dit is uw kamer.' Rese bracht haar naar de kamer aan het einde van de gang. Het hemelbed was bekleed met roze zijden rozenranken en crèmekleurig organza. Het was de vrouwelijkste van alle kamers en nu ze erover nadacht, paste dat wel bij mams persoonlijkheid. Tenzij haar smaak was veranderd. Zou ze eigenlijk wel in die termen denken?

Rese liet haar voorzichtig plaatsnemen in de stoel bij het raam, zodat ze over de olijfboom heen naar de tuin kon kijken. Toen deed ze een stap achteruit, verbaasd toen Star naast haar moeder neerknielde met een verwachtingsvolle blik in haar ogen. Hoopte ze dat mam nog altijd de kleuren zou zien; haar het elfenkind zou noemen; de elfjes terug zou brengen?

Rese wilde niet dat Star teleurgesteld zou raken, maar ze was blijven bidden zoals Lance haar opgedragen had en ze fluisterde zachtjes: *Heer, bescherm haar.* Als mam nu iets zou zien...

Maar hoewel er tijdens de rit geen woord tussen hen gewisseld was en er alleen maar onzin uit haar mond gekomen was sinds ze binnen waren, legde haar moeder nu haar hand op Stars broze krullen en zei: 'Je hebt de zwarte ook niet nodig.'

Star hapte naar adem, stikte bijna en pakte mams knie vast. Haar ademhaling versnelde, maar werd toen weer rustig. De rimpel in haar voorhoofd verdween en ze keek glimlachend in Elaine Barretts ogen. Rese had geen idee wat er zojuist gebeurd was, maar er was iets gebeurd. Ze keek van de een naar de ander, erbij betrokken zonder te weten hoe.

Star stond op. 'Ik ga theezetten. Groene thee met pepermunt.' Ze gaf Rese een aai over haar arm toen ze langs haar heen liep.

Toen Star weg was, streelde Rese het losse, witte haar van haar moeder, dat vlak onder haar oren was afgeknipt. Het had bijna dezelfde kleur als Stars lichte plukjes en ze stelde zich voor dat ze met zijn drieën op de foto zouden staan. Moeder, Rese en kleine zus. Niet hoe ze gedacht had dat het eruit zou zien, maar toch goed. Meer dan goed.

'Ik hoop dat u hier gelukkig zult zijn.' Ze verwachtte geen antwoord. Geluk was niet iets wat haar moeder kon bevatten. Emoties overmanden haar volkomen willekeurig. Maar ook dat was prima. Ze bleef naast haar moeder staan tot Star bovenkwam met de thee, drie mokken in één hand, als een serveerster in een bar.

Rese pakte er een aan en liet Star de andere aan mam geven. Met een scheef lachje stak ze haar mok omhoog naar die van Star. 'Op de halve garen.'

Star giechelde en klonk met de mokken. 'De rare kwasten.'

Kwasten misschien. Raar zeker. Ze nam een slokje en keek toen op haar horloge. 'Brad verwacht me.'

'Wegwezen dan. We zullen sonnetten lezen en eeltige, zwoegende handen zegenen.'

Rese schoot in de lach. 'Mooi zo. Ik kan wel een zegen gebruiken, daar bij Brad en de rest. Ze vinden het de mop van de eeuw dat ze me weer hebben weten te strikken.' Maar het gekke was dat ze de genegenheid erachter zag.

'"Ach, de rampspoed van de joffer."'

'Ja, echt een joffer.' Rese keek naar haar moeder, vroeg bijna of ze het wel zou redden, maar slikte die opmerking in. 'Ik ben voor het donker thuis.'

Hoofdstuk 34

Chaz droeg het grote, platte pakket het appartement in. Rico zat achter zijn drumstel, maar hij drumde niet. Hij keek plotseling op en het was duidelijk dat hij diep in gedachten was geweest. 'Iets voor jou, *man*.' Chaz zette het pakket op zijn kant en hield het in evenwicht. Hij zei niet waar het vandaan kwam, want anders zou Rico het in elkaar trappen of in brand steken voor hij zag wat er in zat.

Rico en Lance gedroegen zich al een poosje als katten tijdens een onweersbui, stekelig en gespannen. Er was iets gaande, iets wat Chaz' geest verontrustte, maar door zijn baan en zijn vrijwilligerswerk in de kerk en in een jeugdcentrum in de Bronx, was hij er nog niet achter gekomen wat het was.

'Wil je dat ik het openmaak?'

Rico trok een rimpel in zijn voorhoofd. 'Ga je gang.'

Zijn arm was beter genezen dan iedereen had verwacht, maar hij zat achter het drumstel en Chaz kon net zo goed even de zijkant van het pakket en het bubbeltjesplastic openmaken. Toen hij dat had gedaan, kwam de geur van olieverf vrij. Terwijl hij de onderkant van het pakket tussen zijn schoenen klemde, haalde Chaz het doek eruit, keek aandachtig naar het ontwerp en de stervormige ondertekening, waarna hij het omdraaide naar Rico.

Terwijl hij het in zich opnam, vlogen er allerlei reacties over Rico's gezicht. Hij mompelde iets, maar bleef er onafgebroken naar kijken. Toen stond hij op en kwam achter het drumstel vandaan. Hij pakte het schilderij en bekeek het van dichtbij. 'Dus dit doet ze nu.'

'Dat deed ze eerder ook.'

'Dat wist ik niet meer.' Rico fronste zijn wenkbrauwen.

'Ze had net zoiets gemaakt voor het koetshuis.'

Rico vernauwde zijn ogen iets. 'Een tuintafereel.'

'Ja.' Met Lance verwerkt in het gebladerte, maar daar herinnerde Chaz hem niet aan.

Rico schudde zijn hoofd. 'Ze is knettergek, *man*.'

'Misschien zijn we allemaal wel een beetje gek.'

Rico schoot in de lach. 'Misschien wel.' Hij liep met het schilderij naar hun slaapkamer. Daar zou het ofwel hangen als Chaz naar bed ging, of vernietigd worden.

'Waar is Lance?' riep Chaz, vlak voordat hij over de drempel stapte.

Rico antwoordde zonder zich om te draaien. 'In het restaurant.'

'Aan het koken?' Zijn hart maakte een sprongetje van hoop.

'Dat betekent nog niet dat hij zelf zal eten.' Rico verdween in de slaapkamer.

Chaz rook de geurige bouillon toen hij naar beneden liep, maar net als Rico betwijfelde hij of Lance er iets van zou eten. Het was vreemd dat iemand die eten als een missie had beschouwd dat nu plotseling afwees. Hij had niets gezegd, in de hoop dat wat het ook was, waar Lance mee worstelde, zou overgaan, maar sinds hun gesprek was het alleen maar erger geworden.

Lance draaide zich om van het fornuis. 'Niet aan het werk?'

'Vanavond bedien ik in een extravagant duur restaurant en zal ik mijn eilandcharme aanwenden om vette fooien binnen te krijgen.'

Lance glimlachte, maar zijn gezicht was gespannen. Hij keerde zich weer om naar de pan, wreef een droog blaadje fijn tussen zijn vingers en roerde het door het mengsel. Toen hij de lepel weglegde, trilde zijn hand. Hoe lang was het geleden dat hij iets noemenswaardigs gegeten had? Er vrat iets aan hem en ook aan hun vriendschap.

Waar Lance ooit verschrikkelijk open was geweest en alles wat hij dacht en voelde eruitflapte, was hij nu zo gesloten als een pot. Chaz schrok ervan. Wat was het dat de Heer volgens hem op hem gelegd had? Of verborg hij zich ook voor God?

'Wil je erover praten?'

Lance rukte zich los uit zijn gedachten, alsof hij alweer vergeten was dat hij niet alleen was. Hij slikte krampachtig, maar schudde zijn hoofd. 'Er valt niets te zeggen.'

Nu hij wist wat er van hem verlangd werd, had Lance de volgende stap in gang gezet. Het zou in zekere zin moeilijker zijn dan wat hij zich eerst had voorgesteld, maar er was geen twijfel. Dat was een hele opluchting.

Hij ging eerst naar nonna's kamer en bleef naast haar bed staan. Haar ogen waren gesloten. De bouillon die hij gemaakt had, stond half opgegeten op haar nachtkastje. Ze was er niet veel beter aan toe dan hij, de laatste dagen. Mama had gedreigd hem met een lepel te voeren als hij niet ophield met het niet-eten, maar het was moeilijk om iets naar binnen te krijgen. Alles wat meer was dan brood of bouillon stond hem tegen.

Misschien zou dat veranderen als alles achter de rug was. Hij pakte nonna's hand, maar ze reageerde natuurlijk niet. Haar ogen waren gesloten; misschien sliep ze, misschien niet. Hij drukte zijn lippen op haar perkamentachtige huid en het web van adertjes dat de jaren van haar leven in kaart bracht. 'Ook al kunt u me niet horen, nonna, ik wil dat u weet dat ik het evengoed voor u doe als voor mezelf. Het is voor ons allemaal.'

Haar oogleden trilden, maar gingen niet open. Hij hoefde haar antwoord niet te horen. Zijn eigen twijfel was genezen door vuur en er was een glanzende glazuurlaag van vertrouwen voor in de plaats gekomen. Hij wist wat hij moest doen en weifelde niet toen hij een paar uur later zijn zakken moest legen en gefouilleerd werd. Hij zou niet alleen doen wat er van hem gevraagd werd, hij zou het van ganser harte doen. Die gedachte sterkte hem toen het moment aanbrak dat hij oog in oog met Paolo Borsellino zat, met een wand van kogelvrij glas tussen hen in.

De man was verschrompeld, had wit haar en zat onder de littekens, en had de blik van iemand voor wie het leven een harde leerschool was geweest. 'Ben jij een Michelli?'

Lance knikte. 'Marco's kleinzoon.'

De man slikte krampachtig. 'Heeft hij je hiernaartoe gestuurd?'

'We weten allebei dat dat onmogelijk is.' Hoewel hij dat in zekere zin wel gedaan had.

Paolo wendde zijn blik af. 'Wat moet je van me?'

Lance keek om zich heen in de troosteloze kamer, naar de versleten stoelen, het matglas dat de vrijen van de niet-vrijen scheidde. 'Hoor je nog weleens wat van je familie? Krijg je brieven, bezoek?'

Hij noemde elk van de Borsellino's die in het rapport genoemd werden en voegde er toen vrouwen en kinderen aan toe die hij gevonden en gevolgd had. Vroeg de oude man zich af wie van hen hij zou vermoorden?

Terwijl Lance in Paolo's gezicht keek, hield hij plotseling zijn adem in. Het zou niet makkelijk worden, helemaal niet makkelijk. Hij dacht aan nonna, die lag weg te kwijnen, omdat de wetenschap dat Marco vermoord was haar van haar hoop, haar kracht, haar leven beroofd had. Alle jaren die hij gemist had met nonno, waarin hij de man die hij vereerd had, nauwelijks gekend had. En het deed pijn.

'Je hebt iets waardevols van me afgenomen, iets wat niet vervangen kan worden. Het leven van Marco Michelli, mijn nonno.'

'Je kunt niks bewijzen.'

Vechtend tegen een plotselinge woede zei hij: 'Dat hoef ik niet. Ik kan de vendetta vergelden.'

'Ja, nou, Jojo is dood. Je bent te laat. Negen jaar te laat.'

Lance hoorde dat aan zonder met zijn ogen te knipperen. Het antwoord op zijn zoektocht en het was niks waard. 'We hebben het over een vendetta. Het maakt niet uit wie het vuile werk opgeknapt heeft. Ik heb adressen, telefoonnummers, dagindelingen. Ik kan ervoor zorgen dat het op een ongeluk lijkt.' Hij had wel honderd scenario's bedacht. Of hij kon gewoon het hunne pikken.

Paolo zat hem stil aan te kijken, waarbij één ooglid trilde.

En nu kwam het eropaan. *Heer.* 'Ik zou de vloek kunnen vergelden.' Hij slikte de gal die in zijn keel omhoogkwam in en stortte zijn hart uit, want als hij dat niet deed, zou hij de vliegtuigen in de torens zien vliegen met Tony erin, zich voorstellen dat nonno's auto in een slip raakte en in brand vloog, nonno Vittorio's lichaam doorzeefd zien met kogels, nonno Quillans hart zien stoppen in de tunnel. Het kwaad dat zijn familie aangedaan was, in plaats van de hand van Jezus die hem uit de golven omhoogtrok. 'Maar ik ben hier gekomen om je te vergeven.'

Paolo schoot met een ruk achteruit in zijn stoel, alsof iemand hem een stomp in zijn maag had gegeven. Hij schudde zijn hoofd met een half lachje, dat verstomde toen de glimlach van zijn mond gleed. Toen perste hij zijn trillende lippen op elkaar. 'Van sommige dingen... krijg je spijt.'

Lance sloot zijn ogen toen zowel de waarheid daarvan als de pijn hem overmande.

Paolo zei: 'Ik heb hem niet het respect betoond dat hij mij betoonde.'

Nonno had de man nooit kunnen respecteren. Maar hij had zich aan zijn belofte gehouden. Lance opende zijn ogen, maar zweeg.

'Ik heb hem verachtelijk behandeld.'

Je hebt hem vermoord.

'Meen je nog steeds wat je zei?'

Met een kracht die niet van hemzelf was, knikte Lance. 'Omwille van mijn familie en omwille van mezelf, vergeef ik je.'

Paolo stak een bevende hand uit naar het glas en Lance drukte de zijne ertegenaan. Paolo vocht tegen zijn tranen, maar barstte toch in snikken uit. 'Bid voor mij. God hoort me niet meer zo goed.'

Ja, stapel het er nog maar bovenop, Heer. 'Hij hoort je wel.'

'Ja?'

'Hoe zou ik anders hier kunnen zijn?' Misschien was het door de gebeden van deze man wel allemaal aan het licht gekomen. Wat hij ook gedaan had en wie hij ook geweest was. Ze waren allemaal niets voor de Heer. En alles.

Paolo leunde achterover en probeerde zijn zelfbeheersing weer terug te krijgen. Hij zei niets meer en Lance ook niet, terwijl hij opstond om weg te gaan. Ze wisselden nog een laatste blik, toen verliet hij de Ryker's-Island-gevangenis en ging naar huis, terwijl de tranen over zijn wangen stroomden, met een leegte die hij nauwelijks kon verdragen.

Wat was het leeg zonder de herinneringen. Was ze dood? Misschien was dat de hel, dat ze zich niemand meer herinnerde. Geen gezicht, geen stem. Geen tafereel dat zich in haar geest afspeelde. Allemaal weg.

Ze had haar hart afgesloten, haar vuist opgeheven naar de hemel. Alles wat goed en mooi was, alles wat haar vreugde had gebracht, was vervaagd tot zwart. Ze was eenzamer dan ze ooit geweest was.

Moe. Zo moe. Toch moest ze nog in leven zijn om te beseffen hoeveel moeite iedere gedachte kostte. Niet de hel dan, maar een matheid van ziel. Een dal van tranen. Een vallei des doods.

Al gaat mijn weg door een donker dal...

Dat dal kende ze maar al te goed. Het had haar achtervolgd, beproefd.

Ik vrees geen gevaar, want u bent bij mij. Daar dacht haar geest een hele poos over na; toen zag ze in haar wanhoop wat ze eerder niet gezien had, hoe ze beschermd was. God had haar nooit verlaten.

Uw stok en uw staf, zij geven mij moed. Zelfs in haar ongeloof, had Hij ervoor gezorgd dat ze niet afdwaalde.

U nodigt mij aan tafel voor het oog van de vijand, u zalft mijn hoofd met olie, mijn beker vloeit over. Ze had het niet alleen overleefd, maar ze had voorspoed gehad.

Geluk en genade volgen mij alle dagen van mijn leven. Geluk en genade. Genade? Ja. Genade, vreugde en liefde. Gaven die ze niet verdiend had. Er was haar niets verschuldigd, ze kon nergens rechten op laten gelden behalve op haar plaats voor de troon, waar ze de God zou aanbidden, die ze nu met haar hele hart miste.

Ik keer terug in het huis van de HEER *tot in lengte van dagen.* Waar was de angst gebleven? De woede? Waar was de nood? Door alles heen was zijn genade genoeg geweest.

Antonia hoorde iemand binnenkomen, voelde hem naast het bed stoppen en blijven staan. Ze opende haar ogen en keek hem aan. Hoe kwam het dat hij zo mager was, zo afgetobd? 'L...ance?'

Hij wist niet wie van hen beiden meer verbaasd was. Hij had de hoop op een reactie opgegeven, en nu praatte ze tegen hem. Met een beetje pech zou hij haar even hard weer terugduwen, maar hij pakte haar hand en ging naast haar zitten. 'Het is voorbij, nonna.'

Ze keek hem onderzoekend aan en begreep het pas toen hij haar woord voor woord vertelde waar hij doorheen gegaan was, terwijl zij zich een weg terugbaande naar hen. Hij kon haar gedachten bijna lezen: *Je hebt hem vergeven, de man die opdracht gaf om nonno te vermoorden?* Hij verwachtte woede, maar die leek helemaal uit haar te zijn verdreven. In haar ogen verscheen een blik van berusting en zelfs aanvaarding.

'Ja. Goed.' Ze wenkte hem dichterbij, kuste hem op de wangen en trok zijn gezicht tegen haar borst. Zo bleven ze een hele poos zitten; toen tilde hij zijn hoofd op.

Hij probeerde niet te laten zien hoeveel het hem gekost had, maar wanneer had hij ooit iets voor haar kunnen verbergen?

'Lance', fluisterde ze. 'Ik w...il je ho...tel zien.'

Het bloed trok weg uit zijn gezicht. Ze begreep het niet. 'Het is niet van mij.' Zijn gezicht vertrok van pijn bij de gedachte aan wat hij verloren had.

Ze liet zich niet vermurwen. 'Ik w...il...'

'Nonna...' Hij kreunde. 'Dat kan ik niet. Dat is niet eerlijk tegenover Rese. En u bent niet sterk genoeg om ergens heen te gaan.' Ze waren allebei door het vuur gegaan. Maar ja, vuur kon staal louteren en hij zag de blik die hij maar al te goed kende.

'Ik zal aansterken.' Ze kneep in zijn hand. 'Breng m...e thuis.'

Hij haalde beverig adem. En hij had nog wel gedacht dat het ergste achter de rug was.

Hoofdstuk 35

Rese propte de constructietekeningen en een doos nieuwe beitels onder haar arm en stapte uit de truck. Ze schoot in de lach toen Baxter met grote sprongen op haar af kwam rennen en tegen haar opsprong, waarbij hij zijn warme hondenadem in haar gezicht blies. Dat deed hij nog niet zo lang, zo tegen haar opspringen en ze zou het hem eigenlijk moeten afleren, maar het leek zo op een omhelzing, dat ze in plaats daarvan zijn kop kroelde. 'Hallo, jochie. Heb je me gemist?' Ze bukte zich om met haar neus tegen zijn kop te wrijven en hij gaf haar een lik over haar kin met zijn fluwelige tong.

Het avondlicht viel in een schuine baan tussen de kale bomen door. De verhoogde bloembedden geurden nog licht naar de lichtgroene en droge sprietjes van de winterappel. De wijnstokken rond het koetshuis hadden druiven voortgebracht, maar ze hadden een taaie schil gehad en waren te zuur om te eten – een wijnvariant, vermoedde ze, dus ze had ze niet geplukt. Noch zij, noch Star had enige interesse in het maken van wijn of jam of wat dan ook.

Ze liet Baxter langzaam zakken, sloot de truck af en bleef toen stokstijf staan. Er kwam een taxi de oprit oprijden. Een golf van paniek overviel haar. Was ze een reservering vergeten af te zeggen? Had ze dan reserveringen geboekt in het nieuwe jaar? Wie bezocht de wijnregio in januari? Maar haar paniek sloeg om in woede toen de auto voor de villa stopte en ze zag wie er uitstapte.

Natuurlijk had hij niet gebeld; dan zou ze hem de reis bespaard hebben. Nou, ze zou hem nu de moeite van het uitladen besparen... ware het niet dat hij om de auto heen liep en het portier voor nonna Antonia opende. Rese liet haar schouders hangen toen de oude vrouw moeizaam overeind kwam en zich aan haar looprek vastklampte. Lance had ze nog kunnen opdragen weer in de taxi te stappen, maar dat kon ze moeilijk tegen zijn stervende oma zeggen.

Omdat ze werd afgeschermd door de truck bevond ze zich niet direct in Lances blikveld, maar Baxter hoorde, voelde of rook zijn baasje. Terwijl Lance de chauffeur betaalde, die hun bagage uit de achterbak gehaald had, rende Baxter met grote sprongen op hem af. Lance draaide zich om bij het horen van het vreugdegehuil van de hond, hurkte neer en nam het beest in zijn armen.

Pure razernij, niet getemperd door het besef van wat hij moest voelen, kneep haar keel dicht.

Nadat hij een hele poos met zijn hond gekroeld en gepraat had, stond Lance op. Hij trok de wollen mantel om Antonia's magere schouders, liet de bagage op de oprit staan en ondersteunde haar langzame gang naar de deur. Baxter liep voor hen uit, de verrader, alsof zij niet degene was geweest die de afgelopen maanden zijn kop gestreeld had en zijn gezucht en gesteun had gesust.

Antonia's toestand was duidelijk verbeterd, maar Lance zag er met zijn loshangende leren jack en spijkerbroek uit alsof hij van binnenuit opgegeten was en misschien was dat het wat haar ervan weerhield de beitels naar zijn hoofd te gooien. Maar ze stampte naar hem toe en liet er geen twijfel over bestaan hoe ze over zijn plotselinge komst dacht.

Op Antonia's gezicht was een weemoedige uitdrukking verschenen, toen ze opkeek naar het huis, maar Lance draaide zich om met een blik waar ze niet op bedacht was. 'Wat doe je hier?' Want ze zou de Harley met alle plezier afstaan, maar Baxter nog niet over haar lijk.

'Ik had moeten bellen.'

Ze was sprakeloos.

De kille wind blies het haar uit zijn gezicht toen hij een hand ophief naar het huis. 'Nonna wilde het huis zien, om...' Hij wankelde. 'Mag ze...' Hij zakte door zijn benen en viel flauw.

Baxter rende terug, duwde met zijn kop tegen zijn hoofd en likte hem, maar Lance bewoog niet. Rese keek met grote ogen hoe hij daar lag, met zijn gezicht in het witte gravel van de oprit, met zijn arm uitgestrekt, alsof hij door een woestijn was gekropen om hier te komen. Heen en weer geslingerd tussen bezorgdheid en woede, keek ze van hem naar Antonia.

'Wat is er met hem?'

Antonia maakte haar blik los van het huis en leek zich toen pas te realiseren dat hij flauwgevallen was.

Rese hurkte neer en pakte hem bij zijn schouder. 'Lance?' Niets. 'Is hij ziek? Hij ziet er uitgeteerd uit.'

'N...iet ziek.' Antonia schudde haar hoofd. 'Uitgeput door God.'

Wat? Rese keek haar kwaad aan en wreef toen met een hand over haar gezicht, zelf ook uitgeput. Het leven hoefde niet zo ingewikkeld te zijn als Lance het maakte. Ze schudde hem nogmaals door elkaar, maar hij reageerde zelfs niet toen een tweede windvlaag het haar op zijn achterhoofd optilde.

Aangezien ze hem moeilijk op de oprit kon laten liggen, legde ze haar spullen neer, pakte hem onder zijn armen en rolde hem op zijn rug. Hij kwam nog steeds niet bij bewustzijn. Ze overwoog hem een paar klappen in zijn gezicht te geven, maar net als die keer op het strand kon ze het gewoon niet. Met opeengeklemde kaken hees ze hem overeind en sleepte hem naar de veranda, verbaasd over hoe licht hij leek. Misschien *was* hij wel uitgeput.

'Wat heb je gedaan?' Star rende het trapje af en pakte zijn enkels, maar Rese zag de blik die naar Antonia vloog en langs haar naar de lege oprit, op zoek naar... Rico? Rese snoof. Eén delinquent op haar erf was wel genoeg.

Met Stars hulp droeg Rese Lance de deur door en in haar eigen bed, dat het enige was waarvoor ze hem niet de trap op hoefde te slepen. Hij bewoog niet, zelfs niet om met zijn ogen te knipperen, maar hij ademde, dus ze liet hem daar achter en ging weer naar buiten om Antonia te halen.

De oude vrouw stond daar met tranen in haar ogen. Rese wilde haar naar binnen brengen en haar ervan verzekeren dat zij goed zou maken wat Lance in zijn dwaasheid had begaan. Wat had hij in zijn hoofd gehaald, door haar hier helemaal mee naartoe te slepen? Maar ja, zo was Lance. Die dacht niet na.

Ze raapte haar spullen van de oprit en hielp nonna het trapje van de veranda op, terwijl Star achter haar aan kwam met het looprek. Lance was licht geweest, maar Antonia woog bijna niks. Boven aan het trapje keek Antonia om zich heen op de veranda, alsof ze iets miste, misschien een schommel of een meubelstuk waaraan ze herinneringen bewaarde. Rese had gevoeld dat er veel geschiedenis in dit oude huis zat, toen ze het kocht. Ze had nooit vermoed dat ze die geschiedenis zou leren kennen, of de mensen die er gewoond hadden.

Star zette het looprek voor haar neer en Rese hielp haar het vast te pakken; toen richtte Antonia haar blik op de open deur en haar armen begonnen te trillen.

Alstublieft, alstublieft, krijg geen beroerte.

Rese kon zich nauwelijks voorstellen hoe dit voor haar moest zijn, nadat ze als meisje uit haar huis verdreven was en het al die jaren niet meer gezien had. Om nog maar te zwijgen van het verdriet en het geweld dat haar familie binnen deze muren overkomen was. Hoewel Rese het knallen van oude wijnkurken in de kelder had verward met spookachtige pistoolschoten, zou Antonia zich de echte misschien nog heel goed kunnen herinneren.

Maar aan de andere kant, als ze verwachtte dat alles er nog net zo uitzag als ze het zich herinnerde, zou Antonia nog een klap te verwerken krijgen. Om die te verzachten, zei Rese: 'Misschien ziet het er niet meer hetzelfde uit. Het huis was erg beschadigd en ik heb me wat vrijheden veroorloofd.' Een paar muren verwijderd, nieuwe vloeren, nieuwe boekenkasten, nieuw lijstwerk, nieuwe verf en vloerkleden, maar altijd vasthoudend aan de originele stijl en materialen.

Antonia knikte terwijl ze naar binnen stapte, waarbij de tranen sporen vormden in het zachte poeder op haar wangen. Bij het zien daarvan ebde Reses boosheid weg. Ze kon het Antonia beslist niet verwijten. Zelfs niet als zij het huis had willen zien, zoals Lance gezegd had. Willen en doen... nou, Lance kon haar inderdaad moeilijk iets weigeren.

Antonia keek op. 'Lance?' Haar voornaamste zorg, zelfs in deze eerste ogenblikken thuis. Hij wist wel hoe hij de show moest stelen.

'Deze kant op.' Ze ging haar voor door de gang naar de keuken, waar de oude vrouw weer naar adem snakkend bleef staan. Ze voelde zich weer kwaad worden om de hachelijke situatie van de vrouw – doordat Lance haar hierheen gesleept had en vervolgens flauwgevallen was, zodat ze de schok van het weerzien alleen moest verwerken. Niet alleen, zwoer Rese bij zichzelf. Ze zou alles doen wat ze kon om Antonia's spanning te verminderen. 'Hij ligt hier.'

Antonia keek door de deur. 'N...onno's kamer.' Haar mond trilde.

Met Star, die niet van hun zijde week, hielp Rese Antonia door het smalle gangetje de kamer in, die, aan haar gezicht te zien, ook in herinneringen gedompeld was.

Lance lag er nog precies zo bij als ze hem neergelegd hadden, met diepliggende ogen en een oppervlakkige ademhaling. Een golf van bezorgdheid sloeg door haar heen. 'Heeft hij een dokter nodig?'

Antonia schuifelde naar de rand van het bed. Haar hand op het looprek deed haar denken aan die van Evvy, maar dan zonder de opgezette knokkels. Ze keek neer op Lance, met een rood aangelopen gezicht.

Rese vermande zich. Dit kon ze niet gebruiken. Ze had net haar evenwicht terug.

Antonia schudde haar hoofd. 'Laat hem maar rusten. M...isschien zal hij nu eten.'

Eten? Maar hoe ongelooflijk het ook klonk, hij leek inderdaad in een eeuwigheid niet gegeten te hebben. Lance – voor wie samen eten zo belangrijk was. 'Heeft hij iets ernstigs?'

'Ja.' Nonna knikte. 'Het ergste w...at ik ooit gezien heb.'

Angst verscheurde haar. Als Lance hier gekomen was om te sterven, zou ze hem dat nooit vergeven.

Antonia wankelde en alles begon weer door elkaar te lopen.

Ik ren nonno's kamer in en schud hem wakker. 'Kom, nonno. Snel. Er zijn moeilijkheden. We moeten ons verstoppen.'

Het gezicht van Arthur Jackson, verlicht door het vlammetje van een lucifer op de oprit; nog een man, verborgen in de schaduw – Carlo Borsellino. Heimelijke voetstappen, pistoolschoten! Angst vult mijn longen. De tunnel. We moeten ons verstoppen in de kelder. Opschieten, nonno! Maar...

Was de tunnel er nog? Ja, Lance had nonno gevonden, hem begraven. Tijden overlapten elkaar en ze worstelde om haar gedachten op een rijtje te houden. Moesten ze zich verstoppen? Waar was papa?

Er werd een hand op haar schouder gelegd. 'Ik zal de stoel voor u aanschuiven.'

Rese. Lances Rese. En Lance lag in het bed, niet nonno. De angst was voorbij, maar ze liet zich in de stoel zakken, overmand door emotie. Hoe was ze hier na al die jaren terechtgekomen? En toen keek ze naar Lance, die lag waar nonno gelegen had. Ach. Het was nog niet voorbij. Nog niet.

Het zou helpen als Star ophield met lachen. Nadat ze Antonia in de leunstoel in Lances kamer gezet hadden – voorheen haar eigen kamer, maar de eerstkomende tijd blijkbaar niet, aangezien noch Lance, noch Antonia de trap op kon – beende ze de tuin in voor ze iets zou doen waar ze spijt van zou krijgen. Ze had hard gewerkt aan de muren en was niet van plan stompgaten te gaan repareren.

'Ik zal een bed in het kantoortje moeten neerzetten voor Antonia, tot Lance mijn bed uit kan', zei ze tegen Star, en bleef toen halverwege het tuinpad staan. 'Of misschien moet ik ze allebei in het koetshuis leggen.'

'Ze is vreselijk oud, Rese.'

'Hij niet.'

Star haalde haar in. 'Hij lijkt me niet in staat om haar te helpen als ze valt of zo.'

'Het is gewoon een excuus om zonder iets te zeggen voor mijn neus te staan.'

'Wat had hij dan moeten zeggen?' Er blonken pretlichtjes in haar ogen.

'Het is niet grappig, Star! Ik wou dat ik –'

'Heb je Antonia's gezicht gezien?'

Rese zuchtte. 'Ja.'

'Wat een meeslepend verdriet.'

'Ja. Het moet vreselijk en heerlijk tegelijk zijn.' Ze kreeg een knoop in haar maag. Misschien waren ze echt vanwege Antonia gekomen. Misschien had Lance dat proberen te zeggen: *'Denk niet dat het mijn idee was; ik ben hier alleen voor nonna gekomen.'*

'Bel Michelle en vraag of zij nog een bed overheeft en zeg haar dat het een goede matras en veel kussens moet hebben.' Al die slaapkamers met hun bedden van topkwaliteit waren ontoegankelijk voor een invalide vrouw van boven de negentig. Ze had een lift moeten maken. Misschien zou ze de liftschacht vanavond maken. Ze wist toch zeker dat ze niet kon slapen.

'Ik ga mam vertellen dat ze er zijn, zodat ze niet denkt dat ze dingen ziet.' Rese ging naar boven, waar mam naar de enige tv in het huis zat te kijken. Die had in haar eigen kamer gestaan, maar ze had hem afgestaan. Misschien had ze dat als profetisch moeten beschouwen.

'Mam, we hebben bezoek.'

Haar moeder knikte. Maar dat zou evengoed een onwillekeurige beweging kunnen zijn.

Voor de zekerheid voegde ze eraan toe: 'Het zijn een man en zijn grootmoeder.'

Mam draaide zich niet om van het natuurprogramma op de televisie, maar begon alleen weer te knikken en met haar vingers te knippen. 'Het enige wat ze hebben is water. Water is alles wat ze hebben.'

'Goed dan. Alles goed met je?'

Knikken en knippen. 'Best. Best. Het gaat best met me.'

Rese liep de kamer uit, ging tegen de muur staan en liet haar hoofd er zo hard tegenaan vallen dat ze de *bonk* hoorde. Wat gebeurde er allemaal? Dat Lance hier was, was een soort nachtmerrieachtig déja vu. De eerste keer had ze hem hier niet gewild, maar had hij al haar bezwaren van tafel geveegd met zijn praatjes. Nu deed hij niet eens moeite om te praten; hij viel gewoon aan haar voeten neer.

Dat had geen ander kunnen klaarspelen. En ze geloofde ook niet dat er niks aan de hand was. Hij zag er slechter uit dan Star, toen ze haar naar huis had gebracht. Zelfs slechter dan mam. Voor hoeveel ziekelijke gevallen zou ze moeten zorgen?

Ze zat zo met de hele kwestie in haar maag, dat ze Michelle om de hals vloog toen die het bed en een extra dekmatrasje kwam brengen.

Michelle trok haar wenkbrauwen op. 'Wat is er aan de hand?'

Rese keek boos. 'Onverwachte gasten. Lance en zijn oma.'

'O.' Michelles gezicht klaarde op. 'Waar is hij? Ik heb hele verhalen over Baxter.'

Ze dacht erover Michelle te vragen de hond te verbergen, maar dat deed ze niet. 'Het spijt me. Hij viel flauw op de oprit en is nog niet bijgekomen.'

Michelle duwde het schuimrubber matrasje dubbel onder haar kin. 'Is hij flauwgevallen?'

Rese trok het bed uit Michelles auto. 'Volgens Antonia is hij uitgeput door God. Wat dat ook moge betekenen.'

'Goeiendag. Daarom had ik natuurlijk zo'n last voor die man.'

Rese keek haar aan. 'Heb jij een last voor hem?' Behalve alle mensen voor wie Michelle dagelijks zorgde, had ze zich zorgen gemaakt over een man zo'n vijfduizend kilometer verderop, die ze nauwelijks kende?

'Het leek gewoon of hij onder vuur lag.'

Rese kon zich nog maar al te levendig herinneren dat ze 's nachts naar adem happend wakker werd en met hem te doen had op een manier die dieper ging dan haar eigen verdriet. Gevoelens die haar woede nu nog groter maakten.

Michelle keek naar het huis. 'Mag ik even naar hem toe?'

Rese trok een rimpel in haar voorhoofd en voelde zich misplaatst beschermend. 'Ik denk het wel. Maar hij is behoorlijk uitgeteld.'

Ze droeg het bed naar het kantoorgedeelte van haar woonruimte, waar Antonia zou slapen. Star nam het dekmatrasje van Michelle over en toen liepen ze de slaapkamer in, waar Antonia al zat. Lance had geen vin verroerd. Ze had hem nooit zien slapen, maar betwijfelde of deze bewusteloze toestand normaal was, zelfs voor Lance. Ze kreeg een knoop in haar maag. Zou hij geen teken van leven moeten geven, met vier vrouwen die hem aangaapten?

Michelle legde een hand op zijn hoofd, zweeg even, knikte en haalde haar hand weer weg. Ze bukte zich en gaf Baxter een klopje op zijn kop, maar de hond week geen duimbreed van het bed. Rese putte er een flintertje troost uit dat hij niet op het bed geklommen was. Een kwestie van africhting, niet van voorkeur, wist ze. Zelfs buiten westen had Lance hem beter onder controle dan zij. Waarom had hij het dier dan in de steek gelaten en haar en hun plannen, en...

Ze hurkte naast zijn oma neer en ademde een geur van winterrozen in. 'Antonia, wat is er echt aan de hand met hem? Hij vertelde me dat er iets was wat hij moest doen, maar hij ziet eruit alsof...' Hoe zag hij eruit? Niet echt ziek, eigenlijk, maar uitgemergeld en beslist uitgeput. Ze voelde een steek. Lance bleef zich aan haar opdringen zonder waarschuwing of uitleg. En woede en pijn maakten haar kwetsbaar. Ze moest haar hoofd helder houden.

Antonia leek zichzelf ergens uit terug te trekken, terwijl het begrip begon te dagen in haar ogen. 'Het is hier b...egonnen. In deze k...amer.' Ze sprak langzaam, maar veel duidelijker dan de laatste keer dat Rese haar gezien had. Af en toe moest ze zoeken naar woorden, maar ze hield hardnekkig vol. Een groot deel van het verhaal kende Rese al, maar niet wat er gebeurd was nadat zij en Star New York verlaten hadden.

Antonia kon haar emoties nauwelijks bedwingen toen ze hun vertelde dat Marco vermoord was, maar toen ze zei dat Lance geloofde dat God hem geroepen had om de vendetta te vergelden, had Rese het niet meer. Hoe kon hij dat denken? Maar ze had de woede zien smeulen, het onverwerkte verdriet en zijn behoefte om zich te bewijzen.

Verbaasde het haar echt dat hij wraak wilde nemen? Haar keel kneep dicht. En nu? Was dat de reden dat hij haar niet verteld had dat hij kwam, dat hij gezegd had dat alles anders zou worden? Hijgend bracht ze uit: 'Heeft hij haar vergolden?'

Antonia knikte. Rese keek van Star naar Michelle, op wier gezicht dezelfde bezorgdheid te lezen was. Ook al zou hij geloven dat zij hem een schuilplaats zou verlenen, hij kon niet verwachten dat de anderen dat zouden doen.

Antonia haalde adem en haar mond maakte krampachtige bewegingen om de woorden te vinden. 'Hij heeft geb...eden en gev...ast. En toen hij Gods w...il kende, schonk hij P...aolo Borsellino vergeving.'

Star legde het verband het eerst. 'Hij vergold de vendetta met vergeving?'

Antonia knikte weer. 'Hij ging naar de gev...angenis en v...ergaf Paolo.'

Toen begreep ze het. Opluchting en woede. Rese draaide zich om en keek naar hem. Lance had het juiste gedaan, iets geweldigs zelfs. Hij had Gods wil ontdekt – dat grote, allesomvattende doel – en had haar afgedankt om die te volbrengen.

Antonia schrok wakker, kwam overeind in het bed en keek om zich heen in de spookachtige gloed van het nachtlampje in de badkamer. Wat een vreemde meubels stonden er in nonno's studeerkamer. Zijn schrijftafel was weg en in plaats daarvan stond er een bureau met een computer. Haar bed stond tussen dat bureau en een allegaartje van spullen tegen de wand. Ze keek naar de donkere stapels tot haar oog op iets glimmends in de hoek viel. Iets... bekends.

Bijna ondanks zichzelf ertoe aangelokt, zwaaide ze haar benen over de rand van het bed, liet haar voeten in haar schoenen glijden, hees zichzelf overeind en bleef even staan om haar evenwicht te vinden. Haar looprek stond ingeklapt tegen de muur en haar bril lag ergens in de buurt, nam ze aan. Maar ze deed drie schuifelende stappen naar de hoek, reikte over de rommel heen en strekte haar vingers uit naar het voorwerp.

Hoewel ze onscherp zag en het bijna donker was in de kamer, wist ze het zodra haar vingers het aanraakten. Met uiterste concentratie trok ze het uit de stapel en liefkoosde de zilveren knop waar nonno's hand op had gerust als hij bij de walnotenhouten stok steun zocht voor zijn eigen been, dat in de kracht van zijn leven verminkt was geraakt.

Ach, nonno. Ze wist alles van ledematen die geen kracht meer hadden. Maar met haar sterke arm rustend op de stok liep ze voetje voor voetje langs Lance, die lag te slapen in het bed dat zoveel op dat van nonno leek, naar de keuken die niet zoveel veranderd was. Ze werd overspoeld door herinneringen: papa aan de tafel, nonna Carina die nonno plaagde met de sauslepel. Vrienden en familieleden. Zelfs mama was er; ze drukte een kus op papa's lippen, waarbij een lippenstiftvlek achterbleef. Ze lachte en probeerde hem weg te vegen en papa greep haar bij haar lange parelketting en trok haar terug voor nog een zoen.

Ze kon zich niet herinneren dat er iemand ongelukkig was geweest in de keuken. Op één keer na.

Met pijn in haar hart keek ze een poos naar de deur van de voorraadkast. *O, nonno.* Ze slikte moeizaam. *Papa.* Langzaam liep ze de keukendeur uit en stapte het donker in. De fluwelen hemel was bezaaid met sterren, de lucht een koude hand die haar vastgreep. Alles leek te dichtbij. Een schuurtje dat er niet hoorde. Het huis ernaast. Heggen en hekken. Geen velden vol wijnstokken. Van de paar overgebleven wijnstokken waren de druiven niet geplukt. Vooral dat deed pijn.

De lamp met de bewegingsmelder bij de achterdeur leidde haar ernaartoe. Deze wijnstokken waren meer dan honderd jaar oud.

| De druiven die ze voortgebracht hadden zouden een unieke wijn opgeleverd hebben. Met bonkend hart raakte ze het knoestige hout aan, de stevige bladeren en ranken, de verschrompelde vruchten. Deze wijnranken tegen de garage hadden hun uiterste best gedaan om te overleven – net als zij.

Ze greep nonno's stok beet en herbeleefde de inspanning die het haar gekost had om weer op de been te komen. Lance had zich ertegen verzet, bang dat de reis te veel voor haar zou zijn... en gewoon bang. Het was moeilijk om iets zo graag te willen. Dat wist ze, en toch... het leven bestond uit verlangen en uit koesteren wat je had.

Ze draaide zich om en bekeek het oude huis dat ze met zoveel tegenzin verlaten had. Verandering was onvermijdelijk. In Belmont had ze kinderen, kleinkinderen en achterkleinkinderen, haar vrienden en buren, haar kerk. Ze kende iedere scheur in de muren, ieder geluid dat door haar raam kwam. Hier, waar ze ooit de wind in de wijngaarden had gekend, de stenen in de vloer, het tempo en het ritme van iedere dag, hier was alles anders.

Ze keek omhoog naar het raam van waaruit ze de nachtgeluiden had gehoord die haar gewezen hadden op het gevaar. Ze had die nacht kunnen sterven, maar ze was niet gestorven. Ze was blijven leven en had haar kinderen grootgebracht en haar restaurant gerund en was oud geworden. En nu was ze hier, oud en kreupel, haar dagen geteld door God.

Ja... misschien werd het tijd om iets nieuws te leren.

Terwijl ze de trap af sjokte in een spijkerbroek en een coltrui met een flanellen overhemd eroverheen, probeerde Rese zich kalm en onverstoorbaar voor te doen, al kwam dat niet in haar repertoire voor. Star had mam uit bed gehaald en Rese hoorde ze in de keuken.

'Een worstenbroodje, mam?' Alsof Star daar het antwoord niet op wist.

Met haar vreemde, monotone stem zei mam: 'Worstenbroodjes voor de koningin.'

Rese voegde zich bij hen toen Star het in plastic gewikkelde worstenbroodje uit de vriezer haalde en in de magnetron stopte. Nadat ze het hiaat in Lances keukenuitrusting had ontdekt, had Star de magnetron gekocht om de meeste dingen die ze aten, te bereiden.

Rese keek naar de deur van haar woonruimte. 'Al enig teken van leven?'

Star stelde de bereidingstijd in op het schermpje. 'Ik hoorde stemmen.'

'Niet jij ook.'

Star draaide zich giechelend om. '"O welk een eed'le geest is hier verwoest!"'

Rese draaide zich om toen de deur achter haar openging en Antonia naar de keuken kwam, leunend op haar looprek.

Star zette met een klap een bord neer voor mama en zoog toen op haar vinger. '"Het zeggen is, dat het een slechte kok is, die zijn eigen vingers niet kan aflikken."'

'Een slechte k...ok, ja.' Antonia glimlachte.

'Ontbijt voor de koningin', zei mam, onverstoorbaar in haar rol.

'Hij is wakker.' Antonia gaf Rese in het voorbijgaan een klopje op haar arm, in de veronderstelling dat ze wel even met de man in haar bed zou willen praten.

Ze liep door de deur het gangetje in, dat ze voor Lance ooit tot verboden gebied had verklaard. Grappig hoe dingen veranderden. Ze klopte aan en deed de slaapkamerdeur toen open. Hij had zich opgericht op een elleboog, dus hij had de nacht overleefd. Hij zag er iets beter uit, maar wel verfomfaaid en schuldbewust.

Hij zei: 'Het was niet mijn bedoeling om jouw bed in te nemen', maar zijn ogen zeiden zoveel meer.

Ze weigerde zijn excuses te accepteren. 'Ik was niet van plan je de trap op te slepen.'

Lance hees zich overeind om te gaan zitten, waarbij zijn ingevallen romp zichtbaar werd onder zijn T-shirt. Ze verafschuwde de bezorgdheid die bezit van haar nam. Wie dacht hij wel dat hij was, dat hij haar emoties zo heen en weer kon laten slingeren?

Ze sloeg haar armen over elkaar. 'Wat verwacht je nou eigenlijk dat er hier gaat gebeuren?'

De spieren in zijn keel bewogen krampachtig. 'Ik verwacht niets.'

Juist ja. Alsof hij wist wat dat betekende. Ze liep de kamer in. 'Je komt hier gewoon zonder enige uitleg aanrijden, zelfs zonder even te bellen. Ik zou je gezegd hebben dat het huis niet meer opengesteld is voor het publiek.'

Hij incasseerde dat 'publiek' als een stomp in zijn maag.

Ze matigde haar toon, maar wat ze nu ging zeggen, zou nog harder aankomen. 'Ik ga geen hotel runnen. Ik werk weer samen met Brad. Ik heb de zilvercertificaten gebruikt om onze vennootschap te financieren.' Waarom voelde het zo slecht om zijn illusies weg te nemen?

Hij knikte stom, zonder veroordeling, ook al zou dat geld op zich als het zijne kunnen worden beschouwd.

Ze slaakte een zucht. 'Ik begrijp dat dit belangrijk is voor Antonia en ik heb natuurlijk ruimte genoeg.' Hoewel het haar kamer was. 'We hebben onze dagelijkse bezigheden, maar...' Ze zette haar handen in haar zij. 'Jullie kunnen blijven. Een poosje, in elk geval.'

Hij keek haar aan met ogen die maar iets minder hol stonden dan zijn stem klonk. 'Er is niets voor mij te doen.'

Ze keek hem stuurs aan. 'Je bent niet in staat iets te doen. Jezelf uithongeren mag dan misschien heel godsdienstig zijn, het is duidelijk niet erg gezond.'

Er verscheen een rimpel in zijn voorhoofd. Wat had het voor zin om hem een uitbrander te geven? Zijn geloof was altijd radicaal geweest. Hij was alleen nog een stapje verder gegaan. Dus wat maakte het uit dat hij eruitzag als Johannes de Doper met een oorbel? Plotseling kon ze wel huilen.

'Star is worstenbroodjes aan het opwarmen. Wil je –' Ze draaide zich om toen er iets langs haar arm streek. 'O, mam, dit is Lance.' Ze was vergeten te zeggen dat haar moeder nu bij haar woonde.

Zijn verbaasde blik dwaalde van haar naar haar moeder. Hij zwaaide zijn benen over de rand van het bed en stond op, een beetje wankel. Toen nam hij mams handen tussen de zijne. 'Wat geweldig om je te ontmoeten, Elaine. Daar heb ik een hele poos op gewacht.'

De oprechtheid op zijn gezicht deed pijn. Rese wendde haar blik af. 'Kom, mam. Dan kan Lance zich aankleden voor het ontbijt.'

Hoofdstuk 36

Wat een geweldige indruk maakte hij. Flauwvallen op de drempel; zich haar kamer toe-eigenen. Niet dat het wat uitmaakte. Hij had zijn kans gehad en die verspeeld. Ze mochten blijven – een poosje – maar dan zouden ze weg moeten. Hij slaakte een zucht. Waarom had nonna dit gevraagd?

Toen hij naar Reses badkamer liep, zag hij dat er een bed neergezet was in het kantoortje. Daar moest nonna vannacht geslapen hebben. Hij zuchtte. Hij had verwacht dat het moeilijk zou worden, maar op volkomen vernedering had hij niet gerekend. Flauwvallen voor Reses voeten?. *Kom nou toch, Heer.*

Hij sloot de deur van de badkamer en leunde er duizelig tegenaan. Worstenbroodjes uit de diepvries. Hij stapte onder de douche, in de hoop dat hij daar niet flauw zou vallen. Hij was wel niet zo heel erg vies, maar hij had in zijn kleren geslapen.

Het warme water deed zijn gewrichten goed en de uitputting zat niet meer zo diep in zijn spieren. Wat hem het meeste pijn deed, was dat Rese weer zo hard probeerde te zijn. Hij droogde zich af, poetste zijn tanden en haalde zijn vingers door zijn haar. Toen trok hij de spijkerbroek en de trui aan die boven op de ladekast lagen. Misschien had nonna die daar neergelegd.

Hij schoof zijn blote voeten in zijn bootschoenen en liep de kamer uit. De geur van worstenbroodjes deed hem bijna kokhalzen. Hij bad dat hij er een naar binnen zou kunnen krijgen. Eentje maar. En dat hij zichzelf niet voor gek zou zetten. *Dat bent U wel aan me verplicht.* Hoewel hij wist dat dat niet waar was.

Nonna zat aan tafel met Star en Reses moeder en hij ging bij hen zitten in de enig overgebleven stoel. Star schoof een bord naar hem toe. Rese was er niet.

'Ze is naar haar werk', zei Star.

O. Met Brad. Haar compagnon. Hij pakte het worstenbroodje op, keek naar het bruinige vet dat langs de buitenkant sijpelde. Hij bracht het naar zijn mond, verzamelde al zijn moed en nam een hap. Als hij niet tot last wilde zijn... Hij kauwde, slikte en hield het binnen.

Zodra hij zijn broodje op had, vroeg Star: 'Wil je er nog een? Er zit er nog een in het pak.'

Het was er al een te veel. 'Heb je iets van fruit?'

'Een perzik?'

'Graag.'

Star pakte een perzik van een schaal en legde die voor hem neer. Hij worstelde met het idee hem in zijn geheel op te moeten pakken en erin te moeten bijten, de ervaring van een volle mond met fruit. Star schoof een schilmesje op zijn bord. Hij wist niet of ze zijn worsteling gezien had en wilde het ook niet weten. Hij sneed een dun schijfje af en trok het los van de pit, waarbij het aroma vrijkwam. Dat liet hij even tot zich doordringen, zonder een poging te doen om te eten, om zichzelf de tijd te geven. Zielig, maar noodzakelijk, net als bij een invalide die weer moest leren eten. *God.*

'Rese weet niet hoe ze jouw aanwezigheid hier moet opvatten', zei Star.

Hij knikte. Dat was duidelijk en voorspelbaar. Hij had het haar weer aangedaan, misschien met opzet. Hij had kunnen bellen om te vragen of hij met nonna mocht komen, maar dat had hij niet gedaan, want als hij het op de juiste manier deed en het werkte niet, wat voor excuus had hij dan kunnen aanvoeren?

Voor God kon hij leeg en gebroken zijn, maar voor Rese? Hij was een Amerikaanse man van Italiaanse afkomst. Nou ja, op dat flauwvallen na, dan. Dat was puur Lance Michelli.

'Ze is weg', zei haar moeder. 'Weg, weg.'

De woorden lagen als een steen op zijn maag. Hij had gezegd dat hij bereid was om samen met haar te falen, maar hij had niet geloofd dat dat zou gebeuren en zelfs nu nog weerhield zijn trots hem ervan dat toe te geven. Maar zijn aanwezigheid had op haar de uitwerking van een rode lap op een stier. Hij had de schrobbering van vanmorgen wel verwacht, toen ze de kamer in was komen stormen. Maar ze was lang niet meer zo scherp als vroeger. Hij tilde het schijfje perzik op en beet erin. Het geurige sap vulde zijn mond. Intens, maar makkelijker dan het worstenbroodje.

'Weg, weg', zei Elaine. 'Het groen is bij het groen. Het blauw is bij het blauw. Maar het bruin...' Ze keek op. 'Weet je het?'

Hij glimlachte naar de vrouw die zoveel op Rese leek. 'Ik wou dat ik het wist.' Toen zei hij tegen Star: 'Ik wil Rese niet uit haar bed houden. Gebruikt iemand het koetshuis?'

'Nee, maar...' Ze keek naar nonna.

Hij vroeg haar: 'Vindt u het erg als we daar gaan slapen, nonna, zodat Rese haar eigen kamer weer kan gebruiken?'

Ze haalde haar schouders op. 'Best. *Bene*.' Haar kleur was goed deze morgen, de uitdrukking op haar gezicht vredig. Hij was van plan geweest haar goed in de gaten te houden, om ervoor te zorgen dat de spanning van het weerzien haar niet te veel zou worden. Maar in plaats daarvan was hij flauwgevallen.

Star sneed een schijfje van zijn perzik en at het op.

Hij liet de rest voor haar liggen en liep naar het raam. 'Nonna kan de slaapkamer daar wel gebruiken. Dan zet ik het bed wel in de andere kamer.'

Star haalde haar schouders op. 'Als je dat wilt.'

Hij moest het. Hij kon het niet verdragen nog een nacht in Reses kamer door te brengen en als hij uit haar buurt bleef, zou het voor haar misschien ook niet zo moeilijk zijn. Hij vermoedde dat nonna meer op het oog had dan alleen haar eigen genezing, maar ze wist niet hoe onafhankelijk Rese kon zijn.

Rese klom de ladder op naar het dak van het huis dat ze aan het renoveren waren. Ze hadden met hun offerte hun grootste concurrent afgetroefd. Het bezorgde haar nog altijd een schok om Barrett Renovaties als iets vreemds te beschouwen. Het was een goede les om nooit meer beslissingen te nemen tijdens een crisis. Er was nu geen enkele Barrett meer betrokken bij die ploeg, hoewel pa's reputatie hen draaiende hield. Ze zou daar geen problemen mee hebben als ze ook maar probeerden naar zijn maatstaven te leven, maar de dingen die Brad haar verteld had en die ze zelf gezien had bij de twee openbare gebouwen die ze gerenoveerd hadden, toonden de juistheid aan van haar besluit iets echt goeds aan te bieden – Plocken en Barrett. Brad had net zo goed een Barrett kunnen zijn door alles wat hij van pa geleerd had en zijn trouw aan die principes. Ze respecteerde hem meer dan ze beseft had. En vice versa.

Maar toen hij opkeek vanuit zijn geknielde houding op het dak, wenste ze dat hij haar niet zo lang gekend had, want zijn 'Wat is er?' hield meer in dan ze kwijt wilde. Misschien kwam het door de riem om zijn heupen of door de hoogte van het pannendak, maar ze had in een flits teruggedacht aan de keer dat Lance naar boven geklommen was om haar te redden van de kalkoengieren. En nu herinnerde ze zich de vraag niet meer waarvoor ze het dak op gekomen was.

'Rese?'

'Wat is er?'

'Ik denk dat je ergens voor naar boven kwam.' Hij was geconcentreerd bezig geweest en ze had hem gestoord.

'Eh...'

'Gaat het wel met je?'

'Natuurlijk wel.' Ze stond op de nokbalk en dacht aan Lance, die moed probeerde te verzamelen om de schoorsteen los te laten. Ze had hem volkomen voor schut gezet. Wat had hij ooit in haar gezien? Maar hij had zijn eigen agenda gehad. Ze hapte naar adem. De villa.

Hij en Antonia daar samen. Had hij besloten haar de villa afhandig te maken? Terug te nemen wat Antonia verloren had? Hij leek niet in staat tot een gevecht, maar hij had haar eerder om de tuin geleid. Misschien was het allemaal komedie om te zorgen dat ze hem binnenliet. Ze kon geen aanspraak maken op haar bezit als ze op het terrein waren, de beide partijen die een eigendomsakte hadden. Maar dat voelde niet goed. Niet dat ze wist wat ze moest voelen.

Brad pakte haar bij haar elleboog. 'Zeg eens?'

'Ik...' Ze huiverde.

'Sta te genieten van het uitzicht?'

'Nee, ik... ik...'

'Sta in de weg?'

'O. Sorry.'

Brad leek zich niet bewust van de kou die omhoogsteeg, terwijl hij een sigaret uit het pakje in zijn jaszak klopte. 'Wat gaat er in je om?'

'Niets.'

'Bedenkingen?'

'Nee. Het heeft niets te maken met jou of met het bedrijf. Ik moet weer aan het werk.'

Hij hield nog altijd haar elleboog vast en zelfs dat deed haar denken aan Lance.

'Brad, waarom is jouw huwelijk mislukt?'

Hij trok een rimpel in zijn voorhoofd. 'Op het feit na dat ze onredelijk en vervelend was?'

Rese kromp ineen. Hij had haar kunnen beschrijven.

Hij haalde zijn schouders op. 'We pasten niet bij elkaar, denk ik. We werden gek van elkaar.'

'En je hebt nog geen betere vrouw gevonden?'

Hij stak de sigaret tussen zijn lippen en knipte zijn aansteker aan. 'Ik heb er niet naar gezocht.'

'Waarom niet?'

'Omdat... ze de vergelijking niet zou kunnen doorstaan.'

Ze keek hem aan. 'Je houdt nog steeds van haar.'

Hij nam een trek, diep en langzaam. 'Soms gaat het gewoon zo.'

'Is ze getrouwd?'

'Dat is ze een poosje geweest. Nummer twee duurde nog korter. Maar het verloste me wel van de alimentatie.' Hij keek naar de sigaret in zijn hand. 'Niet dat dat haar ervan weerhoudt om geld te vragen als ze tekortkomt.'

Rese nam hem opmerkzaam op. 'Geef je het haar?'

Hij ontweek haar blik. 'Ik heb genoeg. Ik hield er alleen niet van dat een rechtbank me vertelde wat ik moest doen.'

Rese zette haar handen in haar zij. 'Hoe komt het dat ik dat niet wist?'

'Je was nou niet bepaald toegankelijk.' Hij blies de rook uit door zijn neus. 'Vernon dacht dat je daar wel overheen zou groeien, maar...'

'Waar overheen?'

'Je behoefte aan controle, greep op de wereld, wat dan ook.'

Haar mond viel open. 'Heeft hij dat gezegd?'

Brad hief een hand op. 'Maak je niet druk.'

Niet druk. Pa had haar een controlfreak gevonden en Brad zei dat ze zich niet druk moest maken? 'Wat vond hij nog meer van me?'

'Dat je een natuurtalent was, de beste vakman – vakvrouw – die hij ooit gezien had.'

Dat had ze geweten, hoewel hij het nooit met zoveel woorden tegen haar gezegd had.

'Hij was vreselijk trots op je, Rese. Dat waren we allemaal.'

Haar keel kneep dicht. 'Dat zal wel.'

'O, er waren er een paar die je niet konden uitstaan.' Hij nam een trek. 'Maar je was zoiets als onze mascotte. Aan de ene kant schaam je je ervoor dat het schattig is en aan de andere kant zou je er alles voor doen om het te beschermen.'

Ze vernauwde haar ogen iets. 'Beschermen? En al die rotgeintjes dan?'

'Je had alleen maar hoeven laten merken dat je er last van had. Maar je was zo'n taaie. De grootste uitdaging die de jongens hadden.' Hij schoot in de lach.

Ze klemde haar kaken op elkaar. 'Je zou denken dat volwassen mannen over het pesten van kleine meisjes heengegroeid waren.'

'Terwijl jij het op hen gemunt had? Ze in een kwaad daglicht stelde tegenover Vernon Barrett, de meest veeleisende leermeester van de wereld?'

'Dat deed ik niet...' Maar ze vermoedde dat ze ieder foutje dat ze vond aan het licht bracht. Kon zij het helpen dat ze alles zag?

Hij werd weer serieus. 'Maar ik zou Sam en Charlie wel ontslagen hebben.'

Het bloed vloog naar haar gezicht. Had hij het geweten?

'Het probleem was dat je het niet tegen je vader vertelde. Het was niet aan mij om het hem te vertellen omdat jij het al anders opgelost had. Maar ik zorgde er wel voor dat Vernon ze in zijn ploeg nam, toen jij de andere kreeg.'

Ze keek hem met open mond aan. Had hij haar beschermd, terwijl zij de baan kreeg die hij gewild had?

'Vernon kon tamelijk blind zijn.'

De tranen prikten in haar ogen. Ze probeerde ze uit alle macht tegen te houden.

'Toen je een jaar of achttien was, raakte ik verkikkerd op je.' Hij tikte de as van zijn sigaret.

Ze kauwde op haar lip. 'Waarom?'

'Ik denk dat ik een zwak voor moeilijke vrouwen heb.'

Ze keek hem kwaad aan.

'Mijn vrouw was net hertrouwd en...' Hij drukte zijn peukje uit op een dakpan en gooide het toen in de dakgoot. 'Ik weet het eigenlijk niet.'

Rese schudde haar hoofd. 'Het lijkt wel of we allemaal in een andere wereld leefden. Over belangrijke dingen werd niet gesproken.'

Hij knikte. 'Ga je me nu vertellen waarom je naar boven gekomen bent?'

Ze verslikte zich bijna. Ze had zich wel erg in de kaart laten kijken. 'Het gaat niet om – Lance is teruggekomen.'

'Die vent met die schop?'

Toen Brad langskwam, was Lance in de tuin aan het werk geweest, misschien met een schop. Ze knikte. 'Ik weet niet goed wat ik ermee aan moet.'

'Wat wil je?'

'Dat weet ik niet.' Ze voelde zich ongemakkelijk onder zijn onderzoekende blik.

'Nou, dan moet je daar achter zien te komen.'

Ze snoof. 'En dat zegt de man die van zijn ex-vrouw houdt en daar niks aan wil doen?'

'Daar is niks meer aan te doen.'

'Lafaard.'

Hij zei met een scheef lachje: 'Ik heb geen behoefte aan advies van een snotaap.'

Ze sloeg haar armen over elkaar. 'Ook niet als ik gelijk heb?'

'Heb je ooit weleens ongelijk?'

Ze slikte. 'Misschien. Soms.'

'Ik wou dat ik dat een paar keer op band had staan.'

Ze stak haar kin omhoog. 'Jij was zo koppig als een ezel.'

'En jij zo mak als een lammetje, neem ik aan?'

Ze stak haar handen in de lucht. 'Goed, goed. Wapenstilstand. Ik ga naar beneden. Je hebt al genoeg tijd verspild.'

Hij grinnikte. 'Zeg dat wel.'

Toen ze bij de ladder kwam, herinnerde ze zich wat ze eigenlijk had willen vragen en riep het hem toe. Hij riep het antwoord terug en ze wankelde even op de ladder bij de herinnering aan het ruwe aluminium, waar ze met haar zij op gevallen was toen ze Lance wilde laten zien hoe flink ze was. Ze rolde met haar ogen. Ze was lang zo flink niet als ze voorgewend had.

De werkploeg ging om half zes naar huis. Een uur later kwam Brad naar haar toe. 'Kom, we stoppen ermee.'

Maar zij had dan nog wel geen antwoorden gevonden, maar wel rust door het werken met het hout en wilde nog niet stoppen.

'Ik vind het niet prettig als je alleen op de bouwplaats achterblijft.' Hij zei het niet met zoveel woorden, maar ze wist dat hij dacht dat een ongeluk in een klein hoekje zat.

Als ze daaraan zou gaan denken, zou ze een paniekaanval krijgen, maar ze zou haar gedachten niet laten afdwalen. 'Ik zal voorzichtig zijn.' Ze schoof haar veiligheidsbril weer op haar neus. 'Je hoeft me niet te beschermen.' Hun mascotte. Het bleef haar dwarszitten, maar aan de andere kant...

Hij haalde zijn schouders op, wetend dat het geen zin had om ertegenin te gaan. 'Tot morgen dan.'

Ze knikte, terwijl ze de volgende plank alweer op zijn plaats schoof.

Een hele poos later reed ze de rit van anderhalf uur terug naar huis. Het huis was stil en ze sloop naar binnen, angstvallig zorgend dat ze nergens tegen aan zou lopen in het donker. Ze zou alleen even kijken of alles goed was met iedereen en dan gaan slapen. Ze liep door de keuken, verbaasd dat de deur naar haar woongedeelte openstond. Maar ze trof beide kamers leeg aan. De schok daarvan was net zo pijnlijk als zijn komst. Ze drukte een vuist tegen haar keel. Hij was de wreedste, onattentste man die ze ooit gekend had.

Dat zij een paar dingen gezegd had, betekende nog niet – Waarom was ze zo lang op de bouwplaats gebleven? Om te bewijzen dat het haar niks kon schelen? Ze ontspande haar vuisten. Hij was dus weg. Hij had waarschijnlijk een taxi gebeld om zijn oma naar het vliegveld te brengen en was toen met zijn Harley zonder helm dwars door het land teruggereden met zijn hond. Zijn hond!

Het huis leek verschrikkelijk leeg. Geen Baxter die over de keukenvloer trippelde; geen Baxter die tegen haar benen opsprong; geen Baxter die zich op haar bed oprolde. Ze liet zich wanhopig op het bed vallen. Geen Baxter; geen Lance. Ze had hen weggejaagd door het hem in zijn gezicht te wrijven; haar compagnonschap met Brad, het einde van het hotel.

'Er is hier niets voor me te doen.' Dat had duidelijk op zijn gezicht te lezen gestaan.

Terwijl dingen doen juist belangrijk was voor Lance. Ze had hem laten zien dat hij niet belangrijk was. Had hij gewacht, in de hoop dat ze thuis zou komen, zodat hij afscheid had kunnen nemen? Zelfs daar had ze hem de kans niet voor gegeven.

Ze sloeg haar handen voor haar gezicht. Had hij er niet aan gedacht dat Antonia misschien wel langer had willen blijven? Ze sloot haar ogen. Misschien had hij niet meer kunnen verdragen. Evenmin als zij. Brad had gezegd dat ze erachter moest zien te komen wat ze wilde. Dat maakte nu niet meer uit.

Zonder zich uit te kleden rolde ze zich op op het bed en besefte dat het beddegoed verschoond was. Het rook niet meer naar Lance, alleen naar wasverzachter. Hij of Star had ieder spoor van hem weggewassen. En toen kwamen de tranen, die het kussen doorweekten met ingehouden snikken.

Hoofdstuk 37

Lance liet Nonna slapend achter in het koetshuis en stapte met Baxter de keuken van de oude villa binnen, waar hij ooit deel had willen uitmaken van iets bijzonders. Die plannen waren zonder hem gewijzigd, maar hij had nog steeds de drang om iets te doen. Hoewel het hun schema misschien in de war zou gooien, hoopte hij dat ze het niet al te erg zouden vinden als hij het ontbijt zou klaarmaken. Eten was moeilijk geworden, maar eten klaarmaken voor anderen ging altijd goed.

De voorraadkast zat nog altijd vol met de houdbare spullen die hij besteld had. Hij pakte meel en bakpoeder en keek of er nog eieren in de koelkast lagen – genoeg voor een luchtig beslag. Hij zou perziken karameliseren voor de vulling. Slagroom erbij zou lekker geweest zijn.

Die zou hij kunnen gaan halen, maar de Harley was tamelijk luidruchtig. Hij had er gisteren op gereden, verbaasd dat hij startte, totdat Star hem vertelde dat ze hem een paar keer gestart had om hem gesmeerd te houden. Rese had daar niet aan gedacht, of had gehoopt dat het ding een langzame en pijnlijke dood zou sterven. Zodra hij hem had horen snorren, had hij de gitaar op zijn rug gebonden, Baxter voorop gefloten en was hij ervandoor gegaan. Maar hoeveel kilometer ze ook gereden hadden, hoeveel uur ze ook op het koude heuveltje hadden gezeten, terwijl hij een nieuw nummer schreef over deze fase in zijn leven, zijn hart had hem teruggeroepen.

Hij wreef met zijn hand langs zijn ogen, wetend dat hij zou kunnen verliezen. Nonna had Rese alles verteld en dat had niets uitgemaakt. Ze had genoeg van alle moeilijkheden waarin hij verzeild raakte. Maar hij was gewoon overmoedig genoeg om het te blijven proberen.

Toen hij de douche in haar woongedeelte hoorde, bakte en vulde hij haar pasteitje en zette het op tafel. Toen liep hij, met Baxter die niet van zijn zijde week, door de frisse, nevelige ochtend naar het koetshuis om te kijken of nonna al wakker was. Ze kwam net uit de slaapkamer toen hij binnenkwam, één knoop van haar vestje overgeslagen, maar verder gewassen en aangekleed.

De lange grijze vlecht hing op haar rug. Mama zou hem opgestoken hebben, maar hij vond dat niet belangrijk. 'Goedemorgen, nonna.' Hij gaf haar een kus op haar wangen.

Ze keek hem recht aan. 'Ik wil n...aar b...eneden.'

'Beneden?'

Ze liep naar het luik, dat toegang gaf tot de tunnel en de kelder eronder. Meende ze dat nou echt? Ze waren onderweg hierheen bij nonno's graf gestopt. Ze hadden de meter in de taxi laten lopen, terwijl hij haar liet zien waar hij Quillan Shepard te ruste had gelegd, waar anderen haar vader begraven hadden. Ze had hem met tranen in haar ogen bedankt, maar was niet ingestort en hij had haar opluchting en de vrede dat het afgerond was gevoeld.

Onder hen was de plek waar nonno Quillan gevallen was, waar ze hem voor het laatst in leven had gezien op de avond dat ze verdreven was uit haar huis. Waarom zou ze dat opnieuw willen beleven? Maar de uitdrukking op haar gezicht duldde geen tegenspraak. Hij zei: 'Dan hebben we een lamp nodig.'

'D...aar.' Ze wees naar de slaapkamer.

Hij zuchtte en pakte de zaklamp die hij maanden geleden uit Reses werkplaats had gepikt en zonder dat ze het wist in het koetshuis gehouden had om de tunnel te verlichten. Nonna hoefde je niks wijs te maken. Hij nam hem mee en gaf hem haar. 'Weet u het zeker?'

Ze knikte.

Hij ging op zijn hurken zitten, drukte op het ontgrendelingsmechanisme, tilde het blok van vier stenen op en keek naar binnen. Dat zwarte gat had hun beiden een hoop moeilijkheden bezorgd, maar als nonna naar beneden wilde, zou hij haar naar beneden brengen. Het zou haar nooit lukken om de trap, die bijna net zo steil was als een ladder, af te komen en hij was nou niet bepaald zo fit als een hoentje, maar hij zou het proberen. Het was maar goed dat ze zo klein was.

Uiterst voorzichtig droeg hij haar de trap af en zette haar op haar voeten.

Ze draaide zich om en keek omhoog. 'De vorige k...eer werd ik die trap opged...ragen.'

'Door nonno Marco?'

Ze knikte. 'T...oen ik niet weg wilde, gooide hij me over zijn s... chouder en s...leepte me mee.'

'De beste manier om met koppige vrouwen om te gaan.'

Ze grinnikte.

Baxter stond bij het gat te janken. Toen zijn betovergrootvader nog in de tunnel lag, had hij de hond niet naar beneden laten gaan, omdat hij niet wilde dat het gebeente verstoord werd. Nu floot hij zachtjes en klauterde Baxter naar beneden. Lance liep terug om nonna's looprek te halen en zorgde toen dat ze het goed vasthield.

Ze keek de tunnel in en haar luchthartigheid verdween toen hij met de zaklamp wees; toen begon ze langzaam te lopen. Ze kwamen bij de ijzeren deur en gingen die door. Ze bleef staan op de plek waar hij Quillans geraamte gevonden had. De lantaarn stond nog tegen de muur, opgedroogd en nutteloos, nadat hij zijn brandstof verbrand had. Ze boog haar hoofd. Hij kon haar gezicht niet zien, maar stelde zich voor welke uitdrukking erop zou liggen.

'Gaat het wel?'

'Zo... zinloos', mompelde ze. 'Arme n...onno.'

'U was bij hem toen hij stierf.'

Ze zuchtte. 'Papa had niemand.'

'Hij had de Heer. Hij stierf om u te beschermen.'

Ze knikte. 'Ze w...isten dat hij zou k...omen.'

'Hij moest wel.' Want als het erop aankwam, moest een mens doen wat er van hem gevraagd werd. Wat het hem ook kostte.

De wijn lag er nog, hoewel Rese het geld, dat onder een van de rekken verborgen had gelegen, had gebruikt. Het kon hem niet schelen. Hij had geleerd wat overgave was. En misschien was het nog niet voorbij.

Rese bleef verward bij de tafel staan. Het volle, perzikachtige aroma van de vulling in het knapperige, romige omhulsel raakte haar als een stomp in haar maag. Hoe kon dat daar staan, zonder dat...

Ze draaide haar hoofd met een ruk naar het raam. Geen teken van leven in het koetshuis. Had hij Antonia naar boven gedragen? Ze rende naar boven en keek, maar de enige kamers die in gebruik waren, waren die van Star en mam, en die lagen allebei diep te slapen. Dus Star had het niet klaargemaakt, ook al zou ze Lances recept gebruikt kunnen hebben – ware het niet dat hij hun dat recept niet gegeven had. Ze ging weer terug naar de keuken. Verbeeldde ze het zich soms? Was dit de eerste psychose? In haar ellende was ze misschien de een of andere grens overgegaan, was ze misschien een barrière gepasseerd en had ze haar eigen werkelijkheid geschapen, waarin Lance nog altijd heerlijke dingen klaarmaakte en ze als cadeautjes voor haar achterliet. Zou ze er een hap van nemen? Zou dat de illusie versterken?

Ze keek wantrouwig naar het pasteitje, alsof het een test was dat het daar stond. Als ze er weerstand aan bood, zou het dan verdwijnen? Zou ze Lance kunnen laten verdwijnen voordat hij zich net als Walter zou verschansen? Stel dat mam haar onzichtbare vriend niet was blijven uitnodigen? Stel dat ze naar haar dochter de controlfreak geluisterd had en geweigerd had mee te spelen? Misschien hadden ze dan allemaal nog lang en gelukkig geleefd.

Rese deed een stap achteruit en toen nog een. 'Ik eet het niet, ik geloof niet dat het er staat.' Nog een stap en toen ging de deur van de voorraadkast achter haar open. Ze draaide zich met een gil om, maar het waren Antonia, die er een beetje behuild uitzag, en Lance, die het paneel in de achterwand sloot, waarop zij ooit in doodsangst vanwege de inktzwarte duisternis aan de andere kant had staan bonken.

Ze had de tunnel bijna uit haar gedachten gebannen en toen de herinnering aan die vreselijke tocht haar weer te binnen schoot, trok ze een rimpel in haar voorhoofd. Antonia kwam uit de voorraadkast tevoorschijn, zwaar leunend op haar metalen looprek. Een goed hulpmiddel, maar niet om door een donkere tunnel te lopen, waar van alles op de loer kon liggen. Rese huiverde.

Hoewel haar gezicht een verklaring eiste, keek Lance langs haar heen. 'Je hebt je ontbijt niet opgegeten.'

'Nee, ik...' Ze keek weer naar het pasteitje, dat onschuldig op de tafel koud stond te worden en keek hem toen kwaad aan. 'Waar was je?'

Hij trapte een open deur in. 'We zijn door de tunnel gekomen, via het koetshuis.'

'Hebben jullie daar geslapen?'

'Heeft Star je dat niet gezegd?'

'Ik heb haar niet gezien.' Ze zette haar handen in haar zij. 'Vind je het niet gevaarlijk om Antonia mee te nemen door die tunnel?'

'Het is m...ijn schuld. Ik heb het gev...raagd.' Antonia ging op de stoel zitten en nam een hap van het pasteitje met perzikvulling.

Lance deed de deur van de voorraadkast dicht.

Rese sloeg haar armen over elkaar. 'Jij bent duidelijk weer beter.' Hij stond in elk geval weer op zijn benen, hoewel hij de hare onder haar vandaan geslagen had.

'Ik weet niet waarom ik flauwviel. Het kwam door de vlucht of zo.'

'Of zo.'

Hij keek een andere kant op, omdat hij kennelijk geen zin had om te bekvechten. En waarom wilde zij dat wel? Ze had de hele nacht liggen treuren om zijn vertrek. Nu stond hij voor haar neus en kon ze hem alleen maar de huid vol schelden. 'Ik dacht dat je weg was.'

'Je zei dat we mochten blijven.' Hij fronste zijn wenkbrauwen en keek even naar Antonia.

Rese keek ook, maar Antonia zat rustig te eten, hapje voor hapje. Een duidelijke vooruitgang. Ze kon duidelijk haar zinnen ergens op zetten en dat volbrengen. Maar wat wilde ze eigenlijk volbrengen?

Lance liep naar het fornuis. 'Ik zal er nog een voor je maken.'

Rese wilde hem bijna toesnauwen dat hij geen moeite hoefde te doen, maar zijn hand trilde toen hij de beslagkom pakte. Wat had hij zichzelf aangedaan? Andere mensen dienden God ook, mensen als Chaz en Michelle, zonder fysieke en emotionele schade. Maar Lance? Lance moest het moeilijk maken.

Reses boosheid was voelbaar, hoewel ze het niet wilde laten zien. De uitdrukking op haar gezicht was volkomen stoïcijns. Hij wou dat ze ergens mee zou gooien, zou gillen, schreeuwen, hem zelfs zou knijpen en zou huilen, maar nee, ze zou hem ijzig behandelen.

Hij zette het hete, knapperige pasteibakje op een voorverwarmd bord en vulde het met gekarameliseerde perziken, bestrooide het met poedersuiker en sprak er een zegen over uit. Rese bedankte hem toen hij het voor haar neerzette en daarna duurde de kilte voort.

Hij keek omlaag naar Baxter, die met hem meeleefde, maar zijn eigen uitverkoren status niet op het spel wilde zetten. Met zijn kop op Reses knie, zeiden zijn ogen: 'Hier moet je jezelf maar uit zien te redden.'

Hij had hun relatie voor haar bestwil verbroken. Hoe had hij kunnen weten wat God van plan was? Het had een andere kant op kunnen gaan en haar in gevaar kunnen brengen. Hij had gedaan wat hij had moeten doen, maar hij bedacht dat de Bijbel zweeg over de reacties van de vrouwen op de daden van de mannen. Hoe had Sara gereageerd toen Abraham haar vertelde dat hij de berg op zou gaan om hun zoon te offeren? *'Goed, schat, maar ben je wel op tijd thuis voor het eten?'* En zij hadden al een huwelijk van een eeuw om op terug te vallen. Hij had twee afgewezen huwelijksaanzoeken en was meer uit de gratie dan erin.

Rese had er een radicale streep onder gezet; ze had een nieuwe compagnon, een nieuwe richting, geen hotel meer – ze had hem totaal niet meer nodig. Waarom kon hij het dan niet loslaten? In de ogenblikken voor hij aan haar voeten flauwgevallen was, had hij geweten dat God nog niet klaar was met hem. Maar Rese misschien wel.

Star schonk hem een spottend lachje toen hij haar haar pasteitje opdiende. Haar ontging niets en ze leek zijn situatie amusant te vinden. Ze hadden gisteren gepraat en ze had hem verteld dat Rese de voogdij had gekregen en dat Elaine bij hen ingetrokken was en zelfs vooruitgegaan was sinds ze bij hen woonde. Elaine had door het huis gedwaald en had er zo nu en dan haar eigen opmerkingen tussendoor gegooid.

Dat had Rese ook voor elkaar gekregen, een thuis voor haar moeder scheppen. Was dat een goed voorteken voor hem? Als Rese Elaine kon vergeven – hij kon er maar beter niet op rekenen. Rese maakte een duidelijk onderscheid tussen de beperkingen van haar moeder en die van de rest van de wereld. Die van hem in het bijzonder.

Toen Star ernaar vroeg, had hij haar verteld dat Rico het schilderij in zijn kamer gehangen had, dat hij het iedere dag bij het ontwaken zag en veel nadacht over de compositie ervan... of zo. Ze ging er niet verder op door, maar zei alleen: 'Bedankt dat je me uit New York weggehaald hebt. Ik weet dat het niet fraai was.' Maar ze leek het allemaal achter zich gelaten te hebben. En ze leek gelukkig. Was Rese ook gelukkig? Nu niet, in elk geval.

Hij gaf Elaine haar pasteitje en ging toen zitten om er zelf een op te eten. Hij dwong zichzelf te eten zonder zich belachelijk te maken, maar voor hij een hap had kunnen nemen, had Rese haar bord al leeg en bracht het naar de gootsteen.

'Dat doe ik wel', zei hij, maar ze waste het al af. Natuurlijk zonder enig commentaar op het eten. Dat zou goedkeuring inhouden. Binnen enkele tellen was ze de deur uit. Hij liet zijn hoofd achterovervallen en sloot zijn ogen.

'"Wat neep de vorst, de zon verschool zich schuw"', mompelde Star.

'En geen dooi in zicht', antwoordde hij.

'A...lles op zijn tijd.' Nonna knikte veelbetekenend.

Maar Elaine zei: 'Ze is weg, weg, weg.'

Hoe ze het ook probeerde, Rese kon zich er niet toe zetten langer te blijven. Brad vroeg zelfs of ze wou overwerken en dat was haar kans om ja te zeggen. Maar ze ging naar huis en werd bij binnenkomst omhuld door de hemelse geuren van iets wat in haar mond een Baxter-achtige reactie opriep. Lance en Antonia stonden samen bij het fornuis concludeerde ze, te oordelen naar de gesprekken die vanuit de keuken boven de muziek uit te horen waren. Star had in de eetzaal tafels tegen elkaar aan geschoven en versierd met zijden rozen en kandelaars. Het was alsof ze *Eigen huis en tuin* binnenliep.

Rese glipte zonder iets te zeggen langs hen heen, friste zich wat op en trok andere kleren aan. Toen vermande ze zich en voegde zich bij de anderen in de keuken. Vanwege de opera, die schalde uit de Bose-geluidsinstallatie die Star met geld uit haar trustfonds gekocht had, had Lance haar niet horen binnenkomen. Prettig onzichtbaar keek ze toe hoe hij mam een blokje kaas gaf van een hoopje dat hij klaar had liggen voor elke keer dat ze hem een por met haar hand gaf.

Ze stopte het in haar mond en liep naar de muur, waar ze met een arm in de lucht ging staan. 'Het patroon is heel belangrijk. Als je het niet begrijpt. Altijd groen bij groen. Het groen bij het groen.'

Lance hield een takje van iets onder nonna's neus. Ze knikte en hij wreef het over wat het ook was in de steelpan. Opnieuw leek alles om hem te draaien en voordat dat in orde zou kunnen lijken, probeerde Rese naar haar woongedeelte weg te glippen. Maar Lance draaide zich om en zag haar daar. Waarom moesten zijn gevoelens altijd zo op zijn gezicht te lezen zijn? En wat moest zij daarmee?

Een klop op de keukendeur verbrak hun blik. Rese trok de deur open en Michelle omhelsde haar hartelijk – haar eigen schuld; dan had ze daar zelf maar niet mee moeten beginnen toen Michelle er de vorige keer was. Baxter kwam met grote sprongen op haar af en wilde tegen haar opspringen, maar Lance zei zijn naam op een toon die hem in plaats daarvan deed zitten en kwispelen.

'Wat ruikt het hier heerlijk!' Michelle liep naar het fornuis en raakte niet uitgepraat over het verrukkelijke aroma.

Dat kon Lance nou net gebruiken, nog iemand die met hem wegliep. Hij gaf de complimentjes door aan nonna, maar Rese wist hoe hij iedere blijk van waardering voor het eten dat hij klaarmaakte opzoog. Wat voor moeite hij ook had met eten, het had hem er duidelijk niet van weerhouden om het klaar te maken. Ze wist niet wat ze daarvan moest denken en trouwens, het was haar probleem niet. Waarom dachten mensen toch altijd dat zij problemen kon oplossen?

'Ik kan er nog wel een bord bij zetten, hoor', zei Star.

Wat? Rese sloeg haar armen over elkaar. Had zij hier nog iets te zeggen? Ze had hard gewerkt. Ze was moe.

'Hoe kan ik dat afslaan, als er twee professionele koks aan het werk zijn?'

O, niet professioneel. Daar had je diploma's voor nodig.

Michelle vroeg: 'Lange dag gehad?'

Ja, ik heb gewerkt. Fijn dat je het opmerkt. Rese hield haar opmerking binnen en knikte.

'Ik wilde je iets vragen. Een soort gunst.'

Geweldig. Rese wachtte.

'Wat voor gunst?' zei Star.

'Nou, ik heb een meisje dat in een penibele situatie zit. Ze spreekt haast geen Engels en ik weet niet of ze wel een verblijfsvergunning heeft. Maar ik dacht aan jou met al die kamers. Het zou niet permanent zijn. Alleen tot de baby er is, of ze iets anders gevonden heeft.'

Baby? 'Je maakt zeker een geintje?' Ze had het eruit geflapt voor ze het wist.

Star lachte.

Rese haalde eens diep adem en kreeg zichzelf weer onder controle. 'Ik bedoel...' Wat bedoelde ze?

Michelle stapte over haar opmerking heen. 'We zouden wat uit het hulpfonds kunnen geven om te helpen met het eten en de luiers.'

'Eten en luiers', zei mam vanaf haar plekje bij de muur.

Rese fronste haar wenkbrauwen. 'Luiers komen pas na baby's, of tegelijkertijd. Ik bedoel, als ze iets anders gevonden zal hebben.'

Star lachte weer.

Mam verliet haar plekje en stak haar hand uit voor nog een blokje kaas. Lance gaf het haar en draaide zich weer om naar het fornuis. Star en Antonia keken hoe ze weer terugliep naar haar plekje bij de muur. Niemand leek te reageren op Michelles vraag. Wachtten ze allemaal tot zij zou zeggen wat iedereen dacht? We zijn niet ingesteld op een baby, of op vreemden, of...

Rese liet zich tegen de tafel aan zakken. 'We zouden erover moeten praten.'

'Ja, natuurlijk.' Michelle wuifde haar woorden weg. 'Ik weet dat ik je ermee overval, maar ze woont nu in een bouwval, en dat kan toch niet gezond zijn voor de baby?'

Het daalde als een loden last op haar neer. Ze kon niet nog een probleem op zich nemen. 'Ik weet het niet...' Ze keek van mam naar Star naar Antonia naar Lances rug en wenste dat zij een dag of twee buiten westen zou zijn.

'Het eten is klaar', zei Lance.

Het geroosterde varkensvlees met de saffraanrijst in een lichte, geurige saus, de knapperige sperzieboontjes en een soort plat brood waren heerlijk, maar ze kreeg het net zo moeilijk naar binnen als Lance. Ook al had ze twee koks en drie volle gastenkamers, ze wilde schreeuwen: 'Ik run geen hotel!'

'Voorzover ik het begrijp,' zei Michelle, 'is Maria met de seizoenarbeiders meegekomen, maar zijn sommigen van hen niet verder getrokken. Ze wonen met zijn zevenen in een kamer, zes mannen en zij en ze is wat vaag over de vader.'

Rese sloot haar ogen. Ze begreep best dat Michelle bezorgd was, maar zij had haar eigen zorgen. Wat gebeurde er met het plan dat ze gemaakt had? Samenwerken met Brad, voor mam zorgen, een plekje voor Star hebben zolang ze dat nodig had.

'En aangezien ze pas zestien is –'

'Zestien!' Rese keek naar Star, aan de andere kant van de tafel. Ze had zitten wachten tot ze door het lint zou gaan, maar in plaats daarvan was ze heel stil geworden. Rese begreep de boodschap. Hoeveel kon een zwangere zestienjarige nu eten?

Maar daar ging het niet om. Er zou een baby zijn, en hoe zou Maria kunnen werken en kinderopvang kunnen betalen? En dan had je mam nog. Stel dat ze de spanning niet aan zou kunnen? En stel dat Star weg zou gaan? Rese moest werken, anders zou er geen geld binnenkomen.

Ze had Lance de hele maaltijd ontweken, maar net als Baxter, die zichzelf op de plek van een wond bleef bijten, keek ze hem nu aan en vroeg: 'Wat vind jij ervan?' Terwijl ze haar tong wel had willen afbijten omdat ze hem het idee gaf dat zijn situatie allesbehalve tijdelijk was en dat zijn mening ertoe deed.

Hij probeerde haar te doorgronden, maar toen ze hem niet liet merken wat er in haar omging, haalde hij zijn schouders op. 'Nonna houdt van baby's.'

Antonia knikte, waarbij haar mond in een scheef lachje trok.

Rese richtte zich tot Michelle. 'Maria zou uitgezet kunnen worden.'

'Ze zal waarschijnlijk eerst bevallen. Dat duurt niet lang meer.'

'Hoe lang?'

'Ik denk binnen een maand.'

Reses mond viel open.

'Ik kom er wat laat mee', erkende Michelle.

Waarom begonnen al haar redenen op uitvluchten te lijken? Het waren geldige redenen. 'Ik ben niet vaak thuis. Het zou op jou neerkomen, Star.'

'"Hoe vaak bewerkt het zien van 't goede werktuig de goede daad!"'

'Het zou kunnen dat je niet meer aan schilderen toekomt.'

Star spreidde haar armen. 'Zo zijn de grillige wegen van het lot.'

Tja, welke keus had zij dan nog, met het oog op zulke grillige wegen? 'Hoe zit het met een arts, en alle babyspullen?'

'Een vroedvrouw in de kerk heeft zich over haar ontfermd. Liefdewerk.'

Wat inhield dat ze het gratis deed, nam ze aan, en als anderen zo gul waren, wat voor hardvochtige lomperik was zij dan?

Star wees met haar vork naar haar. 'Jij zou een prachtig wiegje kunnen maken, Rese, van dat dikke hout in het schuurtje.'

'Dat dikke hout is ergens anders voor bestemd.' Maar ze zou misschien wel wat overhouden en ze had nog meer mooie stukken hout. Het was niet te geloven dat ze enthousiast raakte over een ontwerp dat zich in haar hoofd vormde.

Ze had Maria zelfs nog nooit ontmoet. Maar ja, ze was eerder bereid geweest haar huis te openen voor vreemden. Op een tijdelijke, winstgevende basis, met Lance aan het roer. Lance. Ze kreunde.

'We komen er nog wel op terug', zei hij, waarmee hij de druk van de ketel haalde en haar uit haar moeilijke situatie bevrijdde.

Rese kookte van woede, maar ging er niet tegenin.

'Fijn. Dan hoor ik het wel.' Michelle was een en al glimlach, wetend wat het antwoord zou zijn, dus waarom zou ze dat niet meteen zeggen?

Maar Rese zweeg. Er waren te veel onzekerheden. Antonia mocht dan van baby's houden, maar hoe lang zou ze hier nog zijn? En wat moest ze doen als Michelle bestemmingen voor de andere gastenkamers vond? Maria in huis nemen zou een boodschap uitzenden, een precedent scheppen, nee zeggen de volgende keer nog veel moeilijker maken. Ze was altijd goed geweest in nee zeggen. Een meester in weigeren. Ze zou nu ook nee kunnen zeggen. Maar dat deed ze niet.

Nadat Michelle weggegaan was en Lance Antonia begeleid had naar het koetshuis, bracht Rese mam naar bed. Het was hun tijd samen, omdat Star overdag voor haar zorgde. Soms wilde ze praten, maar vanavond liep mam naar de tv en zette hem aan, een teken dat ze alleen wilde zijn.

Rese vatte het niet persoonlijk op. Ze begreep de behoefte om alleen te zijn. En dat zou weleens een zeldzaam goed kunnen worden. Ze ging naar beneden. Lance en Star waren de boel aan het opruimen, waarbij Star heen en weer vloog tussen de tafel en het aanrecht en Lance tot aan zijn ellebogen in het sop stond. Wat deed hij bij haar gootsteen en waarom hadden ze geen vaatwasser aangeschaft? O ja, daar had zij nee tegen gezegd.

De opera was vervangen door rockklassiekers en Star bewoog op de maat, stak een roos tussen haar tanden en zwierde door de keuken. Lance keek Rese schuins aan, en zij beantwoordde die blik voor ze zichzelf kon weerhouden. Ze wilde niet weer beginnen met het uitwisselen van blikken. Dat leidde tot andere non-verbale communicatie.

Met opeengeklemde kaken griste Rese een theedoek van het rek en pakte het afgespoelde bord aan dat hij haar toestak. De spieren en pezen op zijn onderarmen waren duidelijk zichtbaar en deden haar denken aan Rico, maar ze vroeg er pas naar toen Star hen een kushandje toegewuifd had en naar boven was gegaan.

'Hij is aardig genezen.' Lance gaf haar het laatste bord aan. 'Als hij zichzelf een beetje ontziet.'

'Is dat mogelijk? Dat Rico zichzelf ontziet?'

Lance hield zijn hoofd iets schuin. 'Een heel klein beetje.'

Ze droogde haar handen af en hing de theedoek op het rek. Toen ze zich omdraaide, botste ze tegen hem aan. Hij had haar in een hoek tegen het aanrecht gedreven en de blik op zijn gezicht raakte haar als een vuistslag. 'Haal het niet in je hoofd.'

'Dat is tamelijk onmogelijk.' Zijn blik ging naar haar mond.

'Lance.' Als hij haar zou kussen, zou ze hem slaan. En dan zou ze zichzelf voor haar kop slaan omdat ze het eigenlijk wel wilde.

Hij slikte krampachtig. Zijn borst zwoegde. Maar hij deed een stap achteruit en zij liep weg.

'Ik wilde je vragen of je misschien wilde blijven tot Maria bevallen is en een eigen plekje gevonden heeft.'

'Dus je neemt haar in huis?'

Rese slaakte een geïrriteerde zucht. 'Het is niet zo makkelijk om nee te zeggen.'

'Volgens mij kun je dat aardig goed.'

Die opmerking negeerde ze. 'Vooral na die preek van Michelle over dat uit liefde verrichte werk.'

'Je zou het toch wel doen.' Zijn blik verwarmde haar. 'Zo ben je nu eenmaal.'

Rese wendde zich af en de boosheid op haar gezicht maakte plaats voor pijn. 'Daar is een woord voor – voetveeg.'

'Je bent geen voetveeg.'

Zijn hand sloot zich om haar elleboog en dat zond een schokgolf door haar hele arm. Hij trok haar naar zich toe.

'Lance, als je me kust, zul je het berouwen.'

'Dat risico neem ik dan maar.'

Ze snoof. 'Niet te geloven! Hoe kun je denken dat ik zou willen –' Haar stem verried haar. Ze balde haar vuisten. 'Zou je hier ook zijn als Antonia je er niet toe gedwongen had?'

'Rese...'

'Geef antwoord.'

'Ik wilde het niet nog erger maken.'

Ze snoof. 'Omdat het zo goed was?'

Baxter keek op van de vloer, omdat hij de spanning tussen hen aanvoelde. Lance liet zijn handen om haar middel glijden. 'Rese, luister...'

Ze was niet van plan hem te laten praten. 'Laat me los.'

Hij slikte krampachtig. 'Goed.' Maar het duurde drie seconden voor hij het deed.

Rese rechtte haar rug. 'Je bent vanaf nu in dienst. Antonia mag gratis blijven.' Ze was dan misschien niet schizofreen, maar ze had zojuist wel bewezen dat ze rijp was voor het gekkenhuis.

Hoofdstuk 38

Maria was ongeveer net zo groot als Star en had zo'n dikke buik, dat ze elk moment leek te kunnen barsten. Ze stond daar in een joggingbroek en een rafelige, uitgelubberde trui, met haar benen wijd om het gewicht te dragen. Lance zei het niet hardop, maar hij betwijfelde of het nog een maand zou duren voor de baby kwam. Hij had genoeg zwangere tieners gezien om te weten dat ze op alle dagen liep.

'Nou, dit is Maria.' Michelle gaf haar een duwtje op de oprit.

Hij en Rese waren met z'n tweeën naar buiten gegaan de frisse, grijze ochtendlucht in om hen te begroeten, omdat Elaine wat uitleg zou vergen en Star het meisje niet wilde overweldigen.

Rese, die geen jas aan had, sloeg haar armen om zich heen. 'Hallo, Maria. Ik ben Rese en dit is Lance.' Duidelijk en eenvoudig en meer dan ze gezegd had tegen eerdere gasten. Het lukte haar nu ook wel zonder zijn radde tong.

Maria keek niet op en bewoog haar lippen amper toen ze met een sterk accent 'Hallo' zei.

Rese wreef over haar armen. 'Ik heb een kamer voor je klaargemaakt. Ik hoop dat je het niet erg vindt dat je de trap op moet.'

Maria's gezicht was een en al verwarring en zonder erbij na te denken vertaalde Lance het. Rese keek hem verbaasd aan.

'Minder Engels dan we dachten.' Hij kon een glimlach niet onderdrukken. Zijn gebed van gisteravond had gegrensd aan wanhoop en nu waren zij wanhopig. Weer overschakelend op Spaans vroeg hij Maria of ze verder wilde komen. Ze knikte.

Michelle spreidde haar handen. 'Nou, dan ga ik maar, dan kunnen jullie verder met elkaar kennismaken.'

Rese keek een beetje paniekerig. 'Denk je niet dat ze jou nog een poosje hier wil hebben? Tot ze zich op haar gemak voelt?'

'Ze kent mij niet veel beter dan jou. En je hebt een tolk.' Michelle glimlachte hem toe.

Hij haalde zijn schouders op. 'Ik moest weten waarvoor Rico me uitschold.' Hij richtte zich tot Maria en zei vriendelijk: *'Vamanos.'*

'Niet te geloven', mompelde Rese, terwijl ze achter hem aan naar binnen liep.

Hij was de eerste ochtend hier bijna wanhopig wakker geworden, in het besef dat Rese hem niet nodig had. Hij was door het vuur gegaan, maar het enige wat zij zag was het opgebrande omhulsel. En zij was verder gegaan met haar leven. Deze taalkwestie was iets kleins, maar wellicht iets belangrijks. Gaf de Heer hem een stapsteen in de woelige stroom? Meer kon hij niet vragen. Hij wist wel beter.

Maria's ogen werden groot toen ze haar naar de 'Jasmijntuin' brachten, de witte kamer met het hemelbed met doorzichtige voile. Ze zag er verward en een beetje bang uit.

'Zeg haar dat dit haar kamer is.' Rese sprak zachtjes, alsof ze het zou kunnen horen.

Lance vertelde Maria wat Rese gezegd had, maar ze begreep het nog steeds niet, dus hij legde uit dat ze daar kon slapen en het bureau en de aangrenzende badkamer kon gebruiken. Normaal gesproken zou hij haar ook op de kast gewezen hebben, maar ze had geen andere kleren meegebracht.

Toen hij uitgesproken was, sloeg ze haar ogen neer en vroeg in het Spaans: 'Wat moet ik doen?'

Heer. Hij haalde langzaam adem en zei in woorden die ze kende en begreep: 'Een sterke, gezonde baby krijgen.'

Ze wilde nog steeds niet opkijken, maar ze knikte.

'Tienes hambre?' Het leek er niet op dat ze nog ruimte in haar buik had voor voedsel, maar hij wist van Lucy en Monica dat dat hen er niet van weerhield om honger te hebben.

Ze schudde haar hoofd.

Hij vertelde haar dat de keuken beneden was, dat ze samen met hen zou eten, maar dat ze zelf ook wat kon pakken als ze trek had. *'Comprendes?'*

'Si', mompelde ze bijna te zachtjes om te horen.

Hij pakte Rese bij de elleboog. 'Laten we haar even de tijd geven om te wennen.'

Rese liep achter hem aan de kamer uit, waarbij ze de deur achter zich openliet. Maria had zich niet verroerd, maar ze wilden niet dat ze zich opgesloten zou voelen. Ze gingen naar beneden.

Rese liet zich in de woonkamer in een stoel zakken. 'Wat heb je tegen haar gezegd?'

Hij herhaalde het.

'Wat zei ze?'

'Ze wilde weten wat ze moest doen.' Hij vermoedde dat ze bedoelde wat er met haar gedaan zou worden. Wat een zieke wereld was dit toch. 'Ik zei dat ze een gezonde baby moet krijgen.'

Rese knikte, maar hij wist niet wat ze dacht. Ze had hem weer buitengesloten.

'Ik denk dat het goed is dat je hier bent.'

Het klonk niet bepaald enthousiast. Maar wat had hij dan verwacht? Hij was weer de knecht.

Ze snoof. 'Ik ken genoeg Spaans om een bouwvakker te zeggen dat het opnieuw moet, dat het recht moet, dat hij de rommel op moet ruimen. Daar zal ik niet veel aan hebben.'

'Misschien begrijpt ze meer dan we denken.'

Rese schudde haar hoofd. 'Ze moet doodsbang zijn.'

'Ja.' En Rese wist alles van angst en situaties die ze niet onder controle had. Het was geen toeval dat het meisje bij hen terechtgekomen was.

Rese duwde zichzelf overeind uit de stoel. 'Ik moet naar mijn werk.'

Hij haatte die woorden. Niet omdat ze iets deed wat ze fijn vond en waar ze goed in was, en zelfs niet omdat ze het met Brad deed, maar omdat het het einde van hun droom zo definitief maakte. Hij probeerde het niet te laten zien. Mislukt.

Ze pakte haar sleutels en ging zonder gedag te zeggen naar buiten. Hij had haar gisteravond te veel onder druk gezet. Daar zou ze hem niet nogmaals de kans voor geven. Hij voegde zich bij nonna, Star en Elaine in de keuken en lichtte hen in over de taalbarrière van hun gast. Maar ook al sprak geen van hen Spaans, het was nauwelijks te vergelijken met zijn gemankeerde communicatie met Rese.

'Komt het door mij?' Rese stak haar handen in de zakken van haar jas. 'Zie ik er zo stom of onnozel uit?'

'Niet bepaald.' Brad lachte.

'Eén woordje Engels, Brad. En daar moest ze haar best voor doen.'

Op zijn hurken op het dak, zette hij zich schrap tegen een windvlaag. 'Nou ja, die vent van je spreekt een mondje Spaans. Ik zou me meer zorgen maken om het risico van haar situatie.'

'Risico?'

Hij haalde zijn schouders op. 'Ze zou een oplichter kunnen zijn, weet jij veel.'

'Ze is zestien, Brad.'

'Wie zegt dat?' Hij gooide een kapotte dakpan in de doos met puin.

Ze wilde zeggen dat ze Michelle vertrouwde, maar Michelle had gezegd dat ze Maria zelf ook amper kende. Stel dat het een valstrik was om haar bij hen in huis te plaatsen, om hen vervolgens te verwijten dat ze... ja, wat eigenlijk? Rese keek bedenkelijk. 'Je bent achterdochtig.'

'Klaag me maar aan.'

Ze haalde eens diep adem en liet haar adem langzaam ontsnappen. 'Ik kwam naar boven om me beter te voelen, niet slechter.'

'Ik vind alleen dat je moet oppassen om niet Jan en alleman bij je te laten intrekken. Wat zou Vernon daarvan vinden?'

Rese probeerde zich pa in de villa voor te stellen. Dat lukte haar niet, maar daar kon ze eigenlijk ook niet zo mee zitten. 'Weet je, het maakt niet uit wat hij ervan zou vinden. Ik mis hem. Ik vind het erg dat hij er niet meer is.' Op het moment dat ze het zei, voelde ze een steek van verdriet. 'Maar het is mijn leven; het gaat erom wat ik belangrijk vind.' Ze schrok er zelf van, omdat ze het ook geloofde.

Brad ging op zijn hurken zitten en nam haar opmerkzaam op. Zijn handen zaten onder de vlekken van het teerpapier en een van de knieën van zijn spijkerbroek was kapot. Zijn sweatshirt was dik, maar ondanks dat moest hij de koude wind voelen, die opgestoken was. 'Nou, schat, dan ben je volwassen geworden.'

Zijn telefoon ging en hij sprak met een van de mannen binnen. Rese huiverde in de frisse wind en knoopte haar gewatteerde jack nog wat hoger dicht. Brad stak de telefoon weer in zijn zak en leunde achterover.

Rese trok een rimpel in haar voorhoofd. 'Ben jij bang?'

Hij hield zijn hoofd iets schuin. 'Waarvoor?'

'Om je huwelijk een tweede kans te geven.'

Hij liet zijn onderarmen op zijn knieën rusten. 'Ik heb er spijt van dat ik je dat verteld heb.'

'Nou?'

Hij keek een andere kant op en toen weer naar haar. 'Ja. Ik ben bang dat als we het weer zouden proberen en het zou niet werken...'

'Maakt het je bang om te bedenken dat het wel zou kunnen werken en je dat nooit zou weten?' Ze sloeg haar armen om zichzelf heen en rilde.

Zijn neus was rood geworden in de wind. Hij haalde zijn neus op. 'Ja. Dat maakt me bang.'

En wat was ze nou opgeschoten met die ondervraging? Waarom dacht ze dat er in Brads leven een les lag voor haar? Hij had vrede met de keuzes die hij gemaakt had. Toch?

Ze ging weer naar beneden en bleef doorwerken toen het donker werd omdat ze de kasten af moest maken, zodat de elektricien de ingebouwde verlichting kon aansluiten en omdat ze nog niet tevreden was met de afwerking van een deel van de balustrade en... Toen ze niets anders meer kon vinden dat niet kon wachten, reed ze met lood in haar schoenen naar huis.

Ze had het grotendeels onder controle gehad met mam en Star. Zelfs met de extra aandacht die mam nodig had, was haar leven eenvoudiger dan het in lange tijd geweest was. Toen had Lance haar uit haar evenwicht gebracht, en nu Maria. Hoe had ze het in haar hoofd gehaald? Misschien had Brad gelijk. Misschien moest ze meer als pa denken. Hij zou nooit in zo'n penibele situatie verzeild zijn geraakt. Maar aan de andere kant... miste ze die eenzame avonden voor de tv nou echt?

Een vlaag natte hagel tikte over haar voorruit als korreltjes rijst. Haar ruitenwissers gingen heen en weer. Brad had het dak net op tijd afgekregen. Ze zou het niet fijn vinden als hij daarbovenop zat met ijs op de dakpannen en ze hadden allebei een hekel aan uitstel – behalve als het haar ervan weerhield een situatie onder ogen te zien, die ze voor geen goud onder ogen durfde te zien.

Ze parkeerde de truck en hoewel het in de cabine bloedheet was geweest, verkilde de windvlaag die haar raakte toen ze het portier opendeed haar tot op het bot. Met moeite duwde ze het portier dicht, hield haar jack rond haar keel dicht en rende naar de keukendeur. Die ging open voor ze de deurkruk kon beetpakken en Lance trok haar naar binnen. Ze trok haar pols uit zijn greep en veegde de hagel uit haar haar en van haar mouwen.

'Doe gauw je jas uit en hang hem over de stoel.' Lance kwam met een dampende beker melk aanlopen, die hij kennelijk al klaar had staan toen ze haar jas uittrok, duwde die in haar handen en bedekte ze met de zijne.

Niet bepaald werknemersgedrag. Ze zou hem maar als huisknecht beschouwen. Of als slaaf. Ze moest bijna lachen en dat joeg haar meer angst aan dan wat dan ook. Werd ze ziek of zo?

'Ik heb je eten voor je bewaard.'

'Ik heb al gegeten.'

Zijn teleurstelling was tastbaar.

Het was volgens haar niet uit boosaardigheid dat ze onderweg een broodje hamburger had gekocht. Eerder uit zelfbescherming. Zijn eten had zijn uitwerking al op haar en ze had wat verweer nodig. Wat was dan haar excuus om de warme melk op te slurpen tot ze een melksnor en een heerlijk, voldaan gevoel had?

Instinct. Welk koud, moe dier zou dat niet doen? Maar Lance zocht er veel meer achter. Binnen de kortste keren zou hij haar naar zich toe trekken en ze was niet in staat zich daartegen te verweren, omdat zich verweren tegen Lance niet tot haar vaardigheden behoorde.

Ze stak haar kin in de lucht. 'Hoe gaat het met Maria?'

'Ik weet het niet.' Hij pakte de lege mok van haar aan en zette hem op het aanrecht. 'Ze heeft niks gegeten, is niet uit haar kamer geweest. Star en ik zijn een paar keer bij haar gaan kijken, maar ze zegt niet veel.'

Rese snoof.

'Volgens mij is ze verder dan Michelle dacht.'

'Je bedoelt dat ze op alle dagen loopt?'

Hij haalde zijn schouders op. 'Ik ben geen expert, maar ik heb mijn zussen en nichten en nogal wat meisjes in de buurt gezien. Dan krijgen ze zo'n vage blik in hun ogen. Ze is zo breed dat het erop lijkt alsof de baby al ingedaald is.'

Rese keek hem aan. 'Ingedaald?'

'In het geboortekanaal.'

Ze zette haar handen in haar zij. 'Ik dacht dat je geen expert was.'

'Het hoort bij het leven, Rese. Ik heb er bovenop gestaan.'

Die opmerking bezorgde haar een schok waardoor ze haar blik afwendde. *Denk niet aan zijn leven.* Aan de mensen die haar in hun huis, in hun hart opgenomen hadden, echte mensen, echte familie, zelfs als er geen sprake was van een bloedband. Zij had zijn leven ook gedeeld. 'Moet ik even bij haar gaan kijken?'

'Als je wilt. Ze ligt waarschijnlijk in bed.'

Rese knikte. Wat zou ze kunnen zeggen? Ze sprak haar taal niet, sprak niemands taal.

Hij pakte haar handen en warmde ze tegen zijn mond. 'Kan ik nog iets voor je maken?'

Ze schudde haar hoofd.

'Ook maar iets wat ik kan doen?' Zijn stem klonk schor.

'Lance...' Dit zou niet werken als hij iedere keer zo persoonlijk zou worden –

'Ik hou van je.'

De tranen prikten in haar ogen. 'Dat heb je eerder gezegd.'

Hij fronste zijn wenkbrauwen. 'Ik meende het.'

Ze sloot haar ogen en schudde haar hoofd.

Zijn adem was heet op haar vingers. 'Ik weet dat ik je pijn gedaan heb.'

'Ik ben niet gekwetst.'

'En het spijt me, Rese, maar ik deed wat ik moest doen.'

'Moest doen?' Ze keek hem kwaad aan.

'Ik wist niet wat God van me verwachtte. Maar je weet dat ik het moest doen.'

'Maar wat het ook was, ik was onbelangrijk. Onze plannen waren onbelangrijk.'

'Het spijt me.' Hij trok haar naar zich toe en nam haar gezicht tussen zijn handen. 'Ik heb het zo niet gepland. Als het aan mij lag waren heel veel dingen anders. En misschien doe ik het nog steeds niet goed, maar ik doe mijn best.'

Het keukenlicht glinsterde in het diamantje in zijn oor. Waar was de minachting die ze hem bij de eerste aanblik daarvan had laten voelen? Hoe was het hem gelukt om haar verdediging en gezond verstand weg te vagen? Ze moest beter weten.

Zijn ogen werden donker. 'Ik probeer het goed te maken.'

Alleen Lance zou denken dat dat mogelijk was.

'Hoe lang het ook duurt, wat er ook voor nodig is.' Hij haalde schokkerig adem. 'Als je het nu niet kunt geloven, gun me dan wat tijd. Laat het me je laten zien. Laat me bewijzen dat ik... trouw ben.'

De gedachte aan zijn trouw bezorgde haar een brok in haar keel. Want was dat niet zijn wezen? Had zijn trouw hem er niet toe gedreven om Antonia te dienen en, meer nog, God? Bood hij haar iets aan wat in de buurt kwam van het vuur dat hem had uitgehold? Die gedachte verstrikte haar en maakte haar bang.

Zijn handen omvatten haar gezicht in een vurige omhelzing. 'Ik hou van je. En ik ga je kussen.'

Haar hart bonkte tegen haar ribben. 'Het zal niets veranderen.'

'Misschien niet.' Maar hij vond haar mond en maakte haar tot een leugenaar. En een dwaas, omdat alles in haar wilde reageren en dan zou ze hem terugkussen en zou hij denken dat hij gewonnen had en daar zou hij gelijk in hebben.

Ze was nog niet bereid om zich gewonnen te geven. Ze had de pijn gevoeld, die even groot was als de extase. Maar zijn kus verdiepte zich en zijn armen sloten zich om haar heen en ze wist waar ze thuishoorde, als ze bereid was het risico te nemen.

Maar met een kracht die Vernon Barrett toegejuicht zou hebben, trok ze zich terug en zei: 'Bedankt voor de warme melk.'

Hij slikte. 'Graag gedaan.'

Ze voelde zijn blik in haar rug, tot ze de deur uit was. Met pijn in haar hart kleedde ze zich uit, stapte onder de douche en trok haar flanellen pyjamabroek en zachtgroene jasje aan. Met uiterste wilskracht richtte ze haar gedachten op het meisje boven met haar opgezwollen buik en de baby die ingedaald was in het geboortekanaal. Relativeren.

Misschien zou ze morgen aan het wiegje beginnen. Ze zuchtte. Hoe was het zover gekomen? O ja. Onvoorwaardelijke liefde. Was dat niet wat Lance wilde?

Ze werd met een schok wakker toen Star zo hard aan haar arm schudde, dat haar tanden bijna uit haar mond vielen. 'Rese, ze is bevallen!'

Ze probeerde wakker te worden. 'Bevallen? Is ze aan het bevallen?'

'Ze is al bevallen.'

Ze schoot overeind. 'Ga Lance halen. Ik bedoel Antonia. Haal ze allebei. En bel de vroedvrouw.' Hoewel ze niet wist wat voor zin dat nou nog zou hebben.

Terwijl Star naar het koetshuis ging, rende Rese met grote stappen de trap op, maar boven gekomen bleef ze stokstijf staan. De geur van bloed deed haar kokhalzen en verlamde haar. Maria kreunde, maar de baby maakte geen geluid. Hij kon onmogelijk slapen. Hij moest dood zijn.

Heer. Ze liet zich tegen de muur aan zakken, terwijl huiveringen haar benen in pap veranderden. Haar hoofd tolde. Star kwam achter haar aan naar boven rennen en toen Lance, met Antonia in zijn armen. Hij moest haar in haar nachtpon uit bed getild hebben, maar ze vertelde hem rustig dat ze koord en een schaar nodig hadden, en warme handdoeken. Ze verdwenen de kamer in.

En toen hoorde Rese de baby huilen. De mist trok op in haar hoofd. Ze wankelde naar de deuropening. Maria's bovenbenen zaten onder het bloed. De baby lag in elkaar gedoken te jammeren op de natte lakens, met trillende armpjes en beentjes.

In een T-shirt en joggingbroek, met warrig haar van de slaap en stoppels op zijn kin, liet Lance zich bij het bed op zijn knieën vallen en tilde de baby op, waaraan nog altijd een kokerachtige streng en een bloederige massa hing. Hij nestelde hem tegen zijn borst.

De baby ging verder met zijn gehuil, dat op het geknars van een roestig scharnier leek. Toen ze haar benen weer durfde vertrouwen, rende Rese naar beneden om een schaar en een koordje te halen, toen weer naar boven, terwijl ze het alweer aannemelijk probeerde te maken voor zichzelf. Haar gezichtshoek, bloed op het gezichtje, haar eigen duizeligheid door de flashback.

'Bind het stevig v...ast, dicht bij het b...uikje, maar niet te dichtb...ij', zei Antonia tegen haar.

Lance hield het buikje van de baby omhoog, terwijl zij het koordje onhandig om de sponsachtige navelstreng bond en stevig aantrok. Ze keek in zijn gezicht en zag een mengeling van bezorgdheid en waarschijnlijk adrenaline, die zijn handen deed trillen.

'Nu k...nippen.'

Rese verloste het jongetje van de navelstreng en de placenta. Star pakte een donzige witte handdoek uit de badkamer en Lance wikkelde het ventje erin, tot alleen zijn ongeschonden gezichtje nog zichtbaar was. Toen legde hij de baby in Maria's armen.

Lance trilde toen hij nonna weer naar het koetshuis droeg, maar niet van moeheid. De vroedvrouw was gekomen, had de baby gewassen en aangekleed en Maria laten zien hoe ze hem de borst moest geven. Star en Rese waren er als ze nog iets anders nodig had. Elaine had door alles heen geslapen.

'Zet me neer', zei nonna tegen hem, toen hij haar de slaapkamer in droeg.

Hij zette haar overeind in het bed dat Rese gemaakt had en stopte kussens achter haar rug.

'Nu jij.' Ze wees naar het voeteneinde van het bed.

Hij ging zitten en keek haar aan. Het rillen nam toe.

'Je moet er niet bang voor zijn.' Haar stem klonk streng.

'Nonna...' Het was veel meer dan angst.

'Als God jou wil gebruiken, dan zal Hij je gebruiken.'

Hij wist wiens kracht het was. Maar hij begreep er niets van.

'God heeft al vanaf je geboorte een liefdesrelatie met jou.'

Lance schudde zijn hoofd. Dat bestond niet. Daar had hij veel te veel voor gestreden en gerebelleerd. Maar was die strijd niet altijd veroorzaakt door een diepe hunkering in zijn binnenste? *Gebruik mij, Heer. Giet mij uit in deze lijdende wereld.*

'Nu wordt het zichtbaar.' Ze haalde haar schouders op. 'Nou en?'

Hij slikte moeizaam. 'Maar nonna, hoe kan dat... werken, als ik zo'n mislukkeling ben?'

Ze schoot in de lach, sloeg haar handen samen voor haar borst en lachte nog harder.

Hij spreidde zijn handen. 'Wat nou?'

'Zo' – ze wees met een priemende vinger naar hem – 'werkt het juist.'

Gelukkig had Carla, de vroedvrouw, luiers en spullen voor Maria en de baby meegenomen, want ze hadden geen tijd gehad om zich voor te bereiden. Rese verschoonde het bed, wachtte tot Maria en haar zoontje lekker onder de dekens lagen en liet Carla toen uit. Daarna liep ze in de ochtendschemering naar haar kamer, met Star in haar kielzog. Het verbaasde haar niet dat Star naast haar in bed kroop. Ze waren allebei op zijn zachtst gezegd van slag.

Rese lag naar het plafond te staren en liet het hele gebeuren in haar gedachten nog eens de revue passeren. Eén ding was zeker, ze zou nooit de leiding moeten hebben als er bloed in het spel was.

Reses hart bonkte, terwijl ze daar lag en het allemaal weer voor zich zag. De rode, wasachtige baby, opgerold als een rups in Lances handen, de uitdrukking op zijn gezicht, die ze nooit zou vergeten, het gezichtje van de baby...

Star trok Reses hand tegen haar wang en nestelde zich tegen haar aan, zoals ze gedaan had toen ze kleine meisjes waren, zusjes in alles behalve hun DNA. 'Ik hoop dat Lance voor het ontbijt zorgt', zei ze slaperig. 'Ik heb nu al honger.'

Hoofdstuk 39

De volgende morgen opende Rese de oven en snoof de geur op van de goudbruine, borrelende aspergefrittata. Baxter kwam onder de tafel vandaan, trippelde over de vloer naar haar toe en duwde zijn kop tegen haar benen. Rese deed de oven dicht en pakte zijn kop tussen haar handen. 'Goedemorgen.' Ze krauwelde zijn kop en zijn oren. Het was een goede morgen. Hoewel het nog maar een paar uur na het drama van afgelopen nacht was, had ze zelf ook als een baby geslapen.

Star lag nog in bed; het hele huis was stil. Ze had geen enkel geluid gehoord uit de keuken en zou bijna geloven dat Lance de heerlijk ruikende frittata uit het niets getoverd had. Maar die gedachte riep haarscherpe herinneringen op aan de afgelopen nacht.

Ze drukte een hand tegen haar voorhoofd. Als er iets mis was en daarna niet meer, wat betekende dat dan? En was dat dezelfde man als degene die haar gisteravond gekust had? *Laat me bewijzen dat ik trouw ben.*

Ze liet haar vingers omlaagglijden tot ze op haar mond rustten. Zag hij eigenlijk wel hoe God hem gebruikte om mensenlevens te veranderen? *Misschien doe ik het nog steeds niet goed.* De Heer leek die mening niet te delen. Of misschien ging het er niet om of je het goed deed. Misschien ging het om proberen, om willen, om net als God te zien, te voelen en lief te hebben.

Met een zucht keek Rese om zich heen in de keuken, terwijl ze zich voor de geest probeerde te halen wat ze aanvankelijk van plan was geweest. Ze lachte zachtjes. Plannen veranderden. Levens werden met elkaar verbonden. Wonderen gebeurden nog steeds.

Baxters tong verwarmde haar hand. Met een glimlach opende ze deur om hem naar buiten te laten en zag Lance staan, met zijn gezicht opgeheven naar de hemel en zijn ogen gesloten, zijn wangen nat van tranen. Zijn huid had een gloed als goudstof van de zon. *'Ik deed wat ik moest doen.'* Hij had de waarheid verteld.

Hij was bereid geweest om haar op te geven, om alles te doen voor de God die hij liefhad. Maar ze stapte naar buiten, en ook al was het januari, de warmte van de zon omhulde haar van haar kruin via haar schouders en armen naar haar blote voeten op de ruwe stenen. Ze liep naar hem toe.

Toen Lance zich uiteindelijk omdraaide, veegde hij zijn tranen niet weg. Hij wist waarschijnlijk niet eens dat ze er waren. In zijn ogen stond een smeekbede te lezen en een belofte. Hij stak zijn hand uit en met een steek van herkenning deed ze een stap naar voren om die te pakken. Iemand moest hem verbonden houden met de aarde.